D1580102

SWANSEA LIBRARIES
0001098633

Canolfan Uwchefrydiau
Cymreig a Cheltaidd
Prifysgol Cymru

DIWYLLIANT GWELEDOL CYMRU

Diwylliant Gweledol Cymru:

Delweddu'r Genedl

Peter Lord

GWASG PRIFYSGOL CYMRU, CAERDYDD
2000

DIWYLLIANT GWELEDOL CYMRU

Golygydd Cyffredinol: Geraint H. Jenkins
Cynllunydd: Olwen Fowler

Argraffiad cyntaf 2000
Adargraffwyd 2004

Argraffwyd yng Nghymru gan
Argraffwyr Cambrian, Aberystwyth

Y mae cofnod catalogio'r gyfrol hon
ar gael gan y Llyfrgell Brydeinig.

ISBN 0-7083-1592-5

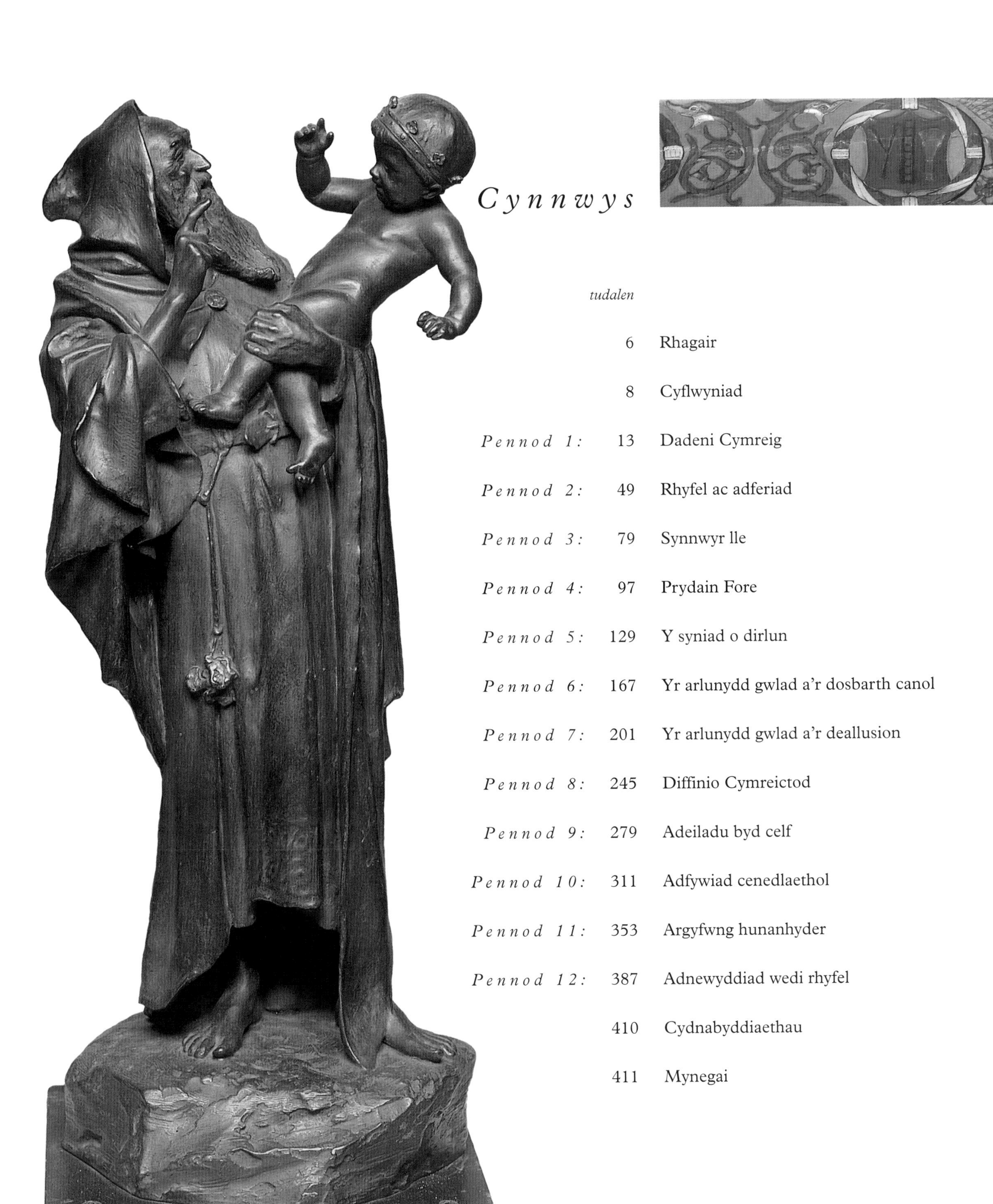

Cynnwys

RHAGAIR

Mewn erthygl dan y pennawd 'The University of Wales and Art', a gyhoeddwyd bymtheng mlynedd a thrigain yn ôl, honnodd Edmund D. Jones, prifathro Ysgol y Sir, Abermaw, a chefnogwr brwd y celfyddydau, ei bod o fewn gallu'r Brifysgol genedlaethol i gyfoethogi ac ehangu diwylliant y genedl gyfan drwy feithrin diddordeb yn nhreftadaeth artistig Cymru. Er gwaethaf ei apêl daer, ni roddwyd fawr o sylw i hanes y dreftadaeth artistig a gollwyd gennym. Serch hynny, ar drothwy'r trydydd milflwyddiant, gellir ymfalchïo yn y ffaith mai un arwydd o hunanhyder ac aeddfedrwydd Cymru yw'r diddordeb cynyddol yn ein treftadaeth artistig frodorol ac y mae'n addas iawn fod y prosiect arloesol hwn ar 'Ddiwylliant Gweledol Cymru' yn cael ei gynnal mewn canolfan ymchwil fawr ei pharch o fewn Prifysgol Cymru. Nod y gyfrol hon, yr ail mewn cyfres o dair a gyhoeddir yn y Gymraeg a'r Saesneg, yw ymdrin â delweddu pobl a thir Cymru o gyfnod y Tuduriaid cynnar hyd at y 1960au. Fel ei rhagflaenydd, *Diwylliant Gweledol Cymru: Y Gymru Ddiwydiannol*, y mae'r gyfrol hardd hon yn gwneud defnydd helaeth o ddeunyddiau archifol a gweledol newydd a'i nod yw llenwi'r bwlch eang yn ein gwybodaeth o ddatblygiad delweddau a llunio delweddau o fewn cyd-destun ehangach y newidiadau cymdeithasol, economaidd, gwleidyddol a sefydliadol a fu yng Nghymru.

Fel holl gyhoeddiadau Canolfan Uwchefrydiau Cymreig a Cheltaidd Prifysgol Cymru, y mae'r gyfrol hon yn gynnyrch ymchwil gydweithiol ddwys ac y mae'n bleser gennyf ddiolch yn gyhoeddus i'r rhai a fu ynghlwm wrth y gwaith. Y mae fy nyled bennaf i Peter Lord, awdur y gyfres, sydd wedi arwain y prosiect hwn ag egni ac ymrwymiad rhyfeddol. Y mae'n glod iddo fod y gyfrol hon, sy'n ffrwyth ei wybodaeth ddihafal am ddiwylliant gweledol Cymru yn y cyfnod modern, yn cyflwyno treftadaeth artistig rymus yn fwy eglur nag erioed o'r blaen. Bu cyfraniad Lindsay Clements yn amhrisiadwy: casglodd ynghyd yr holl luniau angenrheidiol, yn hen a newydd, ynghyd ag ymdrin â materion hawlfraint yn amyneddgar ac effeithlon. Drwy sefydlu perthynas ardderchog â staff Amgueddfa ac Oriel Genedlaethol Caerdydd, llwyddodd Angela Gaffney i archwilio amrywiaeth cyfoethog a chyffrous o adnoddau. Cyflawnodd Stephanie Jones ymchwil ddefnyddiol i swyddogaeth tirfeddianwyr fel hyrwyddwyr a noddwyr celfyddyd weledol, a dangosodd Paul R. Harries gryn fenter a dygnwch wrth gasglu gwybodaeth newydd am arlunwyr anhysbys neu anadnabyddus. Buom yn ffodus i elwa ar arbenigedd John Morgan-Guy ar ddelweddaeth gynnar y Tuduriaid, a chafwyd cymorth Nerys A. Howells gyda'r farddoniaeth berthnasol. Bu Martin Crampin, sy'n helpu i baratoi fersiynau CD-ROM o'r gyfres gyfan, yn hael iawn ei gefnogaeth, a gwerthfawrogir yn fawr hefyd gymorth Sara Bevan ac Emma Burgoyne. Cafwyd cymorth parod gan rai sy'n gweithio ar brosiectau eraill yn y Ganolfan hefyd pan oedd angen, a hoffwn ddiolch yn arbennig i Jeffrey D. Pritchard, cyn-Ysgrifennydd Cyffredinol Prifysgol Cymru a D. Ian George, y Cyfarwyddwr Adnoddau, am eu cefnogaeth a'u ffydd yn y fenter hon.

Y mae ein dyled yn fawr i wahanol sefydliadau. Ni allai unrhyw brosiect ar y raddfa hon lwyddo heb gydweithrediad llawn staff Llyfrgell Genedlaethol Cymru ac Amgueddfeydd ac Orielau Cenedlaethol Cymru, a chafwyd pob cymorth posibl ganddynt. Y mae haelioni Cyfadran Loteri Cyngor Celfyddydau Cymru wedi bod yn hollbwysig, a phleser digamsyniol hefyd yw cydnabod cymorth ariannol Ymddiriedolaeth Derek Williams, Y Sefydliad dros Chwaraeon a'r Celfyddydau, Bwrdd Gwybodau Celtaidd Prifysgol Cymru, Elusen Gwendoline a Margaret Davies, a Sefydliad Garfield Weston. Yr wyf i a'm cyd-weithwyr yn fawr ein dyled i ymddiriedolwyr a chyfarwyddwyr orielau, llyfrgelloedd ac amgueddfeydd, a hefyd i berchenogion preifat a ganiataodd i ni weld eu casgliadau ac atgynhyrchu gweithiau celf sydd yn eu meddiant. Y mae'r prosiect hwn wedi denu cryn ddiddordeb ymhlith y cyhoedd yn gyffredinol a hoffwn ddiolch i berchenogion gweithiau celf a haneswyr lleol am rannu o'u gwybodaeth arbenigol. Y mae'n rhaid diolch yn arbennig i Miles Wyn Cato, David Mortimer-Jones a Thomas Lloyd am eu cyfraniadau haelionus.

Hoffwn ddiolch yn ddiffuant i Oliver Fairclough, Ceidwad Celf Amgueddfa ac Oriel Genedlaethol Caerdydd, Isabel Hitchman, cyn Uwch-swyddog y Celfyddydau Gweledol a Chrefft yng Nghyngor Celfyddydau Cymru, D. Huw Owen, Ceidwad Mapiau a Phrintiau, Llyfrgell Genedlaethol Cymru, a Thomas Lloyd am ddarllen y deipysgrif gyfan a gwneud nifer o sylwadau a chywiriadau gwerthfawr. Cafwyd pob cymorth ac anogaeth gan aelodau Bwrdd Ymgynghorol y prosiect hwn a hoffwn ddiolch o waelod calon i Peter Davies, Oliver Fairclough, Isabel Hitchman, Sheila Hourahane, Donald Moore, Huw Owen, Nich Pearson, Richard Suggett a John Williams-Davies.

Cafwyd cymorth creadigol o'r safon uchaf yn ystod pob cam o'r gwaith gan y dylunydd Olwen Fowler, a chydnabyddir gyda diolch gymorth cyson Mark Davey a Gareth Lloyd Hughes, ffotograffwyr yn Llyfrgell Genedlaethol Cymru. Y mae staff cymorth y Ganolfan yn ffynnu ar bwysau ac y mae arnaf ddyled fawr iddynt. Llwyddodd Glenys Howells, gyda'i thrylwyredd arferol, i'n harbed rhag llu o gamgymeriadau, a chafwyd cymorth ysgrifenyddol a gweinyddol effeithlon bob amser gan Aeres Bowen Davies ac Elin M. Humphreys, tra lluniodd William H. Howells fynegai i'r gyfrol gydag amynedd rhadlon. Yn olaf, hoffwn ddiolch yn gynnes i staff Argraffwyr Cambrian a Gwasg Prifysgol Cymru am eu diddordeb cyson yn y prosiect sylweddol hwn ac am helpu'r tîm cyfan i gyfleu egni a chyfoeth diwylliant gweledol y Gymru fodern.

Geraint H. Jenkins
Mehefin 2000

CYFLWYNIAD

Cyflwynir yn y gyfrol hon ddelweddau o dir a phobl Cymru dros gyfnod o bedwar can mlynedd a hanner. Gan fod y genedl a ddatgelir gan y delweddau hyn – hyd yn oed heb y cymunedau diwydiannol, a drafodir mewn cyfrol arall – yn hynod gymhleth ac amrywiol, y mae'n anodd iawn llunio hanes cydlynol ohoni. Er enghraifft, cyn pennu man cychwyn ar gyfer yr arolwg, rhaid oedd penderfynu pryd yn union y daeth yr oesoedd canol i ben ac y dechreuodd y cyfnod modern, a bwrw, wrth gwrs, ei bod hi'n ddilys i wneud penderfyniad o'r fath, gan fod hynny'n awgrymu newid sydyn a radicalaidd yn y fframwaith athronyddol. Yn y cyswllt hwn, ac mewn achosion dyrys eraill, yr wyf wedi ceisio ymateb i'r delweddau eu hunain. Y mae'n amlwg i'r Eglwys, yn ystod yr unfed ganrif ar bymtheg, gael ei disodli gan yr unigolyn fel noddwr ac fel canolbwynt nawdd seciwlar. Er gwaethaf diddymu'r mynachlogydd yn y 1530au, nid chwyldro a gafwyd ond yn hytrach broses o newid cynyddol. Serch hynny, gwelwyd ffurfiau newydd yn datblygu, yn enwedig y portread mewn ffrâm, a gâi ei baentio ar banel neu gynfas ac a oedd yn arwydd o newid sylfaenol yn ffordd y noddwr a'r arlunydd o edrych ar y byd. Gan fod arlunwaith, cerflunwaith a delweddau eraill y cyfnod yn adlewyrchu ac yn hybu'r newid hwn, dichon ei bod yn deg cychwyn yr arolwg hwn drwy ymdrin â'r ffurfiau newydd. At hynny, datblygodd y portread paentiedig i raddau helaeth yn ystod teyrnasiad y Tuduriaid, cyfnod a gafodd effaith unigryw ar yr ymwybyddiaeth Gymreig. Thema ganolog y gyfrol hon yw'r modd y mynegwyd yr ymwybyddiaeth honno drwy gyfrwng y ddelwedd weledol.

Penderfynwyd dirwyn y drafodaeth i ben yn y 1960au oherwydd y newidiadau a gafwyd yn y cyfnod hwnnw yn y dull o greu a chyflwyno delweddau i'r cyhoedd. Y mae'r newidiadau hyn yn arwydd o ddechrau cyfnod newydd, er mai cyflymu proses a oedd eisoes mewn bodolaeth a wnaethant yn hytrach na chreu chwyldro. Gyda chynnydd sylweddol yng ngwariant y llywodraeth ar addysg uwch newidiwyd natur y colegau celf, wrth i nifer mawr o athrawon ifainc, y rhan fwyaf ohonynt

o'r tu allan i Gymru, gael eu denu i'r colegau ar adeg pan oedd syniadau am gelfyddyd fel iaith ryngwladol eisoes yn dechrau ynysu'r rheini yr oedd unigoliaeth ddiwylliannol o bwys mawr iddynt. Arweiniodd y cynnydd yn nawdd y Llywodraeth i Gyngor Celfyddydau Prydain Fawr, ac yn enwedig sefydlu Cyngor Celfyddydau Cymru ym 1967, at fwy o gefnogaeth uniongyrchol i arlunwyr ac at gynhyrchu amrywiaeth ehangach o arddangosfeydd ar gyfer y cyhoedd nag erioed o'r blaen. Dechreuodd awdurdodau lleol fuddsoddi mewn canolfannau celf a chrefft, gan greu orielau newydd. Y tu hwnt i faes celfyddyd, cafwyd cynnydd yn nylanwad y ddelwedd weledol ar fywyd y rhan fwyaf o'r boblogaeth yn sgil datblygu cynulleidfa eang ar gyfer teledu. Cafodd y cyfrwng newydd ei hun, ynghyd â'r ffaith fod cyfran uchel o'r deunyddiau a gyflwynid drwyddo yn deillio o'r Unol Daleithiau, ddylanwad aruthrol ar y diwylliant ehangach.

Honnwyd yn fynych fod ymwybyddiaeth genedlaethol a gyflyrwyd yn sylweddol gan yr angen i fod yn wahanol i gymydog cryf yn un o wendidau nodweddiadol Cymreictod. Yn sgil dirywiad grym gwleidyddol ac economaidd Lloegr a chynnydd cyfatebol yn ein hunanhyder ninnau, ynghyd â newidiadau yn y cysyniad o genedlaetholdeb, gobaith sawl un ar ddechrau'r unfed ganrif ar hugain yw y gellir o'r diwedd oresgyn y cyflwr meddwl trefedigaethol hwn. Eto i gyd, anwybyddu'r dystiolaeth i bob pwrpas fyddai adeiladu traddodiad hanesyddol o ddiwylliant gweledol nad yw'r cwestiwn o hunanadnabyddiaeth yng nghyd-destun Lloegr yn ganolog iddo. Am yn agos i ddwy o'r pedair canrif a gwmpesir gan y gyfrol hon, yr oedd y wladwriaeth fwyaf grymus ymhlith holl wledydd Ewrop yn sefyll rhwng Cymru a'r byd ehangach. Y mae delweddau a berthyn i'r canrifoedd hyn, y farn gyfoes amdanynt, ynghyd â llenyddiaeth a cherddoriaeth y cyfnod, oll yn awgrymu bod noddwyr, llunwyr a sylwebyddion yn ymboeni'n ddirfawr am fynegi hunaniaeth Gymreig. Gellir canfod diddordeb cyffelyb, wrth gwrs, yn nelweddau gwledydd eraill. Serch hynny, oddi ar uno Cymru â Lloegr yn yr unfed ganrif ar bymtheg, ymddengys yn aml fod bod yn Gymro yn gyfystyr â bod yn ymylol yn wleidyddol a chymdeithasol. O ganlyniad, y mae cwestiynau am hunaniaeth genedlaethol wedi eu gwreiddio yn ddwfn mewn amrywiaeth eang o ddelweddau Cymreig ac yn rhoi cydlyniant i gynnwys ysgrifenedig a gweledol y gyfrol hon.

I raddau, felly, y mae'r gyfrol hon yn ymdrin â delweddaeth genedlgarol benodol sy'n deillio o'r amgylchiadau hyn. Er diwedd yr unfed ganrif ar bymtheg y mae llunwyr delweddau yn achlysurol wedi mabwysiadu mytholeg a hanes Cymru neu syniadau cyfoes am Gymreictod ar gyfer eu testunau. Mewn rhai cyfnodau bu

delweddu Cymru yn y modd agored hwn yn gyffredin iawn, a hynny'n bennaf pan oedd tueddiadau cyffelyb yn dod i'r amlwg mewn rhannau eraill o Ewrop. Er enghraifft, y mae celfyddyd mudiad cenedlaethol dechrau'r ugeinfed ganrif i'w gweld yn Iwerddon yn y gorllewin ac yn y Ffindir yn y dwyrain. Y mae syniadau sy'n cysylltu tirwedd a chenedl, syniadau a ymddangosodd ar ddiwedd y ddeunawfed ganrif ac a ddenodd ddiddordeb arlunwyr am dros ganrif, i'w canfod yn y gwledydd Almaeneg eu hiaith yn ogystal. O fewn y cyd-destun Ewropeaidd ehangach hwn, datblygodd delweddaeth Gymreig nodweddion a oedd wedi eu gwreiddio yn hanes arbennig y diwylliant.

Nid delweddau ac iddynt naws genedlaethol amlwg yn unig a drafodir yn y gyfrol hon. Serch hynny, er mai prif amcan y portread teuluol, er enghraifft, yw dangos John Jones ar wedd wahanol i John Jones ei daid, gall fod ystyr ehangach i ddarluniau o'r fath. Gan na fu bod yn Gymro erioed yn rhywbeth y gellid ei gymryd yn ganiataol, y mae diddordeb yn yr hyn y gallai portread ei gyfleu y tu allan i deulu neu ardal, ac yn enwedig o ran cenedligrwydd, i'w weld yn aml ychydig dan yr wyneb. Drwy fabwysiadu portreadau teuluol yn yr unfed ganrif ar bymtheg, yr oedd deallusion Cymru yn sicr yn ceisio eu hanfarwoli eu hunain fel unigolion. Eto i gyd, y mae nifer o'r portreadau cynnar hyn hefyd yn arwydd o ddymuniad i fod yn rhan o ddiwylliant pan-Ewropeaidd y Dadeni y deilliodd y *genre* ohono, ac i ymuniaethu â ffyrdd modernaidd y wladwriaeth Duduraidd yr oedd ganddynt fuddiannau arbennig ynddi. At hynny, y mae is-destun cenedlaethol yn amlwg yn yr awch am bortreadau a welid ymhlith y dosbarth canol newydd ar ddechrau'r bedwaredd ganrif ar bymtheg. Ceisiodd Hugh Hughes, y pwysicaf o blith y llunwyr portreadau, eiconeiddio Ymneilltuwyr y dosbarth hwn a baentiwyd ganddo gan ei fod yn llwyr gredu bod eu gwerthoedd hwy yn fodel priodol ar gyfer ail-greu hunaniaeth Gymreig.

Nid yw'n fwriad gennyf ganolbwyntio'n ormodol ar fater canolog hunaniaeth genedlaethol ar draul themâu eraill. Yr wyf wedi ceisio cyflwyno golwg eang a chynhwysol o ddiwylliant gweledol Cymru, gan hepgor yn unig y gweithiau hynny sy'n rhan o esblygiad y gymdeithas ddiwydiannol. Er enghraifft, wrth drafod *The Charge of the Welsh Division at Mametz Wood* gan Christopher Williams, yr wyf yn cydnabod mai prif amcan yr arlunydd, yn fy marn i, oedd cyfleu erchyllterau a gwastraff rhyfel. Serch hynny, cefais fy arwain nid yn unig gan y delweddau ond hefyd gan fy nealltwriaeth o'r cyd-destun hanesyddol, yn gymdeithasol

a chelfyddydol. Y mae penderfyniad Williams i beidio â chlodfori rhyfel na chyflwyno'r rhai a gollwyd fel arwyr, a hynny mewn comisiwn cyhoeddus yn ystod y rhyfel, yn arwydd o agwedd meddwl a luniwyd i raddau helaeth gan amgylchiadau diwylliannol ei fagwraeth yng Nghymru. Hyd yn oed yng nghanol yr ugeinfed ganrif, pan ddaeth syniadau am arlunio pur ac iaith bersonol yr arlunydd unigol i dra-arglwyddiaethu ar ffordd o feddwl yr *avant garde*, yr oedd y cwestiwn o hunaniaeth genedlaethol yn dal i godi. Lluniodd Ceri Richards – a fu, am gyfnod, yn uchel ei barch yn Llundain ymhlith y gymuned gelf a oedd yn enwog am ei gelyniaeth at unrhyw beth cenedlaethol, rhanbarthol neu leol – weithiau a ddeilliai yn benodol o'i wreiddiau Cymreig.

Y mae'r un peth yn wir am dirluniau, sy'n bwnc cymhleth yng Nghymru gan ei fod yn cwmpasu'r cydadwaith rhwng safbwyntiau nifer mawr o arlunwyr teithiol, y mwyafrif ohonynt yn dod o Loegr, a safbwyntiau'r deallusion Cymreig. Er ei bod yn dra annhebygol fod y Parchedig William Gilpin yn ymboeni ynghylch hunaniaeth Gymreig wrth syllu ar afon Gwy ym 1770, cafodd ei waith gryn ddylanwad, yn anuniongyrchol, ar yr hunaniaeth honno. Bu ei ysgrifau'n bwysig o ran poblogeiddio tirwedd Cymru gan wneud ei golygfeydd mynyddig yn ganolbwynt i ganfyddiad y Saeson o'r wlad. Atgyfnerthodd y ffasiwn hon amgyffred Cymreig a oedd wedi hen ennill ei blwyf ac a ddaeth yn hanfodol ar gyfer delweddu'r genedl yn y bedwaredd ganrif ar bymtheg a'r ugeinfed ganrif. Rhan annatod o'r diddordeb esthetig mewn tirwedd oedd agwedd yr arlunwyr at y bobl a oedd yn byw yno. Ni waeth pa mor annhebygol oedd syniad rhamantaidd y ddeunawfed ganrif o dirwedd Cymru fel cartref y Brythoniaid ac, felly, fel crair byw o gyn-hanes Lloegr, ni ellir anwybyddu ei ddylanwad ar y meddylfryd Cymreig. Yn rhan gyntaf y bedwaredd ganrif ar bymtheg trodd yr arlunwyr eu cefn ar y Brythoniaid a dewis cyflwyno'r Cymry fel pobl wledig a duwiol, gan gyfrannu at greu'r Werin Gymreig gan O. M. Edwards a'i gyfoeswyr, myth a barhaodd yn ganolog i hunanamgyffred cenedlaetholwyr rhamantaidd ymhell i'r ugeinfed ganrif.

Fel ei dwy chwaer gyfrol, y mae'r gyfrol hon yn ymdrin ag arwyddocâd delweddau gweledol yn niwylliant Cymru yn hytrach nag â hanes bywyd y llunwyr delweddau a aned yng Nghymru. O ganlyniad, ni thrafodir nifer o arlunwyr rhyngwladol pwysig megis Gwen John ac ni chynhwysir enghreifftiau o'u gwaith. Ni ddylid dehongli hyn fel beirniadaeth ar ansawdd eu cynnyrch. Ymwrthod a wneir yn hytrach â'r

egwyddor mai tras neu fan geni yw'r meini prawf ar gyfer penderfynu pa artistiaid i'w cynnwys mewn trafodaeth ar esblygiad diwylliannol Cymru. Ni chymerodd Gwen John unrhyw ran ym mywyd deallusol na sefydliadol Cymru ac nid yw ei delweddau yn ymwneud yn uniongyrchol â bywyd Cymru. Tras arlunydd fu'r maen prawf ym mhob cyfrol a gyhoeddwyd hyd yn hyn, o *Welsh Painters, Engravers, Sculptors (1527–1911)* gan T. Mardy Rees ym 1912 hyd at *Art in Wales* gan Eric Rowan ym 1985, ac arweiniodd hynny'n aml at ganlyniadau afresymol. Er enghraifft, cafwyd gan T. Mardy Rees drafodaeth helaeth ar fywyd a gwaith G. F. Watts a William Morris, ill dau yn honni eu bod o dras Gymreig ond heb wneud unrhyw gyfraniad uniongyrchol i fywyd Cymru. Ar y llaw arall, anwybyddwyd pobl a chwaraeodd ran eithriadol bwysig yn natblygiad diwylliant gweledol Cymru, megis yr arlunydd Henry Clarence Whaite, oherwydd iddo gael ei eni ym Manceinion i rieni Seisnig. Serch hynny, gan fod i rai o'r cyfrolau hyn ran yn natblygiad traddodiad diwylliant gweledol Cymru oherwydd eu bod yn adlewyrchu ethos eu cyfnod neu wedi dylanwadu arno, penderfynwyd cynnwys rhai o'r arlunwyr a gynhwysir ynddynt, er lleied eu pwysigrwydd yng Nghymru. Y mae hyn yn wir yn achos y cerflunydd John Gibson, a adawodd Gymru pan oedd yn ddeg oed ac nad yw ei ddelweddaeth yn ymwneud o gwbl â bywyd Cymru. Ond, oherwydd ei statws rhyngwladol, fe'i dyrchafwyd gan ddiwygwyr y bedwaredd ganrif ar bymtheg yn enghraifft o'r ddelfryd y dylai arlunwyr ifainc o Gymru ymgyrraedd ati. O ganlyniad, yr oedd iddo ran yn natblygiad diwylliant gweledol Cymru. Yn yr un modd, y mae'n debyg y byddai cyfrol yn ymdrin ag ail hanner yr ugeinfed ganrif yn rhoi mwy o ystyriaeth i waith Gwen John gan i'w henwogrwydd gynyddu mor sylweddol yn ystod y cyfnod hwnnw nes ei bod bellach yn cael ei hystyried yn arlunydd Cymreig o bwys. Fodd bynnag, nid oedd hyn yn wir yn y cyfnod yr ymdrinnir ag ef yma, ac o'r herwydd nid ildiwyd i'r demtasiwn o gynnwys ei gwaith hi a gwaith arlunwyr cyffelyb iddi. Y mae'r gyfrol hon yn ymdrin â'r profiadau diwylliannol yr ydym wedi eu rhannu, sef profiadau cymunedau yng Nghymru. Gan gyfoethoced y ddelweddaeth a ddatguddir o fewn y fframwaith hwn, nid oes angen ei hatgyfnerthu drwy gynnwys unigolion na ellir ystyried eu gwaith, o ran delweddu'r genedl, yn ddim mwy nag ymylol.

pennod
un

DADENI CYMREIG

1. *Gwedir*, c.1500, gydag ychwanegiadau c.1550

Yn y cyfnod modern cynnar, ysgogwyd diwylliant gweledol Cymru yn bennaf gan nawdd y bobl hynny a ddaethai'n gyfoethog drwy gyfrwng eu hetifeddiaeth, eu proffesiwn, neu drwy fasnach. Yr oedd y tlawd yn dlawd iawn, ac y mae'r ychydig restrau o eiddo pobl gyffredin sydd wedi goroesi o'r unfed ganrif ar bymtheg a'r ail ganrif ar bymtheg (a hyd yn oed rhestrau eiddo'r rhai y gellid, yn rhinwedd eu tras, eu galw yn foneddigion) yn aml yn adlewyrchu tlodi materol difrifol. Nid oeddynt yn berchen ar fawr ddim amgenach nag ychydig sosbenni a phadellau ac ambell gelficyn hanfodol, a phrin y gallent fforddio addurno eu cartrefi, heb sôn am brynu gwrthrychau dianghenraid megis darluniau.[1] Byddai'r tlodion, yn ddiamau, yn rhoi mynegiant i'w dychymyg trwy gyfrwng mathau anfaterol o gelfyddyd, megis cerddoriaeth, adrodd storïau a barddoniaeth. Hyd at ganol y ddeunawfed ganrif nid oedd modd iddynt hyd yn oed brynu copi rhad o faled wedi ei haddurno â thorlun pren. Yr oedd tirfeddianwyr, ar y llaw arall, yn prysur gynyddu eu buddsoddiad yn y diwylliant gweledol y buasent yn cyfrannu ato ers canrifoedd. A hawdd y gallent wneud hynny, gan fod yr unfed ganrif ar bymtheg yn oes aur i'r gwŷr bonheddig yn enwedig. Atgyfnerthwyd eu goruchafiaeth economaidd a gwleidyddol gan y sicrhad o awdurdod gwleidyddol, deddfwriaethol a gweinyddol a ddaeth yn sgil y deddfau seneddol a unodd Gymru â Lloegr. Dan y drefn newydd, y sir oedd yr uned allweddol o safbwynt gwleidyddiaeth, gweinyddu cyfiawnder a gweinyddiaeth,[2] a chrynhowyd grym yn nwylo'r teuluoedd sirol mwyaf. Daethai nawdd y sefydliadau eglwysig, a oedd eisoes yn dirywio, i ben yn ddisymwth yn y 1530au, ond bu anffawd Eglwys Rufain o fantais fawr i'r boneddigion a oedd yn ymgodi, a llwyddodd amryw o deuluoedd a oedd eisoes yn gefnog i ymgyfoethogi fwyfwy drwy ennill tiroedd ac adeiladau'r mynachlogydd. Nid yr hen deuluoedd bonheddig yn unig a fwynhâi'r ffyniant newydd hwn, gan i newydd-ddyfodiaid mentrus, rhai ohonynt yn byw yn y trefi, ddechrau elwa arno hefyd. Yr oedd y ddwy garfan yn barod i wario eu hincwm cynyddol ar foethau materol, ac yn enwedig ar eu tai.

Yng nghefn gwlad, gweddnewidiwyd yr hen neuaddau canoloesol. Rhoddwyd ynddynt lefydd tân a llofftydd ac adeiladwyd ystafelloedd a chanddynt wahanol nodweddion a swyddogaethau, gan hwyluso datblygiad bywyd teuluol preifat yn lle'r hen ffordd gymunedol o fyw. Bu cynnydd cyson yn nifer y tai newydd a ymgorfforai'r nodweddion hyn o ganol yr unfed ganrif ar bymtheg hyd at ddiwedd yr ail ganrif ar bymtheg, ac eithrio yn ystod y rhyfeloedd cartref ac ambell gyfnod

[1] Gw., e.e., Gareth Haulfryn Williams, 'A Study of Caernarfonshire Probate Records, 1630–1690' (traethawd MA anghyhoeddedig Prifysgol Cymru, 1972).

[2] Glanmor Williams, 'The Gentry of Wales' yn idem, *Religion, Language and Nationality in Wales* (Cardiff, 1979), t. 156.

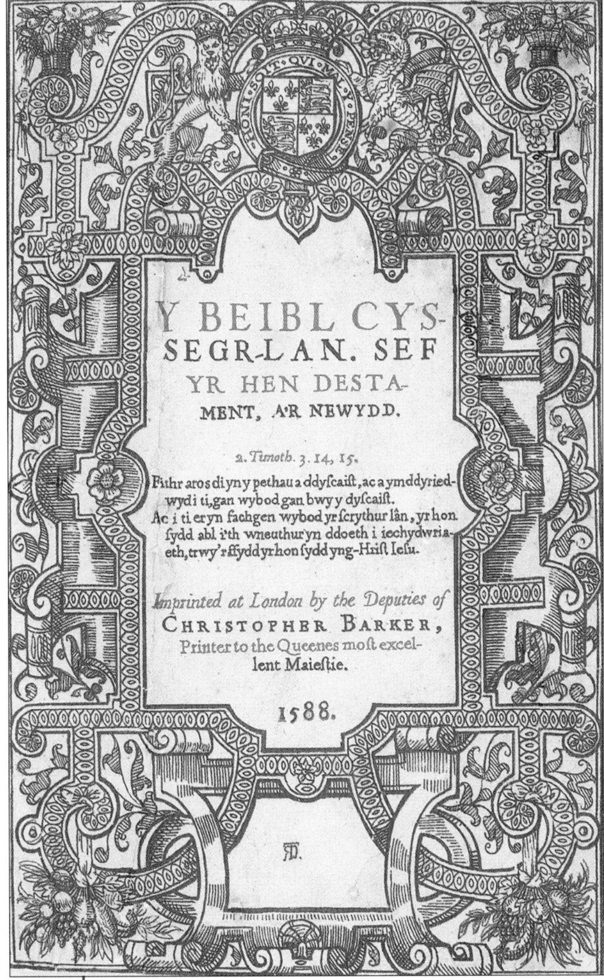

Y BEIBL CYSSEGR-LAN. SEF
YR HEN DESTAMENT, A'R NEWYDD.

2. Timoth. 3. 14, 15.
Eithr aros di yn y pethau a ddyscaist, ac a ymddyriedwyd i ti, gan wybod gan bwy y dyscaist.
Ac i ti er yn fachgen wybod yr scrythur lân, yr hon sydd abl i'th wneuthur yn ddoeth i iechydwriaeth, trwy'r ffydd yr hon sydd yng-Hrist Iesu.

Imprinted at London by the Deputies of
CHRISTOPHER BARKER,
Printer to the Queenes most excellent Maiestie.

1588.

2. Anhysbys,
Y Beibl Cyssegr-lan, 1588,
Engrafiad, 237 x 151

arall o gyni economaidd. Gwelwyd y cynnydd hwn nid yn unig ar lawr gwlad ac yn ardaloedd y Gororau ond hefyd, i raddau llai, mewn siroedd mynyddig megis sir Gaernarfon.[3] Ar ddiwedd yr unfed ganrif ar bymtheg ac yn ystod yr ail ganrif ar bymtheg bu newid mawr yng nghymeriad y tai newydd mwyaf arloesol, gan adlewyrchu'r dyhead am fwy o gysur a phreifatrwydd a welwyd i gychwyn yn sgil moderneiddio'r hen dai. Rhoddwyd mwy o bwyslais hefyd ar wedd allanol y tai hyn. Ni fu gan y neuaddau canoloesol unrhyw ffasâd arbennig, ond cyflwynai wyneb y tai newydd ddelwedd o syniadaeth eu perchennog. Y mae'n debyg mai'r hyn a wnâi'r mwyafrif o gyfoethogion oedd dilyn y ffasiynau a oedd yn gyffredin ledled Cymru a Lloegr yn y cyfnod. Yng Nghymru, fodd bynnag, yr oedd lleiafrif deallusol yn arwain y ffasiynau hyn. O ganol yr unfed ganrif ar bymtheg ymlaen, gwelwyd dadeni eithriadol ym mywyd deallusol Cymru.[4] Yr oedd llawer o'r gwŷr hynny a fanteisiai ar y cyfle i wella eu byd yn llys y Tuduriaid ac o fewn yr eglwys a'r gyfraith hefyd yn hyddysg yn y celfyddydau a'r gwyddorau. At hynny, mabwysiadodd nifer ohonynt syniadau'r Dadeni drwy gysylltiad uniongyrchol â diwylliannau ar y Cyfandir, yn hytrach na thrwy gyfrwng y llys yn Lloegr. Er enghraifft, bu Edward Stradling o Sain Dunwyd ym Morgannwg yn teithio'n helaeth yn yr Eidal. Aeth ei gyfoeswr, Rhisiart Clwch o Ddinbych, yntau, i Balesteina pan oedd yn ŵr ifanc, ac wedi hynny bu'n gweithio yn Antwerp, ac yn ymweld â Sbaen a'r Almaen. Fel unigolion creadigol ac fel noddwyr, bu'r ddau ohonynt yn gyfrifol am ddatblygu diwylliant cynhenid Cymru heb ymwrthod â'i wreiddiau. Y mae'n arwyddocaol mai pobl fel hwy, a chanddynt gysylltiadau â gwledydd eraill, a oedd yn fwyaf ymwybodol yn aml o werth y diwylliant brodorol. Yr oeddynt yn foderneiddwyr, ond yr oedd ganddynt hefyd ymwybyddiaeth gref o'r gorffennol, ac er bod y llys yn bwysig ym mywyd boneddigion Cymru, eu cefndir Cymreig a oedd agosaf at eu calon. Yr oedd unigolion megis Edward Stradling a Humphrey Llwyd o Ddinbych yn bwysig gan iddynt gyfrannu at y gwaith o achub llenyddiaeth yr oesoedd canol rhag mynd i ddifancoll a gosod sylfeini'r traddodiad hynafiaethol Cymreig a fyddai'n hanfodol ar gyfer adeiladu'r genedl fodern. Cafwyd rhyddiaith newydd, yn weithiau gwreiddiol ac yn gyfieithiadau o weithiau pwysig o Loegr a'r Cyfandir, ac er i Morris Kyffin nodi mewn perthynas â *Deffynniad Ffydd Eglwys Loegr*, a gyhoeddwyd ym 1595, y byddai wedi bod yn 'howsach i mi o lawer, a hynodach i'm henw scrifenny'r cyfryw beth mewn iaith arall chwaethach nog yn Gymraec', yn Gymraeg y dewisodd wneud hynny.[5] Y grŵp hwn a roes y pwysau gwleidyddol ac a ddarparodd y nawdd a alluogodd William Morgan i gwblhau'r cyfieithiad Cymraeg o'r Beibl a gychwynnwyd gan William Salesbury ac a gyhoeddwyd ym 1588. Y fenter hon, o bosibl, oedd yr elfen fwyaf allweddol yn natblygiad yr iaith ac yn yr ymdeimlad o hunaniaeth Gymreig yn ystod y tri chan mlynedd dilynol.

[3] Eurwyn Wiliam, '"Let Use be Preferred to Uniformity": Domestic Architecture' yn J. Gwynfor Jones (gol.), *Class, Community and Culture in Tudor Wales* (Cardiff, 1989), tt. 175–7. Y mae Wiliam yn trafod adolygu cysyniad Hoskins o'r 'ailadeiladu mawr' a'i berthnasedd i Gymru.

[4] Gw. Glanmor Williams, 'Education and Culture' yn idem, *Recovery, Reorientation and Reformation: Wales c.1415–1642* (Oxford, 1987), tt. 429–50.

[5] *Deffynniad Ffydd Eglwys Loegr*, gol. W. P. Williams (Bangor, 1908), t. [ix]. Y mae'r testun yn gyfieithiad o *Apologia* Jewel, ac fe'i hystyrir yn un o glasuron rhyddiaith Gymraeg.

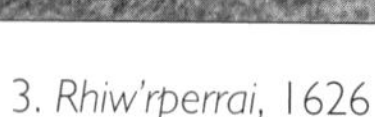

3. *Rhiw'rperrai*, 1626

4. *Porthdy Corsygedol*, 1630

Yr oedd yr anghysondeb rhwng agwedd flaengar y deallusion hyn a'u diddordeb mewn hanes yn ymestyn i'r tai arloesol a adeiledid ganddynt a'r gwrthrychau a gedwid ynddynt.[6] Taniwyd eu dychymyg rhamantaidd gan y traddodiad Clasurol, a ddatgelwyd drwy'r Dadeni Eidalaidd, a byd marchogion a sifalri gogledd Ewrop yn yr oesoedd canol. Ehangodd Syr Edward Stradling ei erddi yn ôl y patrwm Eidalaidd, ac addurnodd Gastell Sain Dunwyd â cherfluniau a gynrychiolai ymerawdwyr Rhufain.[7] Ar y llaw arall, mynegid ymdeimlad o hanes gan ffurf gastellog tai megis Plas Teg a Rhiw'rperrai, y naill wedi ei adeiladu ym 1610 gan Syr John Trevor a'r llall ym 1626 gan Syr Thomas Morgan, y ddau ohonynt yn swyddogion yn y llys. Yr oedd porthdai, nad oedd iddynt fawr ddim pwrpas milwrol, yn gyffredin iawn yng ngogledd a de-orllewin Cymru.[8] Y mae'r porthdy cain a adeiladwyd gan William Vaughan yng Nghorsygedol ym 1630, a'i flaenlun cymesur, ymhlith nifer o adeiladau a briodolwyd yn draddodiadol, ond ar gam yn ôl pob tebyg, i Inigo Jones, pensaer mwyaf blaenllaw ei ddydd yn Llundain.[9] Cyfeiria beirdd y cyfnod at y ffaith fod baneri herodrol yn chwifio o doeau plastai megis Y Rug ym Meirionnydd,[10] ac yn aml iawn addurnid tai newydd ag arfbeisiau eu perchenogion, wedi eu cerfio neu eu paentio. Yr oedd yr obsesiwn hwn ag arddangos llinach ar ffurf herodrol ac arysgrifol yn ymestyn i wrthrychau eraill hefyd ac yn elfen gyffredin o ddiwylliant gweledol Cymru a Lloegr yn y cyfnod hwn. Fodd bynnag, yr oedd traddodiad barddol Cymru, a barhâi i dderbyn cefnogaeth llawer o'r unigolion hynny a oedd bellach yn estyn eu nawdd i ddiwylliant gweledol, yn cynnig cyd-destun diwylliannol arbennig i'r hynafiaethwyr newydd.

[6] Ceir ymdriniaeth fanwl ag adeiladwaith y Dadeni yn Peter Smith, *Houses of the Welsh Countryside* (London, 1988), tt. 224–37.

[7] Gw. Ralph A. Griffiths, 'The Rise of the Stradlings of St. Donat's', *Morgannwg*, 7 (1963), 15–47.

[8] Smith, *Houses of the Welsh Countryside*, tt. 520–1.

[9] Ganed Inigo Jones (1573–1652) yn Llundain, yn fab i ddilledydd o'r un enw, a oedd, yn ôl traddodiad, yn Gymro. Yr oedd y gred fod prif bensaer oes y Stiwartiaid yn Gymro o dras o bwys mawr i sylwebyddion celf cenedlaetholgar Cymru hyd yn oed yn yr ugeinfed ganrif. Y gred gyffredinol bellach yw nad oes unrhyw adeilad gan Inigo Jones i'w gael yng Nghymru, ond yn ôl John B. Hilling, *The Historic Architecture of Wales* (Cardiff, 1976), t. 112, y mae lle i gredu mai Jones a oedd yn gyfrifol am borthdy Corsygedol. Y mae Hilling yn tynnu sylw at y ffaith fod William Vaughan yn gyfaill personol i'r pensaer. Am yrfa Inigo Jones, gw. John Peacock a Richard Tavernor, 'Inigo Jones' yn Jane Turner (gol.), *The Dictionary of Art* (34 cyf., London, 1997), 17, tt. 633–9.

[10] LIGC, Llsgr. Peniarth 91, rhifau 26–8.

5. *Yr Oriel Hir yng Nghastell Powis*, 1587–95

Byddai modernwyr mwy pybyr y Dadeni yng Nghymru yn eu mynegi eu hunain drwy gomisiynu tai a seiliwyd ar fodelau cyfoes o'r Eidal. Yng Nghastell Powis ychwanegodd Syr Edward Herbert, mab Iarll cyntaf Penfro, oriel hir uwchben *loggia* o bedair cilfach yn gorffwys ar golofnau Dorig. Byddai cynlluniau o'r fath yn aml yn cael eu lledaenu drwy'r Iseldiroedd, a cheid talcenni ar ffurf brân-feini Iseldirol ym Mhlas Clwch, tŷ cyntaf Syr Rhisiart Clwch. Fodd bynnag, yr oedd Bachegraig, a adeiladwyd ganddo ym 1567, yn mynd yn llawer pellach, a dyma'r tŷ mwyaf modernaidd yng Nghymru yn yr unfed ganrif ar bymtheg. Ddau gan mlynedd yn ddiweddarach, yr oedd y tŷ hwn a'r elfennau addurniadol a gomisiynwyd gan Clwch yn dal i beri syndod i Thomas Pennant:

> It consists of a mansion, and three sides, inclosing a square court. The first consists of a vast hall, and parlour: the rest of it rises into six wonderful stories, including the cupola and forms from the second floor the figure of a pyramid ... In the windows of the parlour are several pieces of painted glass, of the arms of the knight of the *holy sepulchre*; as his own with a heart at the bottom.[11]

Ceid twf trefol ochr yn ochr â'r cynnydd yng nghyfoeth a nawdd y boneddigion ar eu hystadau gwledig. Yr oedd ffyniant y trefi yn seiliedig nid yn unig ar dwf masnach a swyddi proffesiynol ond hefyd ar y ffaith fod canghennau o deuluoedd bonheddig yn ymsefydlu ynddynt. Yr oedd Robert Wynn, a adeiladodd Plas Mawr, y tŷ tref mwyaf nodedig sydd wedi goroesi o'r unfed ganrif ar bymtheg, yn fab i

[11] Thomas Pennant, *Tours in Wales* (3 cyf., Caernarvon, 1883), II, t. 135. Y mae'n bosibl mai Bachegraig oedd y patrwm ar gyfer pedwar tŷ arall a oedd â chynllun sgwâr, simnai canolog a tho pyramidaidd, sef Rhydodyn Uchaf, sir Aberteifi, Cemais Bychan, sir Drefaldwyn, Tŷ Mawr, Llansilin, sir Ddinbych, a Trimley Hall, Llanfynydd, sir Y Fflint. Gw. Smith, *Houses of the Welsh Countryside*, tt. 232, 240–1.

6. Moses Griffith, *Bachegraig*, c.1781, Dyfrlliw, 77 × 125

7. *Ewr a Basn*, Bruges, c.1561, Arian, arian goreurad ac enamel; ewr, uchder 213, basn, 491 ar draws

8. William Alexander, *Plas Mawr, Conwy*, 1802, Dyfrlliw a phensil, 304 x 232

John Wynn ap Maredudd o Wedir, ac felly'n aelod o deulu bonheddig mwyaf grymus gogledd-orllewin Cymru. Megis Clwch, a oedd hefyd, fe dybir, yn berchen ar dŷ tref, teithiai Robert Wynn yn eang ar fusnes y llys. Yr oedd yng ngwasanaeth Philip Hoby, a deithiodd i Sbaen a Phortiwgal gyda'r paentiwr Hans Holbein i chwilio am wraig addas a deniadol i Harri VIII. Wedi iddo adael gwasanaeth y llys i fyw yng Nghonwy, y mae'n weddol sicr i Wynn ei gynnal ei hun nid yn unig drwy'r tir a oedd yn ei feddiant, ond hefyd drwy fasnach.[12] Yn yr unfed ganrif ar bymtheg a'r ail ganrif ar bymtheg nid oedd haenau uchaf cymdeithas yn ystyried bod ymhél â masnach islaw eu hurddas, a byddent yn annog eu plant i fwrw prentisiaeth ac i ymgymryd â gweithgareddau masnachol.[13] Ar y llaw arall, byddai amryw o fasnachwyr llwyddiannus yn dyheu am fod yn berchen ystad yng nghefn gwlad. Llwyddodd teulu Myddelton, y teulu pwysicaf yn y gogledd-ddwyrain am ganrif a rhagor, i brynu Castell Y Waun ym 1595 yn sgil ffyniant Syr Thomas Myddelton fel masnachwr yn Llundain.

[12] R. C. Turner, 'Robert Wynn and the Building of Plas Mawr, Conwy', *Cylchgrawn Llyfrgell Genedlaethol Cymru*, XXIX, rhif 2 (1995), 194.

[13] Ceir enghreifftiau yn W. M. Myddelton, *Chirk Castle Accounts (Continued), A.D. 1666–1753* (argraffwyd yn breifat, Horncastle, 1931), t. viii. Yr oedd yr un peth yn wir am rannau eraill o'r wlad. Ym 1601 trefnodd Edward Vaughan, Trawsgoed, sir Aberteifi, brentisiaeth i'w frawd, Morgan, gyda dilledydd o swydd Amwythig. Gw. Gerald Morgan, *A Welsh House and its Family: The Vaughans of Trawsgoed* (Llandysul, 1997), t. 38. Am gyd-destun cymdeithasol adeiladu Plas Mawr, gw. Turner, 'Robert Wynn and the Building of Plas Mawr, Conwy', 177–95.

9. *Cwpwrdd y Wynniaid*, c.1545, Derw

10. Harry ap Griffith, *Paneli o Ganopi Cotehele*, c.1530–40, Derw, 432 x 432

Yr oedd adeiladau newydd ac adeiladau wedi eu moderneiddio yn cynnig mwy o gyfle i'r perchenogion i addurno'r adeiladwaith ei hun ac i brynu gwrthrychau iddynt. Aeth gwrthrychau canoloesol drwy gyfnod o esblygiad, a datblygwyd ffurfiau newydd yn ogystal. Er i'r Diwygiad Protestannaidd amddifadu cerfwyr pren o'r cyfle i wneud peth o'r gwaith cerfio ffiguraidd a oedd mor nodweddiadol o eglwysi'r cyfnod Tuduraidd cynnar, daeth yr arfer o noddi boneddigion â chyfleoedd newydd yn ei sgil, sef cyfle i addurno'r gwahanol fathau o gelfi a oedd yn cael eu datblygu. Yr oedd cypyrddau a chanopïau yn arbennig o addas ar gyfer eu haddurno. Y mae cwpwrdd y Wynniaid, a luniwyd yn nyffryn Conwy ar gyfer John Wyn ap Maredudd o Wedir tua 1545, yn eithriadol o ran ei ffurf a chyfoeth ei addurniadau, ond y mae'r defnydd a wnaed o herodraeth ac emblemau teuluol yn nodweddiadol o lawer o gerfiadau pren y cyfnod. Ceid enghreifftiau o baneli yn dangos gwrthrychau o fyd chwedloniaeth neu luniau bychain yn adlewyrchu bywyd mewn tai bonedd megis Gwedir, gyda darluniau o hela a heboca. Yn y de, y mae grŵp o broffiliau pen cain wedi eu cerfio ar baneli wedi goroesi, er nad yn eu cartref gwreiddiol,[14] sef, o bosibl, un o grŵp o dai tref yng Nghaerdydd yn dyddio o ganol y ganrif. Ailadeiladwyd y castell ei hun gan William Herbert, Iarll Penfro. Drws nesaf, yn Greyfriars House, trigai ei frawd, Syr George (yn ddiweddarach gwnaethpwyd newidiadau ysblennydd i'r tŷ gan ei ŵyr ef), ac yr oedd gan Edward Stradling a Thomas Carne dai yn y cowrt allanol. Y mae'n rhaid fod nawdd sylweddol wedi deillio o'r ffaith fod cynifer o'r bonedd wedi

[14] Y mae'r paneli wedi eu hadeiladu yn rhan o sgrin yn perthyn i gyfnod cynharach yn Eglwys Sant Ioan, Caerdydd.

11. *Ffris o Gastell Rhaglan*, c.1514, Derw, uchder 600

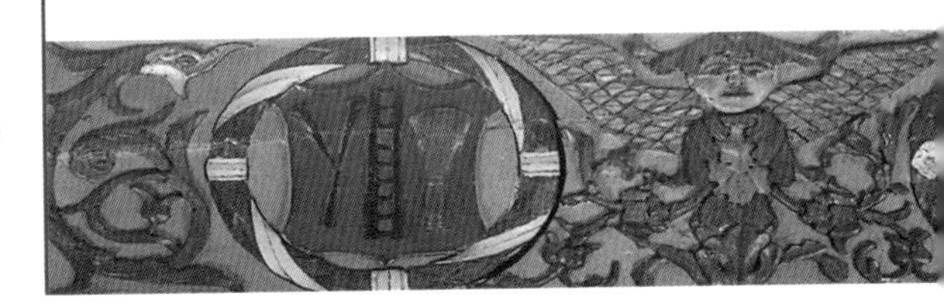

ymsefydlu yn y dref. Ymhlith y cerfiadau mwyaf nodedig sydd wedi goroesi o unrhyw gartref yn ne Cymru y mae'r ffris a oedd yn wreiddiol yn addurno'r neuadd fawr yng Nghastell Rhaglan. Y mae'n debyg iddo gael ei gomisiynu i ddathlu dyrchafiad Charles Somerset yn Ardalydd Caerwrangon ym 1514.[15] Ceir ynddo gymysgedd bywiog o grotesgau, portreadau o bennau, ei arfau ef ei hun a rhai ei berthnasau a'i noddwyr brenhinol, a symbolau o ddioddefaint Crist. Y mae'n debyg i'r ffris gael ei osod rhwng dado a thecstiliau crog a oedd, fel y plât a arddangoswyd ar ddodrefn newydd y cyfnod, yn aml yn dod o'r Cyfandir. Er enghraifft, yn y 1560au comisiynodd William Mostyn ewr a basn arian ac arian goreurad yn Bruges, wedi eu haddurno â'i arfbais mewn enamel. Er hynny, yr oedd y cysylltiadau teuluol rhwng preswylwyr y plastai yn yr unfed ganrif ar bymtheg a'r ail ganrif ar bymtheg yn creu rhwydwaith o nawdd y gallai'r crefftwyr brodorol yn enwedig elwa arno. Ymddengys mai'r un plastrwyr a gyflogwyd gan Robert Wynn ym Mhlas Mawr ym 1577 a 1580, a chan ei gefnder Morris Kyffin ym Maenan ym 1582 a'i nai Syr John Wynn o Wedir ym 1597. Un o nodweddion arbennig y gwaith yw'r mowldinau ffigurol a herodrol o gwmpas y silffoedd pen tân mawreddog, gan bwysleisio'r ffaith fod lle tân caeedig yn dal i fod yn ddatblygiad gweddol newydd.[16] Dyfodiad y lleoedd tân hyn a'i gwnaeth yn bosibl cynnwys nodweddion megis nenfydau addurniadol, fel ym Mhlas Mawr. Ym Maenan, fodd bynnag, dewisodd Morris Kyffin osod paneli addurniadol i lenwi'r bylchau rhwng y nenffyrch hynafol yn hytrach nag adeiladu llofftydd. Ni wyddys pwy oedd y plastrwyr nac o ble y deuent. Y mae'n bosibl eu bod yn arbenigwyr a deithiai'n eang, fel gwneuthurwyr teiliau'r oesoedd canol a âi o'r naill fynachlog i'r llall, ond y mae'n fwy tebygol mai gweithwyr aml-grefft oeddynt, a weithiai o ganolfan drefol, gan ennill eu bara menyn yn cyflawni gwaith llawer mwy ymarferol.

12. *Silff ben tân yn y Neuadd ym Mhlas Mawr*, 1580, Plastr wedi ei baentio, 1800 x 2570

[15] Y mae'r ffris wedi goroesi mewn tŷ preifat. Yn ôl pob tebyg yr oedd ymhlith yr eitemau yr aethpwyd â hwy o Raglan cyn y gwarchae ar y tŷ yn ystod y rhyfeloedd cartref, gw. Pennod 2, t. 55. Yn ystod y 1820au aildowyd y neuadd fawr gan y Dug Beaufort a dychwelwyd y ffris, a chafodd ei luniadu gan y Parchedig John Skinner ym 1832, Llyfrgell Brydeinig, Llsgr. 33725, tt. 300–4, lluniau 88–92. Symudwyd y ffris yn ddiweddarach a'i gadw o bosibl ym Mhriordy Brynbuga, gan beri i bobl gredu mai oddi yno y tarddodd.

[16] Ymddengys fod lleoedd tân o'r fath yn boblogaidd iawn yn sir Ddinbych, a pharhaodd yr arfer hyd yr ail ganrif ar bymtheg. Y mae lle tân Plas Tirion, Llanrwst, er enghraifft, yn debyg iawn o ran arddull i'r lleoedd tân ym Mhlas Mawr, ond y mae'n dyddio o 1628.

[17] Matthew Griffiths, '"Very Wealthy by Merchandise"? Urban Fortunes' yn Jones (gol.), *Class, Community and Culture in Tudor Wales*, tt. 222–3. Y mae cyfrifon Castell Y Waun yn ategu tystiolaeth Griffiths am gomisiynau crefftwyr gwlad, a gâi eu rhoi yn Rhuthun, Dinbych ac yn enwedig yn Wrecsam, yn ogystal ag yng Nghaer.

[18] Ceir gwallau sillafu yn y tair iaith yn yr arysgrifau yn Rhiwlas, cartref John Wynn ap Cadwaladr, lle y gweithiai'r saer ym 1574. Yr oedd ewythr Wynn, sef Elis Prys, Y Doctor Coch o Blas Iolyn, Pentrefoelas, wedi comisiynu'r saer ddwy flynedd ynghynt, ac y mae'r berthynas deuluol rhwng y ddau yn awgrymu'n gryf fod rhwydwaith o noddwyr i gael. Ceir dadansoddiad manwl o waith y saer coed gan A. J. Parkinson, 'A Master Carpenter in North Wales', *Arch. Camb.*, CXXIV (1975), 73–101 ac ibid., CXXV (1976), 169–71.

[19] Y mae darn paentiedig wedi goroesi o Frogynin, sir Aberteifi, un o'r ardaloedd pellaf o dref sylweddol yng Nghymru yn yr ail ganrif ar bymtheg. Y mae'n bosibl, fodd bynnag, fod yr addurn hwn yn fwy diweddar, a bod ffasiynau trefol cynharach wedi parhau yng nghefn gwlad.

Er bod trefi Cymru yn fach o ran maint, y mae'n amlwg fod yr amrywiaeth o grefftau a gâi eu hymarfer ynddynt bron mor eang ag yn nhrefi marchnad a chanolfannau rhanbarthol Lloegr.[17]

Dosbarth arall o weithwyr a elwai ar rwydwaith y boneddigion oedd y seiri coed. Yr oeddynt hwy yn llawer mwy niferus na'r plastrwyr ac yr oedd mwy o alw am eu gwaith. Y mae gwaith coed cain o un gweithdy arbennig i'w weld mewn un ar bymtheg o dai o leiaf, y mwyafrif ohonynt yn siroedd Dinbych a'r Fflint, ac ambell un ym Meirionnydd a sir Gaernarfon. Yr hyn sy'n nodweddiadol o'r gwaith hwn, a wnaed rhwng 1570 a 1598, yw'r arddull gerfio arbennig ar barwydydd, ynghyd â'r llythrennu unigryw yn yr arysgrifau. Ni wyddys pwy oedd y saer coed crefftus hwn, ond y mae'r gwallau sillafu niferus a geir ganddo yn yr arysgrifau Cymraeg, Saesneg a Lladin fel ei gilydd yn awgrymu ei fod yn anllythrennog. Ymddengys y byddai'r saer yn paratoi'r sgriniau yn ei weithdy ac yn eu gosod wrth ei gilydd yn y plastai, ond ni wyddys a weithiai o un gweithdy mewn man canolog megis Dinbych.[18]

14. Anhysbys, *Sgrin cegin, Plas Newydd, Cefn*, Sir Ddinbych, c.1583, Derw

Yr oedd sgrin Rhiwlas yn cynnwys addurn wedi ei baentio mewn gwyrdd a gwyn. Nid oedd y gwaith addurno hwn o anghenraid yn dyddio o'r un cyfnod â'r sgrin ei hun, ond yr oedd yn sicr yn gynnar. Y mae'n debyg fod addurniadau o'r fath, a baentiwyd ar sgriniau pren neu ar blastr, yn gyffredin iawn yn nhai'r boneddigion ar ddiwedd yr unfed ganrif ar bymtheg a'r ail ganrif ar bymtheg, ac y mae'r ffaith fod darnau ohonynt wedi goroesi mewn sawl man yng Nghymru yn awgrymu nad oedd prinder arlunwyr gwlad.[19] Yr oeddynt yn cynrychioli'r briodas rhwng esblygiad arferion canoloesol a chonfensiynau arddulliol newydd. Ym Morgannwg addurnwyd Castell-y-mynach ym 1602 ar gyfer y perchennog Thomas Mathew mewn dull a oedd yn rhannol efelychu confensiynau cyffredin. Cafodd y gwaith ei rannu'n baneli gan ddyluniadau strapwaith a adlewyrchai'r fframiau cerfiedig ar baneli'r saer a oedd wedi gweithio ar blastai gogledd Cymru. Y mae'r gwaith yng Nghastell-y-mynach, fodd bynnag, yn unigryw gan ei fod yn cynnwys darlun testunol ar thema fytholegol. Dim ond rhannau chwith a chanol y gwaith sydd i'w gweld bellach, sef golygfa o storm ar y môr a ffigur tebyg i dduw, Neifion o bosibl, ar yr ochr. Darganfuwyd enghraifft o addurno cyffelyb mewn tŷ tref o'r

13. *Y nenfwd a'r mur ym Maenan*, 1582, Plastr

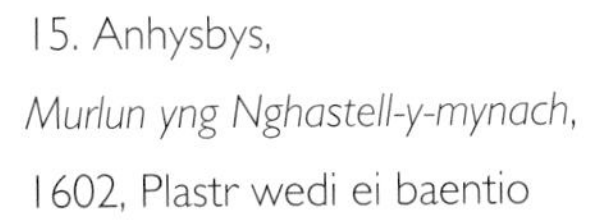

15. Anhysbys, *Murlun yng Nghastell-y-mynach*, 1602, Plastr wedi ei baentio

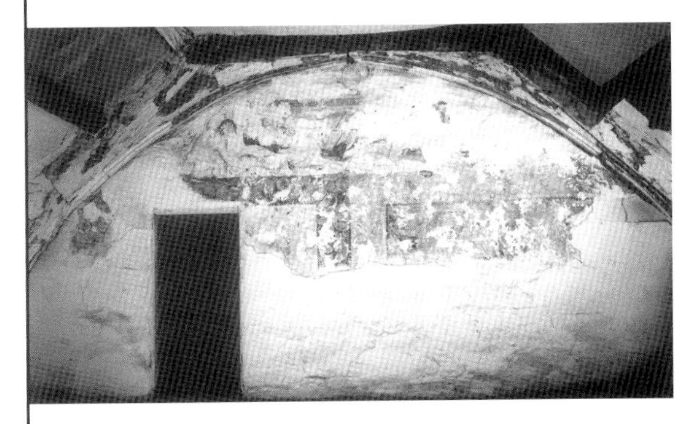

16. Anhysbys, *Murlun yn Rhif 15 Stryd Tudor, Y Fenni*, c.1600, adluniad o waith D. M. D. Thacker

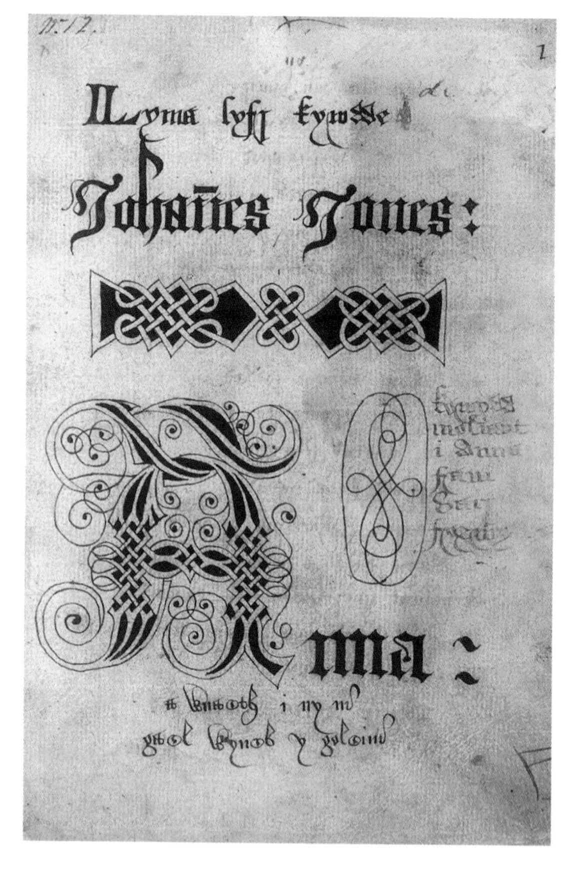

17. John Jones, Gellilyfdy, *Priflythyren Addurnedig*, c.1632–57, Pen ac inc, 190 × 140

18. Anhysbys, *Priflythyren Oliwiedig* allan o 'Lyfr y Faerdre', 1594, Pen ac inc, 286 × 195

unfed ganrif ar bymtheg yn Tudor Street, Y Fenni.[20] Darlun ar blastr ydoedd a gorchuddiai o leiaf un wal gyfan o'r brif ystafell wely. Uwchben y paneli addurniadol a ffigurol yr oedd dau ffris trwm gyda phlethiadau a phennau grotésg. Yr oedd dyluniadau o'r fath i'w cael mewn llyfrau patrymau ac yr oeddynt yn sail i arddull addurniadol gydlynol y cyfnod a gâi ei haddasu i sawl ffurf ar gelfyddyd. Gwnaeth John Jones, Gellilyfdy, y copïwr llawysgrifau o sir Y Fflint, ddefnydd eang o bennau grotésg a phlethiadau, tebyg iawn i'r hyn a geid yn y tŷ yn Y Fenni, i oliwio'r testunau canoloesol a gopïai ar gyfer hynafiaethwyr Cymreig, yn enwedig Robert Vaughan o Hengwrt. At hynny, ym 1639 cynhyrchodd lawysgrif o wyddorau addurniadol,[21] rhai ohonynt yn efelychu gwaith llythrennu'r saer coed o ogledd Cymru a fu'n gweithio yng Ngellilyfdy. Y mae'r dyluniadau hyn yn adlewyrchu chwaeth fodern y cyfnod, ac fe'u defnyddid i addurno a chyfoethogi testunau. At ei gilydd, nid oeddynt wedi eu seilio ar yr addurniadau a geid mewn hen lawysgrifau nac ar wybodaeth fanwl o blethwaith Celtaidd. Er enghraifft, y mae 'Llyfr y Faerdre', llyfr o ddogfennau yn ymwneud â Barwniaeth Cemaes yn sir Benfro ac a gasglwyd gan George Owen o Henllys ac eraill, yn cynnwys tudalen addurniadol lle y ceir llun Acteon.[22]

Yn Hen Neuadd Plasty Penrhyn yn sir Gaernarfon yr oedd y mewnlenwad plastr rhwng nenffyrch y to wedi ei addurno â dau ffigur wedi eu gosod mewn cylchigau, ac y mae'n bosibl mai portreadau oeddynt yn hytrach na ffigurau symbolaidd

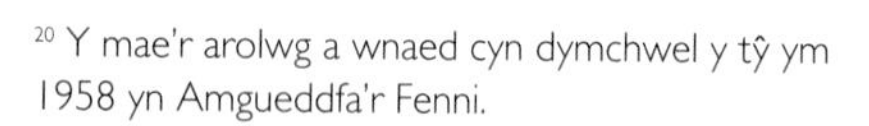

[20] Y mae'r arolwg a wnaed cyn dymchwel y tŷ ym 1958 yn Amgueddfa'r Fenni.

[21] LlGC, Llsgr. Peniarth 307.

[22] LlGC, Llsgr. Bronwydd 3.

19. *Arysgrifen ar drawst yng Ngellilyfdy*, 1586

20. Anhysbys, *Cylchigau addurnedig yn Hen Neuadd Plasty Penrhyn*, c.1590, Plastr wedi ei baentio

21. Anhysbys, *Elis ap Richard a Jane Hanmer ym Mhlas Althrey*, c.1545–58, Paent ar wyngalchiad

gan eu bod wedi eu gwisgo mewn dillad modern. O'u hamgylch yr oedd arwyddeiriau crefyddol tebyg i'r hyn y byddai'r saer o ogledd Cymru yn eu cerfio. Fodd bynnag, yr enghraifft fwyaf nodedig o addurn ffigurol sydd wedi goroesi yw'r portread dwbl ym Mhlas Althrey yn sir Y Fflint a baentiwyd ar blastr. Y mae'n debyg mai portread ydyw o Elis ap Richard a Jane Hanmer, perchenogion yr ystad, ac y maent yn sefyll ochr yn ochr, wedi eu gwisgo yng ngwisg y llys. A bwrw iddo gael ei baentio yn ystod eu hoes, y mae'n enghraifft gynnar iawn, gan y bu Elis farw ym 1558. At hynny, y mae'n anarferol iawn fel math o addurn wal. Pe bai gan Elis chwaeth *avant-garde* gellid bod wedi disgwyl iddo gomisiynu portread ar banel fel y rhai a ddaethai'n ffasiynol ymhlith boneddigion y llys yn ystod teyrnasiad Harri VIII.

22. Anhysbys,
Syr Thomas Exmewe, c.1526–9,
Olew ar banel, 540 x 432

23. Anhysbys,
Edward Goodman o Ruthun,
c.1550, Olew, 564 x 448

24. Anhysbys, *Henry VII*,
c.1500, Olew, 572 x 445

Yr oedd y portread paentiedig cludadwy, ar banel neu ar gynfas, yn un o'r datblygiadau mwyaf dramatig a pharhaol mewn diwylliant gweledol a wnaed yn bosibl yn yr unfed ganrif ar bymtheg gan newidiadau yn y ffordd o fyw. Nid oedd llunio portreadau ynddo'i hun yn beth newydd, er y byddai unigolion yn y gorffennol yn cael eu hadnabod wrth arfbeisiau ac arysgrifau yn hytrach na thebygrwydd corfforol. Y mae sawl enghraifft yn perthyn i Gymru yn y cyfnod canoloesol wedi goroesi, yn gerfluniau coffaol ynghyd ag ambell bortread o noddwr a gynhwyswyd mewn delweddau crefyddol a baentiwyd ar wydr neu ar baneli. Fodd bynnag, ffurf gelfyddydol a berthynai i'r Dadeni oedd y portread paentiedig cludadwy a ddathlai falchder a statws yr unigolyn. Fe'i datblygwyd yn yr Eidal a gwledydd gogledd Ewrop a'i fabwysiadu gan y llys Tuduraidd. Un o'r Cymry cyntaf i'w baentio yn y modd hwn oedd Harri Tudur, sylfaenydd y llinach frenhinol, ond yn ystod teyrnasiad ei fab, Harri VIII, y daeth yr arfer yn un cyffredin. Bu dyfodiad amryw o arlunwyr o'r Cyfandir i'r llys yn hwb sylweddol i'r grefft o baentio portreadau. Y mwyaf nodedig o'r rhain oedd Hans Holbein, a ddaeth i Brydain ym 1526. Gosododd Holbein ganllawiau ar gyfer paentio portreadau a ddefnyddid gan arlunwyr mwy ceidwadol hyd ddechrau'r

25. Anhysbys,
Gawen Goodman o Ruthun,
1582, Olew, 495 x 420

26. Anhysbys,
Godfrey Goodman o Ruthun,
1600, Olew, 528 x 410

ail ganrif ar bymtheg. Apeliai'r portreadau hyn at fasnachwyr cyfoethog a dylanwadol yn ogystal ag at wŷr bonheddig y llys. Un o'r noddwyr Cymreig cyntaf oedd Edward Goodman o Ruthun, a baentiwyd oddeutu 1550. Yr oedd Goodman yn ŵr amlwg yn y dref, ond nid y math o berson y disgwylid iddo ddilyn ffasiynau Llundain. Y mae'n bosibl mai'r hyn a'i hysgogodd i noddi portread ohono ef ei hun oedd y ffaith fod ganddo yn ei feddiant bortread o'r eurych Syr Thomas Exmewe, a gafodd ei eni yn Rhuthun ond a wnaeth ei ffortiwn yn Llundain, lle y daeth yn Arglwydd Faer ym 1517. Yr oedd Goodman yn byw yn Exmewe House, hen gartref Syr Thomas, lle y crogai'r portread o'i gyfoeswr adnabyddus. Er nad oes llofnod arno y mae yn arddull Holbein, ac y mae'n debygol, felly, iddo gael ei baentio rhwng 1526, pan ddaeth Holbein i Brydain, a 1529, pan fu farw Syr Thomas Exmewe.[23] Y mae portread Edward Goodman ei hun yn debyg o ran ffurf i'r darlun o Exmewe, er ei fod yn llai soffistigedig. Wedi marw Goodman, rhoddwyd cofeb bres yn eglwys Rhuthun i'w goffáu, gan y gorfforaeth o bosibl, gan i'w dad fod yn faer y dref. Y mae'n amlwg fod yr wyneb, er yn llawer symlach, wedi ei seilio ar y portread ohono. Comisiynodd Gawen, mab Edward Goodman, bortread ohono'i hun ym 1582, a chrogai'r tri ohonynt ym mharlwr

[23] Awgrymir yn betrus mai Holbein a baentiodd y portread o Exmewe yn Lewis H. O. Pryce, 'Sir Thomas Exmewe', *Arch. Camb.*, XIX (1919), 232–75. Ceir peth tystiolaeth amgylchiadol i gadarnhau'r priodoliad hwn. Yn Llundain, yr oedd Exmewe yn gyfaill agos a chymydog i Thomas Kytsonne, a baentiwyd gan Holbein. Yn fwy diweddar, cafodd y portread ei briodoli i John Bettes, er bod dyddiad y darlun yn gynharach na dyddiadau tybiedig y paentiwr hwnnw (1531–76). Y mae tarddiad portread Exmewe yn hysbys, gan y cyfeirir ato wrth ei enw yn ewyllys Gawen Goodman ym 1627.

27. Anhysbys,
Cofeb i Edward a Ciselye Goodman o Ruthun, Eglwys Sant Pedr, Rhuthun, 1583, Pres, 380 × 480

28. Anhysbys,
Cofeb i Gabriel Goodman o Ruthun, Eglwys Sant Pedr, Rhuthun, 1601, Carreg wedi ei phaentio, uchder 910

Exmewe House. Er nad oedd Gawen yn ŵr llên, yr oedd yn adnabod y bardd a'r anturiaethwr, Tomos Prys o Blas Iolyn (mab y Doctor Coch), a honnir i Tomos ysgrifennu cywydd gofyn dychanol at Syr Robert Salbri (Salusbury) o'r Rug ar ei ran. Awgrymir yn y cywydd hwnnw fod Gawen yn dipyn o gybydd – nodwedd anarferol i noddwr y celfyddydau – o leiaf 'nes i'r pot gynhesu'r pen'.[24]

Ymddengys, fodd bynnag, fod Gawen Goodman yn gallu bod yn ddigon hael wrth hybu delwedd y teulu, a'r tebyg yw mai ef a gomisiynodd ail gofeb bres goffaol a osodwyd yn eglwys Rhuthun. Gwnaed hyn yn sgil marwolaeth ei fam, Aselye, a bortreadwyd wrth ochr ei gŵr, gyda'i thri mab a'i phedair merch y tu cefn iddynt. Yr enwocaf o'r plant oedd brawd Gawen, sef Gabriel, a ddewisodd ddilyn gyrfa yn yr Eglwys yn hytrach nag ym myd masnach, ac a fu'n Ddeon Westminster o 1561 hyd ei farwolaeth ym 1601. Y mae'n amlwg nad oes cysylltiad rhwng y ddelwedd o Gabriel ar y plac pres teuluol a'r portread paentiedig ohono. Y mae'n debyg i'r portread gael ei wneud ar gyfer yr elusendai a waddolwyd ganddo yn ei dref enedigol, lle y gwaddolodd ysgol ramadeg yn ogystal. Y tebyg yw, felly, fod y darlun yn dyddio o tua 1590, pan sefydlwyd Ysbyty Crist. Ar farwolaeth Gabriel Goodman, cerfiwyd penddelw pren aml-liwiog, a oedd yn amlwg wedi ei seilio ar y portread paentiedig ohono, ac fe'i gosodwyd yn eglwys Rhuthun er cof amdano. Y mae'r portread a gomisiynwyd gan Godfrey Goodman, ail fab Gawen, ym 1600, ac yntau yn ddeugain oed, yn cwblhau'r casgliad portreadau o deulu Goodman.[25]

Y mae'r nawdd cyson a esgorodd ar y gyfres hon o bortreadau paentiedig a'r delweddau cysylltiol yn rhyfeddol oherwydd y dyddiad cynnar a'r ffaith mai teulu o fasnachwyr oedd y noddwyr. Fodd bynnag, oherwydd ei statws deallusol, gellir cyplysu'r portread o Gabriel Goodman â'r darluniau o'r criw talentog o wŷr llên a gwŷr llys Cymreig a ddaeth i'r amlwg yn ail hanner yr unfed ganrif ar bymtheg. Yr oedd un ohonynt, sef Humphrey Llwyd, a hyfforddwyd yn feddyg, yn nodweddiadol o wŷr y Dadeni oherwydd ei ddiddordebau hynafiaethol eang a'r ffaith ei fod yn hyddysg mewn cerddoriaeth ac yn y gwyddorau. Paentiwyd portread ohono ym 1561 gan arlunydd anhysbys. Hanai o sir Ddinbych, fel y gwnâi cynifer o ddeallusion y cyfnod, a'i gymydog Syr Rhisiart Clwch a'i cyflwynodd i Abraham Ortelius, y cyhoeddwr o Antwerp y bu'n cydweithio ag ef wrth gynhyrchu ei fapiau o Gymru.[26] Cyfeiriwyd eisoes at dueddiadau modernaidd Clwch, a amlygwyd yn ei ddau dŷ. Yn ogystal, cafodd ei symbylu gan ddiwylliant dynamig yr Iseldiroedd i gomisiynu portreadau. Ym 1568, flwyddyn wedi iddo briodi Catrin o Ferain yn sir Ddinbych, comisiynodd bortread ohoni, o bosibl gan Adriaen van Cronenburgh. Y mae Catrin yn gwisgo cadwyn aur drom, modrwyau, mwclis a thlws crog fel arwydd o'i chyfoeth; deil lyfr defosiynol yn un llaw, sy'n awgrym o dduwioldeb, a gorffwysa ei llaw arall ar benglog, sy'n symbol o freuder bywyd. Ceir yma yr un eiconograffeg ag yn y portread o Gawen Goodman. Byddai'r portread hwn wedi denu llawer o sylw pan ddaethpwyd ag ef i Gymru gan ei fod yn llawer mwy soffistigedig na'r rhan fwyaf o'r gweithiau brodorol, megis portread Humphrey Llwyd. Yn wir, nid yw'r portread o Clwch ei hun yn waith o'r un llaw â'r portread o'i wraig, ac y mae'n debyg iddo gael ei baentio ym Mhrydain mewn cyfnod cynharach.

29. Anhysbys, *Humphrey Llwyd o Ddinbych*, 1561, Olew, 430 x 340

[24] 'Gwdmon, ŵr ffyddlon i'r ffydd. / O dring at winoedd y dref / Yn ddidrip ni ddaw adref. / Gwn yr yf Gawen ei ran, / O daw sec, nid yf sucan ... / Hael yw a glân, hylaw glod, / A duwiol uwchben diod; / Weithiau'n ddwblwaith, yn ddiboen, / 'E rôi'i grys oddi ar ei groen. / Ni cheir pin llaw gan Gawen / Nes i'r pot gynhesu'r pen ...', 'Cywydd i ofyn march gan Syr Robert Salbri o Rug dros Gawen Gwdmon o Ruthun' a drawsgrifiwyd gan William Dyfed Rowlands, 'Cywyddau Tomos Prys o Blas Iolyn' (traethawd PhD anghyhoeddedig Prifysgol Cymru, 2 gyf., 1997), I, t. 150. Yr oedd Gaenor, ail wraig Gawen, yn chwaer i Tomos Prys.

[25] Yr oedd yr un math o ffrâm addurnedig i'r pedwar portread, a ddaeth yn eiddo i Wynniaid Coed Coch. Ni lofnodwyd y portreadau na'r gofeb bres na'r penddelw pren. Yr oedd y Wynniaid hefyd yn berchen paentiad ar banel o arfbais Gawen Goodman yn yr un math o ffrâm. Derbyniwyd yr arfbais ym 1573, ond am ryw reswm dyddiwyd y paentiad 1641. Darluniwyd yr arfbais yn arwerthiant celfi Coed Coch, Catalog Christie, 18 Ebrill 1996, t. 128.

[26] Ysgrifennodd Llwyd: 'Richard Clough, a verie honest man, and one that was the cause and procurer of this our love and acquaintance, as well your friend as mine, shall bring your letters from you to me, and mine to you, that interest I know we both have in him.' F. J. North, *Humphrey Lhuyd's Maps of England and Wales* (Cardiff, 1937), t. 9.

30. Abraham Ortelius, *Map o Gymru*, 1579, Engrafiad a dyfrlliw, 365 x 495

31. Anhysbys,
Richard Clwch, c.1550,
Olew, 939 x 685

32. Adriaen van Cronenburgh,
Catrin o Ferain, 1568, Olew,
972 x 686

Gan fod Bachegraig a'r tu mewn i Blas Clwch wedi eu difrodi, nid yw'n bosibl mesur a phwyso darluniau'r noddwr yn eu cyd-destun domestig ac y mae'r un peth yn wir am y mwyafrif o'r portreadau Cymreig a wnaed yn ystod yr unfed ganrif ar bymtheg a dechrau'r ail ganrif ar bymtheg.[27] Y mae hyd yn oed tai megis Castell Y Waun a Chastell Powis, sy'n cynnwys darluniau o'r cyfnod, wedi cael eu haddasu cymaint oddi mewn ac wedi crynhoi cymaint o weithiau diweddar fel ei bod yn anodd gwerthfawrogi natur y berthynas wreiddiol rhwng y gwrthrychau a phensaernïaeth y tai y'u bwriadwyd ar eu cyfer. Ar y llaw arall, nid yw cynnwys y rhan fwyaf o'r tai hynny sydd yn dal yn lled agos at eu cyflwr gwreiddiol wedi goroesi. Y mae'n debyg fod y portread gwych o Christopher Vaughan o Dretŵr, sir Frycheiniog, a ddarlunnir mewn arfwisg Eidalaidd, wedi cael ei baentio yn yr Iseldiroedd tua 1560, a dichon ei fod yn un o'r darluniau mwyaf soffistigedig a

[27] Y mae'n annhebygol fod portread Catrin o Ferain yn crogi yn y naill na'r llall o dai Syr Rhisiart Clwch gan y bu ef farw ym 1570, yn fuan wedi i'r darlun gael ei baentio ar y Cyfandir. Y mae'n bosibl mai yng Ngwedir y cafodd y darlun ei gartref cyntaf yng Nghymru wedi i Catrin briodi Maurice Wynn ym 1573.

34. *Neuadd Tretŵr*,
canol y 15fed ganrif

33. Anhysbys,
Christopher Vaughan o Dretŵr,
c.1560, Olew, 984 x 724

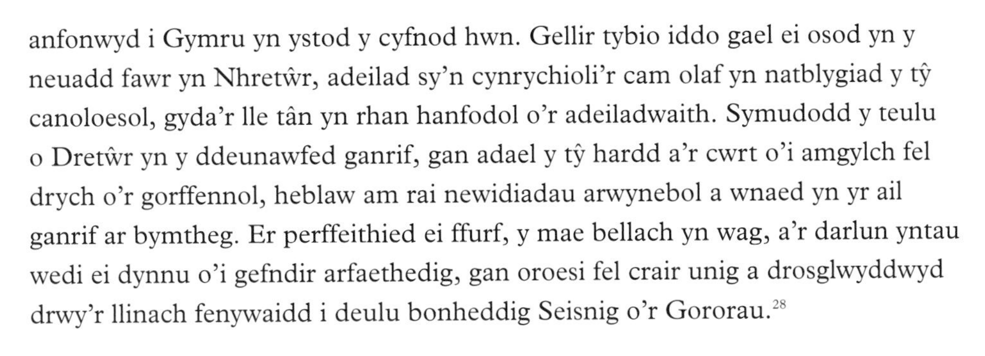

anfonwyd i Gymru yn ystod y cyfnod hwn. Gellir tybio iddo gael ei osod yn y neuadd fawr yn Nhretŵr, adeilad sy'n cynrychioli'r cam olaf yn natblygiad y tŷ canoloesol, gyda'r lle tân yn rhan hanfodol o'r adeiladwaith. Symudodd y teulu o Dretŵr yn y ddeunawfed ganrif, gan adael y tŷ hardd a'r cwrt o'i amgylch fel drych o'r gorffennol, heblaw am rai newidiadau arwynebol a wnaed yn yr ail ganrif ar bymtheg. Er perffeithied ei ffurf, y mae bellach yn wag, a'r darlun yntau wedi ei dynnu o'i gefndir arfaethedig, gan oroesi fel crair unig a drosglwyddwyd drwy'r llinach fenywaidd i deulu bonheddig Seisnig o'r Gororau.[28]

[28] Nid oes unrhyw dystiolaeth ddogfennol gynnar am y portread nac am gynnwys Tretŵr, a mynegwyd amheuon am bwy oedd gwrthrych y darlun. Gw. Karen Hearn, *Dynasties: Painting in Tudor and Jacobean England 1530–1630* (London, 1995), tt. 92–3.

35. Robert Peake yr Hynaf,
Edward Herbert, Barwn Herbert 1af Chirbury, 1604, Olew, 2184 x 1143

36. Anhysbys,
Henry Herbert, Ail Iarll Penfro,
c.1590, Olew, 1350 x 1026

Un o'r noddwyr portreadau mwyaf brwdfrydig yng Nghymru yn y cyfnod hwn oedd Edward Herbert, Barwn Herbert cyntaf Chirbury, a aned ym 1583, yn aelod o gangen Maldwyn o'r teulu niferus hwn. Yr oedd yn ei flodau ar adeg pan oedd ei deulu yn troi eu golygon fwyfwy at Loegr a bu'n ymwneud llawer â llys y Stiwartiaid a'i ffasiynau. Yr oedd chwaeth ei gefndryd, Herbertiaid Penfro, yn nodweddiadol o foneddigion y cyfnod, fel y dengys y portread o Henry Herbert, Ail Iarll Penfro, a baentiwyd gan arlunydd anhysbys ar ddiwedd yr unfed ganrif ar bymtheg, a'r portread o'i fab, William, y trydydd iarll, a baentiwyd gan Abraham van Blyenberch ym 1617.[29] Fodd bynnag, yr oedd Edward Herbert, yr hynaf o griw o blant talentog, yn berson llawer mwy lliwgar ac anturus.[30] Ysgrifennodd un o'r hunangofiannau cynharaf yn yr iaith Saesneg, lle y ceir disgrifiad o'i yrfa fel athronydd, bardd ac anturiaethwr, ynghyd â rhywfaint o wybodaeth am ei hoffter o gomisiynu portreadau ohono ef ei hun. Ym 1604 fe'i gwnaed yn Farchog o Urdd y Baddon ac, yng nghanol yr holl seremonïau cymhleth a ffansïol a apeliai gymaint at wŷr llys y cyfnod a hoffai feddwl amdanynt eu hunain fel ailymgnawdoliad o farchogion oes fytholegol sifalri, llwyddodd i neilltuo amser i eistedd i'r arlunydd Robert Peake yr Hynaf:

38. Hubert le Sueur, *Barwn Edward Herbert I af Chirbury*, 1631, Efydd, uchder 520

37. Isaac Oliver, *Edward Herbert, Barwn Herbert I af Chirbury*, c.1610, Olew, 228 x 184

> The second day to wear Robes of Crimson Taffita (in which habit I am painted in my Study) and so to ride from St. James's to Whitehall with our Esquires before us, and the third day to wear a Gown of Purple Sattin, upon the left Sleeve whereof is fastned certain Strings weaved of white Silk and Gold tied in a knot, and tassells to it of the same, which all the Knights are obliged to wear untill they have done something famous in Arms, or 'till some Lady of Honour take it off, and fasten it on her Sleeve, saying I will answer he shall prove a good Knight.[31]

Yn ddiweddarach, comisiynodd Herbert ddarlun ohono'i hun ar gefn ceffyl, ynghyd â phortread pen ac ysgwydd gan William Larkin. Gwnaeth Isaac Oliver gopi ar ffurf mân-ddarlun o un fersiwn o'r portread hwn ar gyfer y Fonesig Ayres, a arferai syllu arno 'with more earnestness and Passion than I cou'd have easily believ'd', gan ddigio ei gŵr i'r fath raddau fel y cynllwyniodd i ladd Herbert.[32] Huguenot oedd Oliver a ymsefydlodd yn Llundain lle y'i prentisiwyd i'r Sais Nicholas Hilliard, y mân-ddarlunydd adnabyddus, ac yn ogystal â'r copi uchod cynhyrchodd fân-ddarlun gwreiddiol o Edward Herbert a ystyrir bellach yn un o eiconau'r cyfnod. Yn ôl ffasiwn yr oes, ac fel y gweddai i fardd ac athronydd, y mae Herbert yn lled-orwedd yn ymyl nant a golwg bruddglwyfus arno, ac ar ei darian ceir cyfeiriad priodol at ddewiniaeth sympathetig. Yn y cefndir coediog toreithiog y tu ôl iddo y mae ei ysgwïer yn paratoi ei helmed, ei waywffon a'i farch. Yr oedd Herbert wedi defnyddio arfau a hefyd wedi cael profiad o wleidyddiaeth fel llysgennad i'r llys Ffrengig. Y mae'n debyg mai wedi hyn y comisiynodd Hubert le Sueur, y cerflunydd Ffrengig, i wneud penddelw efydd ohono ym 1631.

[29] Yr oedd van Blyenberch o dras Ffleminaidd ond gweithiai yn Llundain, lle y bu'n boblogaidd iawn am gyfnod, a phaentiodd ddarluniau o Dywysog Cymru a Ben Jonson ymhlith eraill.

[30] Yr oedd Edward (1583–1648) yn fab i Richard a Magdalen Herbert o Gastell Trefaldwyn, ac yn frawd hynaf i'r bardd George Herbert. Cafodd ei addysgu am gyfnod byr dan Edward Thelwall yn Rhuthun, lle y bwriadwyd iddo ddysgu Cymraeg, cyn mynd i Rydychen. Na chymysger rhyngddo ac Edward Herbert o Gastell Powis, mab yr Iarll Penfro cyntaf.

[31] Edward Herbert, *The Life of Edward Lord Herbert of Cherbury* (Strawberry Hill, 1770), tt. 54–5. Yr oedd Robert Peake yr hynaf, c.1551–c.1619, wedi ei hen sefydlu ei hun fel arlunydd portreadau erbyn y 1580au ac ymhen byr o dro wedi esgyniad Iago I i'r orsedd, daeth yn brif arlunydd i'r Tywysog Harri, ac ymddengys fod ganddo stiwdio sylweddol. Gw. Roy Strong, *The English Icon: Elizabethan and Jacobean Portraiture* (London, 1969), t. 225.

[32] Herbert, *The Life of Edward Lord Herbert of Cherbury*, t. 86.

Tra oedd y rhamantydd Edward Herbert yn dilyn ei yrfa, yr oedd aelodau teulu Mansel yn cynyddu eu grym ym Morgannwg. Yr oedd Manseliaid Oxwich yn un o'r teuluoedd hynny a elwasai ar y buddsoddiad a wnaed ganddynt yn nhiroedd y mynachlogydd wedi'r diddymu, yn yr achos hwn drwy brynu Abaty Margam, lle yr adeiladwyd eu tŷ newydd. Gwnaeth Syr Thomas Mansel, a ddaeth i'w etifeddiaeth ym 1595, ei ffortiwn mewn ffordd fwy traddodiadol nag Edward Herbert, er i'w frawd ieuengaf, Robert, ennill clod fel Llyngesydd y Moroedd Cul. Yn ystod dau ddegawd cyntaf yr ail ganrif ar bymtheg comisiynodd y genhedlaeth hon o'r teulu gyfres nodedig o bortreadau yn yr arddull ffurfiol a herodrol a fyddai'n darfod ar ôl i Van Dyck ymsefydlu yn Llundain. Gellir tybied bod Syr Thomas Mansel tua deugain oed pan wnaed y portread unigol ohono, ac y mae'n debyg, felly, i'r darlun hwn gael ei baentio ym mlynyddoedd cynnar yr ail ganrif ar bymtheg.[33] Y mae'n edrych rhyw ddeg i ugain mlynedd yn hŷn yn y ddau ddarlun teuluol, sy'n ei ddangos, y mae'n debyg, gyda'i ail wraig, Jane. Darlun o Syr Thomas a'i wraig ar eu pen eu hunain yw'r cyntaf o'r rhain, ond y mae eu merch, Mary, hefyd yn yr ail. Byddai hi maes o law yn priodi Edward Stradling o Sain Dunwyd. Nid yw'n hollol glir pa un yw'r hynaf o'r lluniau teuluol, ond yn y darlun dwbl gwelir Jane yn dal blodyn gold Mair, sy'n symbol o dristwch, fel arwydd, efallai, o'i gofid o golli ei gŵr cyntaf, John Bussy. Os felly, y tebyg yw i'r darlun o'r triawd gael ei gopïo o'r darlun dwbl, gyda'r ferch yn gafael yn llaw ei mam yn lle'r blodyn, fel arwydd

39. Anhysbys,
Syr Thomas Mansel o Fargam,
c.1600, Olew, 965 × 685

40. Anhysbys,
Syr Thomas Mansel o Fargam,
ei wraig Jane a'u merch Mary,
c.1625, Olew, 1193 × 1193

[33] Yn wahanol i'r arysgrif, sy'n rhoi 1614 ac oedran Syr Thomas yn 58 oed. Cyfyd rhai problemau adnabod a dyddio mewn perthynas â phortreadau teulu Mansel, gan iddynt gael eu harysgrifio yn anghywir yn y ddeunawfed ganrif.

41. Anhysbys, *Syr Thomas Mansel o Fargam a'i wraig Jane*, c.1625, Olew, 1180 x 1260

42. Gilbert Jackson, *John Williams*, 1625, Olew, 2146 x 1447

o genhedlaeth newydd yn lleddfu poen y golled a fu. Yr oedd cyfeiriadau cymhleth o'r fath yn elfen gyffredin ym mhortreadau'r cyfnod. At hynny, y mae'r addurniadau cywrain a'r modelu meddalach yn y portread dwbl yn awgrymu mai dyma'r gwaith cynharaf.

Ni wyddys pwy a baentiodd y portreadau o'r Manseliaid. Cymerir yn ganiataol yn aml y byddai teuluoedd megis yr Herbertiaid a'r Manseliaid, a oedd â chysylltiadau cryf â'r llys, yn cael eu paentio yn Llundain, ond y mae'n eithaf posibl fod arlunwyr arbenigol yn cael eu galw o Lundain i Gymru, neu fod arlunydd lleol yn cael ei gomisiynu i weithio yn arddull y llys. Er ei fod braidd yn brennaidd, nid yw portread dwbl Mansel yn annhebyg i waith Marcus Gheerhaerts yr Ieuengaf, ac y mae'n bosibl mai'r hyn a geir yma yw efelychiad o'i arddull gan arlunydd o Gymro.[34] Fodd bynnag, y mae nifer bychan o bortreadau llofnodedig a baentiwyd ar gyfer teuluoedd Cymreig dylanwadol o'r cyfnod wedi goroesi, a rhoddant ryw fath o syniad o sut y trefnid nawdd. Yr oedd Syr Thomas Hanmer o'r Fflint yn llys Siarl I, lle'r oedd ei wraig Elizabeth yn foneddiges breswyl i'r Frenhines Henrietta Maria. Ym 1631 comisiynodd Syr Thomas ddau bortread gan Cornelius Johnson, un o'r arlunwyr pwysicaf a weithiai yn Lloegr ar y pryd a'r gŵr a benodwyd yn 'Arlunydd y Brenin' y flwyddyn ganlynol. Comisiynwyd Johnson gan noddwyr Cymreig eraill yn ogystal,[35] ac felly hefyd ei gyfoeswr llai adnabyddus Gilbert Jackson, ffaith sy'n awgrymu iddo elwa ar rwydwaith boneddigion Cymru. Cwblhaodd y ddau arlunydd bortreadau maint llawn o John Williams, a aned yng Nghonwy ac a fu'n ddisgybl yn ysgol ramadeg Gabriel Goodman yn Rhuthun. Aeth Williams yn ei flaen i Gaer-grawnt a daeth i amlygrwydd yn ystod teyrnasiad Iago I fel Deon Westminster ac yn ddiweddarach fel Esgob Lincoln. Ym 1621 fe'i gwnaed yn Arglwydd Geidwad a phedair blynedd yn ddiweddarach, sef, yn ôl pob tebyg, yn fuan wedi i'r sêl fawr gael ei chymryd oddi arno, paentiwyd portreadau ohono gan Johnson a Jackson. Rhoddwyd portread Johnson i Lyfrgell Abaty Westminster, a noddwyd gan Williams ar ffurf gwaith coed cain y tu mewn. Y mae'r portreadau yn debyg i'w gilydd ond nid yn union yr un fath ac nid yw'n bosibl dweud a eisteddodd Williams i'r ddau arlunydd ar wahân ynteu a gafodd portread y naill arlunydd ei addasu rhyw gymaint gan y llall. Er iddo gael gyrfa gythryblus wedi hynny, parhaodd Williams yn ffigur pwysig yng ngwleidyddiaeth Lloegr. Yn ystod y pedair blynedd ar ddeg nesaf paentiodd Gabriel Jackson nifer sylweddol o bortreadau o foneddigion gogledd-ddwyrain Cymru, sy'n awgrymu iddo gael ei argymell iddynt gan Williams. Ym 1628 paentiodd Eubule Thelwall, Prifathro Coleg Iesu, Rhydychen, a oedd yn gysylltiad arbennig o fuddiol gan fod ganddo naw brawd. Gwyddys i Jackson baentio Bevis Thelwall yn yr un flwyddyn, ac Ambrose Thelwall ym 1632, a gellir cymryd yn ganiataol mai ef hefyd a baentiodd y tri phortread dilofnod arall yn yr un arddull a arferai grogi gyda'i gilydd yng nghartref y teulu. Efallai mai ef hefyd a oedd yn gyfrifol am y portread o un o wragedd teulu Thelwall a'i thair merch, a gwyddys i sicrwydd iddo baentio o leiaf bum portread o aelodau o deuluoedd bonheddig eraill yn siroedd Dinbych a'r Fflint rhwng 1632 a 1639.[36]

[34] Gw., er enghraifft, y portread o Mary Throckmorton, y Fonesig Scudamore gan Gheerhaerts, c.1614–15, a welir yn Strong, *The English Icon*, t. 285.

[35] Yn eu mysg yr oedd Richard, yr Ail Farwn Herbert o Chirbury. Yr oedd Syr Thomas Hanmer yn enwog am ei ddiddordeb mewn planhigion, ac y mae'r portread o Susan, ei ail wraig, yn cynnwys *Gerard's Herbal* ynghyd â chyfrol drom arall, ar yr un pwnc y mae'n debyg.

[36] Yn ôl J. Steegman, *A Survey of Portraits in Welsh Houses, Vol. I, North Wales* (Cardiff, 1957), ceid portreadau o Robert Morgan, Catherine Morgan a gwraig anhysbys o deulu'r Morganiaid a'i merch yn y Gelli Aur (sir Y Fflint), 1632; gwraig yn perthyn i deulu Trevor yn Nhrefalun (sir Ddinbych), c.1635; gŵr yn perthyn i deulu Edwards yn Rhual (sir Y Fflint), 1639. Fel rheol, nodir mai 'Sidney Wynne, Mrs Thelwall' oedd y wraig o deulu Thelwall a eisteddai gyda'i merched, ond credai Steegman fod y darlun yn perthyn i genhedlaeth gynharach, ac felly gall fod mai Jackson oedd yr arlunydd.

Ni wyddys a ddaeth Jackson i Gymru ai peidio. Y mae'n bosibl fod pobl wedi mynd i Lundain neu Rydychen i gael eu paentio ganddo, ond ni fyddai taith o'r fath wedi apelio at amryw o'i noddwyr. Erbyn ail chwarter yr ail ganrif ar bymtheg gallai bonheddwyr gogledd Cymru elwa ar wasanaeth arlunwyr portreadau o Gaer. Ymddengys i rwydwaith y boneddigion, yr elwai'r plastrwyr a'r seiri coed arno, fod o fudd i Thomas Leigh yn ogystal, gan iddo baentio o leiaf bum portread o deuluoedd Esclus a Gwysane ym 1643. Gwyddys i Syr Richard Lloyd o Esclus, a oedd yn farnwr ac yn frenhinwr, fod yn weithgar yng Nghaer yn ystod y flwyddyn honno a welodd gychwyn yr helbulon yng ngogledd-ddwyrain Cymru, ac y mae'n debyg felly mai yno y paentiwyd y portreadau ohono ef a'i wraig. Sut bynnag, y mae'r ffaith i Leigh baentio portreadau o Robert ac Ann Davies, Gwysane, ynghyd â phortread o Eleanor, chwaer Ann, yn yr un flwyddyn yn awgrymu iddo ddod i Gymru. Gan ddilyn arfer y cyfnod, paentiodd Leigh hefyd gopïau o'r portreadau o Robert ac Ann i'w crogi yn Llannerch, cartref Syr Peter Mytton, tad Ann. Yn gynharach, yr oedd arlunydd arall o Gaer, sef John Souch, wedi paentio portread o Syr Roger Puleston, Aelod Seneddol sir Y Fflint, ac y mae'r comisiwn hwn yn arbennig o ddiddorol gan ei fod yn taflu goleuni ar arferion paentio'r cyfnod. Gwyddys i Souch fod yn brentis i Randle Holme, yr arlunydd herodrol, rhwng 1607 a 1610.

43. Thomas Leigh, *Robert Davies, Gwysane*, 1643, Olew, 660 x 558

44. John Souch, *Syr Roger Puleston*, 1618, Olew, 736 x 609

Byddai paentwyr herodrol yn ymarfer eu crefft mewn gweithdai, a fe'u rheolid gan urddau crefft yr ymestynnai eu traddodiad yn ôl i'r oesoedd canol. Yr oedd dyfodiad ffurfiau newydd megis y portread yn arwydd o newidiadau sylfaenol yn y drefn gymdeithasol ac economaidd a fyddai'n arwain maes o law at ddifodiant yr urddau crefft, ond parhaodd yr hen draddodiad i ddylanwadu ar estheteg y portread mor ddiweddar â'r ail ganrif ar bymtheg. Yr oedd defnyddio arfbeisiau ac arysgrifau ar wyneb y darlun, ynghyd ag unffurfiaeth dyluniad a gwastadrwydd ffurf y portreadau cynnar, yn gyson â herodraeth. Ymhell i'r ail ganrif ar bymtheg câi'r eglurhad cysyniadol o safle cymdeithasol y gwrthrych, wedi ei fynegi drwy gyfrwng herodraeth ac arysgrif ar gefndir tywyll a dinodwedd, ei ffafrio mewn portreadau Cymreig. Ym 1627, fodd bynnag, defnyddiwyd tirwedd fel cefndir yn hytrach na'r arfbais draddodiadol i ddynodi statws uchel Edward Morgan o Lantarnam. Bu Morgan yn Aelod Seneddol ac yn siryf sir Fynwy yn y 1580au. Yn absenoldeb arbenigwyr brodorol mewn cyfnod pan oedd ffasiwn y portread yn lledu o'r Cyfandir, y mae'n bosibl y byddai paentwyr herodrol a phaentwyr arwyddion yn cwrdd â'r galw o du noddwyr cynnar megis teulu Goodman. Awgryma tystiolaeth weledol fod arlunwyr herodrol yn parhau i baentio portreadau ymhell i'r ail ganrif ar bymtheg. Yr oedd teulu Nannau ymhlith noddwyr Cymreig Holme, a'r cyntaf ohonynt i gomisiynu portread oedd Huw Nannau ym 1632. Y mae'r portread yn dwyn i gof waith yr arlunydd herodrol a hynod o henffasiwn, yn enwedig o gofio mai yn y flwyddyn y dychwelodd Van Dyck i Lundain y paentiwyd ef.[37] O ystyried ei gysylltiad â'r teulu, y mae'n bosibl mai gweithdy Randle Holme I a oedd yn gyfrifol am y portread.[38]

[37] Bu Van Dyck ar ymweliad byr â Llundain ym 1620–1.

[38] Gw. Miles K. W. Cato, 'Nannau and Early Portraiture in North Wales', *Cylchgrawn Cymdeithas Hanes a Chofnodion Sir Feirionnydd*, XI, rhan 2 (1991), 183. Yn Amgueddfa Genedlaethol Cymru ceir portread o Thomas ap Ieuan ap David o Arddynwent wedi ei arwyddo â monogram a ddehonglwyd fel FHR, Randle Holme Fecit o bosibl. Fodd bynnag, dehonglwyd y monogram yn flaenorol (gan Sotheby) fel HTK, ac y mae'n rhaid derbyn mai dyfalu yn unig yw priodoli'r portread i Randle Holme. Y mae'n amlwg nad yr un arlunydd a wnaeth y portread sydd yn yr Amgueddfa Genedlaethol a'r portread o Huw Nannau.

45. Anhysbys, *Edward Morgan o Lantarnam* (ac nid Jenkyn Williams o Aberpergwm, fel sydd ar y darlun), 1627, Olew, 1117 x 863

Caer oedd canolfan y rhan fwyaf o'r arlunwyr herodrol a wasanaethai ogledd Cymru. Hyfforddwyd Randle Holme I yng ngweithdy Thomas Chaloner a'i fab Jacob, a hwy a gafodd y comisiwn gan deulu Myddelton o Gastell Y Waun i lunio siart achau oliwiedig, ac yna ym 1613 i baentio baneri herodrol.[39] Ymddengys i weithdy Chaloner ddod i feddiant Randle Holme I ym 1598 neu wedi hynny pan briododd weddw ei gyn-feistr, a pharhaodd y busnes yn nwylo ei deulu dan yr un enw am dair cenhedlaeth arall.[40] Yn ogystal ag arlunio, byddai'r teulu yn ymchwilio i achau a herodraeth, gan ymweld ag eglwysi a phlastai ar hyd a lled gogledd Cymru. Er enghraifft, ym 1621 aeth Holme i eglwys Biwmares i wneud lluniadau o arfbeisiau cerfiedig a phaentiedig ar gorffddelwau, ynghyd â manylion o ffenestri lliw.[41]

Byddai gwaith herodrol yn broffidiol iawn i'r arlunydd yn sgil marwolaeth aelod o deulu amlwg, ac yr oedd yr arferion seremonïol a oedd yn gysylltiedig â'r angladdau yn gyfrwng i fynd â'r diwylliant gweledol a noddid gan foneddigion o breifatrwydd y plas i olwg y cyhoedd. Er enghraifft, ar farwolaeth Huw Nannau ym 1647 comisiynwyd Randle Holme I i drefnu'r orymdaith angladdol a hefyd i ddylunio a pharatoi'r defnyddiau herodrol angenrheidiol ar gyfer yr angladd. Byddai hyn yn cynnwys baneri a rhubanau wedi eu paentio ar sidan a defnyddiau rhatach ar gyfer yr orymdaith angladdol ac i'w harddangos yn yr eglwys, yn ogystal â sieffrynau ac arfbeisiau wedi eu paentio ar bren. Ysgrifennodd Holme at Howel Vaughan, mab Robert Vaughan, Hengwrt, ynghylch y trefniadau:

> I receued your letter, and accordinge to you[r] directions, haue made all things fully accordinge as the shortnesse of the tyme would permitt, and haue receaued for the same xijli which consideringe the great charge of gould was litle enough: as for to giue you any directions for the placeinge and naylinge them on the staues you know by the last wch was done. I have made 9 [*shields*] for the body wch you may order as beneath ... for the funerall order, first the poore 2 & 2, then the seruants of the howse in Clokes, then the baner carried by a kinesman of blood: then the helme & crest by an other, then the Cote of armes by an other, then the precher, then the Corpes carried by the gentrey of kindred, then his sonne & heyre alone, then his brethren 2 & 2, (& so all wch haue blacks accordinge to neernesse of blood,) then the women in black, in like maner, then the Knightes, Esquiers, etc ...[42]

46. Anhysbys, *Huw Nannau yr Ieuengaf o Nannau*, 1632, Olew, 787 x 660

Yr oedd anfoneb Randle Holme III ar gyfer angladd Syr Thomas Myddelton ym mis Mehefin 1666 yn £59 10*s*. Ceir disgrifiad o'r orymdaith angladdol liwgar, dan arweiniad y marchoglu sirol, mewn cerdd yn dwyn y teitl 'Upon the Ffunerall of Sr Tho. M.', y daethpwyd o hyd iddi yng nghyfrifon y teulu:

> Then after came his horse, arayd,
> with scutcheons, and his Armes displayed …
>
> The, standerds, with silke and Gould,
> Embossd most Glorious to behould.[43]

Ambell waith, gadewid arfbais yr ymadawedig yn yr eglwys, a chyda threigl amser gallai casgliadau herodrol sylweddol grynhoi o fewn adeiladau a oedd yn gysylltiedig â theuluoedd amlwg. Bu'r arfbeisiau a wnaed gan Randle Holme III ar gyfer angladd Syr Thomas Myddelton yn destun ffrae sy'n taflu goleuni ar yr urddau crefft yn eu dyddiau olaf wrth iddynt geisio cadw rheolaeth ar eu haelodau. Câi arlunwyr herodrol eu trwyddedu gan Goleg yr Herodron ac ymddengys i Randle Holme III ddigio'r sefydliad hwn. Marchogodd eu cynrychiolydd, William Dugdale, i'r Waun ar 7 Awst 1668 'to view what was hung up by Holmes, ye Paynter, at Sr T. Middleton's funerall'. Nid oedd yr hyn a welodd yn ei blesio, a dychwelodd yno ddwy flynedd yn ddiweddarach i dynnu i lawr a difwyno 'divers penons, and other Atchievements hung up by Holmes, for Sr. Tho. Middleton, and his Son'.[44]

Parheid i sianelu nawdd cyhoeddus boneddigion i'r diwylliant gweledol drwy'r Eglwys yn bennaf, fel y gwnaed drwy gydol yr oesoedd canol. Datblygodd y ffurfiau canoloesol ar y corffddelwau a'r cofebau pres dan ddylanwad newidiadau mewn credoau crefyddol a ffasiynau esthetig. Y mae'r gofeb alabastr i Syr John a Joan Salusbury, a godwyd ym 1588 yn eglwys Llanfarchell, sir Ddinbych, fel sawl cofeb gyfoes mewn eglwysi eraill yng Nghymru, yn pontio dau gyfnod. Er bod y gofeb ei hun yn cydymffurfio â'r patrwm canoloesol, y mae'r portreadau cerfiedig bychain o aelodau'r teulu a'r arwyddion herodrol ar y plinth yn adlewyrchu agweddau'r oes newydd.[45] Yn ogystal â beddrod Salusbury, ceir hefyd yn eglwys

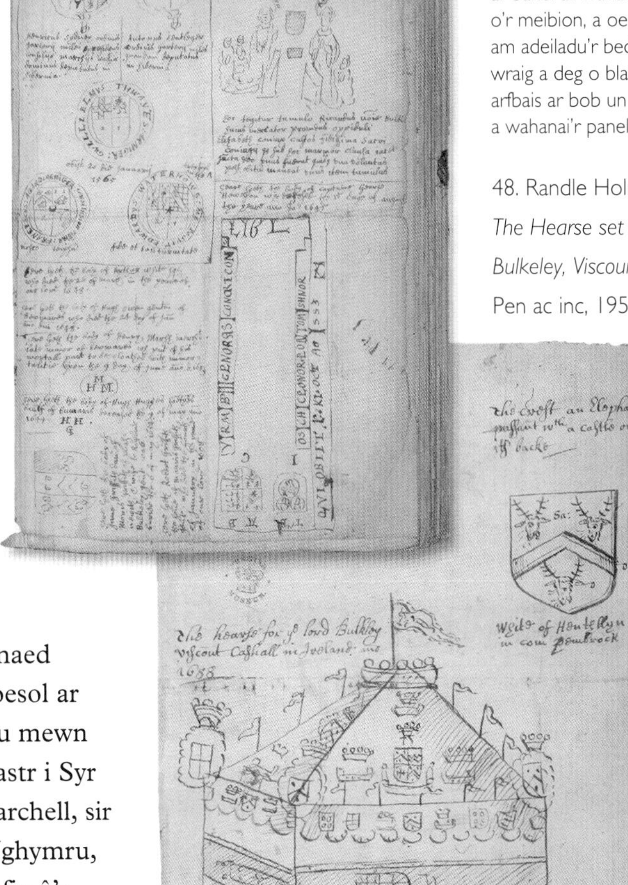

47. Randle Holme I, *Lluniadau o feddau ac arfbeisiau yn Eglwys Biwmares*, 1621, Pen ac inc, 195 × 300

48. Randle Holme III, *The Hearse set up for the Lord Bulkeley, Viscount Cashall*, 1688, Pen ac inc, 195 × 275

[39] W. M. Myddelton, *Chirk Castle Accounts A.D. 1605–1666* (argraffwyd yn breifat, St Albans, 1908), t. 12. Am y rhôl achau, gw. Llyfrgell Brydeinig, Llsgr. Sloane 3977.

[40] J. P. Earwaker, 'The Four Randle Holmes, of Chester', *Journal of the Chester Archaeological and Historic Society*, 4 (1892), 113–70.

[41] *Arch. Camb.*, LXXIX (1924), 149, 151.

[42] Ibid., VI (1860), 24.

[43] Myddelton, *Chirk Castle Accounts*, t. 143. Ceir rhestr fanwl o'r eitemau paentiedig a wnaed ar gyfer angladd Syr Richard Myddelton ym 1716, ac a gyflenwyd gan Francis Bassano o Gaer, yn idem, *Chirk Castle Accounts (Continued)*, tt. 388–9.

[44] William Hamper (gol.), *The Life, Diary, and Correspondence of Sir W. Dugdale, Knight* (London, 1827), tt. 129 a 132–3.

[45] Yr oedd y beddrod alabastr i aelod o deulu Gruffydd yn eglwys Llanbeblig, sir Gaernarfon, wedi ei addurno â nifer helaeth o ffigurau o'r fath. Nid yn unig yr oedd saith merch ac wyth mab yr ymadawedig i'w gweld ar y beddrod, ond yn ogystal, ar banel ar wahân, darlunnid un o'r meibion, a oedd yn gyfrifol am adeiladu'r beddrod, gyda'i wraig a deg o blant. Yr oedd arfbais ar bob un o'r colofnau a wahanai'r paneli ffigurol.

49. Donbins, *Beddrod Syr John a Joan Salusbury*, Eglwys Sant Marcella, Llanfarchell, 1588, Alabastr

50. Anhysbys, *Cofeb i Humphrey Llwyd*, Eglwys Sant Marcella, Llanfarchell, 1568, Carreg

51. Walter Hancock, *Beddrod Richard a Magdalen Herbert*, Eglwys Sant Nicholas, Trefaldwyn, 1600, Alabastr

52. Anhysbys, *Beddrod Roger Lort*, Eglwys Sant Iago ac Elidir, Stackpole, 1613, Carreg

53. Anhysbys, *Beddrod Margaret Mercer*, Eglwys y Santes Fair, Dinbych-y-pysgod, 1610, Alabastr

Llanfarchell gofeb i Humphrey Llwyd, a godwyd wedi ei farwolaeth ym 1568, sy'n dangos gwyriad dramatig oddi wrth gonfensiynau canoloesol. Y mae'r gofeb yn gynnyrch y Dadeni ac yn adlewyrchu statws Llwyd fel modernydd. Gosodwyd ei bortread cerfiedig ar y mur, mewn gofod pensaernïol realistig a gyflawnwyd drwy gyfrwng persbectif cerfwedd isel. O gylch y gofeb ceir ffrâm wych gyda chymysgedd o nodweddion ac addurniadau Clasurol. Darlunnir Llwyd ar ei liniau mewn gweddi, motiff a ddaeth yn gyffredin ar gyfer cofebau aml-liwiog a oedd naill ai yn sefyll ar eu traed eu hunain neu wedi eu mowntio ar fur. Yr oedd y rhain yn boblogaidd iawn tua diwedd y ganrif. Efallai mai'r enghraifft odidocaf yw'r gofeb a godwyd i Richard a Magdalen Herbert, rhieni Edward, Barwn Herbert cyntaf Chirbury, a adeiladwyd ym 1600 yn eglwys Sant Nicholas yn Nhrefaldwyn.[46] Dangosir Edward a'i frodyr yn penlinio bob yn ddau y tu ôl i'r ymadawedig, sy'n gorwedd uwchben corff Richard, yn null alegorïaidd rhai o bortreadau paentiedig y cyfnod. Y mae'r ffigurau paentiedig, sy'n cynrychioli Oferedd ac Amser, a geir yn sbandrelau'r bwa sy'n cynnal y strapwaith beiddgar o gwmpas arfbais y teulu yn atgyfnerthu'r syniad o fyrhoedledd bywyd a awgrymir gan y corff. Adleisir ysblander beddrod yr Herbertiaid yng nghofeb Margaret Mercer yn Ninbych-y-pysgod, ond gyda'r gwahaniaeth fod noddwr y gofeb hon wedi ymddyrchafu yn sgil llwyddo yn y byd masnach yn hytrach nag oherwydd ei fod yn dirfeddiannwr. Codwyd y gofeb ym 1610, wedi iddi farw ar enedigaeth plentyn, a hynny gan ei gŵr a welir yn penlinio mewn gweddi uwchben ei chorff. Ceir cofebau aml-liwiog yn dyddio o ddechrau'r ail ganrif ar bymtheg mewn llawer o eglwysi bychain gwledig. Y mae'r gofeb i Roger Lort yn Stackpole, a godwyd ym 1613, yn nodweddiadol ohonynt gan ei bod wedi ei lleoli mewn capel preifat, y drws nesaf i'r gangell yn yr achos hwn. Y mae'n nodedig gan fod y rhan fwyaf o'r paent gwreiddiol wedi goroesi ac, fel cofeb Mercer, y mae'n ddigon posibl iddi gael ei gwneud yn lleol.

[46] Yn ôl dyluniad y pensaer Walter Hancock, y mae'n debyg. Am Walter Hancock, gw. Richard Haslam, *The Buildings of Wales: Powys* (London/Cardiff, 1979), t. 166.

54. Anhysbys, *Syr John Wynn o Wedir*, 1619, Olew, 914 x 723

55. Robert Vaughan, *Syr John Wynn o Wedir*, c.1649, Engrafiad, 303 x 211

56. Robert Vaughan, *S^R John Wynn of Gwedvr*, Capel Gwedir yn Eglwys Sant Grwst, Llanrwst, c.1649, Pres, 495 ar draws

Daeth y ffigur ar ei liniau mewn gweddi yn gyffredin hefyd ar gofebau pres. Ceir yn Llanfarchell gofeb bres ardderchog i Richard a Jane Myddelton sy'n dangos y gŵr a'r wraig ar eu gliniau mewn gweddi yn wynebu ei gilydd dros ddarllenfyrddau ac arnynt lyfrau defosiynol. Yn cynnal y rhieni y mae eu naw mab a saith merch.[47] Fodd bynnag, y mae'r cofebau pres hynod a gomisiynwyd gan Wynniaid Gwedir ac a osodwyd yn eu capel yn eglwys Llanrwst yn cefnu ar y traddodiad canoloesol a'r dull modern cynnar a ddeilliodd ohono; y maent yn llawer nes at ffurf y portread paentiedig. Cwblhawyd y capel wyth mlynedd wedi marwolaeth Syr John Wynn ym 1627, ond ymddengys na wnaed y gofeb bres goffadwriaethol iddo tan y 1640au. Fe'i comisiynwyd gan ei ail fab, Syr Richard Wynn, a oedd yn drysorydd i'r Frenhines Henrietta Maria. Cadwai'r portread paentiedig o'i dad, a wnaed ym 1619, yn ei dŷ yn y Strand yn Llundain, a hwn a ddefnyddiwyd gan Robert Vaughan i engrafu'r gofeb bres ohono, gyda rhai newidiadau. Y portread hwn hefyd oedd cynsail y gofeb bres a ddefnyddiwyd ar gyfer y fersiwn printiedig.[48] Dilynodd Robert Vaughan batrwm y plac pres i Syr John Wynn wrth wneud y cofebau diweddarach i'r Fonesig Sydney Wynn, ei wraig, a Syr Owen Wynn eu mab, brawd ieuengaf Richard. Comisiynwyd yr olaf o'r cofebau hyn gan Maurice, mab Owen, y gofynnodd yr engrafwr iddo nodi a oedd am weld ei dad 'engraven'd with a face new trimmed' neu â'i farf drwchus arferol. Dewisodd yntau y fersiwn mwy parchus.[49] Sylvanus Crue, eurych o Wrecsam, a oedd yn gyfrifol am y gofeb bres i'r Fonesig Mary Mostyn, chwaer Richard ac Owen, a wnaed

[47] Am enghreifftiau pellach, gw. J. Mostyn Lewis, *Welsh Monumental Brasses* (Cardiff, 1974).

[48] Y mae peth tystiolaeth fod Vaughan yn Gymro. Bu'n gweithio i Gymry eraill megis Rowland Vaughan, a lluniodd bortread ohono ar gyfer ei gyfieithiad o waith Usher, *Principles of the Christian Religion*, a gyhoeddwyd ym 1658. Arwyddwyd y portread ganddo yn y Gymraeg, 'Rob: Vaughan ai lluniodd'. Gwnaeth ddarluniau hefyd ar gyfer *Survey of the Seignorie of Venice*, i'r awdur James Howell. Fodd bynnag, achoswyd cryn ddryswch yn sgil y ffaith i Isaac Williams, Ceidwad cyntaf yr Adran Gelf yn Amgueddfa Genedlaethol Cymru, uniaethu Robert Vaughan yr ysgythrwr a'r hynafiaethydd o'r un enw, yn *Early Welsh Line and Mezzotint Engravers* (Cardiff, 1933). Ysgogodd hyn ymateb gan Bob Owen yn *Y Genedl Gymreig*, 9 Tachwedd 1933, lle yr ailystyrir y dystiolaeth ynghylch tras Gymreig Vaughan, a chan T. A. Glenn, 'Robert Vaughan of Hengwrt and Robert Vaughan the London Engraver', *Arch. Camb.*, LXXXIX (1934), rhan 2, 291–307. Yn ei eiddgarwch i wrthbrofi Williams, awgrymodd Glenn fod Vaughan o dras Isalmaenig.

[49] LlGC, Calendar of Wynn (of Gwydir) Papers, rhif 2310.

ym 1658. Glynwyd wrth y siâp sgwâr, ar ffurf deimwnt ond, yn wahanol i Vaughan, dewisodd Crue osod ei wrthrych mewn amlinelliad hirgrwn. Y mae'n bosibl i'r teulu droi at yr engrafwr o Wrecsam oherwydd yr anhawster o gludo'r portread o'r Fonesig Mary, a baentiwyd ym 1634 ac y seiliwyd y gofeb arno, i Lundain. Bu farw gŵr Mary ar ôl i'r darlun gael ei baentio, ac felly portreadodd Crue hi yn gwisgo cap confensiynol gyda phigyn gweddw.

57. Sylvanus Crue, *Y Fonesig Mary Mostyn*, Capel Gwedir yn Eglwys Sant Grwst, Llanrwst, 1658, Pres, 457 ar draws

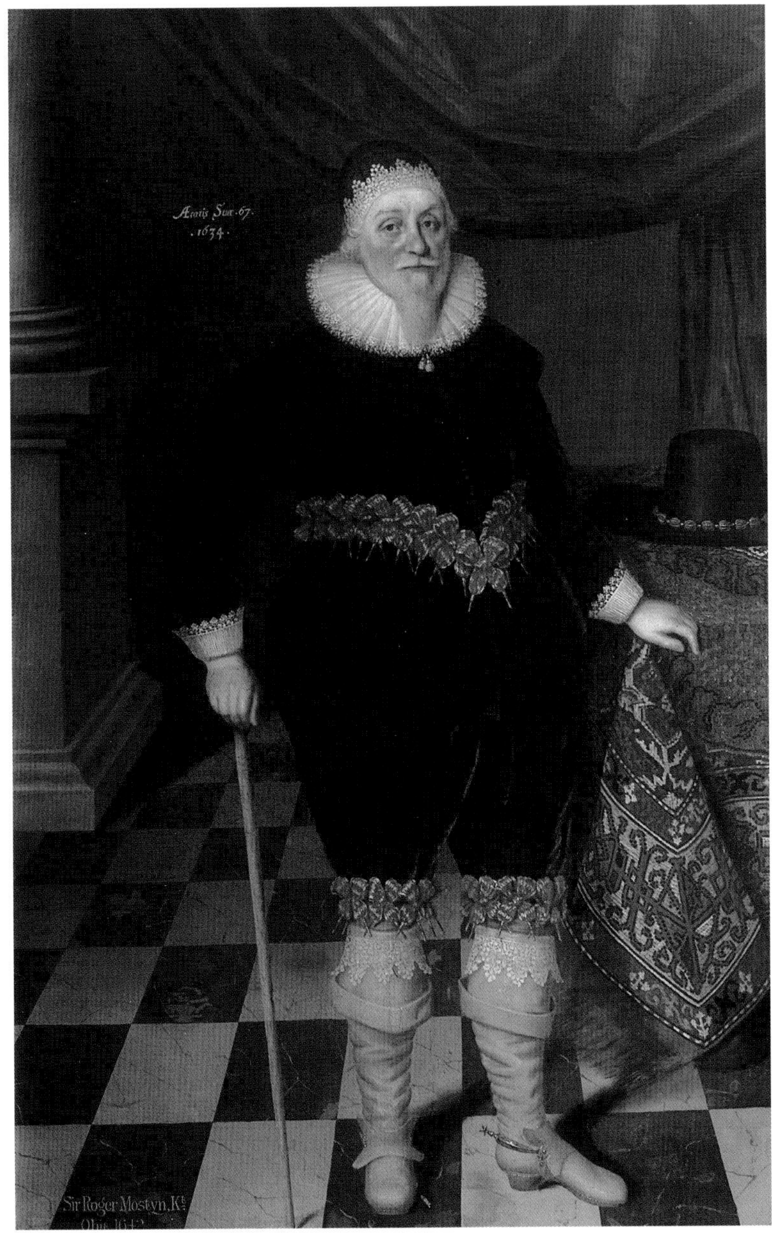

58. Anhysbys, *Syr Roger Mostyn*, 1634, Olew, 2108 x 1346

59. Anhysbys, *Y Fonesig Mary Mostyn*, 1634, Olew, 2108 x 1346

60. Maximilian Colt,
Beddrod Syr Thomas Mansel o Fargam, Mary ei wraig gyntaf a Jane ei ail wraig,
Eglwys Abaty Margam, Margam,
1639, Alabastr

61. Anhysbys,
Syr Edward a'r Fonesig Elizabeth Stradling yn Sain Dunwyd, 1590,
Olew, 1082 x 772

Yr oedd cysylltiadau amlwg rhwng y portread paentiedig, y gofeb bres goffadwriaethol a'r gofeb goffa aml-liwiog. Gellid tybio mai bras iawn oedd y tebygrwydd rhwng wyneb yr ymadawedig a'r wyneb ar y gorffddelw, ond daeth yn haws cyfleu'r wyneb yn gywir gyda dyfodiad darluniau cludadwy. Y mae'r dystiolaeth ysgrifenedig gynharaf am gerflunwyr yn copïo portreadau yng Nghymru yn dyddio o 1676, pan gomisiynwyd John Bushnell i gerfio cofeb i Elizabeth Myddelton yn Y Waun. I'w gynorthwyo yn ei waith daethpwyd â'i phortread o dŷ ei thad i'w alluogi i wneud llun bras ohoni.[50] Saith mlynedd yn ddiweddarach talwyd i Mr Gomsall o Gaer, a ddisgrifiwyd fel portreadwr, am wneud portread o gorff marw un o feibion Syr Thomas Myddelton fel y gellid ei anfon gyda'r un diben i Lundain. Sut bynnag, y mae'n amlwg o edrych ar y cofebau pres a gomisiynwyd gan deulu Goodman ynghyd â'r benddelw aml-liwiog yn Rhuthun fod hyn yn arfer cyffredin erbyn diwedd yr unfed ganrif ar bymtheg. Yn gynnar yn yr ail ganrif ar bymtheg gosodwyd corffddelwau o Syr Thomas a Jane Mansel ar feddrod ysblennydd ym Margam, beddrod a oedd hefyd yn cynnal delw o Mary, gwraig gyntaf Syr Thomas. Fe'i cerfiwyd gan Maximilian Colt, Huguenot a oedd yn gweithio yn Llundain. Ac yntau'n gyfrifol am feddrod Elisabeth I, y mae'n ddiau mai Colt oedd cerflunydd mwyaf clodfawr ei ddydd. Y mae'n amlwg fod wynebau Syr Thomas a Jane yn seiliedig ar y portread dwbl a baentiwyd oddeutu 1626. Yr enghraifft fwyaf anarferol o'r berthynas agos rhwng y cofebau aml-liwiog ar ddiwedd yr unfed ganrif ar bymtheg a dechrau'r ail ganrif ar bymtheg a'r portreadau paentiedig yw'r gofeb i Syr Edward a'r Fonesig Elizabeth Stradling o Sain Dunwyd. Yr oedd Syr Edward Stradling, yr hynafiaethydd enwog, wedi symud cyrff nifer o'i hynafiaid i'r capel a ychwanegwyd at yr eglwys gan ei dad, ac ym 1590 comisiynodd dri phaentiad ar baneli er cof amdanynt. Y mae arddull y darluniau yn unigryw, gan ddynwared cofebau tri-dimensiwn y cyfnod na chawsant eu hadeiladu gan fod beddau'r teulu ar wasgar. Y mae'r ffigurau canolog ar eu gliniau yn wynebu ei gilydd, ac ar ddau o'r paneli yn cael eu cynnal gan eu plant. Buasai Thomas, tad Syr Edward, yn Babydd amlwg. Cafodd gyfnod ffyniannus yn ystod teyrnasiad Mari, ond yr oedd ei ymlyniad wrth yr hen ffydd dan Elisabeth wedi costio'n ddrud i'r teulu, ac efallai mai dyna paham nad oes portread coffa ohono. Y mae'r darluniau yn cynnwys arysgrifau a herodraeth helaeth, ac er bod y ffigurau eu hunain o fewn gofod tri-dimensiwn realistig, daw hyn i ben yn ddisymwth y tu ôl iddynt, gan na wnaeth yr arlunydd unrhyw ymgais i lunio cefndir. Pan fu farw Syr Edward ym 1609 defnyddiwyd ei bortread ei hun gyda'i wraig, Agnes, yn sail i gofeb aml-liwiog o'r math y bwriadwyd i'r darluniau gwreiddiol gymryd eu lle.[51]

[50] Myddelton, *Chirk Castle Accounts (Continued)*, t. 119. Nid yw'r cyfrifon yn egluro i ble'r anfonwyd y portread. Awgrymodd Edward Hubbard, *The Buildings of Wales: Clwyd (Denbighshire and Flintshire)* (Cardiff, 1986), t. 128, i'r portread gael ei anfon i Lundain, ond y mae'n fwy tebygol iddo gael ei anfon i'r Waun, ac i Bushnell ei weld yno pan oedd ar ymweliad mewn perthynas â'r comisiwn.

[51] Anthony L. Jones, *Heraldry in the Churches, Castles and Manor Houses of Glamorgan: South Glamorgan No. 4* (Cowbridge, [1990]), tt. 24–35. Cred y teulu Bird o'r Bont-faen fod yr arlunydd yn un o'u hynafiaid.

HERE LYETH EDWARD STRADLINGE KNIGHT THE ·4· OF THAT NAME SONNE TO THOMAS
STRADLINGE ESQVIER AND IENET HIS WYFE (THE DAVGHTER OF THOMAS MATHEWE OF RADER
IN THE COVNTY OF GLAMORGAN ESQVIER) WHO DIED IN THE CASTELL OF SAINT DONATTS THE
·8· DAY OF MAY IN THE YERE OF OVR LORD ·1535· AND WAS BVRIED IN THE CHAVNCEL OF THE
CHVRCH THER WHOS BONES WERE AFTER TRANSLATED BY HIS NEPHEWE EDWARD STRADLINGE
KNIGHT THE ·5· OF THAT NAME INTO THE CHAPPELL THER IN THE YERE OF OVR LORD ·1573· ALSO
HERE LYETH ELIZABETH HIS WIFE DAVGHTER TO THOMAS ARVNDELL OF LANHEYRON IN THE COVNTY
OF CORNEWALL KNIGHT WHO DYED IN CHILDBEAD AT MERTHERMAWRE THE ·20· DAY OF FEBRVARY IN
THE YERE OF OVR LORD ·1513· AND WAS BVRYED THER WHOS BONES THOMAS STRADLINGE KNIGHT
HER SONNE CAVSED TO BE TAKEN VP AND CARYED TO SAINT DONATTS AND BVRYED IN THE CHAVNCELL
OF THE CHVRCH THER WITH HER HVSBAND THE ·8· DAY OF MAYE IN THE YERE OF OVR LORD ·1536·
AND WERE AFTERWARDS BY EDWARD STRADLINGE KNIGHT THE ·5· OF THAT NAME HER NEPHEWE
TRANSLATETED OVT OF THE CHAVNCELL INTO THE CHAPPEL THER IN THE YERE OF OVR LORD ·1573·

62. Anhysbys, *Cofeb i John Trevor*, Eglwys yr Holl Saint, Gresffordd, 1589, Marmor

Rhaid oedd comisiynu beddrodau o waith alabastr gan nifer o wahanol gynhyrchwyr yn Lloegr lle'r oedd y garreg i'w chael, ac y maent yn debyg o ran ffurf i'r hyn a welir yn gyffredinol mewn gwahanol rannau o Brydain. At ei gilydd, y mae cofebau aml-liwiog o ddiwedd oes Elisabeth a'r cyfnod Jacobeaidd a gerfiwyd â cherrig eraill yn cydymffurfio â'r patrwm cyffredinol, er bod dulliau cynhyrchu lleol a nawdd mympwyol i'w gweld yn fwy amlwg yma. Y mae'r gofeb yn eglwys Gresffordd i John Trevor, a fu farw ym 1589, yn defnyddio'r ystum melancolaidd a ddatblygwyd ym mân-ddarluniau'r cyfnod i gyfleu gŵr chwaethus, ac a fynegwyd mor wych yn ddiweddarach ym mhortread Isaac Oliver o Edward Herbert.[52] Y mae'n amlwg mai beddrod anarferol John Trevor oedd yr ysbrydoliaeth ar gyfer y beddrod a wnaed hanner canrif yn ddiweddarach i ŵr bonheddig lleol o'r enw Efan Llwyd o Fodidris yn Llanarmon-yn-Iâl.

Eto i gyd, ni chafodd y ffurfiau newydd a ddatblygwyd ar gyfer noddwyr soffistigedig megis Trevor gymaint â hynny o ddylanwad ar gynhyrchu lleol. Datblygwyd ysgol gerfio mewn grŵp o eglwysi yn sir Fynwy yn y 1620au, ac er ei bod yn coffáu pobl yr oedd eu profiad o'r byd yn ymestyn ymhell y tu hwnt i ffiniau'r plwyf lle y'u claddwyd, dibynnai gymaint ar fodelau canoloesol ag ar bortreadaeth newydd yr arlunwyr a'r cerflunwyr. Yn Llanwytherin cerfiwyd ffigurau maint llawn cerfwedd isel o'r Parchedig David Powell a Mary Powell gyda beiddgarwch dramatig, a'r tebyg yw iddynt gael eu paentio'n wreiddiol.[53] Y mae Mary Powell yn gwisgo het befar uchel, tebyg i'r un y byddai Arglwyddes Llanofer o'r Fenni gerllaw yn ei chyflwyno yn ddiweddarach fel rhan o'r wisg genedlaethol Gymreig. Yr un cerflunydd a fu ar waith yn Llandeilo Gresynni, lle y ceir corffddelw debyg i ŵr anhysbys.[54]

[52] Y mae Trevor yn enghraifft arall o lwyddiant boneddigion gogledd-ddwyrain Cymru fel gwŷr llys a milwyr, ac megis ei gyfoeswr Syr Rhisiart Clwch daeth â ffasiynau i Gymru o Lundain a'r Cyfandir. Adeiladodd un o'r tai modernaidd gwychaf yn oes Elisabeth, sef Trefalun yn sir Ddinbych, ac yn ddiweddarach adeiladodd John Trevor, ei ail fab, blasty Plas Teg.

[53] Cryfheir yr effaith gan eu safle, yn sefyll yn unionsyth, o bobtu i'r allor. Gwyddys iddynt ar un adeg gael eu gosod ar eu hyd yng nghorff yr eglwys, er nad dyma oedd eu safle gwreiddiol o angenrheidrwydd. Gw. J. A. Bradney, *A History of Monmouthshire* (4 cyf., London, 1906–32), I, Rhan 2, t. 272.

[54] Y mae eiconograffeg dwy o slabiau cerfwedd isel eraill, un yn dyddio o 1621, yn fwy cymhleth, ond ymddengys fod y rhain hefyd yn deillio o'r un gweithdy. Nodwyd bod cofebau cerfiedig cerfweddol tebyg yn y Grysmwnt a Llan-ffwyst.

[55] Dyfynnwyd gan A. J. Parkinson yn W. Nigel Yates, *Rug Chapel, Llangar Church, Gwydir Uchaf Chapel* (Cardiff, 1993), t. 37.

[56] Yr oedd Wiliam Cynwal hefyd yn fardd ac yn achyddwr. Lluniodd siart achau o ansawdd uchel o deulu Catrin o Ferain. Llsgr. Christchurch, Rhydychen, 184. Gw. Michael Powell Siddons, 'Welsh Pedigree Rolls', *Cylchgrawn Llyfrgell Genedlaethol Cymru*, XXIX (1995), 1–16.

63. Anhysbys, *Y Parchedig David Powell*, Eglwys Sant Iago yr Hynaf, Llanwytherin, Dyddiad yn ansicr, Carreg, 2082 x 775

isod: 64. Rhys Cain, *Arfau Edward Almer a rhan o'i Rôl Achau*, 1602, Gouache, 575 x 2159, manylyn

Er mai mewn eglwysi y ceid y cofebau pres a'r cofebau cerfiedig, gwrthrychau seciwlar oeddynt yn eu hanfod. Cyfyngwyd ar y darluniau crefyddol mewn eglwysi yn sgil Gorchymyn y Cyfrin Gyngor ym 1547 a alwai am 'the obliteration and destruction of all popish and superstitious books and images'.[55] Serch hynny, parhawyd i roi comisiynau. Gweithiai Rhys Cain fel paentiwr herodrol yng Nghroesoswallt o chwarter olaf yr unfed ganrif ar bymtheg ac, fel y Chaloners yng Nghaer, gadawodd ei fusnes i'w fab, Siôn Cain. Honna'r hen fywgraffiaduron – yn gyfeiliornus, fe ymddengys – i Rhys Cain gael ei eni yn Nhrawsfynydd, ond yr oedd ganddo gysylltiadau teuluol ar y Gororau lle y gallai ei gynnal ei hun fel cysodwr a phaentiwr achau, ac fel bardd.[56] Y mae rholiau achau paentiedig mawr i nifer o deuluoedd wedi goroesi, ac yr oedd hynafiaethydd blaenllaw y cyfnod, Robert Vaughan o Hengwrt, yn meddwl yn uchel ohono. Fodd bynnag, fel paentwyr Caer, ymddengys nad drwy herodraeth yn unig yr oedd Rhys yn ennill ei fywoliaeth. Mewn englyn, fe'i beirniadwyd gan Biwritan anhysbys am baentio delwedd grefyddol:

> Na wnaed yr un lun â'i law, – Duw Iesu,
> Dewisodd ein beiddiaw;
> Ond credu i Grist yn ddistaw
> Ŵr didranc, a'i air da draw.[57]

[57] Y mae'r englyn anhysbys wedi goroesi mewn dwy lawysgrif, LlGC Llsgr. 1668B, f. 59v a LlGC Llsgr. 11816B, f. 216r. (Diweddarwyd yr orgraff.)

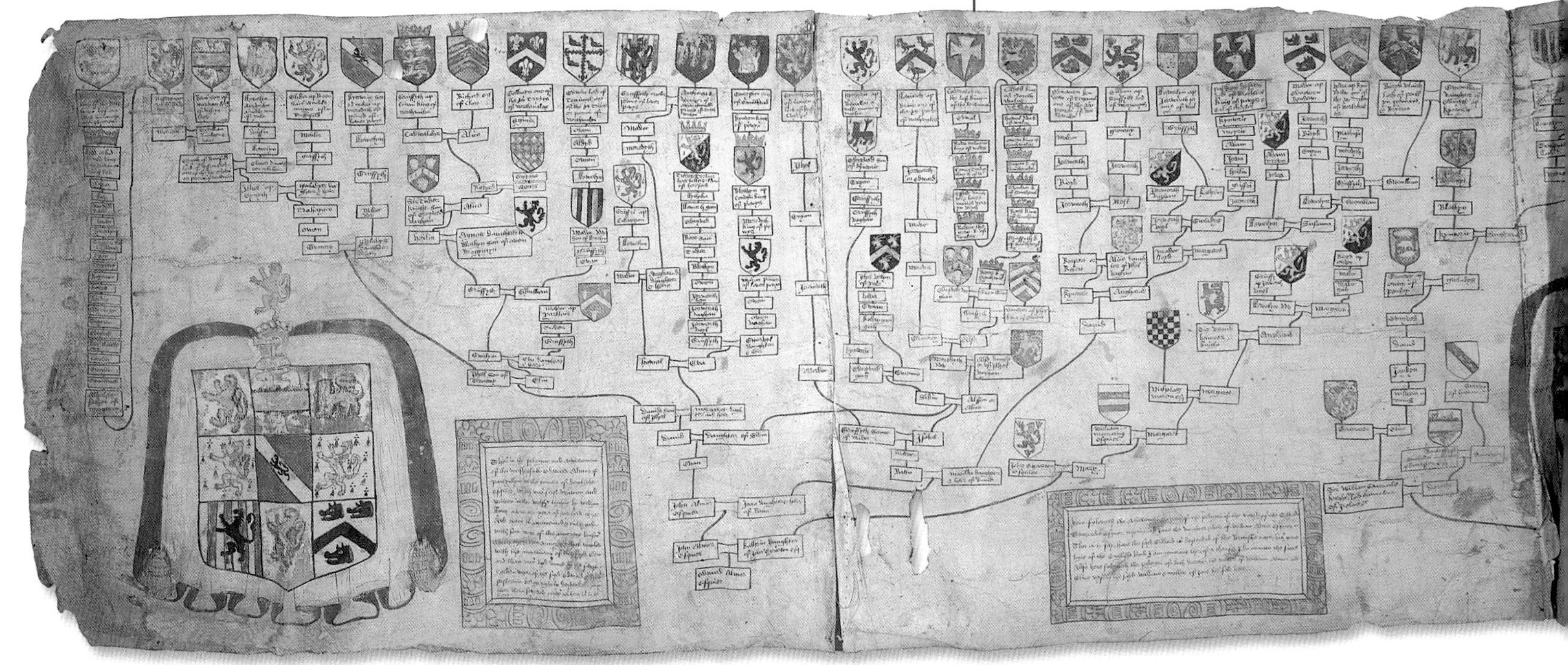

65. Anhysbys,
Capel Y Rug, 1637

Y mae'n amlwg fod gan Rhys dueddiadau ucheleglwysig, ac atebodd y cyhuddiad yn ffyrnig:

> Yr annuwiol ffôl a ffy – o'r golwg,
> Er gweled llun Iesu;
> Llunied, os gwell yw hynny,
> Llun diawl ym mhob lle'n ei dŷ.[58]

Y tebyg yw mai gwrthrych bychan a ddefnyddid at bwrpas addoli preifat oedd y llun o Grist a gollfarnwyd gan y Piwritan. Er bod yr Arminiaid yn ymdrechu erbyn y 1630au, dan ddylanwad Siarl I, i ailsefydlu elfennau o ddefod eglwysig ac arferion pensaernïol ac addurnol cysylltiedig, ni chafodd eiconograffeg Babyddol ganoloesol ei hadfywio ar raddfa eang yn gyhoeddus. Prin yw'r gweithiau preifat o eiddo Pabyddion Cymreig sydd wedi goroesi, megis y pedwar darlun a gomisiynwyd gan Syr Thomas Stradling yn dangos delwedd wyrthiol y groes mewn coeden a chwythwyd i lawr yn ystod storm fawr. Yn Y Fenni, yn ystod cyfnod y Werinlywodraeth yn ôl pob tebyg, comisiynodd Thomas Gunter ddarlun o addoliad y doethion ar gyfer ei gapel preifat. Paentiwyd y darlun ar blastr yn null cynlluniau addurnol ac ymddengys iddo fod yn waith arlunydd gwlad a ddefnyddiodd engrafiad cyfandirol o gyfnod y Dadeni yn fodel.

Rhoes tueddiadau ucheleglwysig Siarl I seibiant rhag y dryllwyr delwau, ac i'r cyfnod hwn y perthyn yr enghraifft wychaf o gelfyddyd grefyddol gyhoeddus yr oes, sef capel Y Rug, a adeiladwyd gan William Salusbury ym 1637. Y mae'r cynllun yn cynnwys cerfiadau pren aml-liwiog o angylion, patrymau paentiedig fflat ar y nenfydau a'r waliau wedi eu seilio ar flodau ac anifeiliaid, a thestunau, ac awgryma'r arddull mai gwaith arlunwyr gwlad lleol ydyw. Er yr holl addurniadau cyfoethog sy'n adlewyrchu arferion canoloesol, y mae'r diffyg paentio testunol megis hynny a gomisiynwyd gan y reciwsant Thomas Gunter, ynghyd â'r ffaith y ceir testunau yn yr iaith Gymraeg, yn dangos mai cynnyrch y Dadeni yw'r Rug. Addurnwyd y pulpud-ddarllenfwrdd â Gweddi'r Arglwydd, gan adlewyrchu'r pwyslais newydd a roid ar y Gair ac ar gyflwyno'r Gair i'r bobl gyffredin yn eu mamiaith.

66. Anhysbys, *Angel yng Nghapel Y Rug*, 1637, Pren wedi ei baentio

Yr oedd darluniau a thestunau o'r fath ymhlith yr ychydig ddelweddau gweledol a oedd o fewn cyrraedd y bobl gyffredin ac y mae'n debyg y byddai muriau eglwysi plwyf cyffredin, yn ogystal â chapeli preifat y boneddigion, yn cael eu haddurno â darluniau yn hanner cyntaf yr ail ganrif ar bymtheg. Yn sgil disodli athrawiaeth Babyddol y purdan cyflwynid delweddau newydd a dueddai i hoelio sylw ar agosrwydd a therfynoldeb marwolaeth. Yr eiconograffeg fwyaf cyffredin oedd ysgerbwd dynol, yn aml gydag awrwydr neu gaib a rhaw y torrwr beddau, megis yn Llangar, ger Corwen. Yno, fel yn achos amryw o eglwysi plwyf eraill, disodlwyd yr eiconograffeg ganoloesol fwy amrywiol gan ddelweddau o'r fath. Y mae'n anodd eu dyddio, ond y tebyg yw i'r mwyafrif o'r enghreifftiau sydd wedi goroesi gael eu llunio wedi'r Adferiad. Yn Llaneilian, Môn, er enghraifft, cafodd ffigur trawiadol iawn o Farwolaeth ei baentio, gyda'r arysgrif: 'Colyn Angau yw Pechod'. Y mae'r ffigur ar ochr isaf llofft y grog, yr oedd ei phrif ran wedi goroesi delwddrylliad yr unfed ganrif ar bymtheg, ond nid ei phaentiadau gwreiddiol. Defnyddiwyd yr un eiconograffeg yng nghapel Y Rug, ond yr oedd y gwaith hwn yn fwy soffistigedig na'r hyn a geid yn Llaneilian ac amryw o eglwysi plwyf eraill, a dichon fod hyn yn adlewyrchu cyfarwyddiadau manwl y noddwr. Yn Y Rug yr oedd yr ysgerbwd yn gorwedd o dan fwrdd, ac ar y bwrdd ceid symbolau o farwolaeth, a baentiwyd nid yn ddiagramaidd ond gydag ymdrech i greu'r argraff o gofeb wedi ei mowntio ar wal, gyda dwy golofn rychiog ar y naill ochr a'r llall. I ategu'r delweddau ceid dyfyniadau priodol o gywydd o'r bymthegfed ganrif gan Ieuan ap Rhydderch, 'Englynion y Misoedd', ac – yn fwyaf arwyddocaol – carol gan Richard Gwyn, y merthyr Catholig: 'val i treila r tan gan bwull, gwur y ganwull gynudd. fellu r enioes ar r hod sudd yn darfod beunudd'.[59]

67. Anhysbys,
Addoliad y Doethion, c.1650,
Plastr wedi ei baentio,
1450 x 860, manylyn

Deuai syniadau ucheleglwysig cyffelyb i'r amlwg eto wedi'r Adferiad. Yn y capel coffa i Hugh Owen yn Llangadwaladr, Môn, mabwysiadwyd cynllun sydd bron yn dychwelyd at y traddodiad canoloesol, gyda darluniau o Grist yn sefyll o flaen y deuddeg disgybl, atgyfodiad, esgyn i'r nefoedd a'r pedwar efengylydd.[60]

68. Anhysbys,
Ffigur o Farwolaeth,
Eglwys Sant Eilian, Llaneilian,
Sir Fôn, diwedd yr 17eg ganrif
neu ddechrau'r 18fed ganrif

[58] Y mae'r ymateb ar gael mewn llawer mwy o lawysgrifau, ac y mae tair ar ddeg o'r rheini yn ei briodoli i Rhys Cain, gw. er enghraifft, LlGC Llsgr. 11816B, f. 215v a LlGC Llsgr. 1580B, t. 373. (Diweddarwyd yr orgraff.)

[59] Ceir y dyfyniadau a manylion pellach o'r cynllun yn D. B. Hague, 'Rug Chapel, Corwen', *Cylchgrawn Cymdeithas Hanes a Chofnodion Sir Feirionnydd*, III, rhan II (1958), 175–6 ac yn Yates, *Rug Chapel, Llangar Church, Gwydir Uchaf Chapel*, tt. 10–21.

[60] Disgrifiwyd y cynllun ym 1721 gan Browne Willis, *A Survey of the Cathedral Church of Bangor* (London, 1721), tt. 306–7. Y mae ar goll erbyn hyn, ynghyd â rhan o'r gwydr, a oedd yn cynnwys portread o Siarl I.

69. Anhysbys,
Darlun o Farwolaeth,
Capel Y Rug, c.1637

Comisiynwyd cynllun llai uchelgeisiol ar gyfer capel newydd i'r Wynniaid yng Ngwedir Uchaf. Bu farw'r noddwr, Syr Richard Wynn, ym 1674, flwyddyn wedi iddo gomisiynu'r adeilad. Ef oedd mab Syr Owen, a goffawyd ar gofeb bres Robert Vaughan yn y capel cynharach a adeiladwyd gan y Wynniaid yn Llanrwst. Y mae'r capel newydd yn adeilad syml a chynnil o'r tu allan, mewn gwrthgyferbyniad llwyr â'r nenfwd paentiedig cymhleth. Megis capel Y Rug, y mae'n amlwg mai arlunwyr gwlad a'i paentiodd, ond defnyddiwyd eiconograffeg a oedd naill ai wedi ei ddylunio gan y noddwr soffistigedig hwn a oedd mewn cysylltiad ag arweinwyr eglwysig amlwg, neu a fyddai'n cwrdd ag anghenion noddwr o'r fath. Yr oedd pedair rhan y folt a rhan uchaf y mur dwyreiniol yn cynrychioli'r Cread a Phersonau'r Drindod, gydag angylion ar bob tu iddynt, sy'n awgrymu rhybudd rhag damnedigaeth, ac addoliad, heddwch a'r atgyfodiad. Yr oedd y mannau hynny lle y deuai'r bwâu o'r mur wedi eu gorchuddio ag angylion fflat a fyddai cyn bo hir yn dechrau ymddangos, fel elfen eiconograffig sylfaenol, ar gerrig beddau a chofebau i bobl o statws cymdeithasol is na'r Wynniaid. I'r boneddigion y perthynai'r gorffddelw garreg gerfiedig a'r cofebau pres, ond yn ystod ail ran yr ail ganrif ar bymtheg daeth modd i haenau cymdeithasol is hefyd gomisiynu cofebau.

70. Anhysbys,
Folt yng Nghapel Gwedir Uchaf,
Llanrwst, c.1673

pennod dau

RHYFEL AC ADFERIAD

71. Anhysbys, *The Welsh-Mans Postures*, 1642, Engrafiad pren, 140 x 118

Y mae rhyfeloedd cartref yn creu rhaniadau cymhleth iawn, gan achosi ymrafael rhwng cymdogion a'i gilydd a rhoi esgus i dalu'r pwyth am hen gwerylon nad oes a wnelont fawr ddim â'r prif ddadleuon gwleidyddol a chrefyddol. Yn ystod y gwrthdaro milwrol rhwng Siarl I a'r Senedd, a gychwynnodd ym 1642 ac a ddaeth i ben gyda dienyddio'r brenin ym 1649, byddai hyd yn oed y rhwydweithiau teuluol rhwng y boneddigion y buwyd yn eu hadeiladu'n ofalus dros genedlaethau lawer, ac a oedd fel rheol yn penderfynu teyrngarwch i'r naill ochr neu'r llall, weithiau'n cael eu chwalu. At hynny, gallai ymlyniad wrth un garfan ar ddechrau'r cythrwfl newid naill ai oherwydd cyfleuster lleol neu ystyriaethau gwleidyddol ehangach. Yr oedd rhai diwygwyr mwy cymedrol, a ochrai gyda'r Seneddwyr ym 1642, yn ei chael yn anodd i gefnogi'r ail ryfel ym 1648 a dienyddiad y brenin y flwyddyn ganlynol. Yr oedd yn sicr yn amhosibl hyd yn oed i ysgolheigion encilgar megis Robert Vaughan o Hengwrt ddianc rhag effeithiau'r rhyfel. Yn sgil y cynnwrf ei hun, ynghyd â'r gost i rai teuluoedd o godi milisia ac adeiladu amddiffynfeydd, yr oedd nawdd i'r celfyddydau ar drai, a dychwelodd rhai o brif arlunwyr Llundain i'w cartrefi ar y Cyfandir. Yn ystod cyfnod y Rhyngdeyrnasiad, parhâi'r boneddigion hynny a oedd ar ochr y Brenhinwyr ar ddiwedd y rhyfel i ddioddef oherwydd dirwyon, fforffedu eiddo neu alltudiaeth. Ar y llaw arall, derbyniodd y buddugol eu gwobr, a chynyddwyd eu gallu, dros dro o leiaf, i noddi portreadau.

Esgorodd y rhyfeloedd cartref a'r Werinlywodraeth ar eiconograffeg fach ond arwyddocaol a fynegwyd yng Nghymru ar ffurf portreadau yn bennaf, ond a ymestynnai yn ogystal i ddelweddau printiedig. Gan fod argraffu yn anghyfreithlon yng Nghymru, mynegid swyddogaeth unigolion amlwg a chenedl y Cymry yn gyffredinol o safbwynt Seisnig. At hynny, gan fod y wasg boblogaidd yn Lloegr wedi ei lleoli yn Llundain, Seneddwyr yn ddieithriad bron a fyddai'n adrodd ar Gymru, a byddai eu sylwadau at ei gilydd yn elyniaethus. Ym mis Hydref 1642 cafodd lluoedd y brenin eu gyrru ar ffo yn Edgehill yn swydd Warwick, ac yr oedd y rhan a chwaraeodd milwyr o Gymru yn yr ysgarmes yn llai nag anrhydeddus. Cafodd y chwalfa hon, yn enwedig ran y Cymry ynddi, ei phortreadu yn Llundain mewn printiau poblogaidd megis *The Welsh-Mans Postures*. Y mae'r darlun a'r testun anweddus yn dangos aneffeithiolrwydd y Cymry mewn brwydr a hefyd yn tynnu sylw at y nodweddion rhefrol yr hoffai'r Saeson eu priodoli iddynt yn y cyfnod hwn. Y mae'n annhebyg i ddelweddaeth boblogaidd o'r fath gael fawr ddim effaith ar Gymru ei hun, hyd yn oed os llwyddodd rhai o'r delweddau hyn i gyrraedd y wlad, gan fod y testun a oedd yn gysylltiedig â hwy wedi ei ysgrifennu yn Saesneg, iaith nad oedd y mwyafrif helaeth o'r bobl gyffredin yn ei deall.

Y mae gyrfa John Williams, a oedd yn Archesgob Caerefrog pan ddechreuodd y rhyfel, er nad yw'n nodweddiadol (gan ei fod yn ffigur cyhoeddus pwysig), yn adlewyrchu cymhlethdodau niferus y rhyfel. Yn ychwanegol at y portreadau cynnar, Williams oedd y Cymro mwyaf amlwg yn eiconograffeg y cyfnod. Ymddangosodd gyntaf yn nhorluniau pren poblogaidd Llundain ym 1641 fel cefnogwr i ymdrechion yr Archesgob Laud i ddiwygio'r eglwys, gweithred a barodd iddo gael ei anfon i Dŵr Llundain gan y Senedd. Cryfhau ei sêl dros y Frenhiniaeth a wnaeth ei

[1] Yr oedd Shakespeare wedi gwatwar acenion Cymreig, yn enwedig yn ei bortread o Fluellin, a daeth 'Wenglish' yn un o'r dulliau a ddefnyddid i greu delwedd ystrydebol o'r Cymry o gyfnod cynnar. Y mae'r ffaith i'r term 'Wenglish' gael ei ddefnyddio mewn perthynas ag unigolyn arbennig yn peri bod achos Williams yn werth ei nodi. Gw. Peter Lord, *Words with Pictures: Welsh Images and Images of Wales in the Popular Press, 1640–1860* (Aberystwyth, 1995), tt. 41–3. Cafodd yr Archesgob John Williams ei bortreadu hefyd mewn cofeb fur o eiconograffeg gonfensiynol, yn penlinio o flaen darllenfa, yn eglwys Llandygái.

[2] Beirniadwyd yr Archesgob Williams am newid ei deyrngarwch mewn baled boblogaidd: 'Gwae fo byth i deulu'r Wig a'r Penrhyn / Am iddynt lwyr fradychu Syr John Owen.' Dyfynnwyd yn A. Grace Roberts, 'Archbishop Williams [1582–1650]', *The Welsh Outlook*, XIII (1926), 38.

72. Wenceslaus Hollar,
Archesgob John Williams,
1642, Engrafiad,
230 x 169

garchariad ac wedi ei ryddhau ymunodd â'r brenin yng Nghaerefrog. Yn ddiweddarach ym 1642 dychwelodd i ogledd Cymru i atgyfnerthu amddiffynfeydd Castell Conwy ar gyfer y frwydr i ddod. Yn yr un flwyddyn gwnaed engrafiad cain ohono gan Wenceslaus Hollar, a oedd yng ngwasanaeth Iarll Arundel ac yn pleidio achos y brenin yn ystod y rhyfel. Yn yr engrafiad dangosir yr Archesgob yn gwisgo croeswregysau milwr, gyda ffiwsys ynghynn yn barod i danio'r mysged a bwysai ar ei ysgwydd. Y mae'n amlwg fod Hollar wedi gweld portread o Williams naill ai gan Johnson neu gan Jackson (neu luniadau ohonynt), gan iddo seilio'r wyneb arno, ond dewisodd ef osod ei wrthrych yn erbyn tirwedd y castell, Aberconwy, a'r tir i'r dwyrain o'r afon. Awgryma cywirdeb y cefndir fod yr arlunydd wedi ymweld â Chonwy. Mabwysiadwyd y print yn fuan gan rai â thueddiadau mwy poblyddol a rhoddwyd march rhyfel ac eglwys gadeiriol yn gefndir iddo. Ychwanegwyd pennill sy'n dangos Williams yn siarad 'Wenglish' – yr enghraifft gyntaf, y mae'n debyg, o ddefnyddio'r nodwedd ystrydebol hon i ddychanu Cymro cyfoes a oedd yn ffigur cyhoeddus.[1]

73. Anhysbys,
Y Barnwr Malet, Archesgob John Williams, a'r Cyrnol Lunsford,
c.1642, Engrafiad, 220 x 283

Ym mis Mai 1645 collodd John Williams ei safle fel amddiffynnydd Castell Conwy pan wthiwyd ef o'r neilltu gan frenhinwr arall, Syr John Owen o Glenennau. Yr oedd Syr John Owen wedi gwneud enw iddo'i hun yn ymladd yn Lloegr ac fe'i penodwyd yn arweinydd byddin y brenin yng ngogledd-orllewin Cymru. Yn sgil cryn ymgecru, ymunodd John Williams â'r Pengrynwyr, ac ym mis Awst 1646 cynorthwyodd Thomas Mytton i gipio castell Conwy oddi ar Owen. Parhaodd Syr John yn ffigur poblogaidd ymhlith y Brenhinwyr[2] a cheir portread ohono yn ei arfwisg, a'r nos yn gefndir trawiadol iddo, a golygfa o faes y gad a chastell yn llosgi y tu ôl iddo. Y mae'n annhebyg, serch hynny, i'r darlun hwn gael ei baentio cyn yr Adferiad ym 1660, ac y mae'n bosibl mai ar ôl ei farwolaeth y'i comisiynwyd.

Yr oedd Thomas Mytton, gwrthwynebydd Syr John Owen yng Nghonwy, yn perthyn drwy briodas i Syr Thomas Myddelton o Gastell Y Waun, uwchfrigadydd lluoedd y senedd yng ngogledd Cymru. Fel y gwelwyd eisoes, gwnaethai Syr Thomas

74. Anhysbys,
Syr Thomas Midleton,
c.1642–6, Engrafiad,
130 x 104

75. Anhysbys,
Syr John Owen o Glenennau,
c.1660, Olew, 940 x 795

ei ffortiwn ym myd masnach yn Llundain, lle y buasai ei dad yn Arglwydd Faer, ac nid yw'n syndod felly iddo gefnogi'r Senedd. Gan ei fod ar yr ochr fuddugol pan ddaeth y rhyfel i ben, y mae'r darluniau ohono yn gynharach na'r darlun o Owen, ac y mae'n debyg fod y print poblogaidd a dramatig ohono ar gefn march llamsachus, gyda'r arysgrif 'Sold by Thos. Hind at the black bull Cornhill', yn dyddio o'r 1640au. Y mae'n bosibl mai Robert Walker, arlunydd swyddogol Cromwell, a baentiodd y darlun o Myddelton yn ei arfwisg. Arferai grogi yng Nghastell Y Waun ymhlith grŵp bach o bortreadau o gefnogwyr y Werinlywodraeth, gan gynnwys Syr William Fairfax, cefnder y Cadfridog Arglwydd Fairfax, a laddwyd yn ystod gwarchae ar Gastell Trefaldwyn ym mis Medi 1644 ac yntau'n ymladd wrth ochr Syr Thomas. Tystia un o'r darluniau yng Nghastell Y Waun, sef y portread o Syr Henry Vane, cyfaill yr Arglwydd-amddiffynnydd, a ddaeth yn ddiweddarach yn Llywodraethwr Massachusetts, i'r berthynas agos rhwng Syr Thomas ac achos Cromwell.[3]

[3] Nid Syr Thomas Myddelton oedd biau'r portread o'r Seneddwr, y Cadfridog John Lambert, sy'n awr yn crogi gyda'r darluniau eraill yng Nghastell Y Waun.

76. Priodolwyd i Robert Walker, *Syr Thomas Myddelton*, c.1650–60, Olew, 1231 x 1010

Efallai fod y ffaith na chynhyrchwyd portreadau o Biwritaniaid Cymreig mwyaf blaenllaw yr oes, sef Walter Cradock, Vavasor Powell a Morgan Llwyd, yn arwydd o agwedd y Piwritaniaid at y diwylliant gweledol. Ar y llaw arall, yr oedd rhai o gefnogwyr cyfoethocaf Piwritaniaeth, Syr Thomas Myddelton yn eu plith, yn ddigon parod i gael eu paentio. Gan ddilyn cyfarwyddyd enwog Cromwell y dylai gael ei baentio yn union fel ag yr oedd ('warts and all'), diosgwyd portreadau'r cyfnod o'r rhwysg a gyflwynasai Van Dyck iddynt yn ystod ei gyfnodau yn Llundain rhwng 1620 a diwedd 1639. O gofio ymgyrchoedd milwrol y 1640au, nid yw'n syndod fod cynifer o bortreadau o wŷr bonheddig garw eu gwedd mewn arfwisg i'w cael, ac y mae'r enghreifftiau a welir drwy Gymru benbaladr yn dyst i ethos y cyfnod. Serch hynny, nid y rhyfel yn unig a oedd yn gyfrifol am boblogrwydd portreadau o'r fath, gan fod y ffasiwn am bethau canoloesol wedi dechrau'n gynharach a'i fynegi drwy obsesiwn gwŷr bonheddig dechrau'r ail ganrif ar bymtheg ag adeiladau a herodraeth y cyfnod.[4]

[4] Rhoes y portread o *Charles I Armoured as a Christian Knight*, a baentiwyd gan Van Dyck ym 1635–6, hwb sylweddol i'r duedd hon.

Ofewn y diwylliant gweledol, difwyno'r delweddau crefyddol a oroesodd ddelwddrylliad y ganrif flaenorol oedd yr arwydd amlycaf o agweddau digyfaddawd cyfnod y rhyfel a'r Rhyngdeyrnasiad. Yr oedd y rhan fwyaf o ddelweddau godidocaf yr oesoedd canol, gan gynnwys bron y cyfan o'r rhai a geid yn y mynachlogydd a'r abatai, wedi cael eu dinistrio yn yr unfed ganrif ar bymtheg. Er enghraifft, pan ymwelodd Thomas Churchyard â'r Fenni oddeutu 1587 yr oedd y cerflun anferth o Goeden Jesse eisoes wedi ei ddifetha. Goroesodd rhai, serch hynny, a nododd y milwr brenhinol Richard Symonds yn ei ddyddiadur ym 1645 y ceid yn y dref 'A very faire guilt roode left, and old organs'.[5] Ychwanegodd hefyd: 'Almost in every parish the crosse or sometime two or three crosses perfect in Brecknockshire, Glamorganshire, etc.'[6] Ond byr fyddai eu hoedl. Yr oedd y dinistr eisoes wedi dechrau yn y gogledd-ddwyrain:

> About 9 Nov., 1643, Sir W. Brereton and his forces came to Faringdon and Holt, and entered through the same, and went to Wrexham, Flint and Holywell, and did pull down the organs, defaced the windows in all the churches, and the monuments of divers, and pulled down the arms and hatchments.[7]

Cafodd pibau'r organ yn Wrecsam eu toddi i wneud bwledi ar gyfer lluoedd Syr Thomas Myddelton. Ysgrifennodd llygad-dyst arall, a'i ddirmyg yn amlwg, am y dinistr ym Mhenarlâg:

> I myself coming into the church of Hawarden the morning after they were there, found the Common Prayer-Book scattered up and down the chancel, and some well read man, without doubt, conceiving that the Common Prayers had been in the beginning of a poor innocent old church bible, tore out almost all Genesis for failing. It stood so dangerously it was suspected to be malignant. In windows where there was oriental glass they broke in pieces only the faces; to be as frugal as they could, they left sometimes the whole bodies of painted bishops, though in their rochets. But if there was anything in the language of the beast, though it was but an *hoc fecit*, or at worst, *orate* &c. (and I but guess, for I could not read it when it was gone), which had stood many years, and might many more, without idolatry, that was dashed out. They had pulled the rails down about the table, and very honestly reared them to the wall (it was well they were in a coal country, where fuel was plentiful), and brought down the table to the midst of the church.[8]

Yr oedd y cofebau i deuluoedd bonheddig mewn adeiladau crefyddol wedi goroesi i raddau helaeth adeg y diddymiad a than Edward VI gan mai bach oedd eu gwerth ariannol a hefyd oherwydd mai gwrthrychau seciwlar oeddynt i bob pwrpas, heb fawr ddim addurniadau arnynt y gellid eu collfarnu fel delweddau Pabyddol.

[5] *Richard Symonds's Diary of the Marches of the Royal Army*, gol. C. E. Long, gyda chyflwyniad atodol gan Ian Roy (Camden Classic Reprints 3, Cambridge, 1997), t. 238.

[6] Ibid., t. 208.

[7] Llyfrgell Brydeinig, Llsgr. Harleian 2125, f. 135.

[8] J. Roland Phillips, *Memoirs of the Civil War in Wales and the Marches 1642–1649* (2 gyf., London, 1874), II, t. 114.

[9] Horatia Durant, *Henry, 1st Duke of Beaufort and His Duchess, Mary* (Pontypool, 1973), t. 37. Yr oedd beddau'r teulu yn eglwys Rhaglan hefyd wedi eu difrodi.

[10] Thomas Dineley, *The Account of the Official Progress of His Grace the First Duke of Beaufort through Wales 1684* (London, 1888), t. 210.

[11] Ibid., t. 77.

[12] Ibid., t. 145.

[13] Phillips, *Memoirs of the Civil War*, I, t. 181.

[14] Dineley, *The Account of the Official Progress of His Grace Henry the First Duke of Beaufort through Wales*, t. 147.

Ychydig iawn o'r tai bonedd pwysicaf a ddioddefodd i'r fath raddau â Dinefwr. Dienyddiwyd Rhys ap Gruffydd, y perchennog, ym 1531 am wrthwynebu ysgariad Harri VIII oddi wrth Catherine o Aragon am resymau crefyddol, a fforffedwyd llawer o eiddo'r teulu. Dichon i'r rhan fwyaf o'r teuluoedd a gadwodd yn ddistaw adeg diddymu'r mynachlogydd lwyddo i gadw eu creiriau o ddwylo'r atafaelwyr. Yn ystod y rhyfeloedd cartref, fodd bynnag, dinistriwyd llawer o gofebau teuluoedd bonheddig, yn rhannol oherwydd yr elfen wastataol ymhlith y milwyr neu oherwydd eu bod yn coffáu boneddigion yr oedd eu disgynyddion yn ymladd o blaid y brenin. Pan sylweddololodd Henry Somerset, trydydd Ardalydd Caerwrangon, y byddai'r Seneddwyr yn gosod gwarchae ar ei dŷ yng Nghastell Rhaglan, anfonodd y portreadau o'r teulu a'r paneli Tuduraidd at ei frawd yn Nhŷ Troy ger Trefynwy, a llwyddodd i'w diogelu. Ond cadwodd ei lyfrgell, a oedd yn cynnwys llawysgrifau o'r oesoedd canol, yn Rhaglan a chollwyd peth ohoni.[9] Ymhellach i'r gorllewin, cofnodwyd gan Thomas Dineley ym 1684 fod y gofeb gain i deulu Games yn Eglwys y Priordy yn Aberhonddu, a ddisgrifiwyd gan Thomas Churchyard ym 1587, wedi ei dinistrio gan 'filwyr y camfeddianwyr'.[10] Yn Y Trallwng nododd Dineley: 'In the Chancell on the left hand ascending, against ye wall is what ye irregularity of the Usurpers souldiers hath left of a fair monument, where, I suppose, had been 2 Figures of marble kneeling.'[11] At gofeb Syr Edward Herbert y cyfeiriai, cofeb a godwyd brin hanner can mlynedd ynghynt. Gwaetha'r modd, yr oedd disgynyddion Syr Edward yn Frenhinwyr pybyr. Un o'r gwrthrychau pwysicaf a ddifwynwyd oedd yr arch garreg anferth i Lywelyn ap Iorwerth yn Llanrwst. Ceid arfbeisiau pres ac enamel ar ei hochr ac oherwydd hynny ni lwyddodd i osgoi 'the profane hands of the sacrilegious late Rebells'.[12]

Er cymaint fu'r loes i rai o weld dinistrio'r hen ddelweddau crefyddol, gorfoleddai'r Piwritaniaid wrth eu dileu. Yng ngeiriau cofiadwy J. R. Phillips yn *Memoirs of the Civil War in Wales*, 'however much we may regret the pulling down of organs, the defacing of windows, and the destruction of works of art, we should never forget that to these men these things were odious, as signs of a faith which they detested, and which to their narrow fanatic minds was damnable'.[13] Mewn rhai mannau, cuddiwyd yr hen ddelweddau i'w diogelu yn ystod y cynnwrf. Ymddengys i'r ffenestr Jesse wych yn Llanrhaeadr-yng-Nghinmeirch gael ei thynnu allan a'i chuddio yn ystod y rhyfeloedd cartref, camp nid bychan i'r bobl leol o ystyried mor fawr a chymhleth ydoedd. Cafwyd enghraifft arall o hyn yn Llanrwst, yn ôl Dineley:

> Over the Timber Arch of the Chancell neer the Rood Loft, lieth hid the ancient figure of the Crucifixion as bigg as the life. This I suppose is shewn to none but the curious, and rarely to them.[14]

77. Anhysbys, *Cofeb (wedi ei difwyno) i William Risam*, Eglwys y Santes Fair, Dinbych-y-pysgod, *c.*1633, Carreg

[15] Williams, 'A Study of Caernarfonshire Probate Records, 1630–1690', t. 378.

[16] Myddelton, *Chirk Castle Accounts*, t. 20.

Y mae sylw Dineley fod gwarcheidwaid y ddelwedd yn parhau'n wyliadwrus mor ddiweddar â 1684 yn ein hatgoffa na ddaeth delwddrylliad i ben gyda'r Adferiad. Parhâi'r elyniaeth at Babyddion, yn enwedig mewn mannau megis Clynnog Fawr a Threffynnon, lle'r oedd creiriau canoloesol enwog, a hynny yn bennaf oherwydd yr ofnau y deuai ymosodiad o Iwerddon. Ym 1687 difwynwyd capel Pabyddol preifat ym Mhenrhyn Creuddyn ar yr esgus y gallai fod arfau ynghudd yno i gynorthwyo'r ymosodwyr.[15]

Prin yw'r dystiolaeth ynglŷn ag agwedd y Piwritaniaid o Gymru at ddinistrio'r delwau, er y gwyddys bod Vavasor Powell gyda milwyr Mytton yn ystod y gwarchae ar Gastell Biwmares, ac iddo y mae'n debyg naill ai weld neu gymryd rhan yn y dinistr. Ni wyddys yn union ychwaith beth oedd agwedd gwŷr megis Syr Thomas Myddelton. Er ei fod yn perthyn i blaid y Piwritaniaid, yr oedd ei agwedd at bortreadaeth yn rhyddfrydig, ac y mae'n amlwg ei fod yn hoff o bethau cain. Cyn y rhyfel cyfranasai'n gyson at ei eglwys ef ei hun, ac ym 1637 cyfrannodd £5 at y gwaith o atgyweirio a harddu Eglwys Gadeiriol Sant Paul yn Llundain.[16] Nid oedd gyrfa Myddelton yn ystod y rhyfel nac wedi hynny yn syml. Ym 1659 datganodd o blaid y brenin, gweithred gynamserol a barodd iddo gael ei yrru o'i gastell. Gorchmynnwyd dinistrio'r adeilad a gwnaed digon o ddifrod i'w atal rhag byw yno byth wedyn.

78. William Henry Toms yn seiliedig ar Thomas Badeslade, *The West Prospect of Chirk Castle in Denbighshire*, c.1735, Engrafiad, 462 x 696

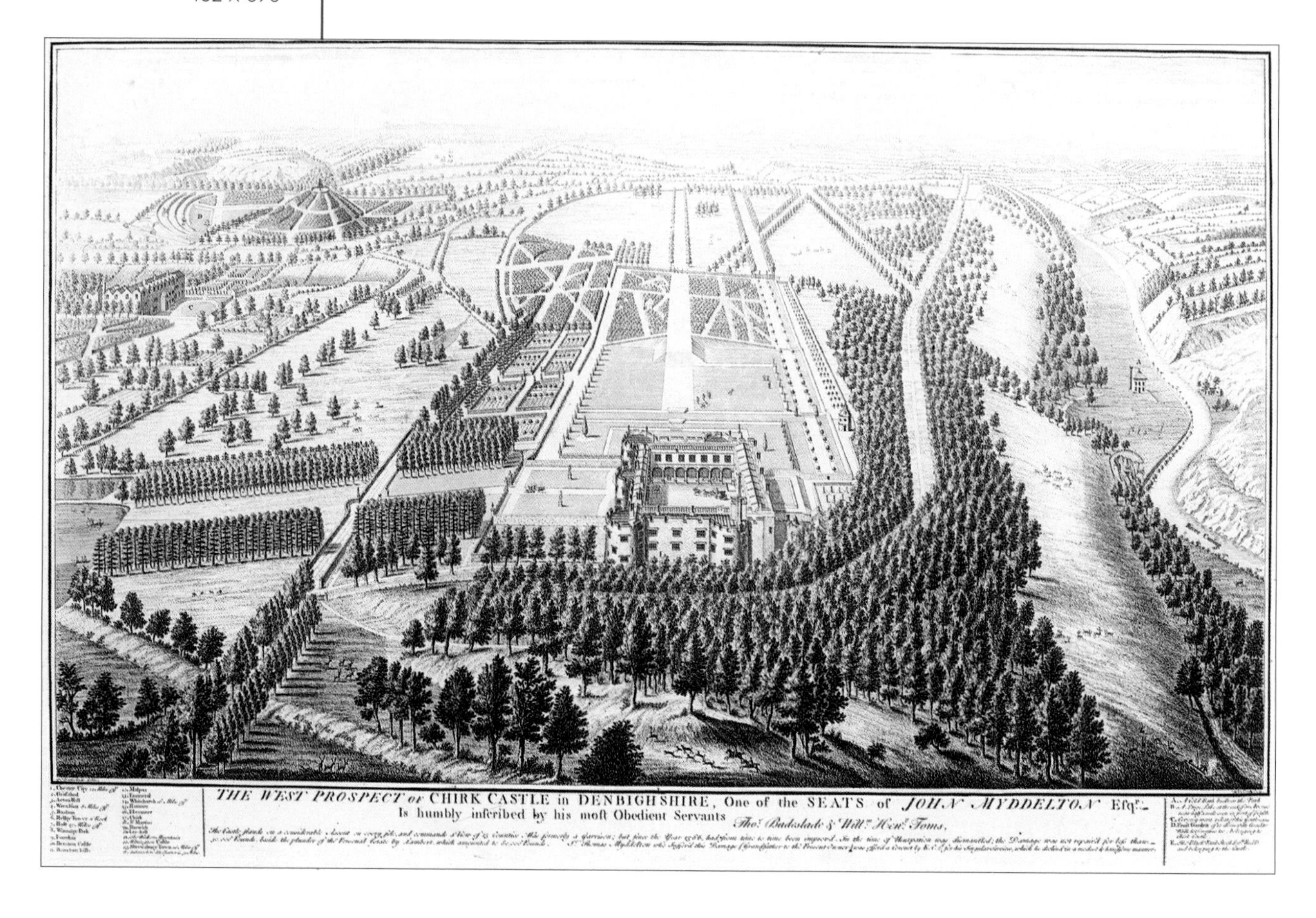

79. Thomas Mann Baynes,
Mynedfa Y Bewpyr, sir Forgannwg, a godwyd ym 1660, c.1815–50,
Lithograff, 182 x 204

80. *Great Castle House, Trefynwy*, 1673

O herwydd effeithiau'r rhyfel a'r ffaith fod oes aur gweithgaredd deallusol a ffafrau dan y Tuduriaid a'r Stiwartiaid ar ben, ni lwyddodd boneddigion Cymru i adennill eu safle wedi'r Adferiad. Eithriad oedd y gwaith ailadeiladu ac addurno helaeth yng Nghastell Y Waun. Gwnaed y gwaith hwn gan Syr Thomas Myddelton (ŵyr y Syr Thomas a ymladdodd yn y rhyfeloedd cartref) a fuasai ar y Daith Fawr ar y Cyfandir, ac yna gan ei frawd Richard a'i holynodd ym 1683.[17] Prin oedd y gweithiau a gymharai o ran gwychder â'r gwelliannau a wnaed i Gastell Y Waun, er bod ambell enghraifft ar hyd a lled y wlad. Yr oedd cynlluniau o'r fath yn tanlinellu'r bwlch cynyddol rhwng *élite* bychan a chanddo chwaeth am arddulliau rhyngwladol ac arddull werinol a adlewyrchai dueddiadau cymdeithasol ac economaidd yr oes yn gyffredinol. Un o nodweddion economaidd-gymdeithasol pwysicaf y cyfnod yw'r modd yr ehangodd y tirfeddianwyr sylweddol eu hystadau ar draul y mân foneddigion.[18] Cwblhaodd Edward Rice y proses araf o ailsefydlu buddiannau'r teulu wedi dienyddiad ei hen daid, Rhys ap Gruffydd, drwy ailadeiladu Newton, yng nghysgod Castell Dinefwr, ym mlwyddyn yr Adferiad. Teulu arall a fanteisiodd yn gyflym ar ddychweliad yr hen drefn oedd y Bassettiaid a ychwanegodd fynedfa Eidalaidd, anghydnaws braidd, at Y Bewpyr, plasty canoloesol ei arddull a adeiladwyd yng nghyfnod y Tuduriaid. Yr oedd Great Castle House yn Nhrefynwy, a gwblhawyd ym 1673, yn un o nifer o adeiladau a gomisiynwyd gan Henry Somerset, trydydd Ardalydd Caerwrangon, wedi'r Adferiad a dyma o bosibl yr adeilad mwyaf chwaethus a godwyd yng Nghymru yn y cyfnod hwn.[19] Yr oedd i'r adeilad ddwy asgell a ymestynnai yn ddigon pell i fframio canolbwynt yr adeilad, sef y fynedfa golofnog a godai hyd at y trydydd llawr.

[17] Yr oedd Thomas Myddelton wedi mynd ar y Daith Fawr gyda brawd arall, Robert, a fu farw yn Llundain ym 1674 ar ôl llawdriniaeth.

[18] Trafodir y rhesymau dros y bwlch cynyddol rhwng y tirfeddianwyr mawr a'r bonedd llai yn Geraint H. Jenkins, *The Foundations of Modern Wales, 1642–1780* (Oxford, 1987), tt. 92–102.

[19] Ailadeiladodd Dŷ Troy, gw. isod, tt. 82–3, a dechreuodd hefyd ailgodi Badminton yn swydd Gaerloyw. Yr oedd Henry Somerset wedi etifeddu Badminton gan gefnder iddo, a phenderfynodd ymgartrefu yno, gyda'r canlyniad i brif linach y teulu symud i Loegr. Serch hynny, ni thorrwyd y cysylltiad â Chymru gan fod mwyafrif ystadau'r teulu yn dal yno. Ym 1682 cafodd Henry, a oedd yn Iarll Caerwrangon, ei wneud yn Ddug Beaufort, a throsglwyddwyd yr hen deitl i fab hynaf y teulu.

81. *Tŷ Tredegyr, Casnewydd*, 1664

Er ei geinder cryno, yr oedd yn llawer llai na Thŷ Tredegyr, a adeiladwyd ar gyfer Syr William Morgan yn ystod y degawd wedi 1664. Yr oedd y bricwaith ar wyneb blaen Tŷ Tredegyr yn rhoi'r argraff mai adeilad hollol newydd ydoedd ond mewn gwirionedd fe'i hadeiladwyd ar ben tŷ hŷn a oedd yn ddigon moethus i groesawu Siarl I a'i osgordd wedi brwydr Naseby ym 1645. Ar y llawr isaf ceid cyfres o ystafelloedd seremonïol mawreddog, y naill yn agor allan i'r llall mewn llinell syth nes cyrraedd uchafbwynt yr Ystafell Euraid. Yr oedd i bob ystafell gynllun addurnol cyflawn o baneli a cherfwaith, gwaith plastr a phaentwaith. Nodwedd fwyaf arbennig Tŷ Tredegyr, fodd bynnag, oedd yr elfen ryngwladol, o safbwynt pensaernïol a chymdeithasol. Buasai'r Morganiaid yn alltud ar y Cyfandir gyda llys y Stiwartiaid ac yr oedd dylanwadau cyfandirol i'w gweld yn amlwg yn y tŷ. Yr oedd dylanwad yr Isalmaen yn arbennig o gryf. Ar ochr allan y tŷ, o dan ffenestri'r llawr cyntaf, crogai rhaffau o ffrwythau tebyg i'r hyn a geid ar y Mauritshuis yn Yr Hâg ac yn neuadd y dref yn Amsterdam. Ar gerfluniau o'r neuadd honno hefyd y seiliwyd y paentiadau o'r rhinweddau a addurnai'r Ystafell Euraid. Ar y nenfwd yr oedd copi o *Gogoneddiad Teyrnasiad Pab Urban VIII* a baentiwyd gan Pietro da Cortona yn y Palazzo Barberini yn Rhufain, a cheid copi o ddarlun gan Rubens yn yr ystafell giniawa. Y tebyg yw i'r arlunydd anhysbys eu copïo o engrafiadau. Parhawyd i ddatblygu Tŷ Tredegyr hyd ddechrau'r ddeunawfed ganrif trwy ychwanegu addurniadau megis y gyfres o bennau cerfiedig ymerawdwyr Rhufain oddi mewn i'r tŷ, a thrwy gomisiynu clwydi haearn gan William a Simon Edney, y gwneuthurwyr clwydi o Fryste, oddeutu 1714 ar gyfer y tu allan.[20]

Gwaetha'r modd, ar wahân i'r clwydi, ni wyddys dim o hanes yr artistiaid a'r crefftwyr a fu'n gweithio yn Nhŷ Tredegyr, er bod yr ail-lunio wedi cael ei briodoli yn ddiweddar i Roger Hurlbutt o swydd Warwick.[21] Fodd bynnag, yr oedd y patrwm nawdd yn debyg iawn i'r hyn a geid yng Nghastell Y Waun, lle y cedwid cofnodion manwl o'r gwaith a roid i arlunwyr gwlad a chrefftwyr lleol eraill, yn ogystal ag o'r comisiynau i grefftwyr o'r tu allan. Er enghraifft, ym mis Awst 1672 talodd Syr Thomas Myddelton o Gastell Y Waun swllt i ŵr o'r enw Tudder Yule i fynd i Drefaldwyn i chwilio am y paentiwr Thomas Ffrancis.[22] Bedwar mis yn ddiweddarach, ceir cofnod manwl o'r comisiwn a roddwyd iddo:

[20] Yr oedd y clwydi yn gomisiwn drud a phwysig, fel yr awgryma'r taliadau o £100 a £420 a wnaed ym 1714 a 1715. LlGC, Llsgrau. Tredegar 328, 329, 332. Am gyflwyniad i bensaernïaeth Tŷ Tredegyr a'r gweithiau celf ynddo, gw. David Freeman, *Tredegar House* (Newport, 1989).

[21] Howard Colvin, *A Biographical Dictionary of British Architects 1600–1840* (3ydd arg., New Haven & London, 1995), tt. 521–2.

[22] Myddelton, *Chirk Castle Accounts (Continued)*, t. 95.

[23] Ibid., t. 97. Sillefir Ffrancis ambell waith gydag un F yn y cyfrifon.

82. Anhysbys, *Dwy o'r Rhinweddau yn yr Ystafell Euraid, Tŷ Tredegyr,* 1688, Olew, 1143 x 762

Paid Thomas ffrancis, the Herald Painter,			
for paintinge 119 yards of wainscott in			
the draweinge roome, at xviijd p yard	8	18	6
Paid him for payntinge of 89 yards in the			
chambers in the newe Tower at xviijd p yard	6	13	6
Paid him for makeinge 3 landskips for			
3 chimney peeces, one at the Draweinge roome,			
one at the red, and another at the blacke Chamber,			
in the newe Tower xijli xs, & for the Bwll signe xs	8	0	0[23]

83. Anhysbys, *Pen Cerfiedig Ymherodr Rhufeinig, Tŷ Tredegyr,* c.1680, Derw, uchder 660

84. O bosibl, Thomas Ffrancis, *Awen Pensaernïaeth*, c.1672–9, Olew, 660 x 457

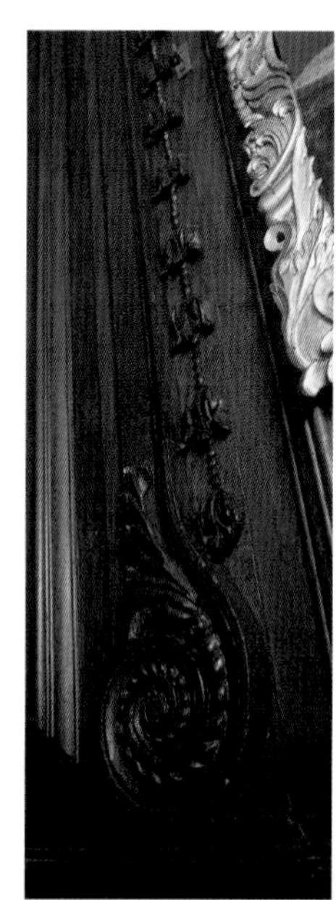

85. Thomas Dugdale, *Cerfiad Pren o'r Oriel Hir yng Nghastell Y Waun*, c.1667–78

86. John Bushnell, *Cofeb i Syr Thomas a'r Fonesig Myddelton*, Eglwys y Santes Fair, Y Waun, 1676, Marmor

Ymddengys fod Ffrancis yn byw yn Nhrefaldwyn, gan fod cyfeiriad arall ato yno ym 1698.[24] Parhaodd i wneud gwaith achlysurol i deulu Myddelton hyd 1679. Yn sgil newidiadau mewn ffasiwn cafwyd gwared â bron y cyfan o'r gwaith addurniadol a wnaed ganddo, er ei bod hi'n bosibl fod y darlun ar banel o ffigur benywaidd sy'n cynrychioli Awen Pensaernïaeth yn rhan o ddyluniad mwy yn dyddio o'r ail ganrif ar bymtheg. Yr oedd Thomas Ffrancis yn enghraifft deg o arlunydd gwlad aml-grefft. Gweithiai fel un o dîm o weithwyr yr oedd yn rhaid eu cyflogi i wneud gwaith addurno mewnol cymhleth yn ystod y cyfnod hwnnw. Yr oedd ei waith addurno ar y wensgot yng Nghastell Y Waun, er enghraifft, yn cwblhau gwaith y saer, ac yr oedd angen cyfuniad cyffelyb o fedrau ar gyfer y gwaith coed mwy uchelgeisiol a wneid gan Nicholas Needeham y cerfiwr. Ym 1673 cafodd Needeham ei gyflogi i fywiogi grisiau'r castell gyda 'Turke and blackeymore figures' ymhlith eraill.[25] Talwyd swllt yr un i Ffrancis am liwio pedwar ar hugain o ffigurau. Ymhen blynyddoedd, cerfiodd Thomas Dugdale, cynorthwyydd Needeham, bymtheg o briflythrennau yn yr ystafell giniawa newydd a gwnaeth yr holl gerfiadau yn yr oriel hir a pheth gwaith yn y capel.[26] Byddai comisiynau o'r fath nid yn unig yn creu gwaith i grefftwyr eraill ond byddent hefyd yn rhoi hwb i'r economi leol gan y prynid y defnyddiau yn yr ardal. Cofnododd cyfrifydd y castell daliadau i dirfeddianwyr a ffermwyr am goed llwyfen 'for the Carver to cutt figures'.[27] Yr oedd gwaith Dugdale yn y castell hefyd yn arwydd o'r twf yn y galw am arlunwyr gwlad yn y trefi. Tra oedd yn gweithio yn Y Waun cerfiodd bedwar ffigur ar gyfer The Mount, tŷ newydd Syr Kenrick Eyton yn Wrecsam. Yr oedd y ffigurau hyn yn fwy na'r rhai ar risiau Castell Y Waun, ac adlewyrchent ffyniant Wrecsam a oedd erbyn 1670 wedi tyfu i fod y dref fwyaf yng Nghymru.[28]

[24] LlGC Llsgr. 21297E, llythyr oddi wrth William Jones at Edward Lhuyd, dyddiedig 29 Hydref 1698.

[25] Myddelton, *Chirk Castle Accounts (Continued)*, t. 102. Cafodd y gwaith ei ddinistrio pan osodwyd grisiau newydd ym 1778.

[26] Ymddengys i Dugdale fod yn weithgar yn swydd Amwythig, yng Nghaer ac yn Lerpwl, yn ogystal ag yng Nghymru.

[27] Myddelton, *Chirk Castle Accounts (Continued)*, tt. 99–123. Er enghraifft, 4 Mai 1673 (t. 99) i John Lloyd, Trevor, ac 19 Medi 1677 (t. 123), i Thomas Willoughby, un o denantiaid teulu Myddelton.

[28] Griffiths, '"Very Wealthy by Merchandise"? Urban Fortunes' yn Jones (gol.), *Class, Community and Culture in Tudor Wales*, tt. 228–9.

Weithiau, ond nid o anghenraid, rhoddid comisiynau uchelgeisiol, gan gynnwys portreadau a chofebau, i arlunwyr a chrefftwyr o Lundain. Talwyd £400 i John Bushnell, cerflunydd o Lundain a oedd yr un mor enwog am ei draha ac am ei fedr dechnegol, i lunio cofebau i Syr Thomas a'r Fonesig Myddelton ac, fel y gwelsom, i Elizabeth, gwraig Syr Thomas, yr ail farwnig, ar gyfer eglwys Y Waun.[29] Fodd bynnag, cafodd y comisiwn mawr nesaf i lunio cofeb i aelod o'r teulu, sef y gofeb a gomisiynwyd gan Mary Myddelton i'w thad, Syr Richard, ym 1719, ei roi i Robert Wynne. Yr oedd ei weithdy ef, a elwid 'The Elaboratory', wedi ei leoli yn Rhuthun. Yn yr un flwyddyn, y mae'n debyg, cafodd gomisiwn i godi cofeb o'r un maint i deulu Wynn yn eglwys Rhiwabon. Hyd yn oed os nad yw hyn yn profi y rhoddid blaenoriaeth i grefftwr lleol am resymau gwladgarol neu blwyfol, y mae o leiaf yn dangos nad oedd unrhyw ragoriaeth arbennig yn gysylltiedig â chyflogi artistiaid o Lundain (er y gallent fforddio gwneud hynny) os oedd gweithwyr yr un mor grefftus ar gael yn lleol.

87. Robert Wynne, *Cofeb i Syr Richard Myddelton*, Eglwys y Santes Fair, Y Waun, c.1719, Marmor, manylyn

Ganed Robert Wynne yn Llanbedr Dyffryn Clwyd oddeutu 1655 a'r tebyg yw iddo fwrw ei brentisiaeth dan Peter Roberts, saer maen o Lundain, er na wyddys sut y daeth hynny i fod. Ymddengys ei fod wedi aros yn Llundain hyd ddiwedd y ganrif, er na lwyddwyd i ddod o hyd i unrhyw ddarn o'i waith yno. Y mae'r ffaith iddo arwyddo tabled yn Llanbadarn Fawr ger Aberystwyth ym 1707 yn awgrymu ei fod wedi dychwelyd i Gymru erbyn hynny, er bod y dabled yn coffáu Syr Thomas Powell, Cymro o Lundain. Derbyniodd bob math o gomisiynau, gan gynnwys gwneud lleoedd tân marmor ar gyfer John Mellor yn Erddig, cerfio arfbeisiau, ynghyd â llunio cofebau mur bychain, megis y gofeb i'w frawd John Wynne a gadwai dafarn yr Hand yn Rhuthun. Y mae'n fwyaf adnabyddus, fodd bynnag, am y corffddelwau maint llawn mewn fframwaith pensaernïol baróc a gomisiynwyd gan deulu Myddelton a'r Wynniaid a'r gofeb a wnaeth, mwy na thebyg, ar gyfer Maurice Jones yn Llanrhaeadr-yng-Nghinmeirch, Dyffryn Clwyd. O blith y rhain, y gwaith y ceir mwyaf o dystiolaeth amdano yw'r gofeb i deulu Myddelton. Y mae'r lluniad ohoni sydd wedi goroesi yn cynnwys ffigur gorweddiog William, mab Syr Richard, ar ffurf toriad symudadwy. Ei farwolaeth ef ym 1718, yn ôl pob tebyg, a roes fod i'r comisiwn. Ar gefn y llun, yn llaw y cerflunydd, ceir y geiriau:

88. Robert Wynne, *Cofeb i Syr Richard a'r Fonesig Myddelton*, 1719, Pen a golchiad, 460 x 285

[29] Am yr anawsterau o weithio gyda Bushnell a'i yrfa anarferol, gw. Rupert Gunnis, *Dictionary of British Sculptors 1660–1851* (London, 1953), tt. 72–4.

89. Robert Wynne,
Cofeb i Maurice Jones,
Eglwys Sant Dyfnog,
Llanrhaeadr-yng-Nghinmeirch,
c.1720, Marmor

90. Robert Wynne,
Cofeb i Henry Wynn,
Eglwys y Santes Fair,
Rhiwabon, 1719,
Marmor

This is a draft picked upon by Agreement with the Honourable Madam Myddelton the 5th of May 1719 to be made & Erected in ye Church of Churk by me Robert Wynne.
17 foot High & 6 inches
8 Foot Broad
all of Italian Marble.[30]

Yr oedd y tair cofeb fawr yn gyson o ran arddull, ac eithrio'r ffigur braidd yn naïf o Henry Wynn, degfed mab Syr John Wynn o Wedir, yn Rhiwabon. Rhoes yr anghysondeb hwn, ynghyd â'r newid mewn arddull, esgus i feirniaid mwy diweddar fychanu ei waith. Un o'r rhain oedd Thomas Pennant, a honnodd fod y ddelwedd o Henry Wynn yng ngwisg bob dydd y cyfnod yn 'most unhappy subject for a sculptor'.[31] Nid oedd yr un o ffigurau eraill Wynne yn edrych yn brennaidd fel hyn, ac at ei gilydd yr oedd ansawdd ei gofebau yn uchel ac yn cymharu'n ffafriol â gweithiau a wnaed yn Llundain. Gan na wyddys fawr ddim am agwedd Wynne at ei gelfyddyd, heblaw am yr hyn a ddatgelir drwy ei waith, y mae'n amhosibl dweud a fu iddo ddychwelyd i Gymru yn y gobaith y gallai ddatblygu busnes ar raddfa uwch na saer maen cyffredin. Y mae'n wir iddo ddychwelyd i Gymru ar adeg pan oedd cynnydd sylweddol yn y galw am ddarluniau, ac, fel y gwelir maes o law, efallai iddo dybied y byddai galw cyffelyb am waith saer maen. Gwaetha'r modd, aeth Wynne i drafferthion ariannol. Erbyn 1730 yr oedd mewn carchar i ddyledwyr a bu farw y flwyddyn ganlynol.

[30] LlGC, Papurau Plas Power, Blwch 12. Talwyd £400 i Robert Wynne am wneud y gofeb.

[31] Pennant, *Tours in Wales*, I, t. 367. Oherwydd y gwahaniaethau rhwng y ffigur hwn a'r ddau wrth ei ochr yn Rhiwabon a'r rheini yn Y Waun a Llanrhaeadr, y mae rhai beirniaid wedi awgrymu iddynt gael eu gwneud gan ddwylo gwahanol.

92. Robert a John Davies,
Clwydi Castell Y Waun,
1712–19,
Haearn gyr

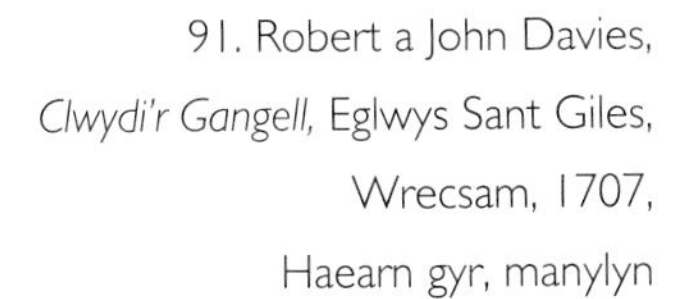

91. Robert a John Davies,
Clwydi'r Gangell, Eglwys Sant Giles,
Wrecsam, 1707,
Haearn gyr, manylyn

Ym 1713–14 cyflogwyd Robert Wynne i wneud patrwm o aderyn ar gyfer y gof Robert Davies, a oedd wedi derbyn comisiwn i wneud clwydi newydd ar gyfer Castell Y Waun. Rhoddwyd y comisiwn iddo ddwy flynedd ynghynt, ac y mae dylanwad yr Iseldiroedd i'w weld ar y gwaith, fel ar lawer peth arall o'r cyfnod. Y gof Jean Tijou, a ddaethai i Loegr ym 1667 ac a fu tan tua 1711 yn gweithio mewn plastai gwledig pwysig ac yn Eglwys Gadeiriol Sant Paul a Llys Hampton, a fu'n gyfrifol am ddod â'r ffasiwn hwn i Brydain. Daeth clwydi haearn gyr yn hynod o boblogaidd a bu llyfr patrymau Tijou, a gyhoeddwyd ym 1693, yn ddylanwad mawr. Cyflogasai Morganiaid Tŷ Tredegyr ofaint o Loegr i wneud eu clwydi hwy, ond gallai teuluoedd bonedd y gogledd-ddwyrain droi at grefftwyr lleol o Gymru. Bu'r teulu Davies yn cadw gefail yng Nghroes Foel ger gwaith haearn Bers oddi ar y 1670au, a dichon eu bod yn cynhyrchu amrywiaeth eang o eitemau cyffredin. Y mae'n debyg mai gwaith Robert Davies, mab y gof cyntaf, yw'r clwydi yng nghangell eglwys Wrecsam, ac iddo ef a'i frawd John gael eu cyflogi gan Syr Richard Myddelton i wneud clwydi ar gyfer Castell Y Waun, a oedd yn gomisiwn llawer mwy, oherwydd y parch cynyddol iddynt fel crefftwyr. Ni wyddys a oeddynt yn gyfarwydd â gwaith Tijou cyn hyn, ynteu a gawsant eu cyflwyno iddo gan Myddelton. Yr oedd y cynnyrch gorffenedig yn ardderchog, fodd bynnag, ac arweiniodd at gomisiynau eraill, yng Nghastell Y Waun ei hun ac mewn tai ar hyd a lled y gogledd-ddwyrain, megis Coed-llai ger Yr Wyddgrug a hefyd mewn plastai yng ngogledd-orllewin Lloegr megis Plas Eaton. Lluniodd y teulu hwn glwydi ar gyfer eglwysi Wrecsam, Rhuthun a Chroesoswallt yn ogystal, ac fe'u codwyd gyda chymorth ariannol boneddigion lleol.[32] Yr oedd clwydi o'r fath yn colli eu hapêl yn gyflym iawn, ac y mae clwydi Erddig wedi hen ddiflannu. Cafodd clwydi Castell Y Waun eu comisiynu'n wreiddiol i'w gosod rhwng y colofnau cerrig ym mhen y ffordd at y tŷ ond, ar gyfarwyddyd Robert Myddelton, fe'u gosodwyd o flaen blaen-gwrt y castell, gan amgáu cerfluniau plwm o Ercwlff a Mawrth a wnaed yn Llundain ac a roddwyd yn eu lle ym 1721.

[32] Myddelton, *Chirk Castle Accounts (Continued)*, t. 475. 22 Ionawr 1728: 'Pd Robert Davies of Groesvoel, smith, which my Master was pleased to give towards erecting Iron Gates vpon Ruthin Churchyard; Mr Watt. Williams and other subscribers money was pd ye sd smith 20li in pte for the said Gates, ye same day 5-5-0.' Ceir ymdriniaeth fanwl â gwaith y teulu Davies, ynghyd â'r cefndir technegol ac artistig, yn Ifor Edwards, *Y Brodyr Davies Gofaint Gatiau: Gwaith haearn gyr y 18fed Ganrif yng Nghymru* (Caerdydd, 1977).

93. Robert a John Davies,
Clwydi yng Nghoed-llai, Yr Wyddgrug,
c.1726, Haearn gyr

Yng nghyfnod Robert Myddelton, yn ogystal ag addurno y tu allan i'r castell â cherfluniau Clasurol, yr oedd diddordeb cynyddol mewn addurno'r tu mewn â darluniau wedi eu fframio (yn hytrach na chynlluniau addurno integredig). Yn hyn o beth, yr oedd Robert Myddelton a'i olynydd, John Myddelton, a oedd yn noddwr arbennig o frwdfrydig, yn nodweddiadol o gyfoethogion yr oes. Ar ddiwedd yr ail ganrif ar bymtheg a dechrau'r ddeunawfed ganrif gwelwyd chwyldro mewn nawdd a phaentio ym Mhrydain yn gyffredinol, ac amlygir hyn yn natur y casgliadau mewn tai bonedd ledled Cymru. O'r diwedd, flynyddoedd lawer ar ôl i hynny ddigwydd ar y Cyfandir, gafaelodd y syniad fod gan ddarlun werth cynhenid y tu hwnt i'w werth fel gwrthrych a gynrychiolai hynafiad neu thema grefyddol. Y mae safle blaenllaw yr arlunwyr o Ewrop a weithiai yn Llundain yn rhan gyntaf y ddeunawfed ganrif yn dyst i boblogrwydd ffasiynau cyfandirol. Ond llesteiriwyd y chwaeth am gelf gyfandirol gan nifer o ffactorau, gan gynnwys y gwaharddiad statudol ar fewnforio gweithiau celf. Câi hyd yn oed gwŷr megis Syr Rhisiart Clwch, a oedd â safle uchel yn y llys neu a feddai ar gyfeillion dylanwadol, anhawster i osgoi swyddogion y tollau, ac yr oedd y sefyllfa bron yn amhosibl i wŷr llai amlwg. Ni chodwyd y gwaharddiad hwn yn ffurfiol hyd 1695, ond buasai'n lled aneffeithiol ers tua degawd, gyda chanlyniadau trawiadol.[33] Bu cynnydd cyflym yn y galw am ddarluniau o natur fwy amrywiol, gan gynnwys tirluniau, bywyd llonydd, pynciau hanesyddol a mytholegol, yn ogystal â darluniau a phortreadau crefyddol, a chynyddodd nifer y masnachwyr yn y farchnad lewyrchus hon. Y mae rhestrau eiddo plastai ledled Cymru yn ail hanner yr ail ganrif ar bymtheg yn cynnwys darluniau fel rhan o nwyddau a chelfi yr ymadawedig. Er enghraifft, y mae'r rhestr a wnaed o eiddo Edward Carne o Ewenni, ŵyr Syr John Morgan o Dŷ Tredegyr, ym 1650 yn nodi bod ganddo ddeuddeg o ddarluniau yn yr ystafell giniawa a phymtheg yn yr oriel, yn ogystal â nifer o frithlenni.[34] Gwaetha'r modd, nid yw rhestrau o'r fath yn ddefnyddiol iawn gan nad ydynt yn nodi testunau'r darluniau, ond gallwn fod yn weddol sicr mai portreadau oedd y mwyafrif ohonynt. Y mae achos Thomas Walker, perchennog Newton ger Aberhonddu, yn tystio i'r newid aruthrol a fu yn natur nawdd erbyn diwedd y ganrif. Er nad oedd Newton yn dŷ arbennig o fawr, y mae'r rhestr eiddo fanwl a wnaed ar farwolaeth Thomas Walker ym 1707 yn dangos bod ganddo dros gant a hanner o luniau.[35] Yr hyn sydd fwyaf arwyddocaol, fodd bynnag, yw mor amrywiol oedd y casgliad. Er ei fod yn cynnwys portreadau o'r teulu a phwysigion eraill, y mae'r mwyafrif llethol o'r darluniau yn lluniau testunol, lluniau bywyd llonydd a lluniau o anifeiliaid, y rhan fwyaf ohonynt o'r Iseldiroedd.

Dechreuodd Walker gasglu darluniau pan roddwyd y gorau i weithredu'r deddfau mewnforio yng nghanol y 1680au, gan fanteisio ar wasanaeth gŵr o'r enw Doyley o Gray's Inn yn Llundain. Y mae'r anfoneb a baratowyd gan Doyley ym mis Hydref 1689 yn dangos yn glir yr amrywiaeth o ddarluniau a oedd ar gael erbyn hynny:

[33] Iain Pears, *The Discovery of Painting: The Growth of Interest in the Arts in England 1680–1768* (New Haven, 1988), tt. 52–3.

[34] J. P. Turbervill, *Ewenny Priory: Monastery and Fortress* (London, 1901), tt. 93–101.

[35] LIGC, Papurau Atodol Penpont, 1582–4. Lluniwyd y rhestr eiddo ym 1722, ond y mae'n annhebygol iawn y gwnaed unrhyw ychwanegiadau o bwys at y casgliad wedi marwolaeth Walker bymtheng mlynedd ynghynt. Ceid casgliad cynnar arall o ddarluniau (c. 1700) nad oedd yn gyfyngedig i bortreadau yn Nanteos, sir Aberteifi. Daethpwyd â'r gweithiau hyn o Cologne i Gymru gan Cornelius Le Brun ar achlysur ei briodas ag Ann Jones, aeres yr ystad.

[36] Ibid., 1575.

[37] Ibid., 1589.

[38] Unig ferch Syr Thomas Myddelton, yr ail Farwnig, a briododd yn ddiweddarach â Joseph Addison, yr ysgrifwr o Sais.

[39] Myddelton, *Chirk Castle Accounts (Continued)*, t. 464.

	£	s	d
Ann of Bullen	03	00	00
Three Dutch men with a Base Viole	01	18	00
A fruite peece	01	04	00
A History out of Ovid of Satona & her two children (Appollo and Diana) trying to drink water & being hindered by two Clowns [who] turned them into ffroggs	01	00	00
A Goa Havon with building	01	18	00
A Landskip with Lambs in it	01	00	00
a parrott with ... grapes	00	00	00
this I gott into the bargain			
	10	00	00

They have all of them gold fframes.[36]

Y mae'n wir fod Walker yn gasglwr anarferol o frwd, ond y mae serch hynny yn arwydd o awydd boneddigion y cyfnod i brynu lluniau er eu mwyn eu hunain ac o helaethrwydd y deunydd a oedd ar gael. Er mai portreadau oedd sylfaen y farchnad am luniau newydd, gwelir newid agwedd at ystyr celfyddyd o fewn y *genre* hwn hefyd. Meddai gŵr o'r enw James Still, pan ddaeth i brisio darluniau Walker ym 1724: 'Portraits are chiefly useful to the person of whose ancestors they are representative',[37] ond ystyrid bod portreadau o waith Holbein, Van Dyck, Lely a Kneller yn meddu ar rinweddau artistig a'u gosodai uwchlaw'r gweddill, a'r rhain oedd y lluniau uchaf eu pris ar y rhestr eiddo. Ddwy flynedd yn ddiweddarach, mewn llythyr at Charlotte Myddelton, Iarlles Warwick,[38] dangosodd Robert Myddelton ei werthfawrogiad nid yn unig o'r portread ohoni ei hun a roddasai iddo ond hefyd o'i werth fel darn o gelfyddyd, gan gyfeirio at ei chwaeth dda yn comisiynu'r arlunydd anhysbys:

> the Painter is a great Master & treads on the heels of Van Dyke, exactly drawn, very like you both in its beauty and gracefullness, verily so Genteel that the person it represents can only exceed it in the sense that the Romanists say they Image worship (who would have the world believe that it only brings to their memory the absent saint), I shall always worship yours.[39]

Yn nhyb Myddelton, Van Dyck oedd y llinyn mesur o hyd, bedwar ugain a phump o flynyddoedd ar ôl ei farwolaeth, ac arlunwyr o'r Cyfandir a reolai chwaeth Llundain o hyd. Yr oedd Peter Lely, a aned yn Westphalia, ac a adawodd yn rhannol y mae'n debyg oherwydd anhrefn y Rhyfel Deng Mlynedd ar Hugain, yn ddigon anffodus i gyrraedd Llundain ym 1643 ar ddechrau cythrwfl arall. Llwyddodd, fodd bynnag, i oroesi pob adfyd ac ef oedd yr amlycaf o arlunwyr yr Adferiad hyd ei farwolaeth ym 1680. Cynhyrchodd ei stiwdio nifer helaeth o bortreadau a chopïau fformwläig a oedd yn hynod o boblogaidd. Cymerwyd ei le fel yr arlunydd llys mwyaf blaenllaw gan Almaenwr arall o'r enw Godfrey Kneller,

94. William Henry Toms yn seiliedig ar Thomas Badeslade, *The North East Prospect of Chirk Castle*, manylyn o'r clwydi a cherfluniau Ercwlff a Mawrth, c.1735, Engrafiad, 602 × 815

95. *Rhestr o'r darluniau yn Nhŷ Newton*, Sir Frycheiniog, 1707, Pen ac inc, manylyn

96. Peter Lely, *Syr Thomas Myddelton, Y Barwnig laf*, c.1660–3, Olew, 1257 x 1022

97. Peter Tillemans, *Mary Liddell, Mrs John Myddelton*, c.1724, Olew, 1244 x 1009

hyd 1723, gyda Michael Dahl o Sweden yn dilyn yn dynn wrth ei sodlau. Y mae mwyafrif llethol y portreadau o'r boneddigion Cymreig yn y cyfnod hwn, hyd yn oed os nad oeddynt yn tarddu o'r stiwdios hyn, yn adlewyrchu'r tueddiadau a sefydlwyd ganddynt.[40] Y mae'n debyg i'r boneddigion amlycaf, a gyflogai'r arlunwyr mwyaf ffasiynol, gael eu paentio yn Llundain fel arfer. Er enghraifft, cafodd Syr Thomas Myddelton, y Barwnig cyntaf, ei baentio yn stiwdio Lely yn Llundain yn fuan wedi'r Adferiad. Byddai arlunwyr llai adnabyddus yn teithio i Gymru i baentio. Ceir prawf o hyn yng nghyfrifon teulu Myddelton o Gastell Y Waun. Ym 1720 nododd cyfrifydd y castell i Peter Tillemans, yr arlunydd o Antwerp, ymweld â'r Waun ac y talwyd iddo am 'Canvace bought by him and Coulors 2:3:6, for pencills and brushes 7d., for Coach Hire and expenses on the Roade down into ye Countrey 3:10:0'.[41] Yr oedd costau Tillemans yn sylweddol, a'r tebyg yw na wnaed yr holl gomisiynau ganddo ar yr ymweliad hwn. Paentiodd o leiaf ddau bortread, sef *Anne Reade, Mrs Robert Myddelton* a *Mary Lidell, Mrs John Myddelton*, sy'n gafael mewn sbrigyn o flodau orenau, blodau sy'n symbol o briodas. Paentiodd Tillemans dirluniau hefyd, ynghyd â darlun testunol, *The Battle of Belgrade*, sy'n dangos fel yr oedd chwaeth yn ehangu yn y cyfnod hwn.[42]

[40] Bu farw nifer anarferol o uchel o foneddigion Cymru yn y cyfnod hwn heb fab i etifeddu'r ystad, a phriododd yr etifeddesau â Saeson. O ganlyniad daeth llawer hen blasty Cymreig yn gartref i bortreadau teuluol o Loegr. Yr oedd cymysgedd o'r fath yn elfen nodweddiadol o gasgliadau amryw o blastai Cymru hyd y chwalfa fawr a ddigwyddodd yng nghanol yr ugeinfed ganrif. Gw. John Steegman, *A Survey of Portraits in Welsh Houses* (2 gyf., Cardiff, 1957, 1962).

[41] LIGC Llsgr. 6383D, f. 169, 4 Tachwedd 1720.

99. Anhysbys,
James Stedman o Ystrad-fflur,
c.1720–30, Olew, 609 x 736

98. John Lewis,
Bridget Vaughan, Madam Bevan,
1744–5, Olew, 1245 x 990

Yr un oedd y patrwm yn ne Cymru. Ym 1744–5 paentiodd John Lewis gyfres nodedig o bortreadau o aelodau o deulu Fychaniaid y Gelli-aur a Derwydd yn sir Gaerfyrddin. Y mae cefndir mawreddog ond ffansïol ei bortreadau yn adlewyrchu ei hoffter o'r theatr, a gwyddys iddo baentio golygfeydd ar gyfer dramâu. O blith y chwe darlun a baentiodd, y mae'r portread o Madam Bridget Bevan o ddiddordeb hanesyddol arbennig gan mai hi oedd noddwraig Griffith Jones, Llanddowror, a ddatblygodd ysgolion cylchynol i ddarparu addysg sylfaenol i'r tlawd. Yn sgil marwolaeth Jones ym 1761 parhaodd Madam Bevan â'r gwaith arloesol hwn, gan greu dolen gyswllt rhwng y bonedd a ddarlunnir yn y portreadau a'r werin gyffredin nas cynrychiolir o gwbl bron yn nelweddaeth celfyddyd Gymreig y cyfnod.[43] Y mae'r ffaith i Lewis dderbyn comisiwn mor sylweddol, ynghyd â'r gwaith a wnaed ganddo mewn tai eraill yn yr ardal, yn awgrymu bod ganddo gysylltiadau teuluol â Chymru, er iddo hefyd fod yn gweithio yn Llundain, ac yn Iwerddon, rhwng 1750 a 1757. Prin yw'r dystiolaeth ysgrifenedig am noddi arlunwyr a aned yng Nghymru neu a weithiai o Gymru yn y cyfnod hwn, ond y mae tystiolaeth weledol yng nghasgliadau'r

[42] Y mae'n fwy na thebyg i'r darlun hwn gael ei brynu o stoc yr arlunydd yn ei weithdy yn Llundain, yn hytrach nag fel comisiwn. Ceir ymdriniaeth fanwl â'r portreadau yn Alistair Laing, 'Changelings at Chirk Castle', *Country Life*, 8 Mehefin 1989, 272–5. Awgryma Laing mai Tillemans hefyd a baentiodd y portread sydd, y mae'n debyg, yn dangos Mary Myddelton a'i mab bychan Richard.

[43] Am y portreadau, gw. catalog arwerthiant Sotheby o gynnwys Plas Derwydd, 15 Medi 1998, tt. 28–32.

102. Robert White,
Syr John Vaughan, Trawsgoed,
c.1677, Pensil, 136 x 91

101. Robert White,
Syr John Vaughan, Trawsgoed,
1677, Engrafiad, 246 x 162

100. Anhysbys,
Syr John Vaughan, Trawsgoed,
c.1668, Olew, 1270 x 1016

gyferbyn:
103. Anhysbys,
Syr Charles Kemeys, Cefnmabli, a Syr William Morgan, Machen a Thŷ Tredegyr, c.1710–15,
Olew, 2030 x 1680

boneddigion, yn enwedig y teuluoedd llai pwysig, yn awgrymu y ceid patrwm nawdd a gynhwysai waith arlunwyr lleol, ac a oedd yn adlais o'r nawdd ar gyfer gwneuthurwyr dodrefn lleol a chrefftwyr gwlad eraill. Paentiwyd y portread o James Stedman o Ystrad-fflur yn sir Aberteifi gan arlunydd anhysbys, oddeutu'r 1720au y mae'n debyg, a hynny mewn arddull sydd, er yn adlewyrchu confensiynau academaidd portreadau'r cyfnod, yn awgrymu mai gwaith arlunydd gwlad ydoedd. Yn ystod y cyfnod hwn unwyd teulu Stedman drwy briodas â theulu Philipps o Gwmgwili, ger Caerfyrddin. Gwyddom fod 'limner' o'r enw John Tindale yn nhref Caerfyrddin ym 1734 ac, er na ellir ei gysylltu â'r portread hwn, y mae hyn yn cadarnhau ei bod yn bosibl cyflogi arlunydd lleol yr adeg honno.[44]

Yn ystod cyfnod yr Adferiad enillodd amryw o Gymry talentog fri yn San Steffan a cheir portreadau, er enghraifft, o Syr Leoline Jenkins, Ysgrifennydd Gwladol (1680–4), Syr John Trevor o Fryncunallt, Llefarydd a Meistr y Rholiau dan Iago'r II, a'r anfad Farnwr George Jeffreys, yr Arglwydd Ganghellor. Un o'r cyfreithwyr a'r gwleidyddion galluog y gwnaethpwyd engrafiadau ohono yn seiliedig ar bortreadau paentiedig oedd Syr John Vaughan o Drawsgoed. Y mae ei bortread engrafedig yn taflu rhyw gymaint o oleuni ar ddulliau gweithio'r cyfnod gan fod lluniad ohono wedi goroesi hefyd. Adeg yr Adferiad yr oedd Vaughan yn gyfaill mynwesol i Iarll Clarendon, canghellor Siarl I, ond ym 1667 yr oedd yn amlwg ymhlith y rhai a alwai am iddo gael ei uchelgyhuddo. Y flwyddyn ganlynol, gwnaed

[44] LlGC, Llysoedd y Sesiwn Fawr, Cymru, 4, 735/4. Enwir Tindale, a ddisgrifiwyd fel 'limner', yn aelod o reithgor yng Nghaerfyrddin ar 20 Mawrth 1734. Yr wyf yn ddiolchgar i Dafydd Lloyd Hughes am y cyfeiriad hwn. Y mae ail bortread o aelod anhysbys o deulu Stedman neu Philipps, sy'n amlwg yn waith yr un arlunydd, wedi goroesi.

chwith: 105. George Vertue yn seiliedig ar Michael Dahl, *Syr Watkin Williams Wynn o Wynnstay, 3ydd Barwnig,* 1742, Engrafiad, 406 x 304

chwith eithaf: 104. Anhysbys, *Syr Watkin Williams Wynn, 3ydd Barwnig, yn Llangedwyn,* c.1725, Olew, 2184 x 1447

Vaughan yn farchog a'i benodi'n Brif Ustus y Cwrt Pledion Cyffredin. Bu'n hynod o lwyddiannus, a chymysgai â deallusion pennaf yr oes. Yn rhinwedd ei swydd fel barnwr rhoes nifer o ddyfarniadau arwyddocaol a gyhoeddwyd ar ôl ei farwolaeth gydag engrafiad ardderchog ohono gan Robert White a wnaed ym 1677. Ymddengys fod llluniad White o Vaughan yn seiliedig ar bortread maint llawn ohono yn ei wisg swyddogol, yn barod ar gyfer yr engrafiad.[45]

Ambell waith byddai eiconograffeg bersonol ar ffurf portreadau paentiedig yn ymestyn y tu hwnt i breifatrwydd y cartref oherwydd yr arfer o anfon copïau o bortreadau i deulu a chyfeillion, a hefyd o wneud portreadau a oedd yn cysylltu gwahanol deuluoedd. Y mae un o'r enghreifftiau mwyaf deniadol o blith y *genre* hwn yn cysylltu teulu Kemeys, Cefnmabli a Morganiaid Machen a Thŷ Tredegyr. Paentiwyd y portread o Syr Charles Kemeys a Syr William Morgan oddeutu 1710–15 gan arlunydd anhysbys, a'u gosododd mewn coetir a thirwedd bell yn y cefndir. Beth pellter oddi wrthynt saif gwas yn dal pen ceffyl.[46] Parhaodd portreadau o'r fath yn ffasiynol, yn arwydd o undod a chyfeillgarwch rhwng teuluoedd. Tua 1742–5 comisiynwyd John Wooton i baentio Syr Watkin Williams Wynn o Wynnstay a'r Dug Beaufort mewn dillad hela yn edrych ar geffyl o'r enw Legacy. Gwnaed fersiwn ar gyfer y naill a'r llall.

106. John Wooton, *Syr Watkin Williams Wynn o Wynnstay a Dug Beaufort,* c.1742–5, Olew, 2360 x 1930

uchod:

108. Anhysbys, *The Submission*, 1741, Engrafiad, 257 x 158

uchod, ar y chwith:

107. Anhysbys, *A Welch K-t Roasted and Baisted*, 1745, Engrafiad, 176 x 304

Y mae mwy o luniau, yn rhai preifat a chyhoeddus, o Syr Watkin Williams Wynn, y trydydd Barwnig, nag o unrhyw Gymro arall o'r ddeunawfed ganrif,[47] a hynny nid oherwydd ei gyfoeth enfawr yn unig ond oherwydd ei weithgarwch gwleidyddol. Ym 1715 etifeddodd Watkin Williams dir drwy ei briodas gyntaf ag Ann Vaughan, merch ac etifedd Edward Vaughan, Llwydiarth a Llangedwyn. Ac yntau bellach yn un o'r dynion cyfoethocaf yng Nghymru, ychwanegodd 'Wynn' at ei enw a chychwynnodd ar raglen uchelgeisiol o ddatblygiadau a nawdd. Cychwynnodd ar ei gynlluniau yn Llangedwyn, gan greu gerddi ffurfiol, a ddethlir yn y portread cyntaf sydd wedi goroesi, ac sydd y mae'n debyg yn dyddio o ganol y 1720au. Portread dathliadol oedd yr ail bortread ohono hefyd. Ym 1729 daeth â mesur gwrth-lygredd gerbron y Senedd, a gellir tybio i'r darlun ohono gan Michael Dahl, lle y gwelir ef yn dal copi o'r ddogfen, gael ei baentio yn fuan wedi i'r mesur ddod i rym. Gwnaed hanner dwsin o amrywiadau llai ar y ddelwedd hon ar gyfer cyfeillion a chydnabod, a chafwyd engrafiad ohoni gan George Vertue yn ogystal, er na fu hyn tan 1742. Y mae'n bosibl i ddarlun Dahl gael ei atgyfodi yn sgil achlysur pwysig arall yng ngyrfa wleidyddol Syr Watkin. Flwyddyn ynghynt, collodd sedd seneddol sir Ddinbych i aelod o deulu Myddelton o Gastell Y Waun, a arferai gynrychioli'r sir cyn i Wynnstay ddod i'r brig. Yr oedd y Myddeltoniaid, fodd bynnag, wedi defnyddio dulliau annheg, a chafodd Syr Watkin ei sedd yn ôl. Daeth y mater i sylw gwneuthurwyr printiau poblogaidd yn Llundain, ac yn *The Submission* y mae Syr Watkin yn derbyn ymddiheuriad ffals gan Esgob Llanelwy, a fuasai'n ddigon annoeth i gefnogi cynllwyn teulu Myddelton.

Cafodd Syr Watkin ei bortreadu mewn nifer o brintiau poblogaidd a wnaed yn Llundain yn y cyfnod hwn, ond nid oeddynt i gyd yn ganmoliaethus. Ym 1745, yn sgil cyhoeddi pamffled yn collfarnu'r ysgwïer o Dori, ymddangosodd print a oedd yn dangos John Myddelton a Syr George Wynne o Goed-llai, hen elyn arall

[45] Am Robert White, 'the leading exponent of his day' am lin-engrafu portreadau, gw. Edward Croft-Murray a Paul Hulton, *Catalogue of British Drawings* (London, 1960), t. 539. Y mae'n annhebyg iawn mai White a wnaeth y portread paentiedig. Cyhoeddwyd ei engrafiad yn *The Reports and Arguments of that Learned Judge Sir John Vaughan* (London, 1677).

[46] Y mae'r portread yn peri peth anhawster gan nad yw'r gwahaniaeth oedran o ddeuddeng mlynedd rhwng y ddau yn amlwg ar y cychwyn cyntaf. Y mae arddull y darlun yn dwyn i gof *Arthur, 3rd Viscount Erwin*, gan Knyff. Am hyn, gw. *The Burlington Magazine*, XCVI, Tachwedd 1954, 337–8.

[47] Yr wyf yn ddyledus i Miles Wynn Cato am y manylion a geir yma am bortreadau'r Wynniaid. Y mae'r testun wedi ei seilio ar ei ymchwil ef. Yn ei eiconograffeg anghyhoeddedig o Syr Watkin, y mae Cato hefyd yn rhestru mân-ddarlun gan C. F. Zincke, ynghyd â nifer helaeth o bortreadau o aelodau eraill o'r teulu, y gwyddys i lawer ohonynt gael eu noddi gan Syr Watkin.

110. *Gobledi Yfed Rhingylliaid y Môr*, 1750, uchder 162

111. Thomas Hudson, *Syr Watkin Williams Wynn, 3ydd Barwnig*, c.1740, Olew, 1270 x 1010

109. Robert Taylor, *John Williams, Congarfer*, 1747, Olew, 609 x 736

i Syr Watkin, yn ei rostio ar gigwain uwchben tanllwyth o dân.[48] Erbyn hyn lluniwyd ail bortread olew mawr o Syr Watkin, wedi ei baentio gan Allan Ramsay, ynghyd â'r cyntaf o ddau bortread gan Thomas Hudson, yr arlunydd portreadau amlycaf yn Lloegr yn ei ddydd. Portread Hudson, a baentiwyd o bosibl ym 1740 pan etifeddodd Syr Watkin ystad Wynnstay, oedd y ddelwedd fwyaf ei dosbarthiad a'r fwyaf adnabyddus ohono. Ar y portread hwn y seiliwyd engrafiad John Faber, ynghyd â nifer o gopïau stiwdio a welid yn nhai cefnogwyr yr achos Jacobitaidd. Yr oedd Syr Watkin yn Llywydd Cylch y Rhosyn Gwyn, cymdeithas gudd a gafodd yr enw oherwydd arfer yr aelodau o gyfarfod yn nhai ei gilydd yn eu tro, lle y byddent yn codi eu gwydrau i ddymuno iechyd da i'r Ymhonnwr Stiwartaidd. Credid i'r Cylch chwarae rhan yn nherfysgoedd 1715 a 1745, er nad oedd gan y mwyafrif o'r aelodau fawr o awydd mynd i ymladd, a chlwb cymdeithasol ydoedd i raddau helaeth. Y mae'n bosibl fod y copïau o bortread Hudson yn arwydd o ymlyniad wrth Syr Watkin a'r achos Jacobitaidd.[49] Cyfiawnheir priodoli arwyddocâd gwleidyddol i grŵp o luniau yn y modd hwn gan fodolaeth grŵp cyffelyb o bortreadau yn ne-orllewin Cymru. Gwelir arwydd y Dolffin, arwyddlun Cymdeithas Jacobitaidd Rhingylliaid y Môr, ar sawl eitem, megis ar y gobledi a ddefnyddid i gynnig llwncdestun i'r Ymhonnwr, ac ar y bathodynnau a wisgid gan yr aelodau ar gyfer y gyfres hynod hon. Paentiwyd wyth ar hugain o bortreadau o'r aelodau, ynghyd ag un o'u caplan ac un o arlunydd y gyfres, Robert Taylor, ym 1747, a chrogent ochr yn ochr yn Nhaliaris, sir Gaerfyrddin, cartref Richard Gwynne, Llywydd y Gymdeithas. Y mae dyddiad y portreadau a'r engrafiad mesotint a wnaed ohonynt yn awgrymu'n gryf fod y gymdeithas hon yn fwy na chlwb yfed i ysgwieriaid Toriaidd, gan i gynlluniau gael eu gwneud ym 1747 i Charles Stuart hwylio am yr Alban unwaith eto ac i rhwng tair a phedair mil o filwyr Ffrengig lanio yng Nghymru.[50]

[48] Am fanylion am y print hwn a phrintiau poblogaidd eraill o Syr Watkin, gw. Lord, *Words with Pictures*, tt. 54–5.

[49] Gall fod yn arwyddocaol i'r arlunydd, Thomas Hudson, gael ei gomisiynu hefyd i baentio portread grŵp, *Ben's Club of Aldermen*, sy'n dangos prif asiantiaid Jacobitaidd Syr Watkin yn Llundain. Yr oedd Frances Shakerley, ail wraig Syr Watkin, a mam ei etifedd, yn frwd o blaid yr achos Jacobitaidd.

[50] Llythyr oddi wrth Donald Cameron at y Tywysog Charles Stuart, a ddyfynnwyd yn James Browne, *A History of the Highlands, and of the Highland Clans; with an extensive selection from the hitherto inedited Stuart Papers* (4 cyf., Edinburgh, 1852–3), III, t. 491. Am drafodaeth ar arwyddocâd gwleidyddol y portreadau, gw. Stephanie Jones, 'Jacobite Imagery in Wales: Evidence of Political Activity?', *The Historian*, 57 (Gwanwyn, 1998), 32–5. Portread Gwynne oedd yr unig un a engrafwyd. Nid yw llin-engrafiad Benoist o Syr John Philipps, aelod arall o'r Gymdeithas, yn awgrymu bod ganddo gydymdeimlad â'r Jacobitiaid.

112. John Michael Rysbrack, *Cofeb i Syr Watkin Williams Wynn, 3ydd Barwnig*, Eglwys y Santes Fair, Rhiwabon, 1751–4, Marmor

113. John Michael Rysbrack, *Cofeb i Syr Watkin Williams Wynn, 3ydd Barwnig*, Eglwys y Santes Fair, Rhiwabon, c.1751, Pen, inc a golchiad, 349 x 266

Bu farw Syr Watkin yn ddisymwth ym 1749 pan syrthiodd oddi ar ei geffyl, ond parhaodd y nawdd a gychwynnwyd ganddo ar raddfa mor eang drwy gomisiynu beddrod gyda chorffddelw orweddol iddo yn eglwys Rhiwabon. Fe'i cerfiwyd gan John Michael Rysbrack, gŵr a aned yn Antwerp ac a oedd ar y pryd ar binacl ei yrfa yn Llundain. Ar yr un adeg coffawyd Mary Myddelton yn eglwys Wrecsam gan Louis François Roubiliac, un o gystadleuwyr mwyaf Rysbrack, sy'n arwydd efallai o'r gystadleuaeth rhwng y ddau deulu. Câi Roubiliac ei ystyried gan amryw fel y prif gerflunydd yn Llundain yn y cyfnod hwn. Yn gysyniadol y mae cofeb Roubiliac yn eithriadol o rymus. Y mae pyramid marwoldeb, a welir yng nghofeb Rysbrack i Syr Watkin, yn syrthio i'r llawr y tu ôl i gorff adfywiedig Mary Myddelton, sy'n codi o'i beddrod tywyll yng nghysgod planhigyn mawr ac egnïol ei dwf.

114. Louis François Roubiliac, *Cofeb i Mary Myddelton*, Eglwys Sant Giles, Wrecsam, 1751–2, Marmor

115. John Dyer,
Hunanbortread, *c.*1730,
Olew, 740 x 610

Arweiniodd y brwdfrydedd newydd dros brynu lluniau ar ddechrau'r ddeunawfed ganrif, ynghyd â goruchafiaeth arlunwyr o'r Cyfandir, at newidiadau sylfaenol yn nulliau gweithio arlunwyr yn Llundain. Yr oedd i hyn oblygiadau arbennig i Gymru. Un o'r canlyniadau pwysicaf oedd diflaniad y paentwyr cyffredinol yn rhan uchaf y farchnad. Aeth pob maes i ddwylo arbenigwyr a gwahaniaethid bellach o ran statws rhwng artistiaid y gelfyddyd gain a'r arlunydd gwlad. Prysurwyd diflaniad arlunwyr gwlad megis Thomas Ffrancis o Drefaldwyn gyda thranc y ffasiwn am gynlluniau baròc a olygai gyfannu medrau nifer o unigolion o gyffelyb statws, yn seiri coed, cerfwyr a phaentwyr. Rhoddwyd statws uchel i arlunwyr darluniau cludadwy o bobl, testunau a thirluniau, a daeth paentio murluniau, arwyddion a cherbydau yn swyddogaeth dosbarth is o arlunwyr gwlad.[51] Cafodd newidiadau yn natur hyfforddiant celfyddydol hefyd ddylanwad ar Gymru a barhaodd hyd ail ran y bedwaredd ganrif ar bymtheg. Fel y gwelir, ar y naill law esblygodd gwaith yr arlunydd gwlad yn swyddogaeth arbennig ac anarferol iawn tra, ar y llaw arall, trodd y cyntaf o lawer iawn o unigolion a oedd â'u bryd ar ddilyn gyrfa fel arlunwyr academaidd eu golygon at Lundain er mwyn derbyn hyfforddiant yn stiwdios y meistri, a chyn bo hir mewn ysgolion celf ac academïau.

Er gwaethaf yr amrywiaeth mewn chwaeth yn rhan uchaf y farchnad ar ddechrau'r ddeunawfed ganrif, y mae'r ffaith i'r tri arlunydd Cymreig cyntaf y mae gennym ryw gymaint o wybodaeth am eu hyfforddiant ddewis portreadaeth fel gyrfa yn arwydd o ymlyniad boneddigion Cymru wrth y portread. Deuai'r arlunwyr hyn o rannau gwahanol iawn o'r wlad. Gŵr o sir Gaerfyrddin oedd John Dyer, a aeth i Lundain ym 1720; o sir Fôn y daeth Edward Owen, a ddechreuodd ar ei brentisiaeth bum mlynedd yn ddiweddarach, ac aeth Richard Wilson o Benegoes, ger Machynlleth, i Lundain ym 1729. Yr oedd Dyer ac Owen, fodd bynnag, yn dod o gefndir cyffelyb, gan berthyn i'r bonedd llai, ac yr oedd gan Wilson yntau, er ei fod yn fab i berson gwlad, gysylltiadau â bonedd y gogledd-ddwyrain ar ochr ei fam. Y mae'n amlwg fod y cefndir hwn yn bwysig o ran galluogi darpar arlunwyr i dalu am eu hyfforddiant ac, yn fwy arwyddocaol, o ran gwneud paentio portreadau yn uchelgais ganddynt yn y lle cyntaf. Ymddengys i Wilson, yn enwedig, gael addysg Glasurol ardderchog, a'i fod yn unigolyn soffistigedig pan gyrhaeddodd Lundain, lle y dilynodd yrfa a oedd yn adlewyrchu statws newydd ei broffesiwn. Yr oedd cysylltiadau teuluol hefyd yn fan cychwyn da o safbwynt denu nawdd.

116. Edward Owen,
Portread o fam yr arlunydd, Ann Wynne o Fodewryd,
1731, Olew, 762 x 635

[51] Serch hynny, yn ail hanner y ddeunawfed ganrif parhawyd i roi statws cymharol uchel i baentio golygfeydd ar gyfer y theatr, gweithgarwch y tybid ei fod yn ategol i baentio darluniau. Pears, *The Discovery of Painting*, tt. 113–19.

O'r tri, John Dyer a gafodd yr athro enwocaf, sef Jonathan Richardson, yr arlunydd Seisnig, ac yr oedd ei fywyd ymhlith yr *avant-garde* yn nhai coffi ffasiynol Llundain a'i ymadawiad cynnar am yr Eidal i barhau â'i hyfforddiant yn adlewyrchu statws ei athro. Yr oedd Richardson yn un o arweinwyr mudiad o arlunwyr Seisnig a oedd am danseilio goruchafiaeth yr arlunwyr cyfandirol.

117. Richard Wilson, *Y Tywysogion George ac Edward Augustus, Meibion Frederick, Tywysog Cymru, gyda'u Tiwtor, Dr. Francis Ayscough*, c.1748–9, Olew, 635 x 765

Yr oedd ei genedlaetholdeb yn adlewyrchiad o gychwyn cynnar mudiad cenedlaethol mewn celfyddyd a fynegwyd yn amlycach yn y proses o adeiladu'r ymerodraeth. Flwyddyn cyn i Dyer ymuno ag ef ym 1720, yr oedd Richardson wedi cyhoeddi ei draethawd dylanwadol *An Essay on the Whole Art of Criticism, as it relates to Painting*. Aeth Richard Wilson, a gâi ei noddi gan Syr George Wynne o Goed-llai, at bortreadwr di-nod o'r enw Thomas Wright, ac Edward Owen at Thomas Gibson, arlunydd mwy adnabyddus, er iddo yn fuan ddechrau magu edmygedd at Richardson, a barodd beth annifyrrwch gan fod Gibson a Richardson yn cystadlu â'i gilydd. Fel y sylwodd Owen mewn llythyr a ysgrifennodd ym 1729: 'Whilst I continue with my Mastor I know he would take it ill if I were to coppy any Paintors works but his own.'[52] Yr oedd copïo yn rhan hanfodol o hyfforddiant y cyfnod.

Ceir yn llythyrau Edward Owen o Benrhos gipolwg anarferol o bersonol ar fyd prentis o arlunydd yn y cyfnod hwn. Er ei fod yn gallu siarad Cymraeg, fe'i hanfonwyd i ysgol yn Lloegr ac o'r herwydd ysgrifennai yn Saesneg. Yr oedd wedi penderfynu ar ei yrfa pan oedd yn yr ysgol ac, fel y dywedodd ei frawd: 'As his inclinations lead that way, so it is best to let him follow it, & no doubt but with Gods Grace he may make a Competant Honest lively Hood. No time ought to be lost in placing him out.'[53] Defnyddiwyd y rhwydwaith o deulu a chyfeillion a ymestynnai cyn belled â Llundain i ddod o hyd i athro iddo, ac aeth at Gibson yn gynnar ym 1726, lle y parhaodd â'i astudiaethau mewn geometreg a rhifyddeg a dechrau dysgu Ffrangeg a lluniadu. Honnodd ei bod yn bwysig gwisgo'n dda, sy'n cadarnhau ffynonellau eraill o'r cyfnod sy'n awgrymu nad oeddid yn ystyried arlunwyr yn grefftwyr cyffredin mwyach. Yr oedd hyn, yn ogystal â'r deunyddiau ar gyfer ei astudiaethau, yn gostus iawn i'r teulu:

> I find my business vastly expensive to what I thought it would be when I was first bound, theres not a week passes but it costs me above eighteen pence only in pens pencils chalks blew brown & white paper, besides what it costs me in things to coppy after as drawing prints & plaister figures. My master tells me it will yearly cost me 10 pound in my business, as it is not meerly coppying makes a painter but seeing and buying great masters performances, and minding where in one excell'd, where in another. Tho' master is the best Drawer in England, as allow'd by every one, yet he lays out above 40 or 50 pound a year in drawings.[54]

Cafodd Owen brentisiaeth helbulus oherwydd ei anawsterau ariannol a salwch ei athro, ac erbyn 1729 yr oedd yn ceisio prynu swydd fel tywysydd yn y llys. Paentiodd bortreadau o'i deulu a'i gyfeillion ac ym 1732, wedi iddo ddychwelyd

118. Richard Wilson,
Capten Walter Griffith o Fron-gain,
c.1750, Olew, 760 x 740

[52] Prifysgol Cymru, Bangor, Papurau Penrhos 1025, dyddiedig 6 Chwefror 1729.

[53] Ibid., 991, dyddiedig 31 Mawrth 1725.

[54] Ibid., 997, dyddiedig 17 Mawrth 1726.

119. Richard Wilson, *Edward Lloyd o Bengwern*, 1750, Olew, 1270 x 1016

adref, gwnaeth hunanbortread. Daeth ei yrfa i ben yn ddisymwth pan fu farw *c.*1740–1, er ei fod o bosibl wedi cyflawni yr hyn a allai erbyn hynny.[55] Ni wnaeth John Dyer yrfa iddo'i hun fel arlunydd portreadau ychwaith, er iddo yntau wneud hunanbortread, ynghyd ag ambell bortread o'i deulu. Bu Richard Wilson yn fwy ffodus yn ariannol nag Owen ac, ar y cychwyn, yn fwy penderfynol. Llwyddodd i symud ymlaen o fod yn brentis i fod yn arlunydd portreadau ac erbyn 1740 yr oedd yn derbyn nawdd sylweddol gan deulu Lyttleton a aeth ag ef am gyfnod byr i gyrion y llys, lle y paentiodd y portread grŵp o'r tywysogion George ac Edward Augustus, meibion Frederick, Tywysog Cymru, gyda'u tiwtor, Dr Francis Ayscough. Boneddigion o Gymru oedd llawer o'i noddwyr cynnar, fodd bynnag, gwŷr megis Richard Owen o Ynysymaengwyn, y paentiodd bortread ohono tua 1748. Yr oedd ffresni a naws hamddenol arbennig yn perthyn i'w bortreadau o bobl ifainc. Ymhlith y goreuon yr oedd ei bortread o Gapten Walter Griffith o Fron-gain, gŵr ifanc a ddeuai i gryn amlygrwydd fel milwr yn Rhyfel Annibyniaeth America, ac Edward Lloyd o Bengwern, a bortreedir yn eistedd wrth y bwrdd yn pwyntio at ryw fanylyn mewn llythyr y mae ei arwyddocâd bellach wedi hen fynd yn angof.

Un o noddwyr cynharaf a chyfoethocaf Wilson oedd teulu Myddelton o Gastell Y Waun. Ym 1738 fe'i comisiynwyd i wneud portread o John Myddelton, a derbyniodd £6 16s 6d am ei lafur.[56] Tra oedd yn y castell, dichon iddo fanteisio ar y cyfle i astudio nid yn unig y portreadau a grogai yno ond hefyd y tirluniau a oedd yn prysur ddod yn rhan allweddol o gasgliadau o'r fath. Cyn bo hir byddai yntau yn troi ei law at dirluniau, a byddai hynny'n cael effaith o'r pwys mwyaf ar ddatblygiad diwylliant celfyddydol Cymru.

[55] Lleoliad un yn unig o bortreadau Owen sy'n hysbys bellach, sef y portread o'i fam. Gwelodd Isaac Williams yr hunanbortread ym 1926, er yr ymddengys ei fod yn anghywir wrth ddweud i Owen farw ym 1748. Bu Edward Owen farw o 'a kind of galloping consumption ... My brother and self will lose a sincere good friend in him. You may remember that I was with you when at London at his lodgings at the King and Pearl, in Tavistock Street. He was then a limner, and a second brother'. Ibid., llythyr dyddiedig 17 Mawrth 1740.

[56] Myddelton, *Chirk Castle Accounts (Continued)*, t. 501. Parhaodd y cysylltiad â theulu'r Waun, gan i John Myddelton nodi yn ei ddyddiadur ym 1742: 'Mr Wilson a painter in Covent garden has a picture of mine in his custody.'

pennod
tri

SYNNWYR LLE

120. Anhysbys,
Llannerch, Sir Ddinbych,
c.1662, Olew, 1142 x 1517

Comisiwn pwysicaf Syr Thomas Myddelton i'r arlunydd gwlad Thomas Ffrancis ym 1672 oedd paentio tri thirlun i'w gosod uwchben y lleoedd tân yng Nghastell Y Waun. Yr oedd y traddodiad o baentio tirluniau wedi hen ymsefydlu ar y Cyfandir, ond yr oedd yn beth newydd yng nghelfyddyd Cymru yr adeg honno, ac yn Lloegr hefyd o ran hynny. Cyn hyn, ni cheid unrhyw enghreifftiau o dirluniau Cymreig ac eithrio mewn portreadau megis y portread o Edward Morgan o Lantarnam, lle y ceid tirwedd yn y cefndir yn hytrach na'r dyfeisiau herodrol a oedd yn arferol ar ddechrau'r ail ganrif ar bymtheg. Disodlai'r tirwedd arfbais y teulu mewn darluniau o'r fath, ond yr un oedd y bwriad yn y pen draw, sef dynodi pwy oedd gwrthrych y darlun a dathlu parhad y llinach. Prif swyddogaeth y tirluniau newydd a ddaeth i fri ar ôl yr Adferiad oedd defnyddio lle i amlygu statws. Er nad oedd y syniad y gallai tirwedd fod yn brydferth yn beth newydd, nid oedd yr arfer o brynu darlun o olygfa wledig er ei fwyn ei hun, yn hytrach nag oherwydd ei gysylltiadau, wedi gwreiddio. Yr oedd tirluniau Cymreig rhwng 1660 a diwedd y ganrif yn ddieithriad bron yn dangos cefn gwlad fel cefndir i blasty (ystad y noddwr gan amlaf) neu adeilad arall neu dref a gysylltid ag ef neu hi mewn rhyw ffordd. Datganiad o hunaniaeth y noddwr oedd y tirlun, yn hytrach nag ymateb teimladol i natur.

Gellir priodoli ymddangosiad sydyn y ffasiwn am y cyfryw ddarluniau adeg yr Adferiad i gyfuniad o ffactorau seicolegol ac ymarferol. O safbwynt seicolegol, dichon fod cyfleu parhad lle yn bodloni'r angen i gadarnhau hen gysylltiadau yn sgil cynnwrf ac ansicrwydd y ddau ddegawd blaenorol. Ceir o leiaf dri grŵp o luniau, o Newton yn sir Gaerfyrddin, ac o Dŷ Troy a Thŷ Tredegyr yn sir Fynwy, sy'n gysylltiedig ag ailadeiladu wedi'r Adferiad. O safbwynt ymarferol, yr oedd y diddordeb cynyddol mewn ffasiynau cyfandirol, ynghyd â'r ffaith fod gweithiau gan arlunwyr o'r Iseldiroedd ar gael unwaith eto, wedi cynyddu'r galw. Yn yr hanner can mlynedd wedi'r Adferiad arweiniodd gwahaniaeth cysyniadol diddorol at greu dwy ysgol wahanol o dirlunwyr. Traddodiad cysyniadol a ddaeth i'r amlwg yn gyntaf, traddodiad a ddeilliai yn y bôn o lunio mapiau, ond a gyflwynwyd yn ôl pob tebyg drwy gyfrwng yr engrafiadau cyfandirol o'r tai mawr a'u gerddi ffurfiol a ddangosid ar ongl arosgo fel petai o'r awyr. Er i gasgliadau o brintiau o'r fath, yn dangos testunau Seisnig, gael eu cyhoeddi yn gynnar yn y ddeunawfed ganrif, a thestunau Cymreig o'r 1730au ymlaen, drwy gyfrwng darluniau paentiedig y cyflwynwyd yr agwedd hon gyntaf ym Mhrydain.[1] Dau olwg tebyg iawn i'w gilydd o blasty Llannerch yn sir Ddinbych, un ohonynt gyda'r dyddiad 1662, yw'r ddau ddarlun trem aderyn cynharaf sydd wedi goroesi.[2] Fel rhai o'r prif ddeallusion Cymreig mewn cyfnod cynharach, amlygid yng nghymeriad Mutton Davies, y noddwr, gyfuniad o agwedd a chwaeth ryngwladol ac ymlyniad wrth y traddodiad brodorol. Yr oedd yn fab i Robert Davies, Gwysane, a oedd wedi comisiynu Thomas Leigh i wneud portreadau o'r teulu, ac yn dad i Robert Davies arall a fu'n gyfrifol am ddatblygu casgliad llawysgrifau Cymraeg Gwysane. Wedi'r rhyfeloedd cartref, cafodd Mutton Davies ei anfon ar y Daith Fawr, ac er na wyddys ym mhle yn union y bu'n teithio, y mae'n sicr iddo ymweld â Ffrainc a'r Eidal. Diau mai yno y magodd flas at y math o gerfluniau a nodweddion a addurnai'r ardd yn Llannerch, megis y deial haul a chwistrellai ddŵr i wyneb yr ymwelydd.[3]

Câi darluniau Llannerch, a ddathlai chwaeth a chyfoeth Mutton Davies, eu hadleisio mewn cywydd gofyn a ganwyd gan fardd cyfoes di-nod o'r enw Foulk Wynn. Perthyna'r gerdd i'r traddodiad mawl a ymestynnai yn ôl am ganrifoedd ond a oedd wedi dirywio'n sylweddol erbyn cyfnod yr Adferiad. Y mae'r twf yn y defnydd o'r ddelwedd weledol fel cyfrwng mawl yn ystod yr ail ganrif ar bymtheg a dirywiad cydamserol cerdd dafod yn adlewyrchu esblygiad cymdeithasol llawer, er nad y

[1] Mewn llawysgrif (c.1600) yng nghasgliad Ardalydd Caersallog ceir golygfa o Gastell Conwy a'r dref mewn tafluniad arosgo, ond gwell ei hystyried yn enghraifft ddiweddar o'r traddodiad goliwio a berthynai i'r oesoedd canol. Y golwg trem aderyn engrafedig cynharaf yn Lloegr yw *Windsor Castle* gan Hollar. Dilynwyd hwn yn gynnar yn y ddeunawfed ganrif gan nifer o gasgliadau, yn enwedig *Britannia Illustrata* (1708). Cyhoeddwyd gwaith Leonard Knyff, yr arlunydd Isalmaenig, wedi ei engrafio gan Jan Kip, yn Robert Atkyns, *The Ancient and Present State of Glostershire* (London, 1712).

[2] A chymryd na chamddyddiwyd y darlun yn ddiweddarach, y mae'r llun bron yn sicr yn dangos y gerddi fel y'u cynlluniwyd. Dychwelodd Mutton Davies, a gomisiynodd yr ardd, i Gymru ym 1658 ond fe'i hanfonwyd i garchar yng Nghaer oherwydd ei fod yn Frenhinwr. Y mae'n annhebyg, felly, iddo gychwyn ar y gwaith ar y gerddi cyn 1660, ac eto, ddwy flynedd yn ddiweddarach, y mae'r darlun yn dangos gerddi aeddfed. Y mae darlun Llannerch, sydd bellach yn yr Yale Center for British Art, tua thri chwarter maint y darlun sydd mewn casgliad preifat yng Nghymru. At ei gilydd, y mae'r darluniau'n debyg iawn i'w gilydd, er bod manylion y ffigurau a'r anifeiliaid yn wahanol.

[3] Dengys yr arwyddair arno mai gwneud y dioddefydd druan yn fwy gostyngedig oedd y bwriad: 'Alas! my friend, time soon will overtake you; / And if you do not cry, by G-d I'll make you.' Philip Yorke, *The Royal Tribes of Wales* (Wrexham, 1799), t. 98.

121. Hendrik Danckerts, *A Panorama of Monmouth with Troy House*, c.1672, Olew, 1981 x 1320

cwbl, o'r teuluoedd bonheddig, a oedd yn graddol golli cysylltiad ag arferion a dysg eu cenedl, ac yn enwedig â'r agweddau hynny a drosglwyddid drwy gyfrwng yr iaith Gymraeg. Soniodd y bardd wrth ei gynulleidfa am deithiau ei noddwr i Rufain (ac i India hefyd, fe ymddengys) ac fel y dychwelodd i Gymru i greu paradwys a adlewyrchai'r profiadau hyn. Fel yn y llun, ceir disgrifiad o'r gerddi (gan gynnwys y castiau dŵr), a thynnir sylw at gysylltiad Mutton Davies ag Eglwys Gadeiriol Llanelwy,[4] sy'n creu cyffelybiaeth drawiadol rhwng y gweledol a'r llenyddol. Awgryma'r ffaith fod yr arlunydd wedi gosod eglwys Llanelwy yn eglur ar y gorwel fod mwy o arwyddocâd i hyn na dangos nodwedd leol a chreu cyferbyniad gweledol â'r tŷ.

Yr oedd y darlun trem aderyn yn galluogi'r arlunydd i ddathlu byd cyfoes y noddwr gyda realaeth a ymestynnai i fanylion lleiaf bywyd y bobl gyffredin a'r anifeiliaid y tu allan i glwydi'r plas. Y mae'n amlwg fod arlunydd Llannerch yn gyfarwydd iawn â'r byd hwnnw, ac yn ei waith amlygir ei hoffter o bortreadu bywyd pob dydd, a hynny ar ffurf *vignettes* bychain. Y mae'r ci sy'n clepian cyfarth ar y llwybr sy'n arwain at y tŷ yn codi ofn ar y defaid yn y cae gerllaw. Dangosir cwningod bach, hwyaid gwylltion ac elyrch mewn ystumiau nodweddiadol, a dwy wraig a basgedi ar eu pennau yn cerdded i fyny'r lôn. Ni wyddys pwy oedd yr arlunydd, ond y mae'n deg tybied mai arlunydd gwlad lleol ydoedd, megis Thomas Ffrancis.

Gwaetha'r modd, nid yw tirluniau Ffrancis wedi goroesi, ac o'r herwydd y mae'n amhosibl penderfynu a gawsant eu paentio mewn arddull trem aderyn neu a oeddynt yn adlewyrchu confensiynau tra gwahanol arlunwyr Isalmaenig y cyfnod. Gwyddys i un o leiaf o'r arlunwyr hyn ddod i Gymru yn ystod yr ail ganrif ar bymtheg. Y mae'r darlun o Dŷ Troy yn sir Fynwy, a baentiwyd gan Hendrik Danckerts tua 1672, yn dangos eu hagwedd wahanol. Y noddwr oedd Henry Somerset, trydydd Ardalydd Caerwrangon, ac y mae'n werth nodi, o ystyried ei ddewis o arlunydd, iddo dreulio rhai blynyddoedd yn alltud yn yr Iseldiroedd a hefyd yn Ffrainc ar ddiwedd y rhyfeloedd cartref. Byddai Tŷ Troy, a oedd yn eiddo i Somerset, yn cael ei ddymchwel maes o law er mwyn codi cartref newydd i'r teulu yng Nghymru i gymryd lle Castell Rhaglan a ddifethwyd yn ystod y

[4] LlGC Llsgr. 263B (llyfr o gerddi gan Foulk Wynn o Nantglyn, tua 1684), t. 10: 'i'r Cathedral, daw'r gŵr tal iach / 'n buraidd, doed dippin boreuach / Gŵr tyner a llawer lle, / ai blesser yw ei blasseu: / yn fwyna dŷn, o fewn ei dai / ei ddyfais ef fydd ddifai / Gwych y trosglwyddodd y gŵr / iw erddi ffrydiau o oerddwfr: / da ei glod eiff i rodio, / i ardd fawr a urddodd fo: / ei lawr o gwmpas ei lys / ai gastiau ydynt gostus ...'

[5] Etifeddodd Blanche yr ystadau gan ei thad, y Barnwr William Morgan o'r Dderw, Llys-wen. Yn yr un modd, gellir adnabod priod drwy nodwedd o'r tirwedd ym mhortread Roach Vaughan, Tretŵr, sir Frycheiniog, a briododd ag aelod o deulu Harley o swydd Henffordd. Y mae'r darren amlwg i'r gogledd o Dretŵr i'w gweld yn glir yng nghefndir y llun.

122. Hendrik Danckerts,
Castell Caerffili, *c.*1670–80,
Pen, inc a golchiad, 249 x 422

123. Anhysbys,
Tirlun yn yr Ystafell Euraid yn Nhŷ Tredegyr, *c.*1688,
Olew, 1600 x 520

rhyfeloedd cartref pan geisiodd ei daid ei amddiffyn yn aflwyddiannus. Y mae'n debyg iddo gomisiynu'r llun o'r hen dŷ er mwyn cael cofnod ohono cyn ei ddymchwel. Dewisodd Danckerts fangre uchel ar gyfer tynnu'r llun, ond llecyn naturiol ydoedd serch hynny, neu o leiaf un sy'n edrych yn naturiol gan iddo baentio codiad tir ar waelod y llun a thynnu sylw arbennig ato drwy gynnwys grŵp o bobl. Fel y llun yn gyffredinol, yr oedd manylion o'r fath yn dra gwahanol i'r hyn a geid yn lluniau Llannerch. Y mae'r ffigurau a welir yn y llun o Dŷ Troy yn dangos delfryd Arcadaidd yn hytrach na phobl gyffredin wrth eu gwaith pob dydd. Paentiodd Danckerts ei foneddiges yn glasurol *déshabillé*, ond ni wyddys bellach beth oedd arwyddocâd hyn. Yn y cefndir gwelir yr olygfa y tu hwnt i Drefynwy, ond y mae'r tirwedd yn llawer mwy mynyddig nag ydyw mewn gwirionedd. Y bwriad, y mae'n debyg, oedd creu awyrgylch arallfydol i'r ffigurau gwledig.

Y mae grŵp o dirluniau yn Nhŷ Tredegyr, a gomisiynwyd y mae'n debyg tua'r un cyfnod â darlun Tŷ Troy, yn hynod o debyg i ddarlun Danckerts o ran dull a manylion y ffigurau. Fel y gwelwyd, yr oedd Syr William Morgan y noddwr yn ymhyfrydu yng ngweithiau'r arlunwyr Isalmaenig. Megis tirluniau coll Castell Y Waun, yr oedd darluniau Tŷ Tredegyr yn rhan o gynllun addurnol cyffredinol yr Ystafell Euraid. Yn un ohonynt yr oedd gwraig yn lled-orwedd, wedi hanner gwisgo megis yn narlun Tŷ Troy. Y mae'n bosibl fod cysylltiad rhwng Danckerts a'r lluniau yn Nhŷ Tredegyr hefyd, gan nad Tŷ Troy oedd yr unig le yng Nghymru iddo ymweld ag ef. Gwyddys iddo deithio cyn belled i'r gorllewin â Chaerffili, gan wneud tri lluniad o'r castell adfeiliedig yno. Fel y lluniadau o'r castell, y mae'r darluniau o Dŷ Tredegyr yn anarferol yn y cyfnod hwn gan nad ydynt yn dangos y tŷ ei hun ac, yn wir, y mae'r ffigurau Clasurol yn ymddangos fel petaent yn edmygu'r olygfa yn y pellter, y gellir ei hadnabod fel golygfa o Fannau Brycheiniog. Yr oedd Blanche Morgan, gwraig Syr William Morgan, Tŷ Tredegyr, yn etifeddes i ystadau yn sir Frycheiniog.[5]

124. Anhysbys,
Eglwys Sant Andras, Llanandras,
c.1680, Olew, 965 x 1219

125. Thomas Dineley,
Eglwys Sant Andras,
Llanandras, 1684,
Pen ac inc,
255 x 185

126. Thomas Smith,
Tŷ Troy, Sir Fynwy, Olew,
c.1680–90, 610 x 711

Yr oedd Henry Somerset, trydydd Ardalydd Caerwrangon, wedi chwarae rhan amlwg mewn gwleidyddiaeth er dyddiau'r rhyfel cartref cyntaf, a pharhaodd y diddordeb hwn wedi'r Adferiad, gan ddod â llwyddiant yn ei sgil. Ym 1682 fe'i dyrchafwyd yn Ddug Beaufort gan Siarl II, a dwy flynedd yn ddiweddarach aeth ar daith is-frenhinol drwy Gymru yn rhinwedd ei swydd fel Arglwydd Lywydd Cyngor Cymru. Un o'i ddilynwyr oedd Thomas Dineley, a wnaeth gofnod manwl, yn ysgrifenedig a gweledol, o daith ei feistr drwy ystadau mawr y wlad. Y mae darluniau Dineley yn gofnod amhrisiadwy o adeiladau sydd bellach wedi eu dymchwel neu eu gweddnewid yn sylweddol, er nad yw'r manylion yn hollol ddibynadwy. Ymddengys mai'r rheswm am hyn yw y byddai'n cymryd nodiadau ar y safle ac yn gwneud y lluniad terfynol yn ddiweddarach. At ei gilydd, y mae ei agwedd yn gyson ag agwedd arlunwyr trem aderyn y

128. Thomas Smith, *Castell Rhaglan*, manylyn

127. Thomas Smith, *Castell Rhaglan*, 1680–90, Olew, 610 x 736

129. Thomas Smith, *Cas-gwent*, 1680–90, Olew, 610 x 711

130. Anhysbys,
Tŷ Margam o'r gogledd,
c.1695, Olew, 1460 x 1450

cyfnod, a dichon ei fod yn eithaf cyfarwydd â'r *genre*. Byddai'n aml yn gosod gwrthrychau megis Castell Powis yn urddasol yn erbyn y tirwedd, ac yr oedd yr un mor hoff o fanylu ar bobl. Un o'r adeiladau llai a gofnodwyd ganddo oedd eglwys Sant Andras, Llanandras, lle y gwelodd 'the ruines of good painted Glass', canlyniad y rhyfeloedd cartref yn fwy na thebyg. Y mae ei luniad o'r eglwys yn hynod o ddiddorol gan iddo gael ei wneud yr un adeg yn union ag un o'r darluniau mwyaf anarferol o'i fath. Prin iawn oedd y delweddau o adeiladau unigol yn y cyfnod hwn, ac y mae'n amheus ai cyd-ddigwyddiad yw'r ffaith i ddau lun gael eu gwneud o'r eglwys yn yr un flwyddyn. Y mae'n bosibl fod a wnelo Dineley, neu ei feistr yn fwyaf tebygol, â'r comisiwn i'r arlunydd anhysbys. Yr oedd gan Ddug Beaufort ddiddordeb heintus mewn golygfeydd yn y cyfnod hwn. Comisiynodd yr arlunydd Thomas Smith i wneud pedwar darlun o'i ystadau yng Nghymru – dau o dref Cas-gwent, un o adfeilion Castell Rhaglan, ac un o'r Tŷ Troy newydd yr oedd wedi ei adeiladu ar ôl i Danckerts gwblhau ei lun ef. O gymharu'r ddau ddarlun o Dŷ Troy gellir gweld yn amlwg y gwahanol gonfensiynau a oedd ar waith mewn arlunio cyfoes, o safbwynt y safle a ddewisid ar gyfer portreadu'r olygfa ac, yn fwy dramatig, o safbwynt yr agwedd at ddarlunio bywyd pob dydd. Y syndod, efallai, o ystyried arddull realaidd yr arlunwyr Isalmaenig, yw mai'r lluniau brodorol a ymdriniai â'r cyffredin, ac mai Danckerts a droesai at ddelweddaeth Glasurol annelwig. Yn holl ddarluniau Smith, fel yng ngwaith arlunydd Llannerch, dangosid y werin-bobl a'r arglwydd yn union fel yr oeddynt. Gwelir pedler â'i bac ar ei gefn yn dynesu at Raglan a cherbyd Beaufort a'i chwe cheffyl yn cael trafferth i droi ar y lawnt o flaen Tŷ Troy. Cynhwysai'r ddau lun o Gas-gwent a'r rheini o Dŷ Troy fanylion o fywyd yn y dref, er enghraifft, odyn galch yn llosgi uwchben y cei a phatrwm sgwarog – arwydd tafarn yn fwy na thebyg – ar fur y tŷ olaf cyn dod at bont Trefynwy.

[6] Dineley, *The Account of the Official Progress of His Grace Henry the First Duke of Beaufort through Wales*, t. 313. Y mae'n bosibl fod darlun Simon Du Bois o Edward Mansel, sy'n dyddio o 1682, ymhlith y darluniau Isalmaenig. Cafodd Martha, gwraig Mansel, ei phaentio gan Du Bois hefyd, ond y mae Steegman yn nodi 1686 fel dyddiad y llun.

[7] LIGC, Papurau Margam a Phen-rhys, 2208, rhestr o gynnwys y llyfrgell a luniwyd ym 1747. Ceid yn y llyfrgell hefyd lyfrau darluniedig megis *Aesop's Fables*, 'with fine cuts', a gyhoeddwyd yn Llundain ym 1666 gan Stoop a Barlow. Oherwydd i'r rhestr gael ei llunio flynyddoedd lawer wedi dyddiau Syr Edward Mansel, nid yw'n bosibl dweud a oedd y llyfrau eisoes yn y llyfrgell ym 1684.

131. Anhysbys, *Tŷ Margam o'r de*, c.1695, Olew, 1120 x 1120

132. Thomas Dineley, *Tŷ Margam*, 1684, Pen ac inc, diamedr 117

133. *Tu blaen yr hafdy gwledda ym Margam*, c.1680, a ailgodwyd yn ddiweddarach fel Teml y Pedwar Tymor. Cerfluniau, 19eg ganrif

Un o'r tai yr ymwelodd y Dug â hwy yn ystod y daith oedd Margam, a thynnodd Dineley lun ohono o'r de, gan ddychmygu'r olygfa dros ben y porthdy. Ar yr ochr ddwyreiniol cynhwysodd hafdy gwledda Syr Edward Mansel, adeilad ar wahân a adeiladwyd 'after ye Italian where regular simetrie Excellent sculpture delicate graving & an infinity of good Dutch and other paintings make a lustre not to be imagined'.[6] Yr oedd Syr Edward hefyd yn berchen ar lyfrgell sylweddol a gynhwysai lyfrau am gelfyddyd a phensaernïaeth y cyfnod Clasurol a'r Dadeni a gyhoeddasid ym Mharis.[7] Yn ddiweddarach, comisiynodd Syr Edward ddau lun trem aderyn o'i ystad, ond ni wyddys ai brwdfrydedd y Dug dros y math hwn o lun a'i hysgogodd. Yr oedd bryniau a dyffrynnoedd Morgannwg yn cyfyngu ar yr olygfa i'r gogledd, ond ymestynnai'r olygfa i'r de dros Fôr Hafren tuag at Wlad yr Haf. Y mae'n bosibl fod Syr Edward ei hun ymhlith y grŵp o bobl yn y cwrt a baentiwyd mor gelfydd.[8]

Ymhellach i'r gorllewin, yn sir Gaerfyrddin, ymwelodd Beaufort â Chastell Dinefwr. Pe bai wedi galw yn Newton, cartref newydd Edward Rice, nid nepell o Ddinefwr, gallai fod wedi gweld cyfres nodedig o bedwar darlun trem aderyn a baentiwyd, y mae'n debyg, tua phymtheng mlynedd ynghynt.[9] Yr oedd Edward Rice yn fodernydd, ac y mae bron yn sicr mai ef yw'r ffigur a welir yn camu'n hyderus tuag at yr arlunydd anhysbys yn y darlun o flaenolwg y tŷ newydd. Defnyddiai'r ffurf Seisnig ar ei enw teuluol, ac yr oedd y tŷ yn ymgorfforiad o holl ymdrechion ei hynafiaid am ganrif a rhagor i adennill y safle a gollasid ganddynt dan Harri VIII. Canwyd corff sylweddol o ganu mawl i'w hynafiaid, ond daeth y nawdd hwn i ben yng nghyfnod tad Edward. Fel Mutton Davies yntau, y darlun

[8] Priodolwyd tirluniau Margam i Thomas Smith, arlunydd y Dug, gan John Harris yn *The Artist and the Country House: A History of Country House and Garden View Painting in Britain 1540–1870* (London, 1979), t. 127, a hynny'n bennaf oherwydd y cysylltiad brau rhwng Syr Edward Mansel a Dug Beaufort. Ond gellir bod bron yn sicr fod y lluniau yn fwy diweddar nag ymweliad y Dug gan fod coed wedi eu plannu o flaen y neuadd wledda haf nas ceir yn llun Dineley. Hefyd, y mae'r gwahaniaethau mewn arddull yn awgrymu nad Smith oedd yr arlunydd. Trafodir y lluniau yn Patricia Moore a Donald Moore, 'Two Topographical Paintings of the Old House at Margam, Glamorgan', *Arch. Camb.*, CXXIII (1974), 155–69. Wedi i'r erthygl hon gael ei hysgrifennu, cafodd y darluniau eu glanhau, a gwelwyd bod rhywun wedi paentio dros yr olygfa i'r de er mwyn gallu estyn y llwybr marchogaeth coediog i gyfeiriad y môr. Y mae'n rhaid fod hyn wedi cael ei wneud yn lled fuan wedi i'r darluniau gael eu paentio gan iddynt gael eu halltudio i'r atig cyn bo hir iawn, oherwydd eu bod yn rhy henffasiwn, yn ôl pob tebyg.

[9] Nid oes cofnod i Dineley ymweld â'r tŷ newydd, ond y mae'n bosibl ei fod wedi gwneud hynny gan fod y tŷ wrth ymyl y castell. Arhosai'r fintai yng Ngelli-aur tra oeddynt yn ymweld â sir Gaerfyrddin.

134. Anhysbys,
Tŷ Newton, Dinefwr o'r gogledd, c.1670,
Olew, 838 x 1219

135. Anhysbys,
Tŷ Newton, Dinefwr o'r dwyrain,
c.1670, Olew, 838 x 1498

oedd dewis gyfrwng nawdd y mab, ond y mae'n amhosibl dweud beth a'i hysgogodd, yn enwedig gan fod y gweithiau yn ei feddiant yn rhai eithaf cynnar. Nid oes unrhyw dystiolaeth ychwaith ei fod yn ymddiddori mewn printiau o'r Cyfandir. Y mae bron yn sicr mai arlunydd lleol a gomisiynwyd gan Edward Rice ac, o ystyried ei arddull, sy'n wahanol i holl weithiau eraill y cyfnod, y mae'n bosibl ei fod yn dilyn cyfarwyddiadau llafar ei noddwr. Ond nid y gwahaniaeth yn eu harddull yn unig sy'n peri bod y lluniau hyn yn arbennig. Golygfeydd o hen Gastell Dinefwr, yn hytrach na chartref Edward Rice ei hun, yw dau o'r lluniau, ac y mae'r trydydd yn dangos y castell yng nghanol coed hynafol yn edrych i lawr ar resi llwm o blanhigion newydd a'r tŷ gyda'i stwco newydd ei baentio.[10] Y mae'r ffaith fod modernydd megis Edward Rice yn coffáu'r castell hynafol hwn yn dangos ei fod yn hynod o bwysig. Dewisodd Dineley yntau dynnu llun o'r olygfa, a hynny o'r un safle yn union bron ag arlunydd Edward Rice.

Y mae'n amlwg fod Dineley yn ymwybodol o arwyddocâd hanesyddol y safle. Yr oedd y beirdd a ganasai glodydd hynafiaid Edward Rice wedi gwneud hynny yn bennaf oherwydd bod y teulu yn ddisgynyddion i'r Arglwydd Rhys, yr arweinydd milwrol a ailsefydlodd rym y Cymry yn ne Cymru yn ail hanner y ddeuddegfed ganrif:

[10] Er gwaethaf naws a neges ddifrifol y lluniau hyn, nid ydynt yn ddihiwmor. Yn un ohonynt, ymddengys fod y ddwy wraig ifanc sy'n cerdded islaw'r castell yn cael eu poeni gan lo a oedd wedi dianc. Gw. Peter Lord, 'Tir y Cymry – Golau Newydd ar Hen Ddelwedd', *Taliesin*, 89 (1995), 54–75.

Cai Hir Ddeheudir mal dy hoyw daid – hen,
Hynaf o'r Brytaniaid;
Cryfa' air, ddybla'r ddwyblaid,
Cadarn blaen coed Urien blaid.[11]

Yr oedd tŷ newydd Edward Rice yn arwydd fod y teulu wedi adennill eu hen safle, ac y mae'n amlwg ei fod hefyd yn adlais cywrain o lwyddiannau ei hynafiad, yr Arglwydd Rhys, er bod yr hen gastell yn cynrychioli llawer mwy na grym y teulu unigol hwn. Bu cenedlaethau o feirdd yn cadw'r cof amdano'n fyw fel arwr cenedlaethol, gan ei gysylltu â myth Prydain Fore pan dybid bod yr ynysoedd wedi eu huno gan un diwylliant ac un iaith. Yr oedd i Ddinefwr arwyddocâd deublyg yn y cyd-destun hwn gan y credid mai yma y lluniodd Myrddin ei broffwydoliaethau, a'r bwysicaf o'r rhain oedd y byddai pobl Prydain, a orchfygwyd gan y goresgynnwr Sacsonaidd, ryw ddydd yn adennill eu tiriogaeth ac yn rheoli drosti. Credai boneddigion Cymru i'r broffwydoliaeth hon gael ei gwireddu pan esgynnodd y Tuduriaid i orsedd Lloegr ac, fel y gwelwyd, elwodd amryw ohonynt ar y statws a roddai iddynt yn llys y Tuduriaid. Cafwyd y mynegiant mwyaf grymus o'r myth hwn gan Spenser yn y *Faerie Queene* (1590), a gyflwynwyd i'r Frenhines Elisabeth. Yn ystod yr ail ganrif ar bymtheg yr oedd y Saeson yn cynyddol ddychanu balchder y Cymry yn eu tras drwy gyfrwng printiau, dramâu a baledi poblogaidd, ond daliai'r bonedd i gredu bod hyn yn rhoi hygrededd iddynt yn y llys Seisnig. Pan ymwelodd Siarl I â Henry Somerset yng Nghastell Rhaglan ar ddechrau'r rhyfeloedd cartref, 'Some of the chief rooms were richly hung with cloth of Arras, full of lively figures and ancient British stories'.[12] Prin fod amheuaeth nad oedd yr un ystyr i ddarluniau Edward Rice o Ddinefwr, a'u bod yn cynrychioli'r balchder lleol, teuluol a chenedlaethol a gynhaliai ei holl ymdrechion – y tair haen a nodir yng Nghyfraith Hywel fel cyfrifoldeb yr uchelwr ac a gyfleid gan y gair perchentyaeth.

Ymddengys na phaentiwyd unrhyw dirluniau trem aderyn ar ôl 1700. Efallai ei bod yn arwyddocaol fod y mwyaf o'r ddau lun o Gas-gwent a baentiwyd gan Thomas Smith ar gyfer Dug Beaufort tua 1690 eisoes yn awgrymu uno dau gonfensiwn. Er bod y llun hwn yn weddol debyg i'r tirlun arall o Gas-gwent, rhoes Thomas Smith yr argraff ei fod wedi rhoi'r gorau i'r agwedd gysyniadol drwy gynnwys codiad tir ar waelod y darlun, lle y gosododd lun ohono ef ei hun yn edrych ar yr olygfa yng nghwmni cyfaill.

[11] Huw Llŷn, dyfynnwyd yn E. R. Ll. Davies, 'Noddwyr y Beirdd yn Sir Gaerfyrddin' (traethawd MA anghyhoeddedig Prifysgol Cymru, 1977), t. 149.

[12] Phillips, *Memoirs of the Civil War*, II, t. 27. Os nad oedd y brithlenni hyn â'u delweddaeth genedlaethol ymhlith y darluniau a anfonwyd i Dŷ Troy i'w diogelu (gw. uchod, t. 55), y tebyg yw iddynt gael eu dinistrio gan y Seneddwyr. Am yr agwedd a amlygid mewn celfyddyd boblogaidd Seisnig at fawrdra'r Cymry, gw. Lord, *Words with Pictures*, tt. 33–51.

136. Anhysbys, *Castell Dinefwr o'r gogledd*, c.1670, Olew, 838 x 1219

137. Anhysbys, *Castell Dinefwr o'r de-orllewin*, c.1670, Olew, 838 x 1219

138. John Wooton,
View with Stag Hunt, c.1715,
Olew, 1003 x 1244

139. Peter Tillemans,
North Prospect of Chirk Castle,
1720, Olew, 882 x 1327

Ar wahân i Ddug Beaufort, y noddwr enwocaf i ddangos diddordeb cynnar mewn tirluniau oedd Robert Myddelton. Rywbryd cyn 1719, pan osodwyd sgrin a chlwydi'r brodyr Davies o flaen cwrt blaen Castell Y Waun, paentiodd yr arlunydd Seisnig John Wooton olygfa gyda helfa ceirw yn y blaendir.[13] Yn ystod ei ymweliad â'r castell ym 1720 paentiodd Peter Tillemans, yn ogystal â phortreadau, ddwy olygfa o'r castell ei hun a hefyd *Landscape with Llangollen and the River Dee*. Ar gyfer ei olygfa ogleddol o'r castell, a oedd yn cynnwys clwydi'r brodyr Davies ond nid y cerfluniau o Fawrth ac Ercwlff, safodd Tillemans yn union lle y bu Wooton yn gweithio o'i flaen. Y mae darlun Tillemans naill ai'n awgrymu bod newidiadau sylweddol wedi eu gwneud i'r tirlun yn yr ychydig flynyddoedd rhwng paentio'r ddau lun neu fod yr arlunydd ei hun wedi gwneud ychwanegiadau ffansïol megis y pwll a'r coed, a osodwyd mewn man strategol i guddio'r adeiladweithiau diweddar a anharddai'r castell canoloesol. Creodd olygfa fugeiliol ddelfrydol a oedd yn debyg iawn i *A Panorama of Monmouth with Troy House* Danckerts a baentiwyd hanner canrif ynghynt ac a oedd yn dra gwahanol i'r portread realistig o'r helfa yn llun Wooton.

Yn fuan wedi ymweliad Tillemans, bu Castell Y Waun yn destun dau engrafiad lle y defnyddiwyd yr arddull trem aderyn, a oedd eisoes yn henffasiwn, am y tro olaf yng nghelfyddyd weledol Cymru. Fe'u gwnaed gan William Henry Toms, ac yr oeddynt yn seiliedig ar luniadau o eiddo Thomas Badeslade, arlunydd o Sais a arbenigai mewn portreadu tai

[13] Bu Wooton hefyd yn gweithio i Ddug Beaufort yn Badminton. Y mae'n bosibl mai Richard Myddelton, a fu farw ym 1716, ac nid Robert, a gomisiynodd ddarlun Castell Y Waun. Yr oedd golygfeydd hela yn dechrau dod yn boblogaidd ymhlith y bonedd, er mai ar ddiwedd y ddeunawfed ganrif ac yn ystod y bedwaredd ganrif ar bymtheg y gwelwyd penllanw'r poblogrwydd hwn. Y mae casgliad lluniau teulu Plymouth yng Nghastell Sain Ffagan yn cynnwys llun hela cynnar, naïf ei arddull.

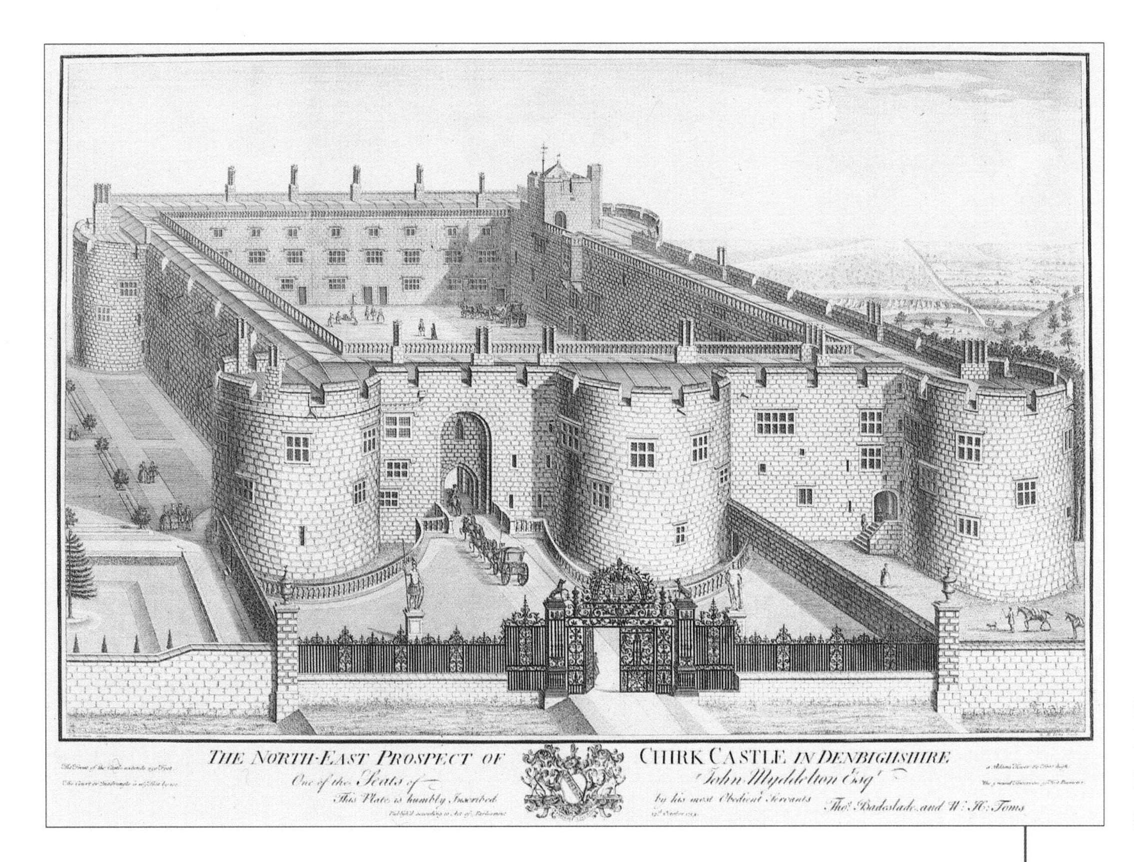

140. William Henry Toms
yn seiliedig ar Thomas Badeslade,
The North East Prospect of Chirk Castle, 1735, Engrafiad,
602 × 815

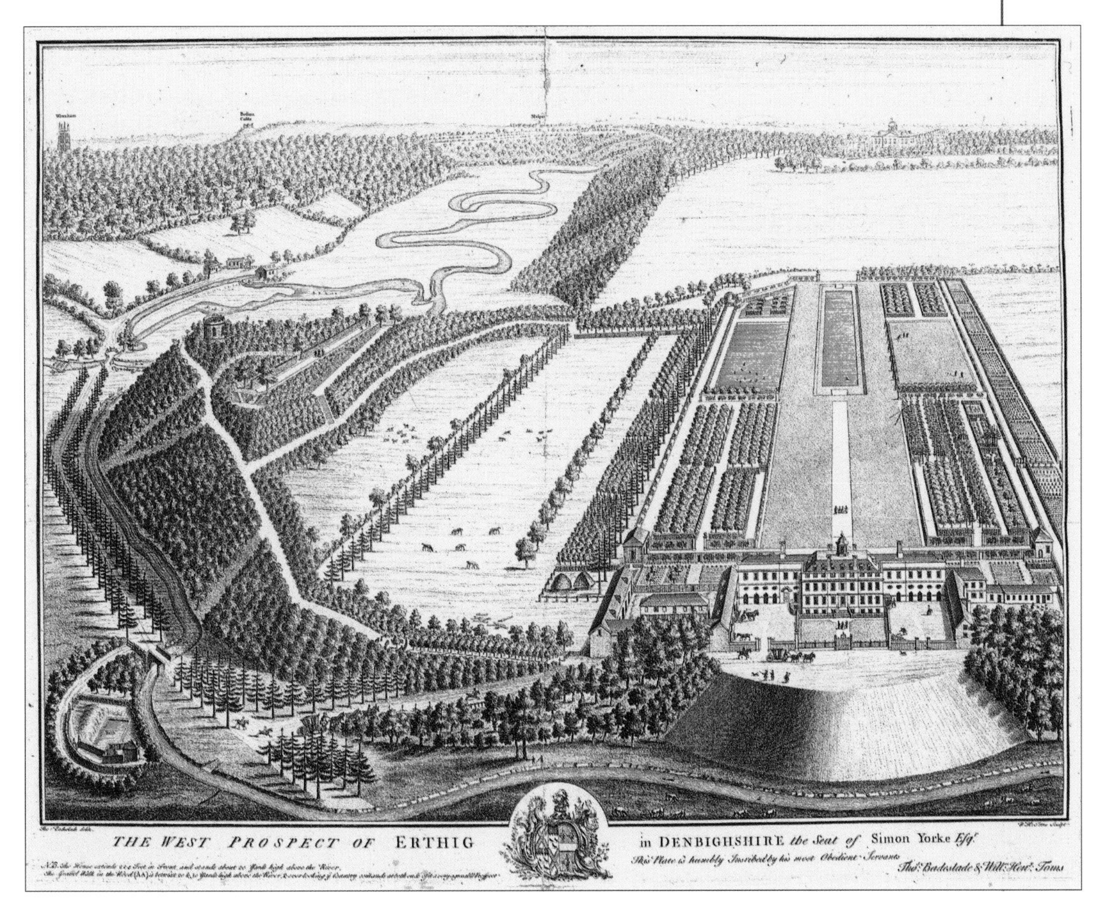

141. William Henry Toms
yn seiliedig ar Thomas Badeslade,
The West Prospect of Erthig, c.1740,
Engrafiad, 400 × 550

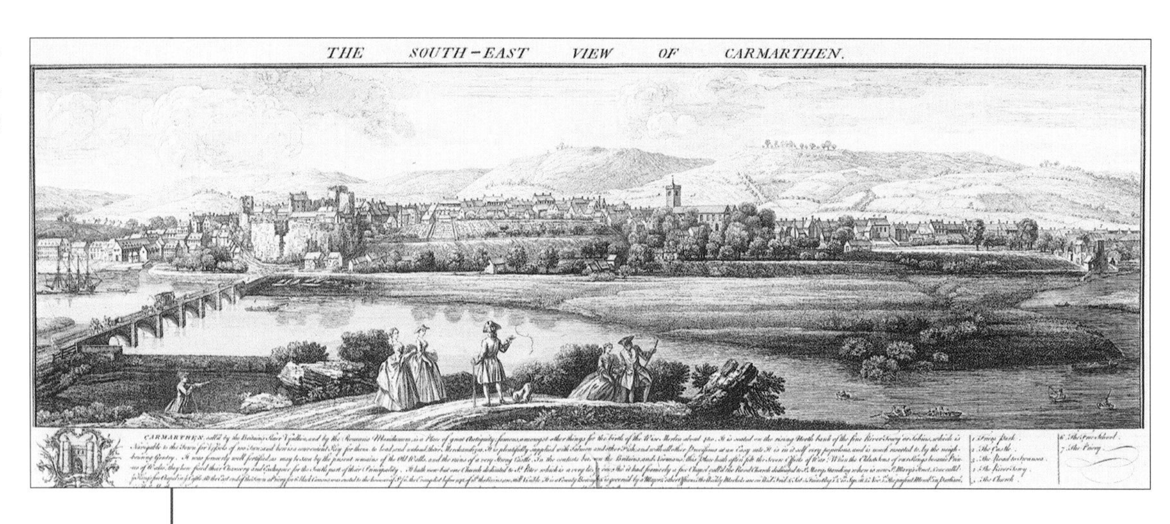

142. Samuel a Nathaniel Buck, *The South East View of Carmarthen*, 1748, Engrafiad, 315 x 820

bonedd. Cafodd y ddau engrafiad hyn o Gastell Y Waun eu llunio bum mlynedd cyn y lluniau o Benarlâg ac Erddig gan yr un arlunwyr.[14] Yr oedd yr holl engrafiadau'n cynnwys *vignettes* o fywyd pob dydd fel a geid yn y tirluniau o Lannerch a baentiwyd tua deng mlynedd a thrigain ynghynt. Rhaid eu bod yn cael eu hystyried yn henffasiwn iawn erbyn hynny gan fod engrafiadau Samuel a Nathaniel Buck o dai bonedd, a ymddangosodd gyntaf ar ddechrau'r 1730au, wedi sefydlu arddull dra gwahanol. Teithiai'r brodyr drwy Gymru a Lloegr yn ystod misoedd yr haf yn gwneud lluniadau a chasglu tanysgrifiadau, yn bennaf gan berchenogion yr adeiladau a bortreedid ganddynt, a threulient y gaeaf yn cynhyrchu engrafiadau copr. Byddent yn atgynhyrchu'r nodweddion pensaernïol yn fanwl iawn, ond tueddent i addasu'r gwrthrychau symudol megis pobl a chychod neu i ychwanegu atynt er mwyn creu darlun mwy effeithiol. Cyhoeddasant luniau o dai bonedd yn sir Fynwy ym 1732, gyda rhai o swydd Gaerloyw a Wiltshire. Rhwng 1740 a 1742 cyhoeddasant dair cyfres o olygfeydd o Gymru, a dynnwyd yn y de a'r gogledd. Ym 1748, cyhoeddasant drefluniau o Gaerdydd, Abertawe, Caerfyrddin a Wrecsam.[15] Y mae'r ffigurau a welir yn y blaendir yn y darluniau hyn – ffigurau o wŷr a gwragedd llewyrchus yn hamddena, a dynnwyd gan J. B. C. Chatelain ac H. F. B. Gravelot – gryn dipyn yn fwy soffistigedig na chynnyrch y brodyr Buck yn eu cyfresi cynharach, ac yn pwysleisio'r gwahaniaeth rhyngddynt a Badeslade a'r arlunwyr trem aderyn cynharach.

Dilynwyd esiampl y brodyr Buck gan engrafwyr eraill, yn enwedig J. Lewis. Nid oes dim yn hysbys am fywyd personol Lewis, ond gwyddys ei fod yn gweithio yn Amwythig ym 1736. Serch hynny, y mae ei enw, a'r ffaith iddo gyhoeddi deuddeg engrafiad 'of the most Beautiful Prospects in North Wales' yn awgrymu bod ganddo gysylltiadau â Chymru. Y mae'n bosibl fod y brodyr Buck yn gyfarwydd â'i waith, gan na fu iddynt atgynhyrchu ei destunau ef yn y gyfres a gyhoeddwyd ganddynt ym 1748. Yr oedd golygfeydd eang Lewis o drefi, pentrefi a chestyll yn fwy agored nag engrafiadau ei gyfoeswyr enwog, a llwyddodd i ennill nawdd Syr Watkin Williams Wynn o Wynnstay, William Myddelton, AS sir Ddinbych a Robert Davies, Llannerch.[16]

[14] Nid oedd dyddiad ar yr engrafiad o Erddig ond yr un oedd y ffurf â'r darlun o Benarlâg, dyddiedig 1740. Yn rhyfedd iawn, cadwyd y platiau yng Nghastell Y Waun, sy'n awgrymu efallai i'r engrafiadau yn ogystal â'r lluniadau gael eu gwneud yno. Fodd bynnag, y mae'n fwy tebygol i Robert Myddelton gael gafael arnynt yng ngweithdy'r engrafwr yn Llundain. Ymddengys fod Myddelton yn adnabod Toms, gan i'r sawl a gadwai gyfrifon y castell nodi iddo brynu 'portraits of Painters & Artists' gan yr engrafwr ym 1739 am bymtheg swllt. Myddelton, *Chirk Castle Accounts (Continued)*, II, t. 502.

[15] Y mae'n bosibl fod yr engrafiadau yn seiliedig ar luniadau a wnaed yn ystod teithiau cynharach, ac nad ydynt yn profi i'r engrafwyr ymweld â Chymru eilwaith.

[16] Y mae amryw o gyfeiriadau at arlunwyr ac engrafwyr o'r enw J. neu John Lewis yn y cyfnod rhwng 1736 a thua 1775. Ni ellir dweud ai John Lewis, a baentiodd bortreadau Derwydd (gw. uchod t. 67), yw engrafwr y tirluniau hyn. Dyddiwyd engrafiadau 1736 ar sail cyfeiriad atynt yn Bangor, Llsgr. Henblas A 18, a ddyfynnwyd yn B. Dew Roberts (gol.), *Mr. Bulkeley and the Pirate: A Welsh Diarist of the Eighteenth Century* (London, 1936), t. 92. Derbyniodd Lewis 1½ gini ymlaen llaw gan y tanysgrifwyr am y printiau. Yr wyf yn ddiolchgar i David Sturdy am y cyfeiriad hwn. Cred Sturdy ei bod yn fwy tebygol mai bonheddwr o amatur yn hytrach nag arlunydd gwlad proffesiynol oedd Lewis. Yn ogystal â'r rhai y cyfeirir atynt yn y testun, gwnaeth engrafiadau hefyd o Ddinbych, Bangor, Llanelwy, Rhuthun a Harlech.

143. Samuel a Nathaniel Buck, *The South East View of Laugharne Castle*, c.1740, Engrafiad, 195 x 340

Yr oedd engrafiadau y brodyr Buck a Lewis yn nodweddiadol o'r ysbryd dogfennol a oedd yn mynd law yn llaw â moderniaeth y Dadeni ac a roes fod nid yn unig i ddelweddau gweledol ond hefyd i ddisgrifiadau llenyddol megis *A Tour thro' the Whole Island of Great Britain*, gan Daniel Defoe, a gyhoeddwyd ym 1725. Ond yr oeddynt hefyd yn brawf fod diddordebau hynafiaethol bonedd a deallusion y cyfnod Tuduraidd a Stiwartaidd, a fynegwyd ar ffurf diddordeb dwfn mewn herodraeth a bywyd llys yr oesoedd canol, yn datblygu yn rhywbeth llawer mwy cymhleth. Mynegwyd yr ymwybod â'r gorffennol yn engrafiadau hanner cyntaf y ddeunawfed ganrif mewn dwy ffordd. Yn gyntaf, dangosai cyfresi y brodyr Buck nid yn unig drefi ffyniannus a bywyd y bonedd ond hefyd adfeilion mynachlogydd a chestyll. Er mai cyfeirio'n ôl yr oedd y brodyr Buck wrth ysgrifennu eu cyflwyniad i argraffiad 1774 o'u gweithiau, a hynny ar adeg pan oedd brwdfrydedd hynafiaethol wedi dod i'w anterth, nid oes unrhyw reswm i amau nad oeddynt yn gwir deimlo'r emosiynau a ddisgrifir ganddynt pan oeddynt yn eistedd o flaen eu testunau ddeugain mlynedd ynghynt:

144. Samuel a Nathaniel Buck, *Laugharne Castle*, c.1740, Inc a golchiad, 150 x 355

> Upon the whole, there is something in ancient Ruins that fills the mind with contemplative melancholy; for, while they convince us of the truth of that important expression, 'All Flesh is Grass, and the Glory thereof as the Flower of the Grass', they point out to us a striking proof of the vanity of those who think their works will last for ever.[17]

[17] Samuel a Nathaniel Buck, *Buck's Antiquities* (London, 1774), t. viii.

145. Francis Place, *The West Side of Flint Castle*, 1699, Dyfrlliw, 93 × 173

146. J. Lewis, *View of Dyserth*, c.1736, Engrafiad, 391 × 786

Y mae'n bosibl fod y pruddglwyf hwn yn adwaith anorfod i foderniaeth ymwthgar cyfnod yr Adferiad, ac yr oedd wedi ymddangos ymhell cyn diwedd yr ail ganrif ar bymtheg. Fel y gwelwyd, yr oedd Danckerts wedi tynnu llun o Gastell Caerffili yn y 1670au, ac ym 1678 teithiodd Francis Place, hynafiaethydd ac arlunydd amatur o Sais, drwy dde Cymru. Dychwelodd Place i Gymru ym 1699, i ymweld â'r gogledd y tro hwn, a thynnodd lun o Gastell Y Fflint ymhlith testunau eraill, ond ni wnaed engrafiadau o'i waith, ac y mae'n annhebyg felly iddo gael fawr o ddylanwad yn ystod ei oes. Pwysigrwydd engrafiadau y brodyr Buck oedd eu bod yn ei gwneud hi'n bosibl i ddelweddau gael eu lledaenu, gan alluogi noddwyr i brofi'r pruddglwyf ffasiynol heb orfod mynd i ymweld ag adfeilion mewn mannau pellennig.

Agwedd arall ar ymdriniaeth ddatblygol arlunwyr o'r gorffennol, a amlygai ei hun hyd yn oed yng ngwaith trefol y brodyr Buck, oedd y modd y portreedid y tirwedd o gwmpas yr adfeilion. Ambell waith, ceid ganddynt ddarlun eang o'r tirwedd, lle y byddai golwg nes wedi eu galluogi i ddangos y manylion pensaernïol yn well. Yr oedd y diddordeb cynyddol yn y tirwedd i'w weld yn amlycach fyth yng ngwaith J. Lewis. Yn ei lun o Ddiserth y mae'r castell i'w weld yn y pellter ac y mae'r adeiladau gwasgaredig yn y blaendir wedi ymdoddi i'r olygfa wledig eang. Tynnodd yr arlunydd ei lun ei hun mewn *vignette* yn y blaendir, yng nghwmni criw o ffrindiau, yn edmygu'r olygfa fawreddog. At hynny, yn engrafiad Lewis, *Pistill Rhaiadr*, anwybyddwyd yr aneddiadau dynol a'r tirwedd amaethyddol yn llwyr er mwyn cyflwyno byd natur yn ei gyflwr cyntefig. Ers tro byd tybiasai'r rhai a benderfynai beth oedd chwaeth artistig fod tirweddau hynafol o'r fath, nas diwylliwyd gan law dyn, yn farbaraidd ac annymunol. Serch hynny, yr oedd newid agwedd ar droed, hyd yn oed mor gynnar â 1709, fel y dengys sylwadau Iarll Shaftesbury:

> I shall no longer resist the Passion growing in me for Things of a *natural* kind; where neither *Art*, nor the *Conceit* or *Caprice* of Man has spoil'd their *genuine Order*, by breaking in upon that *primitive State*. Even the rude *Rocks*, the mossy *Caverns*, the irregular unwrought *Grotto's* and broken *Falls* of Waters, with all the horrid Graces of the *Wilderness* itself, as representing NATURE more, will be the more engaging, and appear with a Magnificence beyond the formal Mockery of Princely Gardens.[18]

Yr oedd Shaftesbury yn flaengar iawn ei syniadau, ac nid oedd yr ardd ffurfiol a'r tirwedd rhesymegol, a bortreadwyd mor effeithiol gan arlunydd Llannerch er mwyn cyfleu diogelwch a threfn wedi anhrefn y rhyfeloedd cartref, wedi dyddio'n llwyr

[18] Anthony Ashley Cooper, 3ydd Iarll Shaftesbury, 'The Moralists, a Philosophical Rhapsody' yn idem, *Characteristicks of Men, Manners, Opinions, Times* (3 cyf., 5ed arg., London, 1732), II, tt. 393–4, a ddyfynnwyd yn John Dixon Hunt a Peter Willis (goln.), *The Genius of the Place: The English Landscape Garden 1620–1820* (London, 1975), t. 124.

[19] Daniel Defoe, *A Tour thro' the Whole Island of Great Britain* (London, 1725), t. 81.

[20] 'The Pleasures of the Imagination'. Donald F. Bond (gol.), *The Spectator* (5 cyf., Oxford, 1965), III, llythyrau 411–21, yn enwedig rhif 414, a ddyfynnwyd yn Hunt a Willis (goln.), *The Genius of the Place*, tt. 141–3.

[21] 'Pleasing horror'. A. C. Fraser (gol.), *The Works of George Berkeley, D. D.* (4 cyf., Oxford, 1871), I, t. 302.

[22] Malcolm Andrews, *The Search for the Picturesque* (Aldershot, 1989), t. 45.

147. J. Lewis,
Pistill Rhaiadr, c.1736,
Ysgythriad, 618 x 307

eto. Byddai blynyddoedd lawer yn mynd heibio cyn y byddai syniadaeth yr iarll am drefn naturiol, a oedd yn adwaith i fyd rheoledig a dyn-ganolog y Dadeni Clasurol, yn ennill tir. Yr oedd ei syniadau yn dra gwahanol i'r farn a fynegwyd gan ei gyfoeswr, Daniel Defoe, wrth deithio yng Nghymru. Defnyddiodd Defoe yr un eirfa wrth gyfeirio at erwinder yr olygfa, ond yr oedd ei ymateb iddi yn dra gwahanol. Cyfeiriodd at y Mynydd Du fel:

> a Ridge of horrid Rocks and Precipices between, over which, if we had not had trusty Guides, we should never have found our Way; and indeed, we began to repent our Curiosity, as not having met with any thing worth the trouble; and a Country looking so full of horror, that we thought to have given over the Enterprise, and have left *Wales* out of our Circuit: But after a Day and a Night conversing thus with Rocks and Mountains, our Guide brought us down into a most agreeable *Vale*, opening to the *South*, and a pleasant River running through it, call'd the Taaffe.[19]

Er gwaethaf hyn, yr oedd agwedd pobl at natur wedi dechrau newid. Ym 1712 yr oedd Joseph Addison wedi cyfeirio at 'bleserau'r dychymyg',[20] a blwyddyn yn ddiweddarach disgrifiodd yr Esgob George Berkeley y teimladau a ysgogid gan y profiad o natur wyllt fel 'ofn dymunol'.[21] Yn y pen draw, byddai Edmund Burke yn datblygu'r syniadau hyn yn ddamcaniaeth esthetig gydlynol yn ei *Philosophical Enquiry into the Origins of Our Ideas of the Sublime and Beautiful*, a gyhoeddwyd ym 1757.

Fel y sylwodd Malcolm Andrews yn ei ddadansoddiad o darddiad y mudiad *Picturesque*, '"Agreeable horror" and "pleasing melancholy" are nourished by images of decay, by monstrous, broken and irregular forms, in both natural scenery and the works of man.'[22] Felly, yr oedd adfeilion Castell Dolwyddelan, a dynnwyd gan y brodyr Buck ym 1742, yn hollol gydnaws â'r tirwedd cyntefig o'i gwmpas. Yr oedd gan Gymru fwy i'w gynnig na Lloegr o safbwynt hynafiaethau i ennyn pruddglwyf a natur wyllt i ennyn ofn,

148. Samuel a Nathaniel Buck, *The East View of Dolwyddelan Castle*, 1742, Engrafiad, 193 x 375

dau emosiwn tebyg i'w gilydd a oedd yn ymateb i freuder dyn a gallu Duw. Estyniad o chwaeth oedd hyn, a pharhâi'r bugeiliol yn ffasiynol. Yn wir, byddai'r ddeialog rhwng cefnogwyr y tirwedd gwledig tawel, a drefnwyd gan ddyn, a'r rheini a ymhyfrydai yng ngrymoedd cyntefig natur wyllt, sef gwaith llaw Duw, yn thema esthetig gyson.

Daeth Cymru yn enwog fel llwyfan ar gyfer y ddeialog hon, deialog a gymhlethwyd ymhellach gan y berthynas agos, o gyfnod y Tuduriaid ymlaen, rhwng hanes Cymru a hanes Lloegr. Arweiniodd hyn, yn ystod ail hanner y ddeunawfed ganrif, at ddiddordeb yng Nghymru na fu ei debyg ymhlith deallusion Lloegr, tuedd a gofnodwyd yn fwy helaeth nag unrhyw ffenomen arall yn hanes celfyddyd Cymru. Dyma gyfnod 'Darganfod Cymru', ymadrodd sydd wrth gwrs yn tarddu o Loegr. Nid oedd angen i ddeallusion Cymru ddarganfod eu gwlad eu hunain, gan eu bod eisoes yn ymwybodol o'i phwysigrwydd fel cartref y genedl. Serch hynny, yr oedd y ddelwedd hynafol o'r Cymry fel etifeddion Prydain unedig a'i chanolbwynt yn Llundain, delwedd y glynent yn ddygn wrthi, yn eu hannog i borthi'n eiddgar y diddordeb a ddangosai eu cymdogion dros y ffin yn eu gwlad. Yr oedd amryw o ddeallusion Cymru naill ai'n byw yn Llundain neu'n treulio eu hamser yno, ac felly edrychent ar Gymru o safbwynt y Sais, ond gydag emosiwn a dealltwriaeth ddiwylliannol ddyfnach y Cymro o'i famwlad. Ehangodd eu hamgyffred o Gymru i gynnwys y syniad o'u gwlad fel tirwedd, ond parhaodd cysyniadau sylfaenol y Cymry yn wahanol i rai eu cyfoeswyr Seisnig.

p e n n o d
p e d w a r

PRYDAIN

FORE

149. John Dyer,
Caerfilly Castle, 1733,
Pen, inc a golchiad,
263 x 466

150. John Dyer,
Tirlun, Cwm Nedd o bosibl,
c.1724, Olew, 740 x 615

Cafodd yr arlunydd John Dyer gryn ddylanwad ar y dull o ddirnad tirwedd ym Mhrydain yn rhan gyntaf y ddeunawfed ganrif, er iddo gyflawni hyn drwy gyfrwng ei farddoniaeth yn bennaf. Yr oedd ei waith enwocaf, 'Grongar Hill', yn disgrifio'r ardal yn sir Gaerfyrddin lle y treuliodd ei blentyndod. Fe'i hysgrifennwyd mewn ieithwedd a geisiai ysgogi, yng ngeiriau Addison, 'bleserau'r dychymyg' – yr emosiwn a deimlid wrth fyfyrio uwchben safleoedd hanesyddol – a hefyd werthfawrogiad o ffurf, lliw a llun y tirwedd ei hun, fel pe bai'n ddarlun. At hynny, bu gwaith Dyer o gymorth i sefydlu dolen gyswllt rhwng tirwedd Cymru yn arbennig a'r estheteg newydd. Ym 1724 a 1725, ac yntau yn yr Eidal, ailysgrifennodd 'Grongar Hill' yn y ffurf y'i cyhoeddwyd ym 1726, ac y mae'n debyg ei fod wedi teithio'n helaeth drwy Gymru cyn mynd ar y Daith Fawr. Yn sicr fe wnaeth hynny yn fuan wedyn. Y mae'r ffaith fod rhai o'i lyfrau nodiadau wedi diflannu yn golygu bod bwlch mawr yn ein gwybodaeth ynghylch datblygiad cynnar yr estheteg newydd yng Nghymru. Golyga hyn hefyd na chafodd cyfraniad Dyer gydnabyddiaeth deilwng. Dywedodd Wordsworth amdano:

> Though hasty Fame hath many a chaplet culled
> For worthless brows, while in the pensive shade
> Of cold neglect she leaves thy head ungraced ...[1]

Ymddengys nad oes ond un lluniad tirlun a dau dirlun olew o Gymru wedi goroesi. Y mae'n debyg mai darlun o Gwm Nedd yw un o'r rhain, ardal y byddai teithwyr yn tyrru iddi yn ddiweddarach yn y ganrif yn eu hymchwil am dirweddau *picturesque*, ac y mae'n bosibl i Dyer ymweld â'r ardal pan ddaeth i weld y gerddi a grëwyd gan

[1] William Wordsworth, 'To the Poet, John Dyer' yn idem, *Poems, Volume I*, gol. John O. Hayden, (Harmondsworth, 1977), t. 736. Cadwyd rhai darnau o lyfrau nodiadau coll Dyer yn J. P. Hylton Dyer Longstaffe, 'John Dyer as a Painter', *Montgomeryshire Collections*, XI (1878), 396–402.

151. John Dyer, *Sarcophagus, Yr Eidal*, c.1724–5, Pen ac inc, 205 x 260

Humphrey Mackworth yn y Gnoll ger Castell-nedd. Y mae'n bosibl fod y darlun arall, sy'n fwy Eidalaidd ei naws ac yn cynnwys pafiliwn Clasurol, wedi ei seilio ar y Gnoll, gan y tybir bod nodweddion o'r fath yng ngardd Mackworth erbyn yr adeg honno.[2] Dengys y detholiadau sydd wedi goroesi o lyfrau nodiadau coll Dyer iddo ymweld â mannau o ddiddordeb ledled Cymru, gan gynnwys 'a cascade a little above New Radnor', Castell Y Waun, Trevernon 'by the sea side', Castell Penfro a Phontarfynach. Ym 1728 cafodd 'a surprising escape on horseback, on a very narrow wooden bridge in North Wales, about fifty feet above rocks and a great torrent of water, which frightened the horse, who could not turn for the narrowness of the bridge, and entangled his feet in the side rails'.[3]

Aeth Dyer ar y teithiau arloesol hyn er mwyn gallu ysgrifennu am dirwedd ei wlad ei hun a'i ddarlunio. Y mae'n annhebyg ei fod yn gyfarwydd â'r teithiau cynharach a wnaed gan Place, gan nad oeddynt wedi eu cyhoeddi y pryd hwnnw. Pan oedd Dyer yn Rhufain, yr oedd ei ymdeimlad rhamantus o harddwch adfeilion wedi datblygu ymhell cyn i hyn ddod yn gyffredin ymhlith deallusion ail hanner y ddeunawfed ganrif:

> There is a certain charm that follows the sweep of time, and I cannot help thinking the triumphal arches more beautiful now than ever they were. There is a certain greenness, with many other colours, and a certain disjointedness and moulder among the stones, something so pleasing in their weeds and tufts of myrtle, and something in the altogether so greatly wild, that, mingling with art, and blotting out the traces of disagreeable squares and angles, adds certain beauties that could not be before imagined, which is the cause of surprise that no modern building can give.[4]

[2] Am Mackworth, gw. Lord, *Diwylliant Gweledol Cymru: Y Gymru Ddiwydiannol*, t. 52.

[3] Dyfynnwyd yn Longstaffe, 'John Dyer as a Painter', 401. Y mae Thomas Lloyd yn awgrymu mai Llansawel, sef lleoliad Vernon House, a ddinistriwyd yn ddiweddarach, yw Trevernon.

[4] Ibid., 397–8.

152. A.M., *The Chief Druid*, allan o Henry Rowlands, *Mona Antiqua Restaurata*, 1723, Engrafiad, 192 × 150

THE

RUINS of ROME.

A

P O E M.

Aſpice Murorum moles, præruptaque Saxa,
Obrutaque horrenti vaſta Theatra ſitu:
Hæc ſunt Roma. *Viden' velut ipſa Cadavera tantæ*
Urbis adhuc ſpirent imperioſa minas? Janus Vitalis.

LONDON:
Printed for LAWTON GILLIVER, at *Homer's Head* in *Fleetſtreet.*
MDCCXL.
(Price 1 *s.*)

153. Anhysbys, Wynebddalen John Dyer, *The Ruins of Rome*, 1740, Engrafiad, 65 × 145

Sicrhaodd yr hyfforddiant a gafodd Dyer gan Jonathan Richardson le iddo ymhlith yr *avant-garde* yn Llundain, lle y byddai'n ymweld â siop goffi Serle yn Stryd Carey, hoff gyrchfan beirdd ac arlunwyr ifainc megis Thomas Hudson. Yno daeth i wybod, ac i ddirnad o safbwynt Cymro, sut yr oedd y Saeson yn meddwl a theimlo, a darganfu ymhlith yr artistiaid hunanhyder a oedd yn adlewyrchu grym gwleidyddol ac economaidd cynyddol Lloegr. Sefydlodd Richardson un o'r academïau cynharaf yn Lloegr fel rhan o'i ymgyrch i ddangos y gallai arlunwyr Seisnig gystadlu ag arlunwyr o'r Cyfandir.[5] Yn ddiamau, yr agwedd bwysicaf ar ymwthgarwch cenedlaethol y Saeson o safbwynt Cymru oedd atgyfnerthu'r syniad o Brydain unedig, yn dilyn yr uniad â'r Alban ym 1707. Bellach clodforid mawredd llinach frenhinol y Tuduriaid fel cyfrwng i ailsefydlu undod tybiedig y Brydain Fore fel yr 'hen ddyddiau da', ac yr oedd *Faerie Queene* Spenser yn dal yn hynod o boblogaidd. Yr oedd cyfraniad deallusion o Gymru a'r Alban a ddeuai i amlygrwydd yn Llundain yn atgyfnerthu'r syniad o oruchafiaeth y Sais o fewn Prydain unedig. O fewn y byd llenyddol cafodd 'Grongar Hill' gan Dyer, sef cerdd fwyaf dylanwadol yr estheteg natur newydd, ei disodli gan *The Seasons* o eiddo'r Sgotyn James Thomson, a gwblhawyd ym 1730. Yr oedd y cysyniad o Brydain unedig yn amlwg hyd yn oed yn nisgrifiad Thomson o ŵyn yn prancio ar fryn:

> They start away, and sweep the massy Mound
> That runs around the Hill; the Rampart once
> Of iron War, in ancient barbarous Times,
> When disunited BRITAIN ever bled,
> Lost in eternal Broil; ere yet she grew
> To this deep-laid indissoluble State,
> Where *Wealth* and *Commerce* lift the golden Head;
> And, o'er our Labours, *Liberty* and *Law*,
> Impartial, watch, the Wonder of a World![6]

[5] Er bod Lloegr yn datblygu mewn meysydd eraill, yr oedd newid y celfyddydau gweledol yn parhau yn waith anodd.

[6] James Thomson, 'Spring' yn idem, *The Seasons*, gol. James Sambrook (Oxford, 1981), 'Spring', t. 42, llinellau 840–8.

Nid oedd Thomson yn llwyr yng ngafael brwdfrydedd yr oes; yr oedd yn ddigon pell oddi wrth genedlaetholdeb Seisnig i allu awgrymu yn adran yr 'Haf' o'r *Seasons* fod y teimladau Prydeinig a fynegid yno yn cyfrannu at boblogrwydd y gerdd: 'The English people are not a little vain of themselves and their country.'[7]

Ym 1723, flwyddyn cyn i Dyer fynd i'r Eidal, cyhoeddodd Henry Rowlands draethawd ar hynafiaethau a hanes Ynys Môn, *Mona Antiqua Restaurata*, lle y dadleuai fod i'r ynys ran allweddol yn nhraddodiad derwyddol Prydain Fore. Darllenwyd y llyfr hwn, a gynhwysai engrafiad o dderwydd, yn eang gan y deallusion ac ysgogodd ddiddordeb cynyddol yng Nghymru ymhlith y Saeson.[8] Ni wyddys a oedd Dyer wedi darllen y llyfr cyn iddo fynd i Rufain y flwyddyn ganlynol, ond y mae'n sicr iddo gael ei ysbrydoli yno i wneud cymariaethau rhwng y gwareiddiad Clasurol hynafol a gwareiddiad Prydain Fore. Yn y gerdd 'The Ruins of Rome' awgrymodd y gellid synied am Gymru fel Rhufain Brydeinig, a roddai gyfreithlonedd i uchelgais imperialaidd y Saeson a chadarnhau gwerth eu diwylliant cyfoes. Wrth edrych ar y pinwydd yn tyfu yng nghanol adfeilion baddondai Caracalla, gallai Dyer ddychmygu 'Britannia's Oaks / On Merlin's mount or Snowden's rugged sides'. Cyfeiriad at Ddinefwr oedd 'Merlin's mount', cyfeiriad sy'n profi bod Spenser yn parhau'n ffynhonnell bwysig.[9]

Gan na chafodd 'The Ruins of Rome' ei chyhoeddi hyd 1740, is-destunau Prydeinig James Thomson a sefydlodd duedd y cyfnod, nid yn unig drwy gyfeiriadau penodol ond hefyd mewn ffordd fwy cynnil trwy drin Ynys Prydain fel undod daearyddol. Byddai'r cysyniad hwn yn hollbwysig am ddau gan mlynedd a hanner ac, er gwaethaf swyddogaeth barddoniaeth, paentio tirluniau fyddai'r prif gyfrwng. I'r sylwebydd o Sais, yr oedd gwneuthuriad tir Prydain yn drosiad hanesyddol a gwleidyddol a adleisiai reolau darlun wedi ei saernïo'n gelfydd. Yn y blaendir ceid tirwedd trefnus a digynnwrf Lloegr wledig, a gosodwyd hwn yn erbyn cefndir mynyddig Cymru yr oedd ei meini hirion ac adfeilion cestyll canoloesol yn dwyn i gof hanes derwyddol hynafol a byrhoedledd dyn. Wrth ddisgrifio swydd Caerwrangon nid yw Thomson yn gwneud hynny o fangre yn y sir honno, ac yn sicr nid yng Nghymru, ond yn hytrach yn y de-ddwyrain, o gadarnle'r meddylfryd Seisnig, gan edrych:

> To Where the broken Landskip, by Degrees,
> Ascending, roughens into rigid Hills;
> O'er which the *Cambrian* Mountains, like far Clouds
> That skirt the blue Horizon, dusky, rise.[10]

[7] Llythyr at David Mallet, a gyhoeddwyd yn *Miscellanies of the Philobiblion Society*, IV (1857–8), 20.

[8] Henry Rowlands, *Mona Antiqua Restaurata* (Dublin, 1723), t. 65. Arwyddwyd y lluniad 'A.M', sef naill ai Andrew Miller neu A. Malone, y mae'n debyg, a ddefnyddiodd yn sail yr engrafiad a gyhoeddwyd yn Aylett Sammes, *Britannia Antiqua Illustrata* (London, 1676). Am darddiad y ddelwedd, gw. Peter Lord, *Gwenllian: Essays on Visual Culture* (Llandysul, 1994), tt. 106–7.

[9] John Dyer, 'The Ruins of Rome' yn idem, *Poems* (London, 1761), t. 34. Yr oedd Dyer yn gyfarwydd iawn â mytholeg ei wlad ei hun. Er enghraifft, cyfeiriodd at Facsen Wledig: 'Nor yet the car of that fam'd British Chief, / Which seven brave years beneath the doubtful wing / Of vict'ry, dreadful roll its griding wheels / Over the bloody war', ibid., t. 41. Byddai Dyer hefyd yn copïo darnau o Spenser yn ei lyfrau nodiadau, ac y mae ei eirfa hynafol, megis y gair 'griding', yn dod o'r un ffynhonnell. Byddai Milton – ffynhonnell arall yr oedd Dyer yn hoff o'i defnyddio – hefyd yn defnyddio'r gair anarferol hwn. Ceisiai Dyer gysylltu Cymry mwy cyfoes â ffigurau amlwg o'r gorffennol. Cymharodd Inigo Jones, yr ystyrid yn y cyfnod hwnnw ei fod o dras Gymreig, â meistri'r Dadeni: 'here curious architect, / If thou assay'st, ambitious, to surpass / Palladius, Angelus, or British Jones', ibid., t. 28. Nid Dyer oedd y cyntaf i gofnodi ar bapur ei deimladau am dirlun Cymru ac yntau'n alltud yn yr Eidal. Yn yr unfed ganrif ar bymtheg yr oedd Gruffydd Robert wedi ei ddychmygu ei hun yn ei famwlad Arcadaidd, yn eistedd 'by running waters in a dingle of young sap laden trees ...'. Am drafodaeth ar agwedd y Cymry at dirwedd yn yr unfed ganrif ar bymtheg a dechrau'r ail ganrif ar bymtheg yn y Saesneg, gw. W. J. Hughes, *Wales and the Welsh in English Literature from Shakespeare to Scott* (Wrexham, 1924).

[10] Thomson, *The Seasons*, t. 47, llinellau 959–62. Disgrifiodd beirdd diweddarach, megis William Sotheby, y mur hwn sy'n cysgodi gardd Lloegr yn llawnach fyth, gan osod Llundain yn ganolbwynt i'w disgrifiadau: 'What lovelier views than Albion's scenes display, /... Whether he gaze from Snowdon's summit hoar, / Or scale the rugged heights of bold Lodore, /... Or hermit visions feed on Lomond's lake.' William Sotheby, *A Poetical Epistle to Sir George Beaumont, Bart., on the Encouragement of the British School of Painting* (London, 1801), t. 15.

Meddyliai'r Cymry am y tirwedd mewn ffordd wahanol iawn, gan eu bod yn byw yng Nghymru ac felly yn edrych i'r cyfeiriad arall. O ganlyniad, golygai'r mynyddoedd rywbeth hollol wahanol iddynt. Yn yr unfed ganrif ar ddeg disgrifiodd Ieuan ap Sulien dir Ceredig o'r fangre honno, gan gyfeirio at y mynydd mawreddog a safai yn y fan lle y codai'r haul. Ar ddiwedd y ddeuddegfed ganrif ysgrifennodd Gerallt Gymro yntau o safbwynt y Cymro, gan ddisgrifio mynyddoedd Eryri o Ynys Môn. Yr oedd eu copaon 'yn gribau uchel hyd at y cymylau',[11] ac yn rhoi porfa i'r anifeiliaid yn ogystal ag amddiffyn Cymru rhag Lloegr – gwlad anghysbell a gwahanol. Rhaid bod Dyer, fel Thomson, yn ymwybodol fod tirwedd Cymru yn cael ei ddehongli o safbwynt Eingl-ganolog ond, gan ildio i'r llif o ymwthgarwch Seisnig, bodlonodd ar gyflwyno peth deunydd Cymreig yn ei farddoniaeth, yn enwedig yng nghyd-destun Prydain Fore.

[11] Thomas Jones, *Gerallt Gymro: Hanes y Daith trwy Gymru a'r Disgrifiad o Gymru* (Caerdydd, 1938), tt. 138–9.

154. John Boydell, *The North-east View of Wrexham Church in the County of Denbigh*, 1748, Engrafiad, 395 x 520

Cafodd 'The Ruins of Rome' gan Dyer ei chyhoeddi ar gychwyn degawd pryd y gwelwyd cynnydd yn y nifer a'r amrywiaeth o ddelweddau celf printiedig – gan gynnwys rhai o Gymru – a bu'r delweddau hyn yn fodd i atgyfnerthu syniadau'r beirdd. Un o gyfryngau mwyaf dylanwadol yr ehangu hwn oedd John Boydell, a aned yn swydd Amwythig ym 1719 ond a symudodd gyda'i deulu i Benarlâg ym 1731. Dechreuodd Boydell gopïo darluniau mewn llyfrau pan oedd yn blentyn, a cheir hanesyn o'r cyfnod sy'n cysylltu ei yrfa fel cyhoeddwr engrafiadau â delwedd Badeslade o Gastell Penarlâg:

> Soon after it was published and came down into the Country it was seen by Boydel, then a poor and ignorant lad in the obscure village of Hawarden; and this being an object familiar to him from his earliest days, had such an effect on him, that he could not rest till he had walked up to London, and bound himself apprentice to the Engraver of the Print (Toms) whom He looked upon as the greatest Man in the World.[12]

[12] Cofnodwyd mewn llaw o'r ddeunawfed ganrif ar gefn copi o engrafiad Toms o Gastell Penarlâg sydd mewn casgliad preifat. Gwedir y stori yn y cofnod ar Boydell yn y *DNB* ond fe'i cadarnheir gan Shearer West yn Jane Turner (gol.), *The Dictionary of Art* (34 cyf., London, 1996), IV, t. 607. Gw. hefyd S. Bruntjen, *John Boydell 1719–1804: A Study of Art Patronage and Publishing in Georgian London* (New York, 1985).

155. John Boydell, *Rhaidder Fawr, A Great Cataract three miles from Penmaen-mawr*, 1750, Engrafiad, 315 x 468

156. Anhysbys,
Poor Taff, c.1770,
Olew, 762 × 635

Sefydlodd Boydell fusnes annibynnol ym 1746, gan engrafu ei waith ei hun i ddechrau, ond buan y troes at gyhoeddi cynnyrch engrafwyr mwy soffistigedig. Ceid amryw o destunau Cymreig ymhlith ei gyhoeddiadau cynharaf, yn enwedig eglwys Wrecsam ym 1748, ynghyd â golygfeydd o rannau eraill o siroedd Dinbych, Y Fflint a Chaernarfon ym 1749 a 1750. Dilynai'r engrafiadau hyn esiampl y testunau pensaernïol a oedd wedi eu cynhyrchu'n gynharach gan y brodyr Buck, ond yr oeddynt hefyd yn cynnwys amryw o weithiau a gofnodai ryfeddodau byd natur, megis *Rhaidder Fawr*, *Caunant Mawr* a *View of Snowden*, ac a dystiai i newid mewn chwaeth tuag at dirluniau pur. Yr oedd y printiau hyn gryn dipyn yn rhatach na'r rheini a gynhyrchid gan ei ragflaenwyr, a buont yn arloesol o ran ehangu'r farchnad am ddelweddau o'r fath i gynnwys pobl broffesiynol a masnachwyr. Serch hynny, dylid nodi bod yr hen ddarlun ystrydebol o'r Cymry, a gynrychiolid gan Gymro tlawd ar gefn gafr yn marchogaeth i Lundain drwy wlad anial a llwm, yn dal ei dir ym mhrintiau poblogaidd Llundain, a chafodd y ddelwedd hon ei phaentio ar sawl achlysur.[13] Yr oedd y ddelwedd ddatblygol yn ennyn diddordeb y rheini a hoffai ffasiynau newydd, ond ni ddisodlwyd yr hen ddelwedd. Byddai trin tirwedd Cymru â pharch ac ar yr un pryd ddirmygu ei phobl yn nodwedd barhaus o agwedd y Sais.[14]

Yn y 1740au hefyd y dechreuodd Richard Wilson baentio tirluniau, er y byddai'n dal i ddibynnu am ei fywoliaeth ar y busnes paentio portreadau a sefydlwyd ganddo yn Covent Garden. Yr oedd ei luniau'n debycach o ran naws i gynnyrch diweddarach y brodyr Buck nag i brintiau rhad Boydell, yn enwedig yn y modd y portreadai'r cyfoethogion yn hamddena yn y blaendir. Yn wir, yr oedd Gravelot, un o'r arlunwyr a ddarparai ddelweddau o'r fath ar gyfer addurno topograffeg y brodyr Buck, yn athro blaenllaw yn Academi St Martin's Lane, academi y byddai Wilson yn ei mynychu. Fel y gwelwyd eisoes, byddai Wilson, yn ychwanegol at y busnes yn Llundain, yn derbyn gwaith gan noddwyr o Gymru ac o'r herwydd yn dychwelyd i'w famwlad yn achlysurol. Ym 1738, er enghraifft, gwnaeth bortread o John Myddelton yng Nghastell Y Waun, a thra oedd yno diau iddo gael cipolwg ar dirluniau Tillemans o Gymru. Y mae'n bosibl ei fod erbyn hynny'n dechrau sylweddoli potensial Cymru fel testun ar gyfer ei waith ef ei hun. Un o'r tirluniau cynharaf a baentiwyd ganddo – ym 1744 neu 1745 – oedd *Caernarvon Castle*, gwaith a ddengys i ba raddau yr oedd ei syniadau yn unol ag eiddo'r *avant-garde*.[15] Yn narlun Boydell, *A North West View of Caernarvon Castle*, a gyhoeddwyd ym 1749, dangosir y castell mewn cyflwr da, gyda llongau masnach yn yr harbwr. Ond dengys Wilson y castell fel adfail, a gwelir yr arlunydd ei hun yng nghwmni gŵr bonheddig mewn *vignette* yn y blaendir yn myfyrio, y mae'n debyg, uwchben goblygiadau gweledol a moesol ei ddirywiad. Ni ellir gweld y dref brysur o'r safle lle y tynnwyd y llun, ac y mae'r castell yn ymddangos fel pe bai'n arnofio ar ymyl lagŵn mewn Arcadia wledig.

[13] Cyhoeddwyd yr enghreifftiau printiedig gorau o'r ddelwedd, *Shon-ap-Morgan, Shentleman of Wales*, ac *Unnafred Shones, Wife to Shon-ap-Morgan*, gan Willam Dicey oddeutu 1747. Gw. Lord, *Words with Pictures*, tt. 47–9. Gwyddys am sawl fersiwn paentiedig o'r ail ganrif ar bymtheg, gan gynnwys un a gysylltir â Chymmrodorion Llundain a'u hysgol Gymreig.

[14] Cynhwysodd Boydell lawer o'r engrafiadau hyn yn *A Collection of One Hundred and Two Views, etc., in England and Wales* (London, 1755).

[15] Y mae'n debyg fod *Extensive Landscape with Lake and Cottages*, a baentiwyd tua'r un adeg, hefyd yn destun Cymreig.

157. Richard Wilson, *Caernarvon Castle*, 1744–5, Olew, 800 x 1118

158. John Boydell, *A North West View of Caernarvon Castle*, 1749, Engrafiad, 280 x 440

uchod:
159. Anton Raphael Mengs, *Richard Wilson*, 1752–6, Olew, 850 x 749

de: 160. Anhysbys, *Lewis Morris*, c.1740–50, Olew, 981 x 825

Pan aeth Richard Wilson i'r Eidal ym 1750 penderfynodd baentio tirluniau yn hytrach na phortreadau, gan dynnu lluniau o'r byw a phaentio golygfeydd Eidalaidd croyw yn y stiwdio. Pan ddychwelodd i Brydain ym 1756 neu 1757 (y flwyddyn y bu farw John Dyer), dechreuodd ailgyflwyno delweddau o Gymru megis Castell Caernarfon, testun a ddarluniwyd ganddo ar sawl achlysur. Erbyn hynny, yr oedd bywyd deallusol Cymru wedi cyrraedd trobwynt pwysig. Cawsai Cymdeithas y Cymmrodorion ei sefydlu yn Llundain ym 1751 ar gyfer gwŷr dysgedig a ymddiddorai yn llenyddiaeth a hynafiaethau Cymru. Creadigaeth Morrisiaid Môn ydoedd, yn enwedig Lewis Morris, a gafodd y syniad o sefydlu cymdeithas o'r fath, a'i frawd ieuengaf Richard, a oedd yn byw yn Llundain ac a oedd yn gyfrifol am y trefniadau ymarferol. Yr oedd sefydlu'r Gymdeithas yn arwydd o'r diddordeb a oedd yn bodoli ymhlith cylch eang o ddeallusion yn hynafiaethau, iaith a llenyddiaeth Cymru. At hynny, rhoddwyd hwb i hyder y cylch hwn o Gymry gan barodrwydd deallusion Seisnig i gysylltu tir a phobl Cymru â Phrydain Fore. Gair cyfansawdd yw 'Cymmrodorion', a fathwyd gan Lewis Morris o'r elfennau 'cyn' a 'brodor'. Nid gwŷr llên oedd holl aelodau'r Gymdeithas; ceid hefyd dirfeddianwyr, noddwyr a gwleidyddion amlwg. Prin oedd cyfraniad y dosbarth hwn, fodd bynnag, ac eithrio ambell aelod pell ei weledigaeth a mwy egnïol na'i gilydd, megis William Vaughan o Gorsygedol, a oedd yn Gymro Cymraeg ac yn fardd. Ef oedd 'Prif Lywydd' cyntaf y Gymdeithas.[16] Bwriadai Lewis Morris iddi fod yr un math o gymdeithas â'r Gymdeithas Frenhinol, un a fyddai'n cael ei harwain gan feddyliau mawr y cyfnod ac yn trafod papurau dysgedig a chyhoeddi testunau pwysig ar bynciau hen a newydd. Nid felly y bu. Ymaelododd nifer o fasnachwyr â'r Gymdeithas, gwŷr nad oedd ganddynt fawr o ddiddordeb mewn pynciau deallusol, gyda'r canlyniad i'r Cymmrodorion ddatblygu yn glwb

[16] Yr oedd Lewis Morris yn gwybod am Vaughan mor gynnar â 1738. Yr oedd ei swydd ar wahân i swydd y Llywydd, a ddelid gan Richard Morris. I raddau, etifeddodd y Cymmrodorion waith yr Honourable and Loyal Society of Antient Britons, a sefydlwyd ym 1715, er i'r gymdeithas hŷn barhau i fodoli, o leiaf mewn enw. Yr oedd gan y ddwy gymdeithas fel ei gilydd amcanion elusennol yn ogystal â rhai academaidd a chymdeithasol. Y mynegiant pwysicaf o hyn oedd y 'Welch School' a sefydlwyd ym 1718. Am y cymdeithasau, gw. R. T. Jenkins a Helen M. Ramage, *A History of the Honourable Society of Cymmrodorion and of the Gwyneddigion and Cymreigyddion Societies (1751–1951)* (London, 1951).

162. Thomas Pennant, *Golygfa fynyddig, yn y Swistir yn ôl pob tebyg*, c.1750, Inc a golchiad, 174 x 124

161. Yn ôl pob tebyg, Joseph Highmore, *Thomas Pennant*, c.1740, Olew, 1260 x 1000

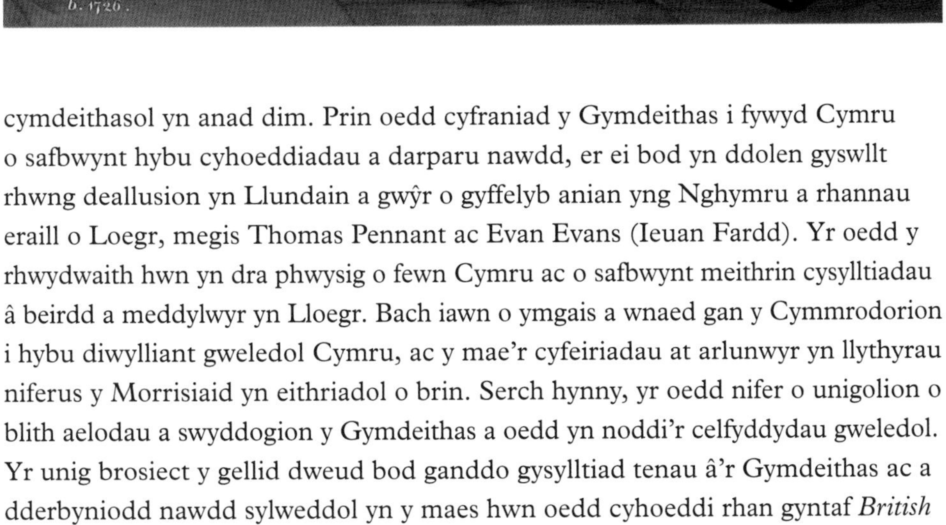

cymdeithasol yn anad dim. Prin oedd cyfraniad y Gymdeithas i fywyd Cymru o safbwynt hybu cyhoeddiadau a darparu nawdd, er ei bod yn ddolen gyswllt rhwng deallusion yn Llundain a gwŷr o gyffelyb anian yng Nghymru a rhannau eraill o Loegr, megis Thomas Pennant ac Evan Evans (Ieuan Fardd). Yr oedd y rhwydwaith hwn yn dra phwysig o fewn Cymru ac o safbwynt meithrin cysylltiadau â beirdd a meddylwyr yn Lloegr. Bach iawn o ymgais a wnaed gan y Cymmrodorion i hybu diwylliant gweledol Cymru, ac y mae'r cyfeiriadau at arlunwyr yn llythyrau niferus y Morrisiaid yn eithriadol o brin. Serch hynny, yr oedd nifer o unigolion o blith aelodau a swyddogion y Gymdeithas a oedd yn noddi'r celfyddydau gweledol. Yr unig brosiect y gellid dweud bod ganddo gysylltiad tenau â'r Gymdeithas ac a dderbyniodd nawdd sylweddol yn y maes hwn oedd cyhoeddi rhan gyntaf *British Zoology* Thomas Pennant ym 1766.

163. Richard Wilson, *Pembroke Town and Castle*, c.1765–6, Olew, 1027 x 1282

isod: 164. Peter Mazell yn seiliedig ar George Edwards, *The Ptarmigan* allan o Thomas Pennant, *British Zoology*, 1766, Engrafiad a dyfrlliw, 320 x 320

gwaelod: 165. Peter Mazell yn seiliedig ar Peter Paillou, *The Goldfinch, the Chaffinch, the Brambling, the Siskin and the Linnet*, allan o Thomas Pennant, *British Zoology*, 1766, Engrafiad a dyfrlliw, 450 x 350

Ganed Thomas Pennant, ysgwïer Downing yn sir Y Fflint, ym 1726. Mynnai mai cael benthyg llyfr gan John Salusbury, Bachegraig, pan oedd yn ddeuddeg oed a ysgogodd ei ddiddordeb ym myd natur ac yn ei ffurf weledol. Cafodd yr achlysur cynnar hwn ei goffáu mewn portread a wnaed ohono yn blentyn, gan Joseph Highmore yn fwy na thebyg, lle y gwelir ef yn dal cyfrol swmpus o luniau. Pan oedd yn ei ugeiniau cynnar dechreuodd deithio ar hyd a lled Prydain, ac ym 1755 daeth yn gyfaill i Linnaeus, y botanegydd enwog o Sweden. Deng mlynedd yn ddiweddarach aeth i'r Cyfandir, lle y cyfarfu â Voltaire a deallusion amlwg eraill. Dengys y gyfeillach hon, ynghyd â'i ohebiaeth helaeth â Saeson deallus megis Horace Walpole a Gilbert White, fod gan rai o aelodau'r Cymmrodorion statws uchel. Pennant, yn anad neb, a ymddiddorai fwyaf mewn celfyddyd weledol, a byddai ambell waith yn gwneud ei luniadau ei hun, er y byddai'n well ganddo fel rheol gyflogi arlunwyr i gofnodi'r hyn a welai. Felly, cafodd y rhan fwyaf o'r engrafiadau gwych o waith Peter Mazell a ymddangosodd yn *British Zoology* eu llunio ar gyfer Pennant gan Peter Paillou, 'an excellent artist, but too fond of giving gaudy colours to his subjects'.[17] Comisiynodd Pennant rai arlunwyr Cymreig llai adnabyddus yn ogystal, gan gynnwys Watkin Williams o Degeingl, a ddisgrifiwyd gan William Morris fel 'a painter by trade ... employed by Mr. Pennant now for a long time past and to come to draw prospects, virtu, etc., for him (and me too now and then)'.[18] Yr oedd *British Zoology* yn enghraifft nodedig o noddi'r celfyddydau, er bod yn rhaid dweud iddo gael ei gyhoeddi dan enw'r Cymmrodorion fel mater o hwylustod yn fwy na dim, gan mai Pennant ei hun a oedd yn gyfrifol am gynhyrchu ac ariannu'r gwaith.[19]

166. Richard Wilson,
Kilgaran Castle, c.1765–6,
Olew, 504 x 737

Y mae'n syndod nad ymunodd Richard Wilson â'r Cymmrodorion wedi iddo ddychwelyd o'r Eidal ac yntau, fel y Morrisiaid, yn edmygwr mawr o'r traddodiad Clasurol. Hawdd credu iddo gael gwahoddiad i ymuno â hwy, o gofio ei statws yn y byd celf yn Llundain a'r nawdd sylweddol a dderbyniai drwy law William Vaughan, Llywydd y Gymdeithas, a oedd yn perthyn o bell iddo. Ymddengys mai Vaughan a brynodd *Snowdon from Llyn Nantlle*, *Pembroke Castle* a *Kilgaran Castle*, y tri wedi eu paentio yng nghanol y 1760au.[20]
Paentiwyd y darluniau Cymreig hyn wedi llwyddiant digamsyniol Wilson gyda *The Destruction of the Children of Niobe*, a gafodd ei arddangos yn arddangosfa flynyddol gyntaf Cymdeithas yr Arlunwyr yn Llundain. Tybid bod y darlun hwn yn herio'r gred na allai gwaith yr arlunwyr Prydeinig gystadlu â gweithiau clasurol meistri'r Cyfandir. Ystyrid Claude y pwysicaf ohonynt, ond awgryma arddull Wilson fod ganddo barch mawr at Gaspard Dughet. Yr oedd darlun Wilson yn orchestwaith o gyfeiriadau cymhleth a apeliai at yr *élite* deallusol, ond dengys y gwerthiant sylweddol o'r engrafiadau ohono a wnaed gan William Woollett ac a gomisiynwyd gan Boydell nad y gwybodusion yn unig a ymddiddorai ynddo. Tybir i Boydell wneud elw o tua £2,000, a oedd yn fwy nag a wnaed ar waith unrhyw arlunydd Prydeinig arall. Erbyn 1768 cyhoeddwyd

167. William Woollett yn seiliedig ar Richard Wilson,
The Destruction of the Children of Niobe,
1761, Engrafiad, 435 x 580

[17] Thomas Pennant, *The Literary Life of the Late Thomas Pennant* (London, 1793), t. 3.

[18] John H. Davies (gol.), *The Letters of Lewis, Richard, William and John Morris of Anglesey (Morrisiaid Môn) 1728–1765* (2 gyf., Aberystwyth, 1907–9), II, t. 94. Ym 1758 cyfeiria Morris at nifer o luniadau o hynafiaethau, gan gynnwys corffddelw Pabo a'r Maen Chwyfan, a wnaed gan Williams. Un o'r ychydig arlunwyr eraill y cyfeirir atynt yn yr ohebiaeth oedd gŵr o'r enw Bowen, a ddisgrifiwyd gan Lewis ym 1761 fel 'downright antiquity mad'. Ibid., II, t. 332. Gwnaeth Pennant ddefnydd hefyd o George Edwards (1694–1773), awdur *History of Birds* (1743–64) a chyfrolau eraill ar astudiaethau natur. Sais o dras Gymreig oedd Edwards.

[19] Yr oedd ar Richard Morris £63 i Pennant pan fu farw, dyled na fu'n rhaid i'w weddw ei thalu yn ôl y *Catalogue of my Works* (Darlington, 1786), dim rhifau tudalen. Pan ailargraffwyd y cyfrolau mewn llyfrau wythplyg ym 1768, rhoes Pennant y canpunt a dalwyd iddo gan y cyhoeddwr i'r ysgol Gymreig.

[20] Yr oedd y darluniau hyn yng nghasgliad y teulu ym 1800. Gw. David H. Solkin, *Richard Wilson* (London, 1982), t. 139.

168. Richard Wilson, *Llyn Peris and Dolbadarn Castle*, 1762–4, Olew, 960 x 1310

169. Richard Wilson, *The Lake of Nemi or Speculum Dianae with Dolbadarn Castle*, c.1764–5, Olew, 2292 x 1834

hefyd fel engrafiadau chwech allan o'r nifer sylweddol o ddarluniau o Gymru a baentiwyd gan Wilson yn y blynyddoedd yn dilyn *The Destruction of the Children of Niobe*, sef y tri a brynasid gan Vaughan a *The Great Bridge over the Taaffe*, *Caernarvon Castle* a *Cader Idris, Llyn-y-cau*, er na wyddys a oedd a wnelo Boydell â hyn gan mai ar y gyfres a gyhoeddwyd ym 1775 yn unig y ceir ei argraffnod.[21]

Yr oedd y grŵp o luniau o Gymru a baentiwyd gan Wilson ar ddechrau'r 1760au yn arwydd o'r diddordeb yng Nghymru ymhlith y rhai a arweiniai chwaeth y dydd. Rhoes hyn hwb sylweddol i ddatblygiad darluniau o'r fath, gan mai Wilson oedd yr arlunydd mwyaf blaenllaw yn y maes. Byddai'n cymryd prentisiaid a myfyrwyr, yn eu plith Thomas Jones, ail fab ysgwïer Pencerrig ger Llanfair-ym-Muallt, a ymunodd â Wilson ym 1763 yn ugain oed, ac a gyfeiriodd yn ddiweddarach at amgylchiadau ei athro:

> Wilson being an unmarried man, kept no house – but had commodious Appartments in the Piazza Covent Garden, which consisted of a *Study*, or painting room for himself – A large Exhibition or Show-room, a Study for his Pupils, Bed Chamber, Garrets &c – The two Apprentices ... not having advanced any Premium, were expected to make up that deficiency by their assistance in dead Colouring and forwarding the Pictures, in proportion to their Abilities ... As to the Other two Pupils, there being no claim on their time, They were left to their own Discretion – It would have been better indeed, if there had been more Restraint upon us all, too much of the time that ought to have been dedicated to Study, being squandered away in idle Mirth and frolick – and when Our Master surprised us at our gambols, he only shook his head and, in his dry laconick manner, said 'Gentlemen – this is not the way to rival Claude'.[22]

Y mae adroddiadau uniongyrchol o'r fath am amgylchiadau ac agweddau Wilson yn syndod o brin, o ystyried ei fod yn ffigur mor amlwg yn y byd celf yn Llundain. Y mae llawysgrifau yn llaw Wilson ei hun yn brinnach fyth, ac o'r herwydd y mae'n anodd iawn dehongli ei ddelweddau cymhleth. Ychydig iawn o lythyrau busnes sydd wedi goroesi ac ni wyddys am unrhyw ymdrech ar ran Wilson i esbonio ei safbwynt athronyddol. Anecdotaidd at ei gilydd yw'r wybodaeth am ei fywyd personol, a phrin iawn yw'r ffynonellau ysgrifenedig sy'n dweud rhywbeth wrthym am ei agwedd at Gymru. Yn ôl Thomas Wright, 'Wilson appears to have been partial to his native country, and is known to have declared that, in his opinion, the scenery of Wales afforded every requisite for a landscape painter, whether in the sublime, or in the pastoral representations of nature'.[23] Er i Wilson baentio nifer o olygfeydd o Loegr, y mae'n deg tybio mai teimladau gwladgarol a'i hysgogodd i ddefnyddio testunau Cymreig ar gyfer noddwyr Cymreig a Seisnig fel ei gilydd. Nododd David H. Solkin yn ei ddadansoddiad enwog o waith Wilson yr hoffai ymwrthod ar unwaith â'r syniad iddo baentio golygfeydd o Gymru oherwydd teyrngarwch i'w famwlad yn unig,[24] ond y mae awgrymu nad oedd balchder cenedlaethol yn ganolog i'w waith cystal â dweud ei fod yn coleddu safbwynt hollol wahanol i'r mwyafrif helaeth o'i gyfoeswyr deallus yng Nghymru. Dywedodd Solkin ei hun fod Lewis Morris, drwy roi sylw i hanes Cymru ac ansawdd llenyddiaeth Gymraeg, yn gobeithio adfer i'w famwlad 'a portion of its ancient prestige amongst the people of Britain'.[25] Credai Solkin hefyd fod gweithiau Cymreig Wilson yn ystod y 1760au yn ganlyniad ailgydio yn y berthynas rhyngddo a George Lyttelton, ei noddwr pwysicaf cyn iddo fynd i'r Eidal. Ym 1755, tra oedd Wilson i ffwrdd, aeth Lyttelton ar y gyntaf o nifer o deithiau drwy Gymru, ac ymddengys i ddisgrifiadau o'r teithiau hyn gael eu dosbarthu ar ffurf llawysgrif ymhlith llengarwyr, ac iddynt gael cryn ddylanwad ar statws ffasiynol y wlad hyd yn oed cyn iddynt gael eu cyhoeddi am y tro cyntaf ym 1774.[26] Os bu i Wilson ailgydio yn y berthynas â'i gyn-noddwr, yna y mae'n bosibl i frwdfrydedd

[21] Y mae Solkin, *Richard Wilson*, t. 229, yn dadlau i Wilson gomisiynu'r gyfres ei hun ac yna werthu'r platiau i Boydell, ac iddo yntau eu hailgyhoeddi. Gellir gweld *The Great Bridge over the Taaffe* yn Lord, *Diwylliant Gweledol Cymru: Y Gymru Ddiwydiannol*, t. 41.

[22] 'Memoirs of Thomas Jones Penkerrig Radnorshire 1803' yn *The Thirty-Second Volume of the Walpole Society 1946–1948* (London, 1951), tt. 9–10. Joseph Farington oedd un o'r ddau fyfyriwr arall.

[23] Thomas Wright, *Some Account of the Life of Richard Wilson* (London, 1824), t. 14.

[24] Solkin, *Richard Wilson*, t. 86.

[25] Ibid.

[26] Yn yr *Annual Register*, XVII (1774), tt. 160–4. Cyhoeddwyd y testun llawn gan George Lyttelton, *The Works of George, Lord Lyttelton* (London, 1774).

170. Richard Wilson, *Cader Idris, Llyn-y-cau*, c.1765–6, Olew, 511 x 730

Lyttelton ddylanwadu arno. Ar y llaw arall, gan fod tirluniau Cymreig cynnar Wilson, a baentiwyd yn y 1740au pan oedd y ddeuddyn mewn cysylltiad â'i gilydd, yn gynharach na thaith gyntaf Lyttelton, y mae'n fwy tebygol mai Wilson a ddylanwadodd ar Lyttelton. Gan mai prin yw'r dystiolaeth ddogfennol sydd ar gael, ni ellir cynnig ateb terfynol i gwestiynau o'r fath, ond y mae'r lluniau eu hunain yn cynnig tystiolaeth nodedig o safbwynt rhai materion athronyddol. Y mae defnyddio delweddau o Gymru i lunio hen hanes ar gyfer Lloegr a allai gystadlu â hanes Ymerodraeth Rufain, tuedd a welwyd gyntaf ym marddoniaeth John Dyer, yn amlwg ddigon yn narluniau Wilson. Rywbryd rhwng 1762 a 1764 paentiodd Wilson yr olygfa *Llyn Peris and Dolbadarn Castle*, gan newid daearyddiaeth y lle er mwyn cyflwyno delfryd o gytgord tawel rhwng dyn a natur. Y mae'n amlwg y bwriadai Wilson i'w gynulleidfa gysylltu Cymru â'r oesoedd cynnar, nid yn unig oherwydd y tebygrwydd rhwng ei ddarluniau a gweithiau clasurol meistri'r Cyfandir ond oherwydd iddo, yn fuan wedi cwblhau *Llyn Peris and Dolbadarn Castle*, ddefnyddio'r olygfa o Gymry gwladaidd yr olwg yn pysgota'n hamddenol ym mlaendir y darlun yn sylfaen ar gyfer portread o Diana a Callisto o flaen Llyn Nemi.[27] Yr oedd y darlun yn un o gyfres a baentiwyd ar gyfer bonheddwr o Sais, sef Henry Blundell o Ince Hall yn swydd Gaerhirfryn, er ei bod yn bosibl mai nawdd Cymreig oedd hyn yn ei hanfod gan fod Blundell yn briod ag Elizabeth Mostyn. Daethai Syr Roger Mostyn, y 5ed Barwnig, yn un o noddwyr Wilson tua'r adeg hon hefyd, ac ef a brynodd *Summer Evening (Caernarvon Castle)* a *Cader Idris, Llyn-y-cau*. Er nad oedd Syr Roger yn aelod o'r Cymmrodorion, yr oedd yn gysylltiedig â llywodraethu'r ysgol Gymreig yn Llundain, ac yn amlwg yn llengarwr. Priododd ei chwaer â Thomas Pennant.

[27] Yn briodol iawn, yr oedd y testun allan o Ovid, *Metamorphoses*, II, llinellau 401–530.

Y mae naws y lluniau hyn, sy'n dychwelyd at ddull Cymru Arcadaidd *Caernarvon Castle* a baentiwyd gan Wilson cyn iddo fynd i'r Eidal, yn bur wahanol i gyffro'r *Niobe*, sy'n nes at ysbryd y deongliadau gweledol a geir yng ngherdd Thomas Gray, 'The Last Bard', cerdd a oedd, oddi ar ei chyhoeddi ym 1757, wedi dwysáu diddordeb deallusion yng Nghymru ac wedi newid eu dirnadaeth o'r wlad.[28] Crisialodd y gerdd hon sawl cysyniad athronyddol a gwleidyddol yn eicon a gâi ddylanwad dwfn ar ddiwylliant Cymru a Lloegr hyd yr ugeinfed ganrif. Fel y gwelwyd, yr oedd delwedd weledol o'r derwydd eisoes mewn bodolaeth pan ysgrifennodd Henry Rowlands *Mona Antiqua Restaurata*, a byddai cyn bo hir yn cael ei throsglwyddo i'r bardd. Yr oedd arwyddocâd cenedlaethol hyn i'r deallusion Cymreig, fel symbol o'r hen draddodiad barddol, wedi ymsefydlu yn ddigon buan i gael ei gynnwys gan y Cymmrodorion ar faner y gymdeithas newydd ym 1751, gyferbyn â Dewi Sant, yntau'n symbol o gonglfaen yr hunaniaeth Gymreig arall, sef yr eglwys Geltaidd-Gristnogol. Y mae cerdd Gray yn arwydd o'r rhan a chwaraewyd gan aelodau'r Gymdeithas yn lledaenu gwybodaeth am Brydain Fore mewn cyfnod pan oedd ei hangen i borthi cenedlgarwch y Saeson. Ymddengys mai Evan Evans a fu'n gyfrifol am roi llawysgrif cyfrol Syr John Wynn, *History of the Gwydir Family*, i Thomas Carte, yr hanesydd Seisnig a ddatblygodd y myth i Edward I, wedi iddo orchfygu Llywelyn ap Gruffudd, orchymyn lladd holl feirdd Cymru er mwyn eu rhwystro rhag trosglwyddo ar lafar hanes y genedl. Yn *A History of England* gan Carte y darllenodd Gray gyntaf am yr hil-laddiad honedig hwn. Dechreuodd weithio ar y syniad ym 1755, ond fe'i rhoes o'r neilltu nes iddo gael ei ysbrydoli i'w gwblhau ar ôl clywed John Parry, telynor dall Wynnstay, yn chwarae'r delyn yng Nghaer-grawnt. Wedi cyhoeddi'r gerdd, parhaodd Gray i ymchwilio i'r traddodiad barddol Cymreig, gan astudio llawysgrif Evan Evans, *Some Specimens of the Poetry of the Antient Welsh Bards*, a gyhoeddwyd maes o law ym 1764.

171. *Baner Cymdeithas y Cymmrodorion*, 1751, Olew, 1420 x 1000

Ym 1760, dair blynedd wedi cyhoeddi 'The Last Bard', dangosodd yr arlunydd Seisnig Paul Sandby ddarlun wedi ei seilio ar y gerdd yng Nghymdeithas yr Arlunwyr, ac y mae'n bosibl iddo gael ei ysgogi gan yr awydd nid yn unig i gystadlu'n dechnegol â *Niobe* Wilson ond hefyd i gyflwyno pwnc cyffelyb mewn cyd-destun Prydeinig, gan apelio'n uniongyrchol at deimladau cenedlaethol cyfoes Lloegr. Y mae darlun Sandby ar goll bellach, ond y mae'n amlwg iddo gael effaith fawr ar y rhai a'i gwelodd. Meddai William Mason: 'Sandby has made such a picture! such a bard! such a headlong flood! such a Snowdon! such giant oaks! such desert caves! If it is not the best picture that has been painted this century ...'[29] Cynrychiolai darlun Sandby ddigwyddiad honedig a oedd yn rhan o hanes canoloesol Cymru yn hytrach na Phrydain Fore, ond yr oedd ei ystyr yn ei gysylltu â syniadau am y byd pell hwnnw ac ag ysbryd ei oes ei hun. Yr oedd y Bardd Olaf wedi dewis cyflawni hunanladdiad drwy ei daflu ei hun dros y dibyn i afon Conwy yn hytrach nag ildio i Edward I, a bortreedir fel teyrn cyfandirol. Yr oedd y safiad di-ildio hwn yn atgoffa pobl y ddeunawfed ganrif o wrthwynebiad y Brythoniaid i'r goresgynwyr Rhufeinig. Yr oedd a wnelo ei arwyddocâd cyfoes â'r cysyniad o Loegr Brotestannaidd yn sefyll yn gadarn yn erbyn Ewrop Babyddol, ac â syniadau mwy haniaethol o ryddid. Credid bod cariad y Brython at ryddid

[28] Credai Syr George Beaumont, a oedd yn adnabod Wilson, y gallai fod wedi dehongli cerdd Gray yn effeithiol. Gwnaeth y sylw hwn, gan gyfeirio'n anuniongyrchol at fethiant gyrfa Wilson, wrth gymharu naws ei luniau â Gainsborough: 'Both were poets; and to me, "The Bard" of Gray, and his "Elegy in a Country Churchyard" are so descriptive of their different lines that I should certainly have commissioned Wilson to paint a subject from the first, and Gainsborough one from the second; and if I am correct in this opinion, the superior popularity of Gainsborough cannot surprise us; since for one person capable of relishing the sublime, there are thousands who admire the rural and the beautiful.' Dyfynnwyd yn W. G. Constable, *Richard Wilson* (London, 1953), t. 122.

[29] E. W. Harcourt (gol.), *Harcourt Papers* (14 cyf., Oxford, 1880–1905), III, t. 15.

172. Richard Wilson, *Solitude*, c.1762, Olew, 1003 x 1251

yn nodwedd gynhenid o'i hil, mewn cytgord â grymoedd dilyffethair natur. Daethpwyd i gysylltu mynyddoedd moel Cymru, a oedd mor atgas gan deithwyr dechrau'r ddeunawfed ganrif, â'r cariad hwn, gan ysbrydoli cenhedlaeth newydd o radicaliaid Seisnig.

Wrth drafod y dull Fyrsilaidd o baentio tirwedd, a fynegwyd mor wych gan Wilson yn y 1760au, dywedodd James Thomas Flexner, yr hanesydd celf Americanaidd: 'The aesthetic was, if not aristocratic in the old sense, anti-democratic. Its distrust of emotion was in essence a belief that man's natural instincts were evil and, indeed, dangerous unless controlled by "decorum".'[30] Y mae llwyddiant Wilson wrth gyflwyno Cymru yn y modd hwn, felly, yn ymddangos yn baradocsaidd, o gofio poblogrwydd 'The Last Bard' gan Gray a Sandby. Dadleuodd Solkin fod cwymp sydyn Wilson yn y 1770au yn awgrymu bod ei gysyniad yn henffasiwn hyd yn oed pan gafodd ei fynegi ac mai'r cyfan a'i cynhaliai oedd rhwydwaith nawdd bregus criw bychan o bendefigion yr oedd eu hagweddau ar fin mynd i ddifancoll. Eto i gyd, defnyddiodd Wilson yntau ddelweddaeth farddol yn y darlun *Solitude* a baentiwyd ganddo oddeutu 1762, ac y mae'n arwyddocaol efallai fod engrafiad Woollett o'r gwaith, a gyhoeddwyd gan Boydell, bron mor boblogaidd â'r *Niobe*.[31] Ni chafodd yr engrafiad ei gyhoeddi hyd 1778, ac arysgrifwyd arno linellau o gerdd Thomson, 'Summer', sy'n disgrifio celli dywyll a melancolaidd ym Môn:

[30] James Thomas Flexner, *History of American Painting* (3 cyf., New York, 1970), III, t. 11.

[31] Y mae'n debyg mai'r darlun hwn a gafodd ei arddangos gan Gymdeithas yr Arlunwyr ym 1762 dan y teitl *Landskip with Hermits*.

THESE are the Haunts of Meditation, These The Scenes
Where antient Bards th'inspiring Breath,
Extatic, felt; and, from this World retir'd ...

Y mae'n bosibl fod perthynas nes fyth rhwng y darlun a disgrifiad Henry Rowlands o'r ynys, yr oedd yr arlunydd yn sicr o fod yn gyfarwydd ag ef:

> In a word, whether a Country by Nature remov'd from the Noise and Tumults of the World, equally free from the Annoyances of Heat and Cold, furnish'd with all Necessaries of Life; full of delicious Groves, pleasant Shades, bubling Springs: Their Woods resounding with Nature's Musick; curiously cut into various Forms, into Theatres and Temples: Here running out into pleasant Walks, and there extended in shady Vista's and Apartments: And above all, walking and meditating *here* a Company of divinely Inspir'd Souls, abounding with instructive Documents of Virtue, and profound Discoveries of Nature. I say, whether a Country thus advantaged and qualify'd, being represented to the Genius of a studious *Greek* or *Phœnician*, would not with him compleat the Idea of a wish'd *Elyzium.*[32]

Wrth gyflwyno Elysiwm Cymreig Rowlands, yr oedd Wilson yn sicr yn camu yn ôl at safbwynt athronyddol lle'r oedd y Bardd yn cynrychioli rhinweddau myfyrgar, safbwynt a ddisodlwyd gan ddelweddau o gysyniad mwy emosiynol Gray. Gwelid yr esblygiad hwn yn glir hyd yn oed yng ngwaith Thomas Jones, un o ddisgyblion Wilson. Ym 1774 paentiodd Jones ddarlun a ddaeth (yn absenoldeb darlun Sandby) i gynrychioli'r dehongliad hwn o'r testun. O edrych yn ôl, nid yw'n nodweddiadol o waith yr arlunydd ifanc, ond credai Jones ei fod yn un o'r lluniau gorau a baentiodd erioed.[33] Y mae'n annhebyg ei fod wedi ymweld ag Eryri erbyn y cyfnod hwn, er iddo deithio o Lundain i weld Côr y Cewri, a ystyrid yn heneb dderwyddol ac a drosglwyddwyd ganddo yn ei lun i fynyddoedd Gwynedd. Erbyn hynny, yr oedd y cysylltiad amlwg rhwng mynyddoedd Cymru a Rhyddid wedi ei hen sefydlu, ac y mae pwysigrwydd y ddelwedd i falchder cenedlaethol y deallusion Cymreig yn amlwg. Ym 1771 ysgrifennodd y dychanwr Evan Lloyd, un o gydnabod Jones yn Llundain, at John Wilkes, y radical o Sais, o'i gartref yng ngolwg mynyddoedd y Berwyn:

> If Milton was right when he called Liberty a mountain nymph, I am now writing to you from her residence; and the peaks of our Welch Alps heighten the idea, by wearing the clouds of Heaven like a cap of liberty.[34]

[32] Rowlands, *Mona Antiqua Restaurata*, t. 73.

[33] 'Memoirs of Thomas Jones', t. 33. Aeth Jones ymlaen: 'This Picture was engraved by Smith, in Mezzotinto – but the Plate being very soon bought up by that great Leviathan, Mr Alderman Boydel, was never that I heard of, published – Another Instance of my illfortune with respect to Engravers.' Y mae'r sylw hwn yn dangos pwysigrwydd yr engrafiad yn natblygiad gyrfa arlunydd a hefyd y dulliau a alluogai Boydell i reoli'r farchnad.

[34] *The European Magazine and London Review: Containing the Literature, History, Politics, Arts, Manners and Amusements of the Age*, 18 (1790), 168.

173. Thomas Jones, *The Bard*, 1774, Olew, 1156 x 1676

174. Richard Wilson,
Castell Dinas Brân o Langollen ac Afon Dyfrdwy, c.1770,
Braslun olew, 660 x 855

Serch hynny, byddai awgrymu bod chwaeth Ramantaidd wedi disodli chwaeth Glasurol yn gorsymleiddio croesgerrynt deallusol y cyfnod. Yng nghelfyddyd diwylliant, y mae arddull Glasurol yn aml yn gorchuddio ac yn cuddio syniad sydd, yn ei hanfod, yn hollol Ramantaidd. Yn yr un flwyddyn ag yr ysgrifennwyd llythyr Lloyd, llwyddodd Wilson ei hun i gyfuno urddas y 'dull Fyrsilaidd' â defnyddio tirwedd mynyddig Cymru i fynegi mewn ffordd wladgarol y cysylltiad rhwng Cymru a Rhyddid. Paentiwyd y darlun *Castell Dinas Brân o Langollen* a'i gymar, *Golygfa ger Wynnstay*, ar gyfer Syr Watkin Williams Wynn ym 1769, mwy na thebyg i ddathlu ei ddod i oed. Etifeddodd Syr Watkin gyfoeth enfawr y teulu, ynghyd â'i dueddiadau Toriaidd a phendefigaidd, un mlynedd ar hugain ar ôl marwolaeth ei dad. Yr oedd y barwnig ifanc, ar y llaw arall, hefyd yn ymwybodol o ffasiwn yr oes, ac yr oedd ganddo lawer mwy o ddiddordeb mewn darluniau a cherddoriaeth nag yn yr hela a fu'n gyfrifol am farwolaeth gynamserol ei dad. Pan fyddai'n ymweld â Llundain, byddai'n troi ymhlith arlunwyr ac actorion, yn eu plith Reynolds a Garrick. Dysgodd hefyd am y byd Clasurol, a chafodd flas ar Daith Fawr ym 1768–9. Gan ddilyn arferiad yr oes, comisiynodd yr arlunydd poblogaidd Pompeo Batoni i gofnodi ei ymweliad ar ffurf portread grŵp gyda'i gyfeillion Edward Hamilton a Thomas Apperley. Oddeutu wyth mlynedd ynghynt yr oedd Thomas Wynn, Glynllifon, a'i gymydog John Mytton o Halston, ger Croesoswallt, ynghyd â dau gyfaill, wedi comisiynu Nathaniel Dance-Holland i baentio darlun cyffelyb. Rhoddwyd y grŵp i sefyll o flaen y Colisëwm, gyda Thomas Wynn yn archwilio'r engrafiad o deml Iau a oedd yn llaw ei gyfaill. Y mae'n bosibl fod Syr Watkin Williams Wynn wedi gweld o leiaf un o'r lluniau a wnaed ar gyfer pob un o'r pedwar noddwr.[35] Ymhlith y cyfeiriadau Clasurol yn ei lun ef yr oedd cerflun alegorïaidd o Arlunio, copi o ffresgo gan Raphael (yr ymddengys i Syr Watkin ei hun ei gopïo) a chyfrol agored o waith Dante. Derbyniodd Batoni gomisiwn gan Syr Watkin hefyd i baentio *Bacchus and Ariadne*. Y rhain oedd yr enghreifftiau Eidalaidd cyntaf o'i nawdd helaeth i'r celfyddydau a'r crefftau gweledol, nawdd na welwyd ei debyg o'r blaen yng Nghymru, ac eithrio gan deulu Myddelton, a oedd yn gymdogion iddo. O bryd i'w gilydd byddai cyfoeswyr Syr Watkin Williams Wynn ymhlith teuluoedd bonedd Cymru yn comisiynu darluniau gan oreuon yr arlunwyr o Ewrop a oedd yn gweithio yn Llundain. Paentiwyd darlun bendigedig o Henry Knight o Landudwg a'i blant gan Johann Zoffany ym 1770, ond ysbeidiol oedd comisiynau ysbrydoledig o'r

[35] Y mae'n debyg mai darlun Wynn yw'r un a welir yn yr Yale Center for British Art, New Haven, UDA. Am y darluniau a Thaith Fawr Wynn, gw. Richard Dorment, *British Painting in the Philadelphia Museum of Art, from the Seventeenth through the Nineteenth Century* (Philadelphia, 1986). Daeth Wynn o hyd i wraig hefyd yn yr Eidal, a thalodd tua £4,000 amdani i'w thad (cyn-geidwad carchar Faenza). Tair ar ddeg oed oedd Maria Stella Chiappini pan ddaeth yn Arglwyddes Newborough, ac yn ddiweddarach disgrifiodd y tro cyntaf iddi ei gyfarfod, ac yntau yn hanner cant oed: 'At the sight of him I gave a wild cry, and, falling at his knees, with sobs implored him ... to think of my youth ... He did nothing but laugh at my pitiful simplicity.' Am hanes ei pherthynas â Wynn, gw. Maria Stella Wynn, *The Memoirs of Maria Stella (Lady Newborough) by Herself*, cyfieithwyd gan Harriet M. Capes (London, 1914), tt. 60–97.

175. Johann Zoffany, *Henry Knight o Landudwg, gyda'i dri phlentyn, Henry, Robert ac Ethelreda*, c.1770, Olew, 2405 x 1490

uchod: 176. Pompeo Batoni, *Syr Watkin Williams Wynn, 4ydd Barwnig, Thomas Apperley a Chapten Edward Hamilton*, 1768–72, Olew, 2890 x 1960

uchod, ar y dde: 177. Nathaniel Dance-Holland, *James Grant, John Mytton, yr Anrhydeddus Thomas Robinson a Thomas Wynn*, 1760, Olew, 981 x 1239

gyferbyn: 179. Anton Raphael Mengs, *Perseus ac Andromache*, 1774–7, Olew, 2270 x 1535

178. Joshua Reynolds, *Charlotte Grenville, y Fonesig Williams Wynn, a'i thri phlentyn*, c.1780, Olew, 1594 x 2157

fath o'u cymharu a'r nawdd di-ball a geid yn Wynnstay. Ychydig cyn iddo adael am Rufain yr oedd Syr Watkin Williams Wynn wedi comisiynu Reynolds i baentio portread ohono gyda'i fam, a gwnaeth yr un arlunydd bortread cyffelyb ohono'n ddiweddarach gyda'i wraig. Tra oedd yn Rhufain, rhoes gomisiwn pwysig i Anton Raphael Mengs (drwy asiant) i baentio *Perseus ac Andromache*. Ni dderbyniodd Syr Watkin y llun, er ei fod wedi talu amdano, gan i'r llong a'i cludai i Brydain gael ei chipio gan herwlongwr o Ffrainc.[36] Y mae'n bosibl mai James Byres oedd ei asiant, gŵr a fu'n drwm ei ddylanwad ar y barwnig ifanc ac a'i perswadiodd i wario dros £1,000 ar weithiau celf, swm aruthrol yn y cyfnod hwnnw, ac a lwyddodd hefyd i gael comisiwn ganddo i gynllunio tŷ newydd yn Wynnstay. Ni welodd y cynllun hwn olau dydd, ond cwblhawyd y lluniadau ar ei gyfer, ac y maent ymhlith y cyfresi gwychaf a helaethaf o gynlluniau pensaernïol y cyfnod. Troes Syr Watkin Williams Wynn ei sylw at adeiladu tŷ newydd yn St James's Square yn Llundain, tŷ a gynlluniwyd gan Robert Adam ym 1772.[37] Ym 1773, ychydig cyn iddo gael ei gwblhau, talodd Syr Watkin £650 am *Landscape with a Snake* gan Poussin i addurno ei furiau, pris anhygoel yr adeg honno am ddarlun gan un o'r hen feistri.

Yr oedd y darluniau a brynwyd gan Syr Watkin Williams Wynn yn ystod y Daith Fawr, ynghyd â'i nawdd i Reynolds ac Adam, yn hollol nodweddiadol o fonedd Seisnig y cyfnod. Yn wahanol i'w gyfoeswyr, fodd bynnag, cefnogai Wynn arlunwyr Cymreig a hyrwyddai destunau Cymreig. Erbyn 1770 yr oedd wedi prynu o leiaf bump o luniau gan Wilson, ac y mae'r ffaith iddo brynu'r portread o Wilson gan Mengs yn Rhufain ym 1752 yn awgrymu bod ei berthynas ag ef yn ddyfnach, er enghraifft, na'i berthynas â'r Sais Reynolds.[38] Y mae'r pwysicaf o'r comisiynau a roddwyd i Wilson, sef *Golygfa ger Wynnstay* a *Castell Dinas Brân o Langollen*, yn tueddu i gadarnhau bod gan Wynn fwriad pendant i noddi testunau cenedlaethol Cymreig.

[36] Y mae'r darlun yn awr yn yr Hermitage yn St Petersburg. Gw. Brinsley Ford, 'Sir Watkin Williams Wynn. A Welsh Maecenas', *Apollo*, 99 (Mehefin 1974), 435–9.

[37] Cychwynnodd y gwaith adeiladu ar y safle ym 1771, ond y mae'n bosibl nad oedd a wnelo Adam â'r gwaith ar y dechrau. Nid yw ei enw yn ymddangos yn y dogfennau sydd wedi goroesi hyd Ebrill 1772. Gw. [John Olley], *20 St James's Square* (London, 1991).

[38] Yr oedd Syr Watkin, ymhlith amryw eraill, hefyd yn berchen ar bortread o Reynolds, ond ef yn unig a oedd â phortread o Wilson.

180. J. Bowles, *View of St James's Square, London*, c.1752, Engrafiad a dyfrlliw, 266 x 400

181. James Byres,
Cynllun ar gyfer tŷ newydd Wynnstay, Rhif 25. Rhan o'r Capel, 1770,
Pen, inc a dyfrlliw,
590 x 925, manylyn

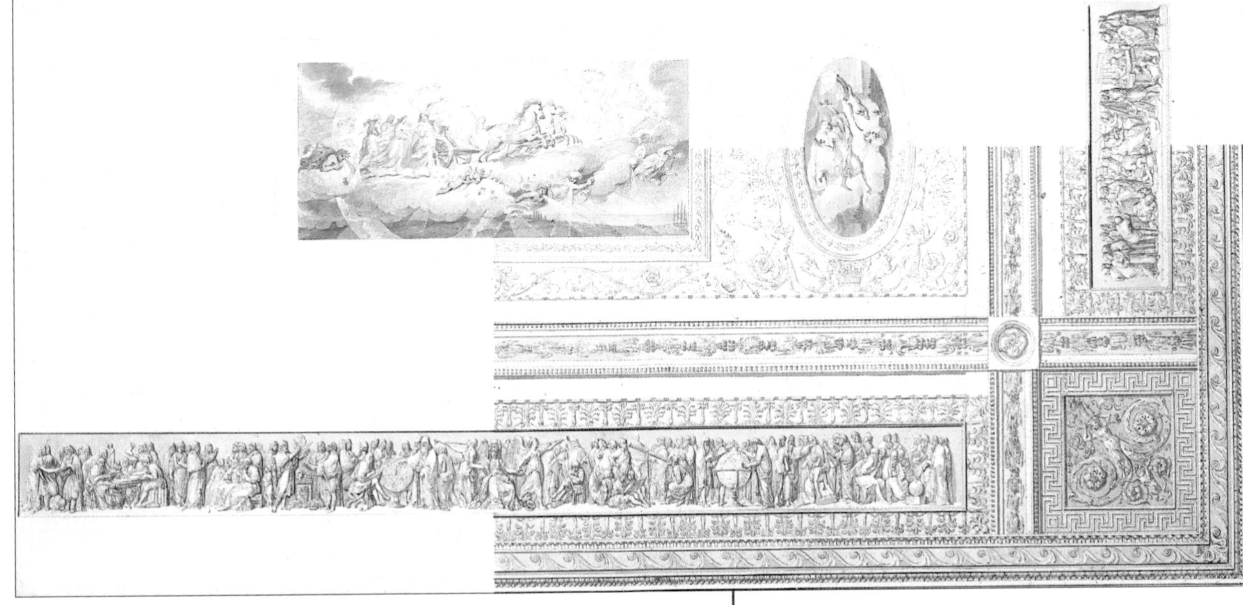

182. James Byres,
Cynllun ar gyfer tŷ newydd Wynnstay, Rhif 34. Nenfwd y llyfrgell, 1770,
Pen, inc a dyfrlliw, 590 x 920

Nid y Wynniaid a oedd yn berchen ar Gastell Dinas Brân; yn wir, yr oedd y safle'n eiddo i'w gwrthwynebwyr gwleidyddol, sef teulu Myddelton. Y mae'n amlwg, felly, nad balchder y perchennog na gogoniant hanes ei deulu a ysgogodd Syr Watkin Williams Wynn i ddewis Dinas Brân yn ganolbwynt i ddarluniau anferth Wilson.[39] At hynny, dewisodd Wilson dynnu'r llun o Langollen o safle yn agos i'r fan lle y tynnodd Tillemans ei lun yntau ar gyfer teulu Myddelton. Fel y nodwyd eisoes, y mae'n bosibl i Wilson weld y llun hwn pan oedd yn gweithio yng Nghastell Y Waun. Efallai fod Syr Watkin Williams Wynn hefyd yn gyfarwydd â llun Tillemans, a'i fod yn dymuno rhagori ar ymdrechion ei gystadleuwyr drwy gael fersiwn *avant-garde* o'r un testun gan arlunydd Cymreig adnabyddus. Nid oes tystiolaeth bendant dros y dybiaeth hon, ond y mae eiconograffeg Wilson yn awgrymu'n gryf fod Syr Watkin wedi comisiynu gwaith a oedd yn symbol cenedlaethol. Fe'i dangoswyd yn yr Academi Frenhinol yr un flwyddyn â *The Death of Wolfe* gan Benjamin West. Rhoddwyd sylw mawr i waith yr arlunydd Americanaidd gan iddo ddiwallu angen y Sais am fynegiant dramatig o'r hyn a alwodd Flexner '[the] most modern of virtues, patriotism'.[40] Yr oedd eiconograffeg wladgarol Syr Watkin a Wilson yn fwy cymhleth ac awgrymog nag eiconograffeg yr Americanwr gan iddynt ddefnyddio tirwedd fel cyfrwng, a chan nad oedd ganddynt gymorth cymeriadau hanesyddol i adrodd y stori. Ond yr oedd yn amlwg, serch hynny, fod *Castell Dinas Brân o Langollen* yn destun cenedlaethol Cymreig a chanddo oblygiadau gwleidyddol cyfoes. Creodd Wilson gylch perffaith o oleuni, wedi ei ffurfio gan fwlch yn y cymylau, ar gopa Dinas Brân er mwyn denu'r llygaid at y man a'r meddwl at y syniad o Fynydd Olympus Cymreig a oedd yn gartref i'r hen dduwiau Celtaidd. Yr oedd hyd yn oed y deallusion di-Gymraeg yn gyfarwydd erbyn hynny â'r syniad o gysylltu'r bryn â'r duwiau Celtaidd gan fod Evan Evans (Ieuan Fardd) wedi cyhoeddi o leiaf un cyfeiriad ato fel 'the spacious palace of Brân'.[41] Hefyd, cysylltid y castell hwn a adeiladwyd gan Gruffudd ap Madog ar ben y bryn â rhyfeloedd Llywelyn ap Gruffudd yn erbyn Edward I, a thrwy hynny â'r syniad o gariad y Cymry at Ryddid.[42] Cyflwynwyd y syniad mewn ffordd wahanol i eiconograffeg gyfoes 'Y Bardd Olaf', ac yr oedd cryn wahaniaeth hefyd rhwng dirnadaeth Syr Watkin o Ryddid, o safbwynt gwleidyddiaeth fodern, a syniadaeth radicalaidd y dydd. Serch hynny, ar lefel ddyfnach, yr oedd dirnadaeth arbennig y Cymry o Ryddid yn uno Syr Watkin hyd yn oed â phobl megis Evan Lloyd. Yr oedd y syniad fod Cymru yn cynrychioli rhyw fath o gyn-hanes o Loegr yn ddigon cyffredin ymhlith y Saeson erbyn 1770, er ei fod yn annelwig a newydd ei ddarganfod. Yr oedd y Cymry, ar y llaw arall, ers dau gan mlynedd a hanner wedi ystyried y wladwriaeth Brydeinig esblygol fel cynnyrch proses hynafol ragordeiniedig a gychwynnwyd ac a ddatblygwyd ganddynt hwy. Gallai Syr Watkin Williams Wynn, Richard Wilson, Evan Evans, Evan Lloyd, y Morrisiaid a llawer o'u cyfoeswyr ymhlith yr *avant-garde* ymuniaethu â'r parhad hanesyddol a buddugoliaethus hwn. Y mae'n debyg i Syr Watkin arddangos ei luniau anferth yn ei dŷ newydd yn Llundain yn hytrach nag yn Wynnstay, a chrogent yno yn arwydd o'i Gymreictod yng ngŵydd ei gyd-foneddigion a deallusion Ewrop gyfan. Yna, ym 1771, sef yr un flwyddyn ag y cwblhaodd Wilson y lluniau, fel pe bai er mwyn cadarnhau ei dueddiadau gwladgarol, dechreuodd Syr Watkin noddi Evan

[39] Yn wahanol i'r honiad yn Solkin, *Richard Wilson*, t. 237. Y mae hyn felly yn tanseilio ei ddadl mai mynegiant o'i falchder yn ei eiddo oedd y lluniau hyn.

[40] Flexner, *History of American Painting*, II, t. 34.

[41] Evan Evans, *Some Specimens of the Poetry of the Antient Welsh Bards* (London, 1764), t. 15.

[42] Y mae D. J. Cathcart King yn 'Two Castles in Northern Powys: Dinas Brân and Caergwrle', *Arch. Camb.*, CXXIII (1974), 113–39, yn awgrymu i Gastell Dinas Brân gael ei adeiladu tua 1270 gan Madog ap Gruffudd, ond dadleua J. Beverley Smith, *Llywelyn ap Gruffudd: Tywysog Cymru* (Caerdydd, 1986), tt. 223–4, n. 105, fod y dystiolaeth yn awgrymu ei fod yn gynharach na hyn, ac iddo gael ei adeiladu gan Gruffudd ap Madog. Bradychodd y teulu Lywelyn, ac y mae'n debyg i'r castell gael ei ddinistrio gan garsiwn Llywelyn pan oedd byddin y Saeson, dan arweiniad Iarll Lincoln, yn dynesu, ibid., t. 300. Y mae neges wladgarol Wilson yn glir, er gwaethaf hanes cymhleth y castell. Saif castell y bradwr yn adfeilion.

[43] D. Silvan Evans (gol.), *Gwaith y Parchedig Evan Evans (Ieuan Brydydd Hir)* (Caernarfon, 1876), tt. 135–6. Y mae Evan Evans yn cynnig yr enghraifft glasurol efallai o'r dehongliad cydnabyddedig o hanes Cymru yn y cyd-destun Prydeinig yn y cyfnod hwn, a chrisialodd ei deimladau gwrth-Seisnig cryf â'r geiriau: 'The day of liberty, by heaven design'd, / At last arose – benevolent and kind – / The Tudor race, from ancient heroes sprung … / The English galling yoke they took away, / And govern'd Britons with the mildest sway.' Yn ei gyflwyniad, ymosododd Evans ar Lyttelton a'r *Letters from Snowdon* (London, 1770) gan Joseph Cradock a oedd newydd ei gyhoeddi, am eu camddeongliadau hanesyddol a modern o Gymru. Cyfeiriodd at Cradock fel 'despicable scribbler'.

ar y dde, isod:
184. Peter Tillemans,
Dyffryn Llangollen, 1720,
Dyfrlliw, 292 x 578

de: 183. Richard Wilson,
Castell Dinas Brân o Langollen,
c.1770, Pensil a sialc, 194 x 549

Evans, y cyfrwng pwysicaf ond odid ar gyfer trosglwyddo diwylliant a theimladau gwladgarol Cymreig i'r byd Saesneg ei iaith. Cafodd ei gerdd 'The Love of Our Country', a gyhoeddwyd y flwyddyn ganlynol, ei chyflwyno i'w noddwr newydd:

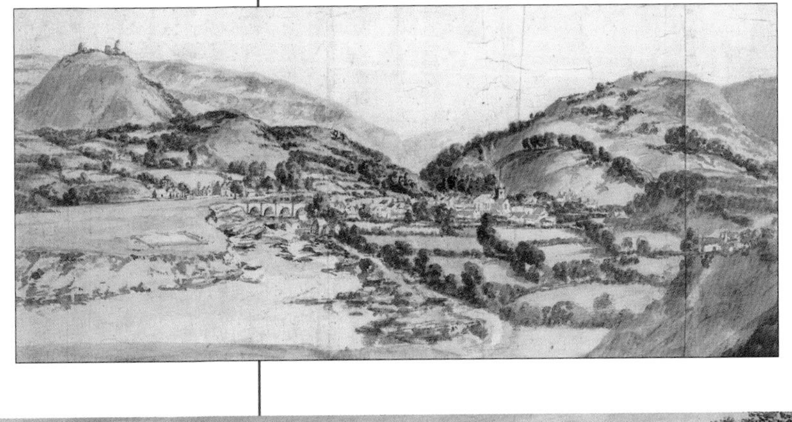

Nor did this genius shine in Greece alone,
In other nations equally it shone,
Witness the Bards that grac'd the Celtic clime,
Whose images were bold and thoughts sublime ...

Old Llywarch and Aneurin still proclaim,
How Britons fought for glory and for fame;
Whole troops of Saxons in the field they mow'd,
And stain'd their lances red with hostile blood ... [43]

Er ei bod bron yn sicr na wyddai Wilson hynny, yr oedd eiconograffeg *Castell Dinas Brân o Langollen* yn dystiolaeth drawiadol o barhad y ddirnadaeth hanfodol Gymreig hon. Yr oedd yr arlunydd anhysbys a baentiodd un o'r tirluniau o Gastell Dinefwr ar gyfer Edward Rice yn gynharach hefyd wedi awgrymu bod i'w destun arwyddocâd mytholegol a hanesyddol Cymreig. Er bod bron canrif yn gwahanu'r ddau lun, cyfnod a welodd newid sylweddol yn agwedd y Saeson at Gymru, yr oedd y modd y darluniwyd yr afon yn troelli o gylch Dinefwr a Dinas Brân, y ddwy bont, a threfi Llandeilo a Llangollen, yn rhyfeddol o debyg.

185. Richard Wilson,
Castell Dinas Brân o Langollen,
1770–1, Olew, 1804 x 2447

chwith: 186. Edward Edwards,
William Parry, 1804, Engrafiad, 163 x 125

de: 187. Giuseppe Marchi yn seiliedig ar J. Berridge,
Evan Lloyd, c.1772, Mesotint, 500 x 353

Y mae'r ffaith i Syr Watkin noddi William Parry yn awgrymu ymhellach fod gwladgarwch yn gymhelliad pwysig mewn perthynas â'i nawdd i Wilson.[44] Er na chafodd Parry, yn ôl pob tebyg, ei eni yng Nghymru, yr oedd yn fab i John Parry, y telynor a ysbrydolodd Gray i gwblhau 'The Last Bard'. Derbyniodd ei hyfforddiant cynnar dan William Shipley yn Llundain, a symudodd oddi yno ym 1766, dan nawdd Syr Watkin, i stiwdio Syr Joshua Reynolds ac yna, dair blynedd yn ddiweddarach, i Ysgolion yr Academi Frenhinol. Yr oedd Thomas Jones, disgybl Wilson, hefyd wedi derbyn ei hyfforddiant cychwynnol dan Shipley, ac y mae'n bosibl mai yno y cyfarfu â Parry am y tro cyntaf. Yn sicr, yr oedd y ddau yn adnabod ei gilydd erbyn 1769, a rhydd atgofion Thomas Jones am 7 Gorffennaf y flwyddyn honno ddarlun byw o'r berthynas rhwng arlunwyr ifainc o Gymru a deallusion yn Llundain:

188. Johann Joseph Zoffany,
David Garrick a'i wraig ger ei deml i Shakespeare, Hampton,
c.1762, Olew, 1022 x 1346

> On the 16th Evan Lloyd the Poet, Charles Hemmings an old fellow collegian, Parry, late a pupil of Reynolds, and my self hired a Coach for the day, dined at the *Toy* at Hampton, and after dinner Lloyd introduced us to Mr Garrick at his elegant Villa there, who very politely shewed the house, attended us round the walks and Shrubberies, and as a particular Compliment, conducted us to his Study, a detached Building in the Garden, which being, as he told us, dedicated to Retirement, had only one Chair in it – A bottle of Wine was ordered, and standing round his writing desk, The glass was circulated and enlivened with the flippant Conversation of these two Wits, untill a Coach driving up, announced My Lord Somebody – upon which we took our leave, and returning to the *Toy* to take the other Bottle – concluded the Evening together at the Crown and Anchor tavern in the Strand.[45]

Bythefnos yn ddiweddarach, nododd Jones iddo deithio i Gymru gyda Lloyd a Joseph Farington, ei gyd-arlunydd gynt yn stiwdio Wilson. Yr oedd William Parry eisoes yng Nghymru; yn ystod y tair blynedd flaenorol yr oedd wedi treulio cryn dipyn o amser yno, gan aros yn nhai gwahanol foneddigion lle'r ymddengys iddo gael ei groesawu fel un ohonynt, oherwydd ei gysylltiad â Wynnstay y mae'n debyg. Achosodd gryn ddifyrrwch yn Y Rug pan aeth i ddawns wedi ei wisgo fel Sbaenwr. Ym 1768 bu'n ymweld â thai bonedd ym Meirionnydd yng nghwmni William Williams, Peniarth Uchaf, gan wneud enw iddo'i hun fel arlunydd ifanc medrus. Mewn llythyr at Hugh Vaughan, Hengwrt, cyfeiriodd Elizabeth Baker at y croeso brwd a roddwyd i bortread ohono a baentiwyd yn y cyfnod hwn:

[44] Y mae cefnogaeth teulu'r Wynniaid i William Wynne Ryland yn berthnasol hefyd. Yr oedd Ryland yn fab i Edward Ryland, engrafwr ac argraffydd plât copr a oedd yn enedigol o Gymru, ac a weithiai yn yr Old Bailey. Ganed William Wynne Ryland yn Llundain ym 1732, ac ar ôl bwrw ei brentisiaeth gyda Ravenet, cafodd gymorth gan Syr Watkin Williams Wynn, 3ydd Barwnig, ei dad bedydd, i ymweld â Ffrainc a'r Eidal. Cafodd yrfa lwyddiannus fel engrafwr a chyhoeddwr. Ef a ddaeth ag engrafu dotwaith i Loegr ac y mae'n adnabyddus yn enwedig am ei waith yn null Angelica Kauffman. Bu diwedd trychinebus i'w yrfa wedi iddo fynd i drafferthion ariannol. Twyllodd Gwmni India'r Dwyrain ac fe'i crogwyd ym 1783. Gw. *The Authentic Memoirs of William Wynne Ryland* (London, 1784).

189. William Parry,
John Pugh Pryse, Gogerddan,
1770, Dyluniad sialc unlliw, 330 x 273

190. William Parry,
Gwahanol eisteddwyr,
c.1770, Sialc lliw

> 'tis a strong likeness but far from a flattering one – is not Parry the artist? I was much pleased with a circumstance, a woman whose name I know not asked to see it, when she entered the room clapt her hands in a transport crying Oh! Da! Da! *Mister Vaughan* and kept curtsying and at the same time crying as long as she stayed – an instance of reverence to your person as well as a compliment to the painter.[46]

Yr oedd Sais o'r enw J. Jackson yn cyd-deithio â Parry a William Williams ym 1768. Ymddengys mai prif bwrpas y daith hon oedd paratoi testun a lluniadau ar gyfer eu cyhoeddi. Y mae testun Jackson, sydd ar batrwm *Letters* Lyttelton, wedi goroesi ar ffurf llawysgrif, ond y mae lluniadau Parry wedi hen ddiflannu. Serch hynny, yr oedd y syniad o gyhoeddi taith ddarluniedig yn y cyfnod hwn yn hynod iawn, ac yn dyst i ddiddordeb deallusol cynyddol amryw o deuluoedd bonheddig mewn tirluniau Cymreig.[47]

Cyrhaeddodd gweithgarwch Parry fel arlunydd portreadau Cymreig ei anterth ym 1770. Cafodd nifer o gomisiynau yn Wynnstay, gan gynnwys paentio golygfeydd ar gyfer perfformiadau theatrig, ond ei gamp fwyaf nodedig yn ystod y cyfnod hwn oedd paentio o leiaf bedwar ar ddeg o bortreadau sialc. Yr oedd y mwyafrif o'r boneddigion hyn yn aelodau o Gylch Jacobitaidd y Rhosyn Gwyn, a Syr Watkin

[45] 'Memoirs of Thomas Jones', t. 21.

[46] LlGC, Llsgr. Peniarth 416D, rhan II, llythyr dyddiedig 9 Chwefror 1780. Yr wyf yn ddyledus i Miles Wynn Cato am yr wybodaeth hon ac am ddeunyddiau eraill yn ymwneud â William Parry y cyfeirir atynt yn y testun.

[47] Cyhoeddwyd detholiadau o lythyrau Jackson yn *Cylchgrawn Cymdeithas Hanes a Chofnodion Sir Feirionnydd*, III, rhan IV (1960), 360–73, ac ibid., IV, rhan II (1962), 146–59.

191. William Parry,
Watkin E. Wynne, 1770,
Olew, 760 x 636

Williams Wynn, gan ddilyn yn ôl troed ei dad, oedd y ffigur amlycaf ynddo. Cyfarfu'r Cylch y flwyddyn honno yn un o dai Owen Wynne (yn Llwyn yn sir Ddinbych neu ym Mhengwern ym Meirionnydd), ac y mae'n debyg i'r wyth lluniad lliw o'r aelodau mewn gwisg swyddogol a'r chwe phortread unlliw gael eu tynnu ar yr achlysur hwnnw. Cafodd Owen Wynne ei hun ei bortreadu ddwywaith yn y gyfres liw ac unwaith yn y gyfres unlliw, ynghyd â thri o'i blant ieuengaf. Gwnaeth Parry bortread mewn olew o'r mab hynaf, Watkin E. Wynne, yn yr un flwyddyn. Yr oedd Robert Howel Vaughan, Nannau, a John Pugh Pryse, Gogerddan, ymhlith yr aelodau y gwnaed lluniadau unlliw ohonynt. Y mae'r portread olaf hwn yn dangos mor agos oedd y berthynas rhwng y cylch bach o noddwyr bonheddig, deallusion ac artistiaid y trôi Parry yn eu plith yng Nghymru a Llundain fel ei gilydd, ac a oedd mor nodweddiadol o'r cyfnod. Yr oedd Pryse yn gyfaill agos i Evan Lloyd, ac fel AS sir Aberteifi denai sylw'r gwawdlunwyr. Ym 1772 fe'i darluniwyd gan Mat Darnley fel *The Merionethshire Macaroni*, yn wrthun o ysblennydd, gyda chenhinen, pastwn a phlethen gor-hir o wallt.

Y mae'n debyg mai'r portreadau hyn o'r Cylch oedd y lluniau 'swyddogol' olaf o aelodau'r Jacobitiaid Cymreig, er bod amryw o bortreadau eraill a wnaed gan Parry yn y cyfnod hwn yn awgrymu bod gan y mwyafrif helaeth o'i noddwyr gysylltiad cymdeithasol â hwy. Fe'i comisiynwyd gan deulu Vaughan o Nannau a theulu Puleston o Emral a Pickhill i baentio portreadau teuluol. Eto i gyd, yr oedd y nawdd hwn yn y bôn yn deillio o'i berthynas â Syr Watkin Williams Wynn a dalodd iddo fynd i'r Eidal i weithio ym 1770, lle yr arhosodd hyd 1775. Talwyd swm o arian iddo yn flynyddol er mwyn sicrhau ei wasanaeth, a chytunodd i baentio dau gopi a dau lun gwreiddiol bob blwyddyn ar gyfer ei noddwr. Yr enwocaf o'r lluniau hyn oedd copi o *Transfiguration* Raphael, y derbyniodd y swm sylweddol o 400 gini amdano gan Syr Watkin.[48]

Wedi iddo ddychwelyd i Gymru, derbyniodd nawdd y boneddigion Cymreig unwaith yn rhagor, yn Llundain ac yng Nghymru. Ym 1778 paentiodd bortreadau o Thomas Lewis a Richard Jones ar gyfer yr ysgol Gymreig yr oeddynt yn llywodraethwyr arni, ac y mae'n debyg iddo baentio portread arall o Owen

[48] Ceir cofnod o'r trefniant a'r lluniau a dderbyniwyd gan Syr Watkin Williams Wynn yn Archifdy Sir Ddinbych, DD/Wy/7943. Tâl cadw Parry yn y flwyddyn gyntaf oedd £60, £70 yn yr ail, £80 yn y drydedd a'r bedwaredd a £100 ym 1775.

[49] Crogai portread Parry o'i dad yn Wynnstay, a phaentiodd bortread arall ohono a fu yn y teulu hyd nes i'r Amgueddfa Genedlaethol ei brynu yr un pryd â'r portread dwbl. Cafodd portreadau eraill o'i dad a baentiwyd ganddo eu harddangos yn yr Academi Frenhinol dan y teitl *Portrait of Mr Parry (who is blind) playing at draughts with portraits of two other gentlemen* (1778) a *The Late Mr Parry* (1778). Ni fu Parry yn llwyddiannus iawn yn Llundain, a dychwelodd i Rufain lle y cafodd fwy o lwyddiant, ond bu farw ar ymweliad â Chymru ym 1791.

[50] 'Memoirs of Thomas Jones', t. 15.

192. Mat Darley, *The Merionethshire Macaroni*, 1772, Engrafiad a dyfrlliw, 180 x 124

Wynne, Llwyn, yn ystod y flwyddyn honno. Dichon mai yn y cyfnod hwn hefyd y cwblhaodd y llun o'i dad ar gyfer Syr Watkin Williams Wynn. Daeth y portread angerddol hwn o John Parry y telynor dall yn enwog iawn ac o ganlyniad fe'i priodolid i Reynolds yn aml. Yr oedd yn debyg iawn o ran ei naws Ramantaidd i *genre* esblygol y darluniau barddol a ysbrydolwyd gan gerdd Gray. Paentiodd Parry nifer o bortreadau o'i dad, yn eu plith bortread dwbl yn cynnwys yr arlunydd ei hun yn archwilio llawysgrif gerddorol. Y mae'n ddigon hawdd adnabod Parry yn y llun hwn, yn wahanol i'r engrafiad ohono a wnaed ym 1804, na wyddys beth yw ei ffynhonnell.[49]

193. William Parry, *Thomas Lewis*, 1778, Olew, 1219 x 914

Nid oedd y ffordd y manteisiodd William Parry ar nawdd y boneddigion Cymreig yn y cyfnod hwn yn unigryw, ac y mae'n debyg nad yw'n gyd-ddigwyddiad fod aelod arall o'r rhwydwaith yr oedd ef yn rhan ohono yn Llundain, gyda Thomas Jones ac Evan Lloyd, wedi ceisio sefydlu busnes paentio portreadau yn Abertawe. Yr oedd Giuseppe Marchi wedi gadael Rhufain i ddod i Lundain gyda Reynolds ym 1752, a daeth i adnabod Jones, a gyfeiriodd ato ym 1768 fel 'my old friend'.[50]

de: 194.William Parry, *John Parry, Telynor i Syr Watkin Williams Wynn*, c.1760–80, Olew, 848 x 739

de eithaf: 195. William Parry, *John Parry gyda'i fab, William Parry*, c.1760–80, Olew, 870 x 712

196. Giuseppe Marchi,
Thomas Jones, Pencerrig,
1768, Olew, 920 x 720

Y flwyddyn honno, paentiodd Marchi bortreadau teuluol ym Mhencerrig, er ei bod yn bosibl ei fod yn dal i gynorthwyo Reynolds. Yr oedd hefyd yn engrafwr a gwnaeth engrafiad o Evan Lloyd ar sail darlun gwreiddiol gan Berridge. Cofiai Farington mai tua 1770 y dechreuodd weithio ar ei liwt ei hun, 'but being induced by some friendly offers of employment in South Wales, he shortly left the metropolis, and resided in or near Swansea in Glamorganshire. His encouragement in this place failing after remaining several years, it became necessary for him to remove'.[51] Nid yw'n hysbys am ba hyd y bu yn Abertawe ond, hyd y gwyddys, ef oedd yr arlunydd cyntaf a hyfforddwyd mewn academi i geisio sefydlu ei fusnes ei hun mewn tref yng Nghymru. Yr oedd Abertawe yn ddewis doeth gan fod y dref yn dechrau ffynnu fel cyrchfan wyliau ac fel canolfan ddiwydiannol.[52] Y mae mwy o luniau o waith cyfoes William Parry yn sir Ddinbych wedi goroesi, ac y mae'n amlwg ei fod ef yn gweithio yn y dull traddodiadol, gan fanteisio ar y rhwydwaith o noddwyr a chan symud o blas i blas i gyflawni ei gomisiynau. Menter newydd oedd busnes Marchi, ac yr oedd o flaen yr oes. Âi hanner can mlynedd heibio cyn y gallai Abertawe gynnig nawdd digonol i gynnal arlunydd portreadau preswyl yn barhaol.

[51] Joseph Farington, *Memoirs of Sir Joshua Reynolds* (London, 1819), t. 32.

[52] Am ddelweddau o ddatblygiad cynnar Abertawe, gw. Lord, *Diwylliant Gweledol Cymru: Y Gymru Ddiwydiannol*, Pennod 1. Y mae'n arwyddocaol i'r practis pensaernïol cyntaf yng Nghymru gael ei sefydlu gan William Jernegan yn Abertawe yr un adeg.

197. Giuseppe Marchi,
Sarah Humphreys, 1768,
Oil, 900 x 690

198. Giuseppe Marchi,
Thomas Jones yr Hynaf, 1768,
Oil, 900 x 698

pennod pump

Y SYNIAD O DIRLUN

199. William Parry, *Paul Sandby yn braslunio*, 1776, Pensil, 291 x 240

200. Paul Sandby, *Castell Conwy*, c.1776, Dyfrlliw a gouache, 424 x 535

Ymhlith cydnabod William Parry yn Llundain a chanddynt ddiddordeb yng Nghymru yr oedd y tirluniwr Paul Sandby. Ar un achlysur, tynnodd Parry lun ohono yn lluniadu, a'i was yn dal parasol uwch ei ben i'w gysgodi rhag yr haul. Ym 1770 daeth Syr Watkin Williams Wynn â Sandby i Wynnstay i gyfrannu at y gweithgarwch artistig brwd yr oedd Parry a Wilson eisoes yn rhan ohono. Rhoddai Sandby wersi arlunio i'w noddwr, a dalai bum swllt y wers iddo amdanynt yn ogystal â dwy gini y dydd yn ychwanegol fel iawndal am 'loss of time [in Wales]'.[1] Bu Sandby hefyd yn paentio masgiau, ar gyfer perfformiadau yn theatr Wynnstay y mae'n debyg. Y mae'n amlwg ei fod ef a Syr Watkin yn dod ymlaen yn dda â'i gilydd, a'r mis Awst canlynol dychwelodd yr arlunydd i Gymru i fynd ar daith bythefnos gyda'i noddwr. A'u heiddo wedi ei bentyrru ar gert mawr, teithiodd y fintai, a oedd yn cynnwys tri bonheddwr, naw gwas a phymtheg o geffylau, i Eryri, gan ymlwybro drwy Langollen, Y Bala a Dolgellau, a throi i'r gogledd drwy fwlch Aberglaslyn tuag at Gaernarfon. Aethant hefyd i Lanberis a Biwmares cyn dychwelyd ar hyd arfordir y gogledd.[2] Disgrifiwyd y daith hon, a oedd yn cynnwys ymweld â rhaeadrau a dringo mynyddoedd, yn aml fel y gyntaf a wnaed yng Nghymru er mwyn mwynhau'r golygfeydd, er nad yw hyn yn wir, fel y dangoswyd eisoes. Y mae cyfres o lythyrau a ysgrifennwyd yn ystod yr un flwyddyn gan Elizabeth Presland, a oedd yn aros ym Mheniarth ym Meirionnydd,

[1] LlGC, Llsgrau. Wynnstay, Grŵp II, Blwch 115, bwndel 21. Am grynodeb o lawysgrifau Wynnstay sy'n ymwneud â Sandby, gw. Peter Hughes, 'Paul Sandby and Sir Watkin Williams-Wynn', *The Burlington Magazine*, CXIV (1972), 459–66. Dadleuodd Hughes, ar sail lluniad llofnodedig o *Llanberis Lake and Dolbadarn Castle*, dyddiedig 1764, nad ym 1770 yr ymwelodd Sandby â Chymru am y tro cyntaf. Ymddengys, serch hynny, fod y lluniad wedi ei seilio ar engrafiad, yn hytrach nag wedi ei dynnu yn y fan a'r lle.

[2] Ymhlith y boneddigion yr oedd Thomas Apperley, un o gymdeithion Syr Watkin yn Rhufain, a bortreadwyd gan Batoni.

[3] LlGC, Adran Llyfrau Printiedig, XCT 399 P93 (4to), 'Curious letters, from Mrs Presland, nearly all of them dated at Peniarth, about the year 1771', adysgrif deipiedig, dim dyddiad, dim rhifau tudalen. Gall fod y llythyrau, a anfonodd Mrs Presland at ei chwaer, yn dyddio o ddiwedd y 1760au, ac nid yw'n bosibl iddynt fod wedi cael eu hysgrifennu ar ôl 1771, sef y dyddiad mwyaf tebygol. Yr oedd Elizabeth Presland yn briod â Thomas Presland, Walford Hall, swydd Amwythig. Ni ellid ei hystyried yn un o'r *literati*, er ei bod yn amlwg yn dilyn ffasiwn yr oes ac wedi darllen adroddiad Lyttelton o'i daith drwy Gymru. Fel y gwelwyd eisoes, bu William Parry hefyd yn aros ym Mheniarth, ac y mae hynny'n awgrymu bod y plasty yn y cyfnod hwn yn rhyw fath o ganolfan ar gyfer pobl o chwaeth soffistigedig.

201. Yn ôl pob tebyg, Henrietta Elizabeth Williams Wynn, *Teulu Williams Wynn, Wynnstay, yn mynd i'r rhaeadrau*, 1805, Pen ac inc, 311 × 203

202. J. Green yn seiliedig ar John Evans, *Pistyll Rhaiadr*, 1794, Engrafiad, 495 × 347

203. H. Bunbury ac I. Evans, *Tocynnau Mynediad i Theatr Syr Watkin Williams Wynn yn Wynnstay*, c.1786, Engrafiad, 81 × 117

hefyd yn dangos yn glir fod gwerthfawrogi golygfeydd rhamantaidd yn gyffredin ddigon ymhlith boneddigion o Gymru a'u cefndryd Seisnig. Nododd Presland y gellid gweld o'r ffenestr flaen ym Mheniarth 'one very high rock, and the highest Mountain in North Wales cald Cadridrous, which Nombers go to see, but when they get to the top are quite lost in clouds, except it be by chance, and then from it the view is said to be wonderfull beyond discription'.[3] Bu'n ymweld â Phistyll Rhaeadr ar un o'i theithiau, ac y mae ei disgrifiad yn crisialu profiadau nifer o'r bonedd a deithiodd drwy Gymru yn chwarter olaf y ddeunawfed ganrif:

204. Paul Sandby, *Manerbawr Castle*, allan o *XII Views in South Wales*, 1775, Acwatint, 238 x 314

the next day we set out to see the finnest fall of water my eyes ever beheld, it is Cald pistleridge (or something like it but cant pronounce it properly) on the rode we see variety of Beautyfull views, and at last came in face of the Rock, which is prodigous high, and seemingly the hend of the world, down the middle of it falls the Caskade, Broad and beautyfull, it drops in to a large bason about half way down through which the water has worked a large hole in to another, some yards below, out of which it hemtys it self in to the Brooke, and I am told is in frosty weather the finnest sight you can conceive, just under it is a long room, where by dinner time met at least twenty Gentlemen, Ladys, and servants, who brought out all sorts of provisions, which was set on a Long table, with here, and there a knife, not forgeting som few Trenchers, off which we eat with as much pleasure as if China itself, we had many Different kinds of liquour, our punch Bowl a large pail, which the Ladys took a taste of; they servants rather to much, after dinner, our Desert was Welch songs, and drole storrys, by this time we was in spirits to assend the Rock, from the front of which, we looked between Rocks and Mountains down a sweet Vally, at the hend of which appeard Shropshire in great Beauty, behind us Denbyshire Hills, and a charming Country.[4]

205. Paul Sandby, *Llangollin in the County of Denbigh*, allan o *XII Views in North Wales*, 1776, Acwatint, 238 x 314

Pan gychwynnodd Syr Watkin Williams Wynn a Paul Sandby ar eu taith, ni wyddys ai dilyn ffasiwn y dydd oedd eu hunig fwriad. Bum mlynedd yn ddiweddarach, ym 1776, gyda chyhoeddi *XII Views in North Wales*, sef cyfres o engrafiadau yn seiliedig ar y daith, y rhoddwyd iddi le arbennig yn natblygiad Cymru fel cyrchfan i arlunwyr. Llwyddodd y golygfeydd hyn, yn ogystal â'r gyfrol a gyhoeddwyd flwyddyn ynghynt ac a ddarluniai daith Sandby yn ne Cymru, i

dynnu sylw arlunwyr at y wlad. Cafodd y ddau gasgliad lawer o sylw, nid yn gymaint oherwydd y golygfeydd a bortreedid, gan fod nifer ohonynt eisoes yn adnabyddus yn sgil gwaith engrafwyr cynharach, ond oherwydd y dechneg acwatint a arloeswyd gan Sandby, ymhlith eraill. Rhoddai acwatint gyfle i'r arlunydd i dorri'n rhydd o hualau pedantaidd y llinengrafiad a dangos effeithiau natur mewn ffordd lyfnach, a oedd yn agos iawn at y golchlun a dyheadau'r arlunwyr Rhamantaidd. Manteisiodd Sandby ar y dechneg i'r eithaf mewn golygfeydd megis *Llangollin in the County of Denbigh* drwy ddangos pelydrau'r haul yn tywynnu drwy'r cymylau ar ôl glaw. Ni welwyd effeithiau o'r fath ar ffurf brintiedig erioed o'r blaen.

206. William Parry, *Sir Joseph Banks introducing Omai to his secretary and librarian Dr Daniel Solander, the Swedish botanist*, c.1776, Olew, 1525 x 1525

Fel y dywedwyd, ym 1775, flwyddyn cyn i'r gyfrol ar ogledd Cymru ymddangos, y cyhoeddwyd y darluniau o daith Sandby drwy dde Cymru, er ei fod wedi cwblhau'r daith yng nghwmni Joseph Banks, y botanegydd, ym 1773.[5] Dychwelasai Banks dair blynedd cyn hynny o deithiau o amgylch y byd yng nghwmni Capten Cook ar yr *Endeavour*, ac y mae'r berthynas agos rhyngddo a deallusion ac arlunwyr o Gymru yn arwydd o'r parch at Gymru a oedd yn bodoli yn y cyfnod hwn. Comisiynwyd William Parry i baentio Banks yng nghwmni ei gyd-weithiwr Dr Solander, ac Omai, pennaeth brodorol a ddygwyd i Loegr ym 1774 yn sgil yr ail alldaith i Foroedd y De. Ni wyddys yn union sut y daeth yr arlunydd a'r botanegydd i adnabod ei gilydd, ond yr oedd y darlun yn eiddo i Syr Robert Williams Vaughan, Nannau, ac efallai mai ef a'i comisiynodd. Yr oedd gan Joseph Banks gysylltiadau cryf â Chymru gan fod ei ewythr Robert yn briod â Bridget Williams, etifeddes Rhydodyn yn sir Gaerfyrddin. Ac yntau'n benderfynol o ymweld â Chymru cyn mynd dramor, treuliasai Banks dri mis yng Nghymru ym 1767 ar wahoddiad ei ewythr. Yn ystod yr ymweliad hwnnw aeth i Downing, cartref Thomas Pennant, gŵr a rannai ei ddiddordebau eang diletantaidd, yn enwedig mewn darluniau engrafedig.[6] Ymddangosodd ail gyfrol *British Zoology* yn yr un flwyddyn ag ymweliad Banks ac, i gydnabod ei orchestwaith, etholwyd Pennant yn Gymrawd y Gymdeithas Frenhinol.

[4] Ibid.

[5] Cafwyd ail ymweliad gyda Sandby ym 1775.

[6] H. P. Carter, *Sir Joseph Banks, 1743–1820* (London, 1988), t. 47. Cyfarfu'r ddeuddyn am y tro cyntaf yn Llundain ym mis Mawrth 1766, achlysur a ddisgrifir gan Pennant yn *Literary Life* (London, 1793), t. 9.

207. Moses Griffith, *Hunanbortread ohono'n ŵr ifanc*, c.1770, Dyfrlliw, 133 x 113

MOSES GRIFFITH,

PAINTER to THOMAS PENNANT, Esq;

BY PERMISSION FROM HIS MASTER,

Takes the Liberty of offering his Services to the Public, at his leisure Hours,

AT THE FOLLOWING RATES.

	£.	s.	d.
A Landschape or Ruin, from Fifteen to Twenty Inches in Length —	1	11	6
From Ten to Fifteen Inches	1	1	–
From Eight to Ten Inches	–	10	6
For the Margin of a Book, from Four to Five Inches — —	–	6	–
A Head, within a Margin, Five Inches by Four — — —	–	10	6
A plain Coat of Arms — —	–	1	3
Or with Quarters and Crest — —	–	1	6

Wibnant, in *Whitford* Parish, *Flintshire*, *December* 1st, 1784.

208. *Hysbyseb ar gyfer Moses Griffith, arlunydd Thomas Pennant*, 1784, 192 x 121

Ym 1769 cyflogodd Thomas Pennant y mwyaf cynhyrchiol o'r holl arlunwyr y bu'n gweithio â hwy, a chyfeirir at hyn yn y darn adnabyddus hwn o'i fywgraffiad *Literary Life:*

> In the spring of this year I acquired that treasure, *Moses Griffith*, born *April* 6th, 1749, at *Trygain-house*, in the parish of *Bryn Groer*, in *Llein*, in *Caernarvonshire*, descended from very poor parents, and without any other instruction than that of reading and writing. He early took to the use of his pencil, and, during his long service with me, has distinguished himself as a good and faithful servant, and able artist; he can engrave, and he is tolerably skilled in music. He accompanied me in all my journies, except that of the present year. The public may thank him for numberless scenes and antiquities, which would otherwise have remained probably for ever concealed.[7]

Parhaodd Pennant i gomisiynu nifer helaeth o arlunwyr ac engrafwyr, ac yr oedd amryw ohonynt, megis Sandby a Mazell, yn enwog yn eu maes. Yr oedd ei agwedd at Moses Griffith, serch hynny, yn llawer mwy tadol, a bu'r arlunydd yn dawnsio tendans ar ei feistr yn Downing hyd 1781. Hyd yn oed wedi iddo ddechrau gweithio ar ei liwt ei hun, byddai Moses Griffith yn nodi yn ei hysbysebion mai'r unig adeg y derbyniai gomisiynau oedd pan nad oedd yn gweithio i Pennant.[8] Ym 1769, ym mlwyddyn gyntaf ei wasanaeth, aeth Griffith ar daith gyda Pennant i'r Alban, taith a gwblhawyd ym 1772 gydag ymweliad ag Ynysoedd Heledd. Cyhoeddwyd *A Tour in Scotland and Voyage to the Hebrides* ym 1774, a gwaith Griffith oedd y rhan fwyaf o'r darluniau. Erbyn hyn yr oedd Griffith a Pennant yn teithio'n ysbeidiol drwy ogledd Cymru yn paratoi ar gyfer cyfrol gyffelyb a ymddangosodd ym 1778 dan y teitl *Tour in Wales*, gyda *A Journey to Snowdon* yn dilyn ym 1781. Drwy gyfrwng y cyhoeddiadau hyn a'i waith dros awduron eraill megis Francis Grose, cyfaill Pennant, a gynhwysodd olygfeydd ganddo yn *Antiquities of England and Wales*, yr oedd gwaith engrafedig Griffith yn prysur ddod i sylw darllenwyr y dydd.[9] At hynny, gan fod Pennant mor frwd dros ei waith, daeth dyfrlliwiau gwreiddiol Griffith yn adnabyddus hefyd, er na chawsant eu harddangos yn ystod ei oes ef ei hun. Dywedodd Pennant na ddylai byth 'deny copies of them to any gentleman who would make a dignified use of them'[10] ac, yn wir, byddai'r lluniadau yn aml yn cael eu rhoi ar fenthyg neu'n cael eu copïo ar gyfer y cylch eang o bobl y gohebai â hwy. Camp bennaf Griffith oedd y copïau

[7] Pennant, *Literary Life*, t. 10. Ceir rhai camgymeriadau ffeithiol anesboniadwy yn y darn hwn. Ar 25 Mawrth 1747 y ganed Griffith, yn Nhrygarn ym mhlwyf Bryncroes. Nid yw Pennant yn egluro sut y daeth i wybod amdano yn y lle cyntaf, ond y mae'n bosibl mai oherwydd i Griffith arddangos dawn arlunio yn gynnar yn ei oes.

[8] LlGC Llsgr. 5500C, eitem 14, 13 Gorffennaf 1781: 'Moses is now on the point of becoming [a] ... housekeeper & to work on his own account unless when employed by me.' Parhaodd Pennant i weithredu fel asiant iddo ymhlith ei gylch eang o gydnabod, yn ogystal ag i'w gyflogi'n uniongyrchol, ond y mae'n amlwg fod Griffith yn dibynnu ar ei arlunwaith am ei fywoliaeth o hyn ymlaen ac nad oedd yn derbyn tâl cadw gan ei gyn-feistr.

[9] Yr oedd Francis Grose (1731–91) yn hynafiaethydd a lluniadydd, ac yn adnabyddus fel topograffydd a gwawdlunydd. Dehonglodd syniadau dychanol ar gyfer Pennant. Gw. Lord, *Words with Pictures*, tt. 76, 163. Dechreuodd gyhoeddi ei *Antiquities of England and Wales* mewn rhannau ym 1773, gan gwblhau'r gwaith ym 1787.

[10] Pennant, *Literary Life*, t. 25.

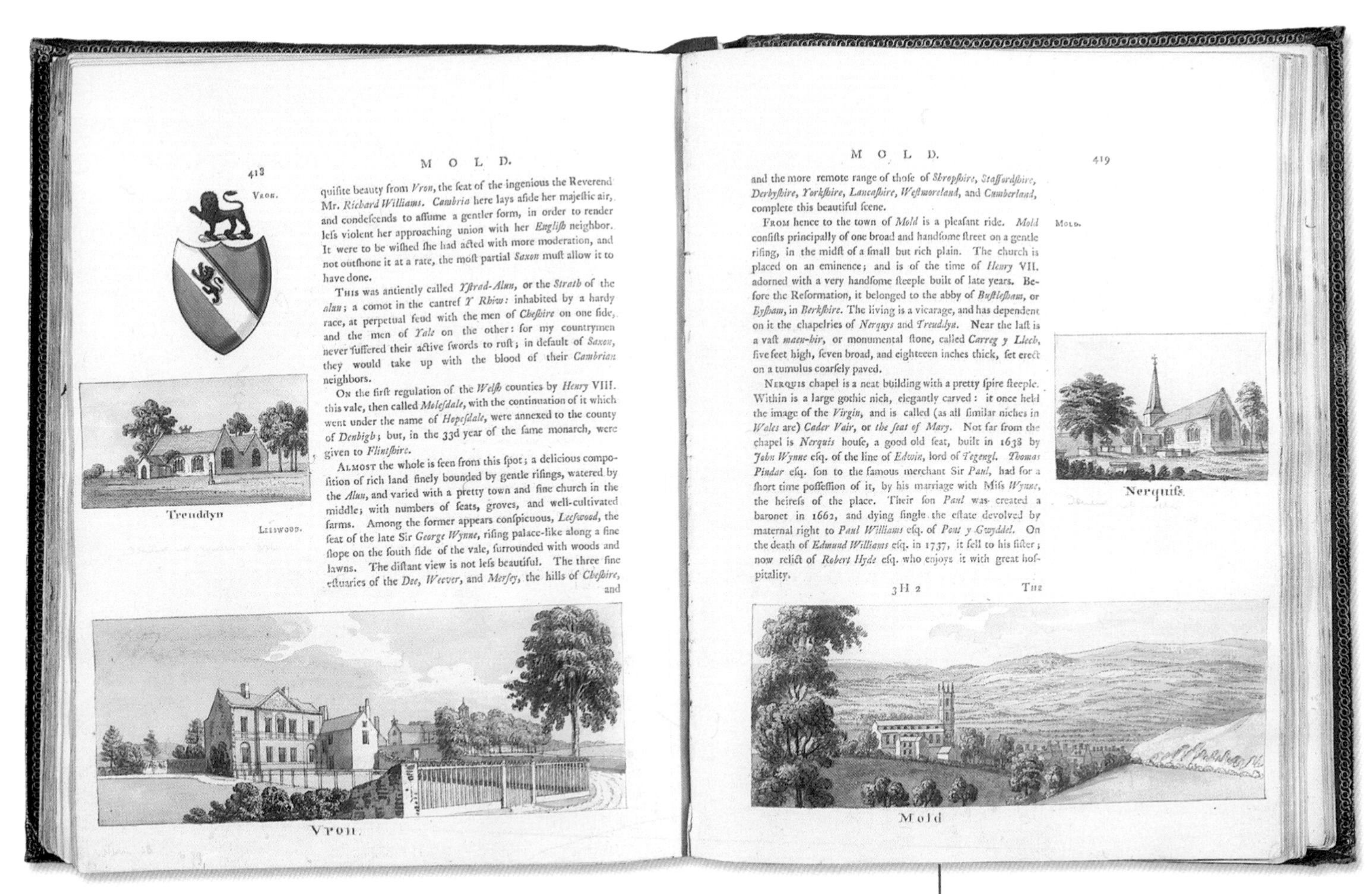

413 MOLD.

VRON.

quiſite beauty from *Vron*, the ſeat of the ingenious the Reverend Mr. *Richard Williams*. *Cambria* here lays aſide her majeſtic air, and condeſcends to aſſume a gentler form, in order to render leſs violent her approaching union with her *Engliſh* neighbor. It were to be wiſhed ſhe had acted with more moderation, and not outſhone it at a rate, the moſt partial *Saxon* muſt allow it to have done.

THIS was antiently called *Yſtrad-Alun*, or the *Strath* of the *alun*; a comot in the cantref *Y Rhiw*: inhabited by a hardy race, at perpetual feud with the men of *Cheſhire* on one ſide, and the men of *Yale* on the other: for my countrymen never ſuffered their active ſwords to ruſt; in default of *Saxon*, they would take up with the blood of their *Cambrian* neighbors.

ON the firſt regulation of the *Welſh* counties by *Henry* VIII. this vale, then called *Moleſdale*, with the continuation of it which went under the name of *Hopeſdale*, were annexed to the county of *Denbigh*; but, in the 33d year of the ſame monarch, were given to *Flintſhire*.

Treuddyn

LEESWOOD.

ALMOST the whole is ſeen from this ſpot; a delicious compoſition of rich land finely bounded by gentle riſings, watered by the *Alun*, and varied with a pretty town and fine church in the middle; with numbers of ſeats, groves, and well-cultivated farms. Among the former appears conſpicuous, *Leeſwood*, the ſeat of the late Sir *George Wynne*, riſing palace-like along a fine ſlope on the ſouth ſide of the vale, ſurrounded with woods and lawns. The diſtant view is not leſs beautiful. The three fine eſtuaries of the *Dee*, *Weever*, and *Merſey*, the hills of *Cheſhire*, and

Vron

MOLD. 419

and the more remote range of thoſe of *Shropſhire*, *Staffordſhire*, *Derbyſhire*, *Yorkſhire*, *Lancaſhire*, *Weſtmoreland*, and *Cumberland*, complete this beautiful ſcene.

MOLD.

FROM hence to the town of *Mold* is a pleaſant ride. *Mold* conſiſts principally of one broad and handſome ſtreet on a gentle riſing, in the midſt of a ſmall but rich plain. The church is placed on an eminence; and is of the time of *Henry* VII. adorned with a very handſome ſteeple built of late years. Before the Reformation, it belonged to the abby of *Buſtleſham*, or *Byſham*, in *Berkſhire*. The living is a vicarage, and has dependent on it the chapelries of *Nerquys* and *Treuddyn*. Near the laſt is a vaſt *maen-hir*, or monumental ſtone, called *Carreg y Llech*, five feet high, ſeven broad, and eighteeen inches thick, ſet erect on a tumulus coarſely paved.

NERQUIS chapel is a neat building with a pretty ſpire ſteeple. Within is a large gothic nich, elegantly carved: it once held the image of the *Virgin*, and is called (as all ſimilar niches in *Wales* are) *Cader Vair*, or *the ſeat of Mary*. Not far from the chapel is *Nerquis* houſe, a good old ſeat, built in 1638 by *John Wynne* eſq. of the line of *Edwin*, lord of *Tegengl*. *Thomas Pindar* eſq. ſon to the famous merchant Sir *Paul*, had for a ſhort time poſſeſſion of it, by his marriage with Miſs *Wynne*, the heireſs of the place. Their ſon *Paul* was created a baronet in 1662, and dying ſingle the eſtate devolved by maternal right to *Paul Williams* eſq. of *Pont y Gwyddel*. On the death of *Edmund Williams* eſq. in 1737, it fell to his ſiſter; now relict of *Robert Hyde* eſq. who enjoys it with great hoſpitality.

3 H 2 THE

Nerquis

Mold

209. Moses Griffith,
Tudalennau allan o gopi gyda
deunydd ychwanegol o Thomas Pennant,
A Tour in Wales, c.1778, Dyfrlliw, 290 × 445

o *A Tour in Wales* a argraffwyd ar bapur mawr fel bod modd cynnwys lluniau gwreiddiol ar frig y tudalennau, ar eu gwaelod, ac ar eu hymylon. Deuddeg yn unig a argraffwyd, a gwyddys i Syr Watkin Williams Wynn, Anthony Storer, Syr William Burrell a Richard Bull dderbyn copi yr un ohonynt.[11] Y mae'r ohebiaeth rhwng Pennant a Bull yn taflu goleuni ar y modd y lledaenid gwaith Griffith ac y cyflogid copïwyr eraill. Ym mis Mai 1780 ysgrifennodd at Bull:

> I would most cheerfully permit Moses to copy for you; but I give you my word his time is so fully taken up that he has not a moment's leisure. But if you wish for any particular things out of my book I believe there is a neighbours young man one Ingleby who would copy them reasonably.[12]

Ymddengys mai dyma'r tro cyntaf i Pennant gyflogi John Ingleby, gŵr lleol a aned yn Helygain ym 1749. Gwnaeth luniadau am 5*d* yr un ar gopi Bull a oedd bron wedi ei gwblhau erbyn mis Awst, pan ysgrifennodd Pennant ato drachefn:

[11] Aeth copi Storer gyda'r gweddill o'i lyfrgell i Goleg Eton. Y mae nodyn yn y copi hwn, wedi ei ddyddio 1792, yn cofnodi 'The twelve copies were distributed as follows: 2 Mr Pennant retained one of which was destroyed / 1 Mr Storer / 2 Mr Chiswell – one of which was destroyed / 1 Sir Wm Burrell / 1 Mr Bull / 1 Sir Watkin Williams Wynn / 1 Lady Lloyd / 3 Robson the bookseller had, but what became of them is uncertain.' Cafodd Chiswell ddeg copi o *A Journey to Snowdon* wedi eu hargraffu ar bapur mawr. Aeth un yr un i Pennant, Storer, Burrell, Syr Watkin a Bull, a chadwodd Chiswell y pump arall. Y mae dau gopi yn Llyfrgell Genedlaethol Cymru, ill dau o Downing. Bwriad Pennant oedd 'cael gwared' â'r gyfres bum cyfrol wreiddiol, a chael ail gyfres o dair cyfrol, ond y mae'n amlwg iddo gadw'r ddwy. Gw. y llythyr at Bull, LlGC Llsgr 5500C, eitem 43, 25 Gorffennaf 1784. Ceir un copi ym Mhrifysgol Cymru, Bangor, ond y mae'n debyg i gopi Syr Watkin gael ei losgi yn y tân a gafwyd yn Wynnstay ym 1858, ac ni fu'n bosibl olrhain y gweddill.

[12] LlGC Llsgr. 5500C, eitem 6.

210. John Ingleby,
Golygfa o Fryn Eccleston yng Nghaer,
c.1795, Dyfrlliw, 143 x 192

212. John Evans,
The North East View of Whitington Castle,
c.1778, Dyfrlliw, 134 x 179

213. Robert Baugh yn seiliedig ar John Evans, *Valle Crucis Abbey*, allan o *A Map of the Six Counties of North Wales*, 1795, Engrafiad, 520 x 598

> If no public calamity happens I hope to put my second and last part of the Welsh tour in the press in October. A copy on large paper will beg your acceptance ... and Ingleby if you desire shall instantly copy all the marginal additions Moses puts in my copy.[13]

Yn ystod y chwe blynedd wedi hynny bu Moses Griffith ei hun yn gweithio dros Bull ar y cyfrolau nesaf o *A Tour in Wales*, ac ar yr un pryd yn goliwio copïau ar gyfer Pennant. Yr oedd y manylion ymyl tudalen yn cynnwys herodraeth, portreadau, topograffeg, a byd natur, a cheid hefyd ambell dudalen llawn megis golygfa o Gastell Caernarfon, testun a oedd yn addas iawn ar gyfer ei arddull eglur.[14] Yr oedd copïau darluniedig llawn Pennant ei hun o *A Tour in Wales* yn cynnwys engrafiadau a gweithiau gwreiddiol gan arlunwyr eraill, wedi eu casglu

[13] Ibid., eitem 8. Gwnaeth Ingleby luniadau gwreiddiol hefyd, ynghyd ag engrafiadau ar gyfer Pennant, gan gynnwys ar un achlysur, ar sail lluniad o eiddo John Evans, 'View & Plan of Tre'r Caeri', Thomas Pennant, *A Tour in Wales* (2 gyf., London, 1784), II, t. 215. Am enghreifftiau eraill o'i weithiau gwreiddiol, gw. Lord, *Diwylliant Gweledol Cymru: Y Gymru Ddiwydiannol*, tt. 37, 39. Bu farw Ingleby ar 26 Awst 1808 ac fe'i claddwyd yn Helygain. Nid yw'n amlwg paham mai Chiswell yn hytrach na'r perchennog a fu'n gyfrifol am argraffu *A Journey to Snowdon* ar bapur mawr, fel yr oedd Pennant wedi ei fwriadu yn wreiddiol.

[14] Am drafodaeth ar waith Moses Griffith, gw. Donald Moore, *Moses Griffith* (Cardiff, 1979).

[15] Pennant, *A Tour in Wales*, II, t. 98.

chwith: 211. Moses Griffith,
Castell Caernarfon, c.1778,
Dyfrlliw, 175 x 357

gan yr awdur. Y mwyaf nodedig o'r rhain oedd y dyfrlliw *The West Side of Flint Castle* a wnaed gan Francis Place yn ystod ei daith ym 1699, darlun y byddai Pennant yn sicr yn ymwybodol o'i arwyddocâd yn hanes teithiau arlunwyr i Gymru. Wrth draethu am ei brofiad o ddringo Cadair Idris dangosodd ei fod yn ymwybodol o weithiau Cymreig gan arlunwyr cynharach:

> On the other side, at a nearer distance, I saw *Craig Cay*, a great rock, with a lake beneath, lodged in a deep hollow ... This is so excellently expressed by the admirable pencil of my kinsman, Mr. *Wilson*, that I shall not attempt the description.[15]

Y mae'r ffaith fod Pennant yn cymryd yn ganiataol fod y darllenydd yn gyfarwydd â golygfa Wilson, ffaith a ategir gan y nifer o gyfeiriadau cyffelyb a geir mewn hanesion am deithiau diweddarach mewn llawysgrifau a llyfrau printiedig, yn dangos maint ei gyfraniad o ran gwneud Cymru yn gyrchfan ffasiynol ymhlith arlunwyr.[16] Y mae'n syndod nad oes unrhyw luniad gan Wilson ymhlith y rhai a gasglwyd gan Pennant ar gyfer ei argraffiad papur mawr o'r *Tour*. Serch hynny, cadarnheir ei ddiddordeb mewn doniau Cymreig, a amlygir yn ei gomisiynau i Griffith ac Ingleby, gan ddyfrlliw o *The North East View of Whitington Castle*, a lofnodwyd gan John Evans o Lanymynech. Y mae'r lluniad yn ymddangos fel petai'n waith rhagbaratoawl ar gyfer print ac, yn wir, y mae'n wybyddus fod Evans mewn cysylltiad â Pennant ym 1777 mewn perthynas â chynllun ar gyfer gwneud engrafiadau, er na wyddys beth oeddynt. Cyhoeddwyd print cain o *Pistyll Rhaiadr* ym 1794, wedi ei seilio ar luniad gan Evans lle y mae criw o *connoisseurs* yn gwerthfawrogi'r olygfa gyda chymorth Brython cyntefig. Y flwyddyn ganlynol, yr oedd *A Map of North Wales*, a engrafwyd gan Robert Baugh o Landysilio, yn cynnwys golygfa o abaty Glyn-y-groes.[17]

Pan ymwelodd Joseph Banks â Chymru ym 1767 defnyddiodd argraffiad 1695 o *Britannia* William Camden fel tywyslyfr, ond erbyn diwedd y 1770au yr oedd *A Tour in Wales* Pennant yn prysur ymsefydlu fel testun newydd safonol ar gyfer ymwelwyr â gogledd Cymru a pharhaodd yn boblogaidd am ddegawdau lawer, gan ennill sêl bendith teithwyr megis Dr Johnson.[18] Eto i gyd, nid oedd agwedd wrthrychol Pennant yn apelio at y teithiwr rhamantus, fel y gwelir o'r cofnod hwn a ysgrifennwyd gan wraig anhysbys yn ei dyddiadur ym 1795:

> this whole Countery is so wild & romantic in most respects, that even Mr Pennant (a very litteral & cold author) who gives as it were an inventory of every thing he sees finds it impossible when he travils where *we have done*, to avoid taking a Poetical as well as an Historical View of the morals and manners of the old Britains.[19]

[16] Ceir cyfeiriadau at luniau Wilson mewn amryw o deithiau cyhoeddedig o'r ddeunawfed ganrif, e.e. yn Arthur Aikin, *Journal of a Tour through North Wales and a Part of Shropshire; with observations in minerology, and other branches of Natural History* (London, 1797), a hefyd mewn llawysgrifau. Meddai John Skinner, a aeth ar daith ym 1800, wrth ddringo Cadair Idris: 'Mr Wilson, the English Claude, has conferred celebrity on this spot by his pencil'. Llyfrgell Ganolog Caerdydd, Llsgr. 1.503.

[17] Y mae'r ffaith fod Pennant yn cadw copi o gynnig Evans ar gyfer cyhoeddi'r map wedi ei bastio yn y teithlyfr o'i eiddo a gynhwysai ddarluniau ychwanegol yn awgrymu bod ganddo ran yn hyn. Serch hynny, fe'i cyflwynwyd i Syr Watkin Williams Wynn (mab noddwr Wilson), a chyflwynwyd *Pistyll Rhaiadr* i Iarll Powis a Robert Myddelton ar y cyd. Yr oedd fersiwn llai o'r map yn cynnwys golygfa o Gastell Harlech. Cyfeiriwyd at y prosiect cynharach, na nodwyd beth ydoedd, mewn llythyr oddi wrth Evans at Pennant, dyddiedig 7 Mai 1777 (LlGC Llsgr. 15421C, f. 62). Cyfarfu Edward Pugh, a ddefnyddiodd fap Evans ar ei deithiau ar ddechrau'r bedwaredd ganrif ar bymtheg, â'r 'ingenious Mr Baugh' yn y Cann Office yn Llangadfan; Edward Pugh, *Cambria Depicta* (London, 1816), t. 250.

[18] Aeth Johnson ar daith drwy ogledd Cymru ym 1774. Cofnododd ei brofiadau yn *A Diary of a Journey into North Wales in the year 1774* ac fe'u cofnodwyd hefyd gan Hester Piozzi (Mrs Thrale cyn hynny), cyfeilles iddo a oedd wedi ei geni yng Nghymru, yn *Journal of a Tour in Wales with Dr Johnson*. Cyhoeddwyd y ddau ddyddiadur yn *Dr Johnson and Mrs Thrale's Tour in North Wales 1774*, gyda rhagymadrodd a nodiadau gan Adrian Bristow (Wrexham, 1995). Yr oedd gan Johnson ddiddordeb yn nhynged yr iaith Gymraeg. Yng Ngwaenynog nododd: 'After dinner the talk was of preserving the Welsh language. I offered them a scheme. Poor Evan Evans [Ieuan Fardd] was mentioned as incorrigibly addicted to strong drink ... Middleton is the only man who in Wales has talked to me of literature. I wish he were truly zealous. I recommended the republication of David ap Rhees's Welsh Grammer,' *Dr Johnson and Mrs Thrale's Tour in North Wales*, t. 42. Yr oedd sylwadau Piozzi yn fwy rhamantaidd eu naws: 'This morning we set out for the Lake of Llynberris at the foot of Snowdon; Mrs. Wynn accompanied us and provided a horse for me ... It is the wildest, stoniest, rockiest road I ever yet went, and in fifteen miles' riding we came to a cottage by the side of the lake, where we found a Harper, and Mrs. Wynn sang Welch songs to his accompaniment', ibid., t. 117.

[19] Llyfrgell Brydeinig, Llsgr. Ychwanegol 37926, f. 143; fe'i dyfynnwyd yn Malcolm Andrews, *The Search for the Picturesque* (Aldershot, 1989), t. 113.

MODERN TOILET.

CAMBER's LETTER TO JOHN BULL.

MY DEAR FRIEND, *Havod y Lom, Feb.* 1.

I HAVE long been very ſenſible of the ſeveral improvements which the Military Spirit, ſo prevalent in theſe kingdoms, and the frequent Incampments, have introduced into the moſt diſtant counties. At preſent I ſhall forbear mentioning the happy effects they have on the morals of the Male part of the community, and confine myſelf to the Sex to which we are indebted for every thing which renders life endurable. I was always its ſincere admirer; and am happy to find any occaſion of pointing out whatſoever may add to their charms, or extend their conqueſts.

I was laſt ſummer in a gentleman's family in the inland part of *England*, with whom I had a long and intimate acquaintance. I happened to reach the place in the dog-days; and finding the ladies ſitting in an alcove in their cloth riding-habits, inſtead of their cool chintzes, I expreſſed my fear, that I prevented them from taking their morning ride. They aſſured me, that they did not mean to ſtir out; and one of them, clapping on a vaſt hat with a cockade, declared ſhe would only go for her work, and ſit down for the reſt of the morning. On turning round, how was my ruſticity ſurprized to ſee her hair clubbed behind! another gave me an opportunity of ſeeing a whiſking queue! and a third a greaſy braid, dangling down and dabbing the ſhining cape!

After the morning was far ſpent, Miſs *Dorothy* (for in imitation of the Quality, there are now no ſuch things as *Dollies*, *Mollies*, and *Betties*) with a great yawn, flung her arms over her head, and her legs a yard before her, and informed us, it was dreſſing time; then pulling her watch out of (I believe) a pair of tight leathern breeches, acquainted us, that it was half an hour paſt two; and returned it to its place with a moſt Officer-like air.

I ſaw the countenance of my good old friend change. As ſoon as the ladies had left the place, he gave vent to his diſcontent in the following terms: "My dear *Cam*," ſays he, "what an alteration is "there in the manners of this houſe ſince I laſt had the happineſs of "your company! A curſed viſit to *Coxheath* hath infected my poor "Girls to a degree that gives me the keeneſt concern. The chaſte "and elegant dreſs, which was once their characteriſtic, is now con"verted into what you have juſt ſeen. Female Delicacy is changed "into Maſculine Courage, and as much of the garb aſſumed as at "firſt view almoſt leaves the difference of Sex undiſtinguiſhable. "The manly habit is put on with the morning, and, as you will ſee "preſently, only changed for another of the ſame kind. The watch "has alſo quitted its modeſt ſtation; and the fair wearer, inſtead "of conſulting the hour with the former graceful recline of the head, "now boldly lugs out the oracle, and afterwards thruſts it—the Lord "knows where! *Maria*, with appearance of conſciouſneſs, wears it "under her apron the few times ſhe reſumes the female dreſs; but I "never ſee her pretty fingers ſteal beneath, but I think them ſent on "an expedition to repel the inſults of a teazing flea. My neice "*Elizabeth*, in defence of this new mode, ſays, that its motions are "conſiderably altered ſince it had experienced a new ſituation. No "wonder, ſince it had quitted the temperate for the torrid zone. A "long ſtring, with all the maſculine load of ſeals, &c. now af"fectedly hangs down the centre of the fair frame; ſometimes it is "formed of hair, ending with a ſtrange fringe of the ſame. A "celebrated Antiquarian aſſured me, that this was the true love"lock; which good Mr. *Supple*, our curate (then preſent) denied, "and humbly ſaid, that it was only an outward and viſible ſign. "And a wicked rogue added, that it was an excellent conductor of "amorous ideas to our ſex, a remembrancer to our ſlack youth, like "the ſtrange peculiarity in the dreſs of the ladies of *Siam*, ſerves as a "whet to the depraved appetites of their copper-coloured gallants. "Inſtead of ——" I could no longer bear his proſing, ſo diverted the diſcourſe: but not without internal aſſent to part of his reflections, even tinctured as they were by the fooliſh prejudices of old age.

Laudable as a due attention is to Faſhion, in young people, yet I was brought to confeſs, that there were indecencies in thoſe of the preſent age, which are the diſguſt of the grave, the ſcoff of the licentious, are marks of a light mind, or bring under ſuſpicion of levity the pureſt heart, which thoughtleſsly adopts the unſuitable manners or habit of our ſex.

Yours, &c.

CAMBER.

214. Yn seiliedig ar Thomas Pennant, *Modern Toilet, Camber's Letter to John Bull*, 1781, Mesotint, 300 x 203

215. Thomas Gainsborough, *Thomas Pennant*, c.1770–80, Olew, 950 x 740

216. Moses Griffith, *Bachwen*, c.1778, Dyfrlliw, 74 x 134

Ac yntau'n Gymro a oedd yn adnabod llawer o'i gyd-wladwyr yn wrêng a bonedd, ni fyddai Pennant yn eu rhamanteiddio fel Hen Frythoniaid. Unwaith yn unig, a hynny'n betrusgar, y cyfeiriodd Moses Griffith at dderwyddiaeth yn ei ddarluniau ar gyfer *Tours in Wales*. Realydd oedd Pennant, er bod ganddo ddiddordeb mewn hen arferion a gwisgoedd, ac yr oedd hefyd yn fodernydd o safbwynt ei serch at wyddoniaeth a'i frwdfrydedd dros ddatblygiad economaidd. Yr oedd ei safbwyntiau yn geidwadol, ond defnyddiai gyfrwng modern y print poblogaidd i'w lledaenu. Defnyddiai gofnodwyr gweledol i fynegi ei syniadau, ac ymosodai ar arferion mor amrywiol â'r ffasiwn newydd ymhlith merched o groeswisgo, ynghyd â diffygion yr Eglwys Sefydledig.[20] Serch hynny, prin y gellir honni bod y gŵr a gyfeiriodd at Gastell Caernarfon fel 'the most magnificent badge of our subjection' yn amddifad o ddychymyg hanesyddol.[21]

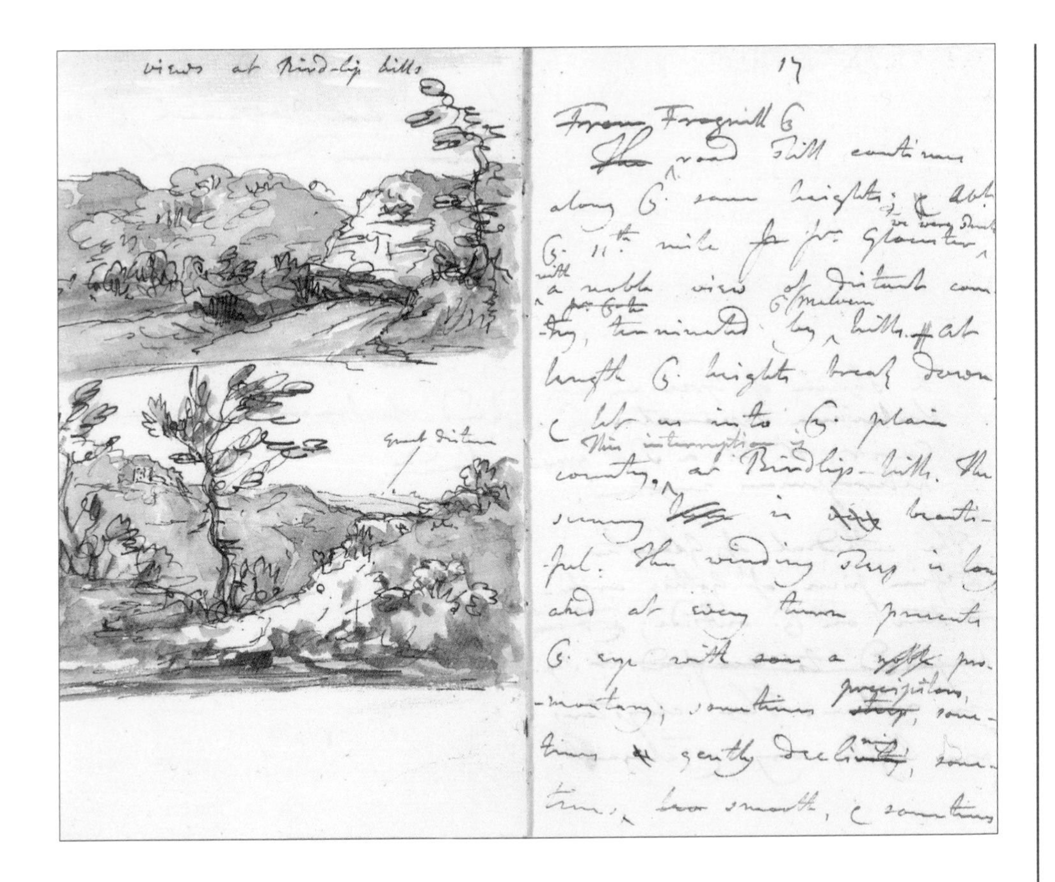

218. William Gilpin,
Afon Gwy, 1770–82,
Dyfrlliw, 227 x 132

chwith uchod:
217. William Gilpin,
Views at Bird-Lip Hills, tudalennau allan o *The Wye Tour sketchbook*, 1770, Pen, inc a golchiad, 197 x 245

Bu tri ysgogiad grymus i dwristiaeth chwaethus yng Nghymru, sef acwatintau *avant-garde* cyffrous Sandby, *Tours in Wales* Thomas Pennant, a'r elfen ddamcaniaethol a ddarparwyd gan y Parchedig William Gilpin yn ei *Observations on the River Wye*. Nid Gilpin oedd y gŵr cyntaf o bell ffordd i deithio mewn cwch i lawr afon Gwy o'r Rhosan ar Wy i Gas-gwent i edmygu'r golygfeydd. Yr oedd John Egerton, rheithor Y Rhosan ar Wy, eisoes wedi teithio ar yr afon mewn cwch pleser yng nghwmni ei gyfeillion yng nghanol y ganrif, ac y mae'n debyg mai dyma'r ardal gyntaf i brofi datblygiad twristiaeth fasnachol.[22] Un o ragflaenwyr enwocaf Gilpin oedd Thomas Gray, a gofnododd ym 1770: 'I descended in a boat for near 40 miles from Ross to Chepstow: its banks are a succession of nameless wonders.'[23] Ni chyhoeddwyd sylwadau Gilpin hyd 1783 ond, fel yn achos darluniau Moses Griffith, yr oedd ei lawysgrifau yn cylchredeg yn helaeth ymhlith deallusion yn ystod y 1770au, yn rhannol oherwydd darlleniad gwerthfawrogol Gray ohonynt ym 1771. Yn y cyflwyniad i'w waith y mae Gilpin yn mynegi'n nodweddiadol gyfewin y dimensiwn ychwanegol y byddai ei sylwadau yn ei gynnig i dwristiaeth y cyfnod:

> We travel for various purposes; to explore the culture of soils; to view the curiosities of art; to survey the beauties of nature; to search for her productions; and to learn the manners of men; their different polities, and modes of life.

[20] Am brintiau Pennant a thrafodaeth fanwl amynt, gw. Lord, *Words with Pictures*, tt. 74–82 .

[21] Pennant, *A Tour in Wales*, II, t. 223. Am ddiddordeb Pennant mewn datblygiad economaidd a'i ddehongliad gweledol, gw. Lord, *Diwylliant Gweledol Cymru: Y Gymru Ddiwydiannol*, tt. 36–9.

[22] Ceir crynodeb da o hanes y daith drwy ddyffryn Gwy yn Andrews, *The Search for the Picturesque*, tt. 84–107.

[23] P. Toynbee ac L. Whibley (goln.), *Correspondence of Thomas Gray* (3 cyf., Oxford, 1935), III, t. 1142, llythyr at Wharton, 24 Awst 1770. Cyfeiriodd Gray at Dyndym, New Weir ac yn enwedig gerddi Morris yn Piercefield fel golygfeydd cyfarwydd. Cyhoeddwyd lluniau o'r gerddi yn yr un flwyddyn yn Thomas Whateley, *Observations on Modern Gardening* (Dublin, 1770).

> The following little work proposes a new object of pursuit; that of not barely examining the face of a country; but of examining it by the rules of picturesque beauty; that of not merely describing; but of adapting the description of natural scenery to the principles of artificial landscape; and of opening the sources of those pleasures, which are derived from the comparison.[24]

Cynigiai Gilpin ddiffiniad o brydferthwch mewn tirwedd a olygai gyfosod elfennau ffurfiol, ac anogai ymwelwyr i fwynhau'r ymarfer deallusol o chwilio am y golygfeydd naturiol hynny a ymdebygai fwyaf i'r delfrydol ac i ddadansoddi eu rhinweddau a'u diffygion. Yn rhyfedd iawn, daeth yr ymarfer diffrwyth hwn, y nodir y rheolau ar ei gyfer mewn iaith ryfeddol o sych, yn hynod o ffasiynol yn Lloegr. Arweiniodd at lif o ymwelwyr brwdfrydig â Chymru, pob un â'i gopi o'r 'beibl' yn ei law, er i rai ohonynt amau doethineb eu tywysydd. Mynegodd Hannah More ei hamheuaeth yn hyfryd o goeglyd mewn llythyr at Horace Walpole ym 1789:

> sailing down the beautiful river Wye, looking at abbeys and castles, with Mr Gilpin in my hand to teach me to criticize, and talk of foregrounds, and distances, and perspectives, and prominences, with all the cant of connoisseurship, and then to *subdue* my imagination, which had been not a little disordered with this enchanting scenery.[25]

Wrth gymhwyso ei ddull at ddyffryn Tywi, dangosodd Gilpin yn anfwriadol bwysigrwydd John Dyer fel rhagflaenydd. Yr oedd yn hynod feirniadol o Dyer, ac y mae ei sylwadau o ddiddordeb arbennig gan ei fod hefyd yn gyfarwydd â gwaith y bardd fel arlunydd:

> This is the scene, which Dyer celebrated, in his poem of *Grongar Hill*. Dyer was bred a painter; and had here a picturesque subject: but he does not give us so fine a landscape, as might have been expected. We have no where a complete, formed distance; though it is the great idea suggested by such a vale as this: no where any touches of that beautiful obscurity, which melts a variety of objects into one rich whole. Here and there, we have a few *accidental* strokes, which belong to distance; though seldom masterly; I call them *accidental*; because they are not employed in producing a landscape; nor do they in fact unite in any such idea; but are rather introductory to some moral sentiment; which, however good in itself, is here forced, and mistimed.[26]

Honnodd Gilpin yn un o'r darnau enwocaf ond odid o *Observations on the River Wye* fod adfeilion Abaty Tyndyrn yn brifo'r llygaid 'with their regularity; and disgust it by the vulgarity of their shape. A mallet judiciously used (but who durst use it?) might be of service in fracturing some of them'.[27] Fel y gwelwyd eisoes, yr oedd islais moesol i'r sylwadau cyffelyb a wnaed gan Dyer yn Rhufain hanner canrif ynghynt, pan deimlai fod natur, drwy 'blotting out the traces of disagreeable squares and angles', yn ychwanegu at yr adeiladau 'certain beauties

[24] William Gilpin, *Observations on the River Wye* (London, 1782), tt. 1–2. Er gwaethaf y dyddiad cyhoeddi, ni welodd y llyfr olau dydd hyd 1783. Darluniwyd y testun, ar sail lluniadau gwreiddiol Gilpin, gan ei nai, William Sawrey Gilpin.

[25] W. S. Lewis (gol.), *Horace Walpole's Correspondence* (43 cyf., Oxford, 1961), cyf. 31, t. 320.

[26] Gilpin, *Observations on the River Wye*, tt. 59–60.

[27] Ibid., t. 33.

[28] Yn ei sylwadau ar gofeb Robert Wynne i Henry Wynn yn Rhiwabon, dywedodd Pennant yn ddirmygus am y prif ffigur: 'His attitude is that of a fanatical preacher.' Pennant, *A Tour in Wales*, I, t. 302.

that could not be before imagined', islais a fireiniwyd i'r eithaf gan Wilson. Credai Gilpin fod isleisiau o'r fath yn faen tramgwydd i'r gwir arlunydd a'r *connoisseur*. Dan ei ddylanwad ef, lluniai boneddigion Seisnig, yn wŷr a gwragedd, gofnod helaeth a manwl o harddwch naturiol a phensaernïol Cymru. Lluniai rhai ohonynt y cofnod eu hunain, ar ffurf weledol ac ysgrifenedig, tra mynegid sylwadau'r lleill gan arlunwyr-dywyswyr a'u harweiniai fel y *ciceroni* yn Rhufain. Tueddent i synio am y Cymry fel elfennau addurniadol mewn golygfeydd *picturesque*, neu fel symbolau cyntefig o'r Hen Frythoniaid, fel rheol ar ffurf telynorion dall. Yr oeddynt naill ai'n hollol anymwybodol o'r proses dramatig o ail-greu a oedd yn gweddnewid bywyd y bobl gyffredin yr edrychent arnynt o hirbell, neu'n dewis anwybyddu'r duedd hon gan ei bod yn hollol groes i'r ffordd y dymunent eu portreadu.

Yr oedd Ymneilltuaeth, ac yn enwedig Methodistiaeth (a ddatblygodd o fewn yr Eglwys Sefydledig yr oedd y mwyafrif ohonynt yn perthyn iddi), yn wrthun ganddynt ac yn ennyn eu dirmyg, er bod yr awgrym o bryder yn sylwadau'r ychydig a ddewisodd fynd i'r afael â'r pwnc yn awgrymu bod rhai ohonynt o leiaf yn ymwybodol fod goblygiadau democrateiddio yn perthyn i rwygiadau o'r fath. Nid yw'n syndod mai'r rhai a oedd agosaf at y newidiadau hyn, sef y deallusion ac arweinwyr cymdeithas, a fu fwyaf ffyrnig eu hymateb i'r penboethiaid newydd. Yr oedd y Syr Watkin Williams Wynn cyntaf yn enwog am erlid y Methodistiaid cynnar, ac yn y genhedlaeth nesaf ymosododd Evan Lloyd a'i gyfeillion ar y mudiad drwy ei ddychanu'n ddeifiol. Er bod afresymoldeb ac anghymedroldeb y mudiad yn ddirgelwch iddo, yr oedd Pennant yn ddigon gwrthrychol i sylweddoli bod llawer o'r bai ar yr Eglwys Sefydledig y perthynai iddi.[28] Serch hynny, dewisodd y rhan fwyaf o'r ymwelwyr o Loegr lwyr anwybyddu'r gwyriad hwn oddi ar y llwybr wrth lunio eu disgrifiadau a'u delweddau. Y mae'n rhyfeddol nad oes bron unrhyw gofnod gweledol o Ymneilltuaeth Gymreig y ddeunawfed ganrif mewn cyfnod pan roddid mwy o sylw i'w chadarnleoedd nag yn unrhyw fan arall yn Ewrop. Dilynai'r ymwelydd oeraidd ac ymenyddol ôl troed Gilpin i'r golygfeydd *picturesque*, ond chwiliai'r rhai o duedd fwy rhamantus am Brydain Fore ac am arswyd melys

220. George Delamotte, *Mr Howells, Methodist Preacher, Swansea*, 1810, Dyfrlliw, maint tudalen 287 x 234

219. William Sawrey Gilpin, yn seiliedig ar William Gilpin, *Abaty Tyndyrn*, 1770–82, Ysgythriad, 100 x 170

221. Wedi ei briodoli i Syr William Beechey, *John Boydell*, 1801, Olew, 521 x 419

arucheledd Burke a oedd yn dal yn ffasiynol. Yr oedd y mwyafrif yn fwy anwadal, a gogwyddent at y *picturesque* neu'r aruchel wrth i'w hwyliau newid dan ddylanwad y tirwedd y teithient drwyddo neu oherwydd y tywydd. Enynnid eu brwdfrydedd fwyfwy gan lif (na welwyd ei debyg cyn hynny) o engrafiadau o dirluniau a gyhoeddid yn unigol, neu mewn casgliadau, neu mewn tywyslyfrau a llyfrau taith. Yr oedd John Boydell yn fasnachwr cyfoethog a dylanwadol erbyn hyn, a daeth yn Henadur Dinas Llundain ym 1782. Bum mlynedd yn ddiweddarach ceir disgrifiad gan Pennant o ymweliad y cyhoeddwr â Downing, sy'n adlewyrchu ei statws a'r ffaith fod y Cymry yn ei ystyried yn Gymro:

> The great Alderman Boydel (a countryman of mine) called here last week and passed some hours with me. He is going to publish a set of Welsh views, houses etc., ... among others my house with as much of its environs as he can take in. Is it not happy that at the age of seventy! or more he can have the spirit to attempt great affairs.[29]

Un o'r teithwyr Seisnig mwyaf brwdfrydig oedd yr arlunydd John Smith, a elwid yn 'Warwick' Smith ar ôl y noddwr a'i cynhaliodd yn ystod y pum mlynedd a dreuliodd yn yr Eidal.[30] Ymwelodd â Chymru o leiaf dair ar ddeg o weithiau rhwng 1784 a 1806, ac y mae'n bosibl fod a wnelo'r brwdfrydedd hwn â'r ffaith ei fod yn gyfaill i Thomas Jones, Pencerrig. Daeth y ddau i adnabod ei gilydd yn Rhufain a buont yn rhannu llety yn Napoli. Y mae'r cofnod canlynol ar gyfer 2 Chwefror 1778, pan aeth y ddau i weld y darlun drwgargoelus a baentiwyd i Syr Watkin Williams Wynn gan Mengs, yn nodweddiadol o atgofion Thomas Jones:

> Went with *Smith* the Landscape Painter & *Hardwick* to see a Picture of *Perseus & Andromache* which the Caval're Mengs had just finished for Sr Watkin William Wynne & which was now exhibiting to the Public at his Palace near St Peter's – This Picture made a Stir in Rome in proportion to the Celebrity of the Painter – & the Exhibition was conducted with the utmost Pomp.[31]

Ym 1792 bu Smith yn gweithredu fel *cicerone* yng Nghymru dros Robert Fulke Greville[32] a'r arlunydd Julius Caesar Ibbetson. Yr oedd eu taith yn anarferol o drylwyr ac yn enghraifft berffaith o'r math o daith a wneid gan arlunwyr a *connoisseurs* a oedd yn awyddus i ddilyn ffasiwn yr oes ar ddiwedd y ganrif. Teithient mewn ffaeton, cerbyd ysgafn a chyflym, a oedd yn arwydd o'r gwelliannau a wnaed i'r ffyrdd yn ystod yr ugain mlynedd er taith Syr Watkin Williams Wynn. Yr oedd teithio mewn steil yn nodweddiadol o Greville. Ond gan fod Smith yn adnabod Cymru, ef oedd arweinydd y daith, ac fe'i hedmygid yn fawr fel arlunydd gan Ibbetson, a oedd ddeng mlynedd yn iau nag ef.[33] Daeth y criw i Gymru drwy Langollen, gan deithio i'r gogledd-orllewin i gyfeiriad Conwy a phrofi pleserau a ddaeth i gael eu hystyried yn nodweddiadol o'r daith. Aethai bron ugain mlynedd heibio er i Henry Penruddocke Wyndham, a deithiai gyda'i arlunydd Samuel Hieronymous Grimm, wrando ar John Smith, y telynor dall, yn chwarae'r delyn drwy'r nos,[34] a chafodd Greville, 'Warwick' Smith ac Ibbetson,

[29] LlGC Llsgr. 5500C, eitem 59. Amcangyfrifodd Pennant ei fod ddwy flynedd yn hŷn nag yr ydoedd mewn gwirionedd.

[30] Am Smith, gw. Basil S. Long, 'John (Warwick) Smith', *Walker's Quarterly Magazine*, rhif 4 (1927).

[31] 'Memoirs of Thomas Jones', t. 68. Gwnaeth y rhwysg fwy o argraff ar Jones na'r darlun. Credai mai prif rinwedd y darlun oedd 'its laborious high-Finishing – The result of Germanic flegmatic Industry'. Rhaid ystyried y sylw hwn yn rhinwedd y parch mawr a oedd gan Jones at Richard Wilson, ei feistr, a oedd yn enwog am ei ddiffyg 'cabolwaith'. Ibid., t. 69.

[32] Yr oedd Greville yn frawd i'r Arglwydd Warwick, noddwr Smith.

[33] Am yrfa Ibbetson, gw. Rotha Mary Clay, *Julius Caesar Ibbetson, 1759–1817* (London, 1948).

[34] Henry Penruddocke Wyndham, *A Gentleman's Tour through Monmouthshire and Wales ...* (London, 1776), t. 161.

hwythau, yr un pleser. Y mae'n sicr y byddent wedi darllen adroddiad Wyndham a phaentiodd Ibbetson ddyfrlliwiau o'r olygfa. Cafodd un o'r golygfeydd hyn, wedi ei haddasu gan Smith a'i hysgythru gan Rowlandson, ei defnyddio fel wynebddarlun *The Bardic Museum* gan Edward Jones a gyhoeddwyd ym 1802. Yr oedd Edward Jones yn delynor i Dywysog Cymru, y Brenin Sior IV yn ddiweddarach, a daeth i gael ei adnabod fel 'Bardd y Brenin'. Cafodd ei lyfr ar hanes cerddoriaeth draddodiadol Cymru gryn ddylanwad ar deithwyr y cyfnod, a llwyddodd i raddau helaeth i'w perswadio mai cerddoriaeth yr Hen Frythoniaid a atseiniai o dannau y telynorion dall niferus. Yr oedd y profiad a gawsai ymwelydd o Lundain yn Llangollen yn nodweddiadol o arfer y dydd:

222. Julius Caesar Ibbetson, *Cymol Greville yn Llansawel*, 1792, Dyfrlliw, 177 × 222

223. Thomas Rowlandson yn seiliedig ar Julius Caesar Ibbetson a John Warwick Smith, Wynebddalen *The Bardic Museum of Primitive Literature*, 1802, Ysgythriad a dyfrlliw, 223 × 185

224. Julius Caesar Ibbetson, *Canu Penillion ger Conwy*, c.1792–3, Dyfrlliw, 215 × 292

225. Julius Caesar Ibbetson, *The Flash of Lightning*, 1798, Olew, 673 x 928

> Breakfast was announced by the Harper of the Inn commencing his Performance. His name is Edward Jones, first Cousin to the Prince of Wales's Harper, an excellent performer and good musician, although Blind and by Trade a Shoe-Maker; he is besides an ingenious mechanic; the custom is for visitors to contribute upon quitting the Inn Money as a Reward for his Labour.[35]

Yn ei gyflwyniad i *The Bardic Museum* y mae Edward Jones, Bardd y Brenin, yn diolch i 'the Hon. Colonel Greville, a gentleman remarkable for his elegant taste in native picturesque scenery and costume, for the loan of his rural drawing, taken after nature, from a group of Welsh Peasants, singing in alternate theme around the Harp, with a distant view of Snowdon and Dôlbadarn Castle, in Caernarvonshire'.[36] Yr oedd dyfrlliw Ibbetson, *Canu Penillion ger Conwy*, yn nodweddiadol o'i agwedd at gofnodi bywyd pob dydd fel y'i gwelsai ar ei daith. Y mae'n ddiau ei fod yn ystyried yr olygfa yn un *picturesque,* ac yr oedd yn hollol fodlon caniatáu i Smith ei symud i gyffiniau Dolbadarn er mwyn effaith. Yr oedd ei ddarlun olew, *Conway*

[35] 'Percy Bull, son of John Bull', 'Tours through Wales and Ireland', 1819, t. 18, Yale Center for British Art (dim mynegrif). Y noson ganlynol, yr enghraifft o hen gerddoriaeth Brydeinig a gynigiwyd gan Jones oedd 'The Roast Beef of Old England'.

[36] Edward Jones, *The Bardic Museum* (London, 1802), t. xvi.

226. Julius Caesar Ibbetson, *Conway Castle, Moonlight at the Ferry*, 1794, Olew, 343 x 451

Castle, Moonlight at the Ferry, a oedd hefyd wedi ei seilio ar luniadau a wnaed yng Nghonwy, yn ymgorffori'r ymdeimlad o ddihangfa ramantaidd o'r byd Seisnig trefol y gallai arlunwyr ei brofi o hyd yng Nghymru ym 1792. Yn ddiweddarach, wrth deithio dros y mynydd rhwng Aberglaslyn a Than-y-bwlch, ysgogwyd Ibbetson a Smith fel ei gilydd i baentio dyfrlliwiau o storm o fellt a tharanau a ddychrynodd y ceffylau a dynnai ffaeton Greville. Gwireddwyd potensial y testun hwn ar gyfer gwaith gorffenedig aruchel gan Ibbetson yn y darlun a adwaenir fel *The Flash of Lightning*. Eto i gyd, nid oedd Ibbetson yn awyddus i ddangos John Smith y telynor dall fel y Bardd nodweddiadol, ac y mae ei bortreadau o'r bobl gyffredin yn aml yn cynnwys fflach o wirionedd a ddeilliai o'i ddiddordeb brwd yn realaeth bywyd y werin-bobl. Y mae ei waith yn arwydd o'r adwaith newydd yn erbyn difoeseg esthetig Gilpin a fyddai'n esgor ar ffasiwn ar gyfer darlunio'r bobl gyffredin yn gynnar yn y bedwaredd ganrif ar bymtheg. Mewn cyfres o naw dyfrlliw a gafodd eu harddangos yn yr Academi Frenhinol ym 1796, dangosodd Ibbetson bobl o Benrhyn Llŷn i Fae Abertawe wrth eu gwaith beunyddiol.[37]

[37] Nid anghofiodd ychwaith am ddiwydiannau echdynnu newydd Cymru, gan gynnwys mwynglawdd copr Mynydd Parys, ffwrnais haearn yng Nghyfarthfa a glanfa lo yng Nglandŵr. Gw. Lord, *Diwylliant Gweledol Cymru: Y Gymru Ddiwydiannol*, Pennod 1.

227. Francis Engleheart
yn seiliedig ar Anhysbys, *Thomas Johnes*,
c.1810, Engrafiad, 228 × 178

Yr oedd un o'r lluniadau uchod yn dangos merched yn golchi defaid yn yr Hafod, ystad Thomas Johnes ger Aberystwyth. Dyma'r tro cyntaf i Ibbetson ymweld â'r Hafod, ond yr oedd Greville a Johnes yn hen gyfeillion. Yr oedd yr ymweliad hwn yn uchafbwynt iddynt, fel i lawer o grwpiau eraill, yn eu hastudiaeth o dirwedd. Etifeddodd Thomas Johnes yr ystad ddadfeiliedig ym 1780, a theithiodd o dŷ ei rieni yn swydd Henffordd i Gwmystwyth, lle yr ymddengys iddo gael cryn weledigaeth. Dechreuodd wario arian mawr ar adeiladu tŷ newydd, a chreu rhodfeydd, gerddi a golygfeydd ac ar wella'r ffermydd mewn ymgais i greu Arcadia yn unol ag egwyddorion tirwedd *picturesque*. Dichon fod addysg a chysylltiadau teuluol Johnes wedi cyfrannu at y weledigaeth a gawsai wrth weld yr Hafod am y tro cyntaf. Yr oedd yn Gymro o waed er iddo gael ei eni a'i fagu yng Nghastell Croft. Ym Mhrifysgol Caeredin cafodd gwmni cenhedlaeth o ddeallusion yr Alban, ac aeth ar y Daith Fawr gydag un ohonynt, sef Robert Liston, a ddaeth yn ddiplomydd pwysig ac yn gyfaill oes iddo. Ar ochr Seisnig y teulu, yr oedd Johnes yn gefnder i Richard Payne Knight, a byddai'n ymweld yn rheolaidd â Downton, ei gartref Gothig arloesol. Daeth Knight a'i gymydog, Uvedale Price, yn ddau o brif ladmeryddion y mudiad *Picturesque*, a daeth yr Hafod yn weithdy ar gyfer eu syniadau. Yr oedd y rhwydwaith o unigolion a weithiai yno ac a ymwelai â'r lle yn ganolog i ddatblygiad mudiad a ddylanwadodd nid yn unig ar arlunio ond hefyd ar gynllunio gerddi a phensaernïaeth.

Ym 1794 cyflwynodd Richard Payne Knight ei gerdd 'The Landscape' i Uvedale Price, a gyhoeddodd ei *Essay on the Picturesque* yr un flwyddyn. Gyda'i gilydd, estynnodd y gweithiau hyn gysyniadau Gilpin y tu hwnt i sylwebaeth feirniadol ar natur a sut y gellid gwella arni mewn darluniau. Ceisiodd Price wahaniaethu yn fwy amlwg rhwng y profiad *picturesque* a'r hardd a'r aruchel, a rhoes fynegiant i symudiad ehangach mewn chwaeth, a amlygwyd eisoes yn niddordeb Ibbetson mewn bywyd gwerin. Dan ddylanwad Price, gwelwyd newid yng nghanolbwynt y *Picturesque*. Rhoddid y pwyslais bellach nid ar y Clasurol na hyd yn oed yr adfail Gothig ond yn hytrach ar aneddiadau mwy distadl y werin-bobl. Bu i'r hyn yr hoffent hwy, o'u safle breintiedig, ei ddychmygu fel afreoleidd-dra 'naturiol' y bwthyn dadfeiliedig fywiocáu tirwedd lle y daeth amrywiaeth ffurf, ansawdd a lliw yn ddelfryd. Erbyn 1788, gyda chymorth Thomas Johnes, yr oedd Price wedi prydlesu darn o dir ger y môr yn Aberystwyth, islaw adfeilion y castell, gyda'r bwriad o adeiladu fila. Ym 1790 cyfarfu â John Nash, pensaer ifanc a oedd yn gweithio yng Nghaerfyrddin, ac esgorodd hyn ar gomisiwn a fu'n gymorth i newid cwrs gyrfa Nash yn ogystal ag i feithrin y damcaniaethau datblygol a fynegid gyda chymaint o ddylanwad yn *Essay on the Picturesque* gan Price. Ceir disgrifiad o'r cyfarwyddiadau ar gyfer Castle House gan Price mewn llythyr at

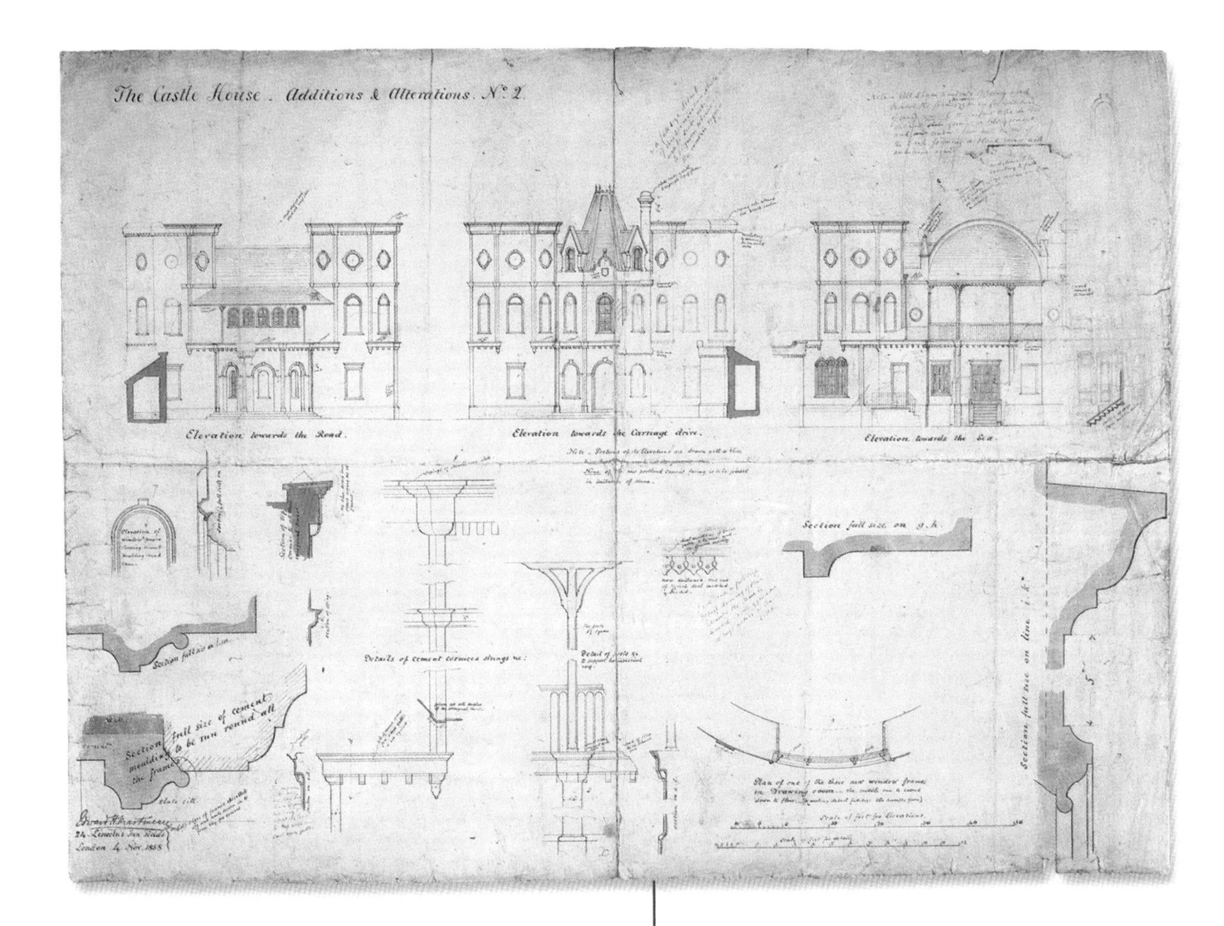

228. Edward H. Martineau, *The Castle House, Aberystwyth, Additions and alterations no. 2*, 1858, Pen, inc a golchiad, 538 x 745 (cynlluniwyd yr adeilad gan John Nash, 1792)

George Beaumont, yr arlunydd a'r *connoisseur* a ddaeth yn ddiweddarach yn un arall o edmygwyr dylanwadol golygfeydd Cymru:

> I must have not only some of the *windows* but some of the *rooms* turned to particular points, and that he must arrange it in his best manner; I explained to him the reasons why I [*must have it*] built ... so close to the rock, shewed him the effect of the broken foreground and its varied line, and how by that means the foreground was connected with the rocks in the second ground; all of which would be lost by placing the house further back.[38]

Ymateb Nash i'r cyfarwyddiadau hyn oedd cynllunio tri thŵr wythonglog ar gynllun llawr trionglog, gan greu ystafelloedd yn wynebu'r môr, y castell a'r mynyddoedd. Y mae'n amlwg iddo gael ei gyffroi gan bosibiliadau'r estheteg newydd, ac yn ei brosiect nesaf aeth ymhellach fyth oddi wrth y traddodiad Clasurol yr oedd wedi ei gyfyngu ei hun iddo hyd yma. Creodd 'The Cottage' yng Nghastellnewydd Emlyn mewn arddull Gothig, gyda phob wyneb yn wahanol i'w gilydd, 'suggesting a place of antient rusticity appropriate for retirement', o ble y gallai'r perchennog, Mrs Brigstocke, weld adfeilion y castell yr ochr arall i'r afon.[39] Tra oedd yn gweithio ar y cynllun hwn, derbyniodd Nash gomisiwn gan Thomas Johnes i adeiladu yn yr Hafod.

Yr oedd Johnes wedi comisiynu Thomas Baldwin o Gaerfaddon i gynllunio ei gartref newydd ym 1786. Ym 1793, ddwy flynedd wedi iddo ddod i adnabod Johnes, cafodd Nash wahoddiad i wneud ychwanegiadau pwysig i'r tŷ, ac o ganlyniad newidiwyd cymeriad adeilad Baldwin yn sylweddol. Yr oedd Johnes yn gasglwr llyfrau a llawysgrifau brwd, ac yn berchen ar ddeunyddiau Cymreig a Ffrengig cynnar gwerthfawr.[40] Comisiynwyd Nash i gynllunio llyfrgell ar gyfer y trysorau hyn, ynghyd ag ystafell wydr hir a swyddfeydd newydd. Yr oedd y

[38] Llyfrgell Pierpont Morgan, Papurau Coleorton, MA 1581 (Price) 16. Fe'i dyfynnwyd yn Richard Suggett, *John Nash: Pensaer yng Nghymru* (Aberystwyth, 1995), t. 67. Fel y nododd Suggett: 'Dyna wrth gwrs iaith arlunio; mewn geiriau eraill, iaith y pictiwrésg.'

[39] Ibid., tt. 73–6.

[40] Sicrhaodd Johnes fod ei lawysgrifau Cymraeg ar gael i ysgolheigion, gan gynnwys Iolo Morganwg, yn union fel yr oedd hen foneddigion Meirionnydd wedi agor eu drysau i hynafiaethwyr yn yr ail ganrif ar bymtheg a'r ddeunawfed ganrif. Yr oedd ei ddeunydd Ffrengig, a rhamantau canoloesol Froissart yn fwyaf arbennig, ar gael drwy ei gyfieithiadau ei hun, ac fe'u cyhoeddwyd maes o law gan y wasg breifat a sefydlwyd ganddo ym 1802.

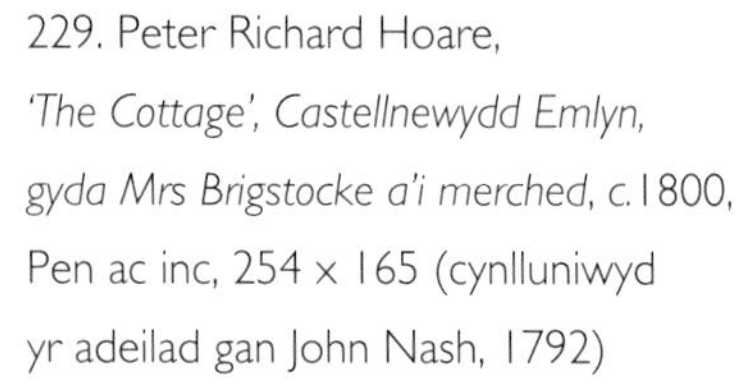

229. Peter Richard Hoare,
'The Cottage', Castellnewydd Emlyn,
gyda Mrs Brigstocke a'i merched, c.1800,
Pen ac inc, 254 x 165 (cynlluniwyd
yr adeilad gan John Nash, 1792)

230. Anhysbys,
Y Llyfrgell Wythonglog yn
yr Hafod, 1809, Engrafiad, 119 x 92
(cynlluniwyd y llyfrgell gan John Nash, 1793)

llyfrgell wythonglog, a goronid gan gromen a godai'n uchel uwchben y to presennol, ynghyd â'r ychwanegiadau pellach, yn torri ar gymesuredd cynllun Baldwin yn unol ag egwyddorion y mudiad *Picturesque*.

Wedi iddo wneud enw iddo'i hun yn yr Hafod, bu'r rhan fwyaf o gomisiynau mawr Nash y tu allan i Gymru. Ni chafodd ei gynlluniau ar gyfer Nanteos, a leolid nid nepell o'r Hafod ac a gynhwysai newidiadau a chyfres o borthordai *picturesque* ac adeiladau allan eraill, erioed eu hadeiladu. Serch hynny, rhoddwyd mynegiant i'w syniadau *picturesque* rhwng 1814 a 1818 pan ailadeiladwyd Rheola ym Morgannwg ar gyfer John Edwards, a oedd yn gefnder iddo. Yr oedd y comisiwn yn cynnwys amod, yn unol â dymuniad noddwr o chwaeth, ei fod yn 'cadw ei debygrwydd i fwthyn'.[41] Llwyddodd Nash i weddnewid plasty sylweddol yn ddihangfa wledig a oedd yn addas ar gyfer perchennog *nouveau riche* a chanddo dueddiadau gwleidyddol radicalaidd ac a ddymunai gyflwyno delwedd hollol wahanol i'r bonedd ceidwadol o'i gylch.

Adeiladwyd yr Hafod â hen arian, er nad oedd digon ohono yn aml i gwrdd â galwadau mynych Thomas Johnes. Comisiynodd luniau a cherfluniau ar raddfa helaeth, gan ddechrau gyda grŵp teuluol gan George Romney, y buasai'n rhaid atal y gwaith arno yn sgil marwolaeth ei wraig gyntaf. Gosodwyd ei ail wraig, sef ei gyfnither, Jane Johnes, Dolaucothi, yn ei lle, wedi ei gwisgo fel sipsi *picturesque*,

[41] Elis Jenkins, 'Rheola', *Neath Antiquarian Society Transactions* (1978), 61–8. Gellir gweld dyfrlliw Thomas Hornor o Rheola yn Lord, *Diwylliant Gweledol Cymru: Y Gymru Ddiwydiannol*, t. 71.

[42] Oriel Gelf Dinas Bradford, Papurau Danby, 4 Medi 1803.

[43] Llythyr Stothard at ei wraig, a ddyfynnwyd yn Elisabeth Inglis-Jones, *Peacocks in Paradise* (arg. newydd, Llandysul, 1990), tt. 218–19. Ategir disgrifiad enwog, os rhamantaidd, Inglis-Jones o'r Hafod gan R. J. Moore-Colyer (gol.), *A Land of Pure Delight: Selections from the Letters of Thomas Johnes of Hafod 1748–1816* (Llandysul, 1992).

yn ôl ffasiwn y cyfnod. Pan oedd eu merch, Mariamne, yn ddeunaw oed, gwahoddwyd Ibbetson i ddychwelyd i'r Hafod (ddeng mlynedd wedi iddo ymweld â'r lle yng nghwmni Smith a Greville) yn athro arlunio. Nododd mewn llythyr: 'The most advantageous offer I ever had made in my life I refus'd last April, from Mr Johnes, Hafod, Cardiganshire, to live a year at His house and Teach His only Daughter.'[42] Agorodd hyn y drws i Thomas Stothard, un o arlunwyr mwyaf adnabyddus ei ddydd, a benodwyd yn fuan wedyn. Parhaodd perthynas Stothard â'r teulu am flynyddoedd lawer, a phaentiodd baneli *grisaille* yn y llyfrgell wythonglog i bortreadu rhamantau Monstrelet, yr oedd gan Johnes lawysgrif ohonynt, yn ogystal â phortreadau teuluol a'r *Fête Champêtre at Hafod* a ddangosai'r bywyd paradwysaidd yr oedd ei noddwr yn ymgyrraedd ato, er mai yn anaml y byddai ei egni diflino a'i uchelgais cyson yn caniatáu iddo ei fwynhau. Disgrifiodd Stothard ei fywyd yn yr Hafod mewn llythyr at ei wraig:

> You have not an idea how my time is filled up ... I have no exercise but what the pencil affords me, and sometimes running from one part of the house to the other. Sometimes I get an hour out of doors to get a little air. The small room I paint in affords me none; filled, as it is, with eight canvases, with my colours, oils and turpentines, etc.[43]

Ymhlith y gweithiau mwyaf nodedig a ddeilliodd o nawdd Johnes ar gyfer artistiaid cyfoes oedd cerfluniau gan Thomas Banks. Deuai o Lundain i'r Hafod yn aml, a gwnaeth benddelwau o Jane a Mariamne yn ogystal â gwaith addurniadol, yn cynnwys y lle tân yn y llyfrgell gyda phennau Socrates, Plato, Alcibiades a Sappho.

231. Mariamne Johnes
yn seiliedig ar George Romney,
Teulu Johnes a'u cyfeillion yn yr Hafod,
c.1800, Dyfrlliw, 150 x 235

233. Thomas Banks,
Thetis dipping the infant Achilles into the Styx,
1790, Marmor

Gwaith mwyaf nodedig Banks oedd *Thetis dipping the infant Achilles into the Styx*. Defnyddiodd Jane a Mariamne Johnes fel modelau a chafodd ei waith ganmoliaeth uchel pan ddangoswyd ef yn yr Academi Frenhinol ym 1789. Yn ôl y *Morning Post*:

> Banks advances very forward in his beautiful sculpture. The Thetis, we understand, is intended as a likeness of Mrs. Johnes, the Lady of the Member for Radnorshire. What degree of similitude there is we know not, but if the artist has not flattered, she is highly beautiful and elegant.[44]

Bwriadwyd y darn marmor y gweithiodd Banks arno ar gyfer cerflun mawreddog o Achilles i'w osod ar arfordir Ceredigion. Ni wireddwyd y cynllun hwn, ond y mae'n brawf o ehangder dychymyg Johnes.

232. Thomas Stothard,
Fête Champêtre at Hafod,
c.1803, Olew, 457 x 266

234. Thomas Jones,
Delweddau o lyfr brasluniau'r Hafod,
1786, Pensil, 186 x 145

Y mae'r modd y byddid yn cymeradwyo ac yn ffurfio perthynas o fewn y rhwydwaith cymhleth o noddwyr ac arlunwyr Cymreig a Seisnig yn ail hanner y ddeunawfed ganrif yn bur gymhleth. Cyfarfu Johnes â Banks am y tro cyntaf yn Rhufain, lle y daeth y cerflunydd yn ddiweddarach i adnabod Thomas Jones, Pencerrig. Ym mis Mehefin 1778 lluniodd Banks benddelw o Jones. Ni wyddys ai Banks a gyflwynodd y ddau Gymro i'w gilydd ynteu a oeddynt wedi cyfarfod eisoes, ond yr oedd Thomas Jones yn ymweld â'r Hafod erbyn 1786.[45] Y flwyddyn honno, llanwodd lyfr brasluniau â lluniadau o'r ystad, Pontarfynach a Chwm Rheidol, a dangoswyd darlun olew ganddo o raeadr yng ngerddi'r Hafod yn yr Academi Frenhinol.[46] Ym 1803 nododd ymwelydd â'r tŷ: 'Over the doors of [the winter dining room] are four coloured drawings of scenes within the precincts of Havod, by Jones.'[47] Y mae'r cyfeillgarwch rhwng Thomas Johnes, yr Hafod, a Thomas Jones, Pencerrig, yn ddiddorol o safbwynt datblygiad estheteg tirluniau, gan i'r arlunydd gael cryn sylw gan feirniaid celf yn ystod ail hanner yr ugeinfed ganrif. Serch hynny, ychydig iawn o sylw a gawsai yn ystod ei oes ei hun gan feirniaid a ymhyfrydai yn y *Picturesque*, er mawr ofid iddo. Ym 1787 aeth Johnes i ymweld â William Gilpin, a dangosodd iddo 'a large port-folio, full of paintings (on paper) of a variety of views around his house. They were done by [Thomas] Jones, a pupil of Wilson. On the whole, they were not amiss, considering he is one of your *religious copyists*. But tho I could have criticized the paintings, I very much admired the views; which were both great & beautiful; & as far as I could judge from pictures, well managed'.[48] Cwyn fawr Gilpin am Thomas Jones oedd ei fod yn dangos natur fel ag yr oedd, yn hytrach na cheisio gwella arni yn unol â rheolau'r *Picturesque*. Yr oedd ei luniau yn dderbyniol yn unig oherwydd iddo atgynhyrchu yn ffyddlon y golygfeydd a oedd eisoes wedi cael eu gwella gan Johnes yn ôl canllawiau cymeradwy.

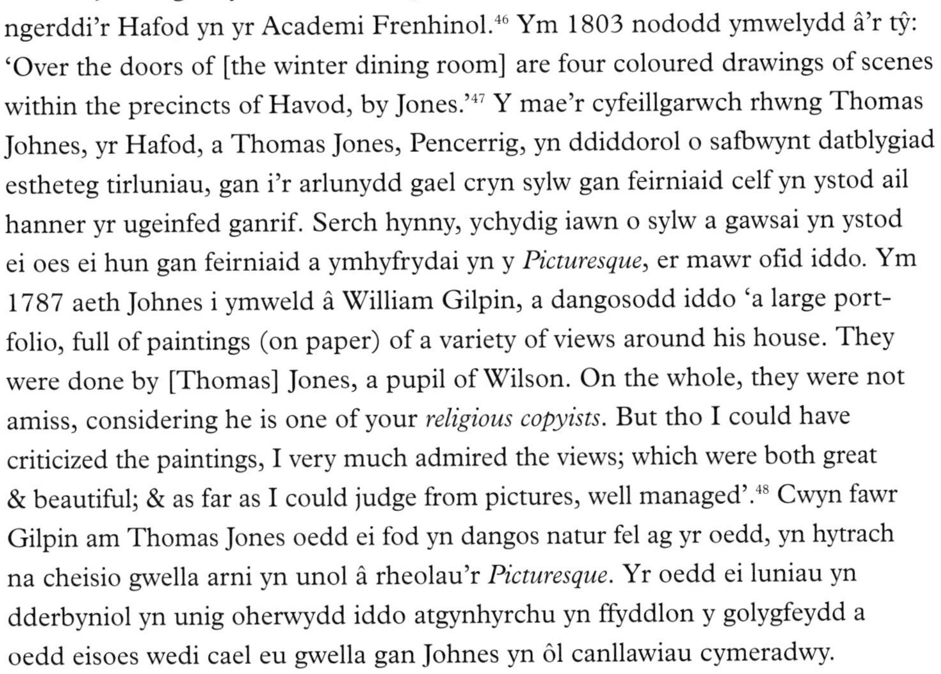

Pan aeth Thomas Jones i stiwdio Wilson am y tro cyntaf ym 1763 credai mai 'coarse unfinished Sketches' oedd lluniau ei feistr.[49] Newidiodd ei farn yn fuan iawn ac, er gwaethaf y ffaith iddo arbrofi ag arddull hanesyddol aruchel gyda *The Last Bard* ym 1774, tirluniau Clasurol a darluniau testunol a baentiwyd yn bennaf ganddo cyn iddo fynd i'r Eidal. Yn gynnar yn ystod ei arhosiad yno cafodd y profiad rhyfedd o weld y tir nid drwy ei lygaid ei hun ond drwy lygaid ei feistr:

> It appeared Magick Land – In fact I had copied so many Studies of that great Man, & my Old Master, Richard Wilson, which he had made here as in Other parts of Italy, that I insensibly became familiarized with Italian Scenes, and enamoured of Italian forms, and, I suppose, *injoyed pleasures unfelt by my Companions*.[50]

[44] *Morning Post*, 28 Awst 1789; fe'i dyfynnwyd yn Inglis-Jones, *Peacocks in Paradise*, t. 99.

[45] Y mae'r awgrym fod y ddau ddyn yn adnabod ei gilydd yn deillio o'r ffaith fod enw 'Thomas Johnes Esq. Croft Castle' ymhlith y tanysgrifwyr i *Six Views in South Wales, Drawn After Nature*, gan Thomas Jones, a gyhoeddwyd tua 1775–6. Nid yw hyn o angenrheidrwydd yn golygu bod y ddau yn adnabod ei gilydd, ac y mae'n bosibl hefyd mai at dad Johnes y cyfeirir.

[46] *Waterfall in the Garden of Thomas Jones Esq. at Havod*. Cafodd ail olygfa yn yr Hafod ei harddangos gan Jones ym 1788.

[47] B. H. Malkin, *The Scenery, Antiquities, and Biography, of South Wales* (London, 1804), t. 357.

[48] Carl Paul Barbier, *William Gilpin: His Drawings, Teaching, and Theory of the Picturesque* (Oxford, 1963), t. 72, Gilpin at William Mason, Ebrill 1787.

[49] 'Memoirs of Thomas Jones', t. 9.

[50] Ibid., t. 55. Yn ddiweddarach gwnaeth Jones arian drwy werthu copïau ffug o luniau Wilson: 'I must own too, that I was guilty of a few innocent Impostures – by making Imitations of my old Master, Wilson and Zuccharelli – which passed among Our Connoisseurs at some of the public Sales for Originals – but this trade of Imposition was not suffered to last long, from the Jealousy of certain persons, whose province I had, by these Means infringed upon.' Ibid., t. 141. Gellir amau dilysrwydd nifer mawr o luniau mewn casgliadau cyhoeddus a phreifat a briodolir i Wilson, sy'n cadarnhau awgrym Jones fod ffugio Wilson yn gryn ddiwydiant.

235. Thomas Jones,
Tirlun: Afon yng Nghymru, 1775,
Olew, 430 x 590

236. Thomas Jones,
Adeiladau yn Napoli, 1782,
Olew, 140 x 216

[51] Lawrence Gowing, *The Originality of Thomas Jones* (London, 1985), t. 12.

[52] Francis W. Hawcroft, *Travels in Italy* (Manchester, 1988), t. 89.

[53] 'Memoirs of Thomas Jones', t. 141.

Eto i gyd, yr oedd agwedd arall, ddyfnach efallai, ar bersonoliaeth Jones wedi dechrau ei amlygu ei hun cyn iddo fynd i'r Eidal. Dengys brasluniau olew a wnaed ganddo yng Nghymru mor gynnar â 1772 duedd i ymateb i dirweddau mewn ffordd ansoffistigedig, heb unrhyw ymgais i gymhwyso egwyddorion y Clasurol, yr Aruchel neu'r *Picturesque* i'r hyn a welai. Mewn astudiaeth a gyhoeddwyd ym 1985, a osododd sylfaen ar gyfer ailasesu gwaith Jones, cyfeiriodd Lawrence Gowing at uniongyrchedd yr ymagwedd hon fel 'a glimpse of the future':

> It looks like the kind of painting that only came to be recognized as a picture a hundred years later. What belongs to the future is not only the colour and light, not only the painter's confidence in an empirical method, not even the freedom of touch but most of all the unity, the sense of visual experience as constituting a whole, almost a separable object.[51]

237. Thomas Jones,
Golygfa yn sir Faesyfed, c.1776,
Olew, 228 x 321

Yr oedd Gilpin wedi synhwyro'r agwedd empiraidd hon, a'r duedd i dderbyn bod yr hyn a welai'r llygad yn ddigon ynddo'i hun ar gyfer darlun, yng ngwaith Jones yn ystod y 1780au ac yr oedd yn amheus iawn ohono. Dyma hefyd oedd barn y mwyafrif o'i gyfoeswyr, ac eithrio Thomas Johnes. Er gwaethaf ei ddryswch cynnar a'r llif cyson o olygfeydd Clasurol confensiynol a baentiwyd yn yr Eidal, daethai gwreiddioldeb Thomas Jones i'r amlwg mewn cyfres o drefluniau a baentiwyd ganddo yn Napoli, ac a ddisgrifiwyd ddau gan mlynedd yn ddiweddarach fel 'some of the most beautiful and original works inspired by the 18th century Grand Tour'.[52] Fe'u hanwybyddwyd i raddau helaeth gan ei gyfoeswyr, a phan ymwelodd â'r Hafod ym 1785 credai Thomas Jones fod ei yrfa fel arlunydd proffesiynol ar ben. Meddai ym 1798, 'whatever I have done in the walk of Art since, has been for my own Amusement'.[53] Yr oedd yn rhydd i'w blesio ei hun bellach, ac y mae ei ddarluniau o hyn ymlaen, llawer ohonynt wedi eu lleoli o gwmpas ei ystad yn sir Faesyfed, yn dangos y naturoliaeth a esblygodd drwy ddilyn ei reddf, flynyddoedd lawer cyn i hyn ddod yn ffasiwn.

238. Francesco Renaldi,
Thomas Jones a'i deulu, 1797,
Olew, 749 x 1016

239. J. C. Stadler yn seiliedig ar John Warwick Smith, *Cavern Cascade* allan o James Edward Smith, *A Tour of Hafod*, c.1810, Engrafiad, 400 × 560

240. Hugh William Williams, *Castell Caerffili*, c.1805, Dyfrlliw, 497 × 883

Parhâi'r dadlau ymhlith deallusion byd celf ynghylch yr hyn y gellid priodoli harddwch, neu ddiffyg harddwch, tirwedd iddo, yn erbyn cefndir o chwyldro treisgar a rhyfel. Daeth yr Hafod i gynrychioli'r *Picturesque* ac fe'i hanfarwolwyd mewn cyhoeddiadau megis *An Attempt to Describe Hafod* gan George Cumberland a ymddangosodd ym 1796, ac *A Tour of Hafod* gan James Edward Smith, sef casgliad o bymtheg acwatint mawr, yn seiliedig ar ddyfrlliwiau John Warwick Smith, a gyhoeddwyd ym 1810. Eto, nid oedd yr Hafod yn destun edmygedd i bawb. Pan ddaeth ar daith i wlad ei gyndadau ym 1805, llwyddodd Hugh William Williams, arlunydd o dras Gymreig a fagwyd yn yr Alban, i ddigio perchennog yr Hafod â'i ymateb difater:

> I asked him to dinner twice when he called & when I met him in the walks. His ideas of Landscape & mine are somewhat different, for he complained of *too much* wood in Glamorganshire!! I saw only two slight Scetches [*sic*], of the Devil's Bridge & part of Chepstow Castle, & to judge from them I do not think he will make a great figure.
>
> My chain bridge is up, and more than answers my expectations. It suits the place admirably, which is lower down than where I at first intended it, and the effect is delightful. I wanted Mr Williams to draw it, for it was a maiden view, but he preferred another spot, that could not include it, but which admitted some *naked* hills.[54]

Nid oedd barn Johnes am Williams yn gywir oherwydd aeth yn ei flaen i wneud cryn enw iddo'i hun fel 'Grecian' Williams, ond yr oedd y gwahaniaeth barn hwn yn nodweddiadol o ddadleuon esthetig y cyfnod.

[54] Johnes at Robert Liston, 17 Gorffennaf 1805, Llyfrgell Genedlaethol yr Alban, Llsgr. Liston 5609, f. 82, a ddyfynnwyd yn Moore-Colyer (gol.), *A Land of Pure Delight*, t. 197. Yr oedd Williams wedi cael ei argymell gan Mrs Liston: 'Mrs Liston's painter, Williams, has been here, but I find she never saw him. If she had, I do not think she would have given him so strong a letter of recommendation.' Yr hyn a olyga Jones wrth gyfeirio at 'maiden view' yw golygfa na thynnwyd llun ohoni erioed o'r blaen. Yr oedd hwn yn ddywediad cyffredin ymhlith arlunwyr a *connoisseurs* y cyfnod, a deithiai drwy Gymru yn ceisio darganfod golygfeydd o'r fath – tasg a âi'n fwyfwy anodd.

241. J. M. W. Turner, *Oddi mewn i Abaty Tyndyrn, Sir Fynwy*, 1794, Pensil a dyfrlliw, 321 × 251

Os bach oedd dylanwad Thomas Jones ar gelfyddyd dirluniol yn ystod ei oes, yr oedd dylanwad ymwelydd arall â'r Hafod yn chwyldroadol. Llanc dwy ar bymtheg oed oedd J. M. W. Turner pan ymwelodd â Chymru am y tro cyntaf ym 1792, a phrin fod neb wedi clywed sôn amdano. Ond yn sgil dehongli beirniadol John Ruskin cafodd fwy o amlygrwydd na'r un arlunydd Seisnig arall. Gosododd ei bum taith drwy Gymru, y cyfan cyn troad y ganrif, seiliau ei gelfyddyd, ond dangosent yn glir hefyd ddylanwad arddull arlunwyr sefydledig. Yn ystod ei ymweliad cyntaf, aeth Turner ar y daith gonfensiynol ar hyd afon Gwy, gan wneud lluniadau o safleoedd megis Tyndyrn, lluniadau a ddefnyddiwyd ganddo yn ystod y tair blynedd ganlynol yn sail i ddyfrlliwiau a arddangoswyd yn yr Academi Frenhinol. Yna, gadawodd yr afon i ymweld â'r Fenni ac Abaty Llanddewi Nant Hodni cyn ailymuno â hi ac olrhain ei tharddiad ar Bumlumon, a theithio ymlaen wedyn o leiaf hyd at Bontarfynach. Byddai'n rhyfedd pe na bai wedi ymweld â'r Hafod a oedd yn ei anterth y pryd hwnnw, er bod y dyfrlliw o'r tŷ sy'n cynnig y dystiolaeth gryfaf iddo ymweld â'r lle yn dra gwahanol i'r lluniad a wnaed gan John Warwick Smith. Efallai ei fod yn portreadu'r tŷ fel y byddai wedi bod pe bai cynlluniau Nash wedi eu hymestyn y tu hwnt i'r cefnolygon.

242. J. M. W. Turner, *Hafod*, *c.*1799, Dyfrlliw, 610 × 915

243. Yn ôl pob tebyg William Weston Young, *The Last Bard*, Mŵg, Crochendy Cambrian, c.1805, uchder 155

244. John Downman, *The Bard*, c.1800, Sialc a stwmp ar bapur, 365 x 204

uchod, ar y dde:
245. Hall a Middiman yn seiliedig ar Philippe de Loutherbourg, *The Last Bard*, wynebddalen Edward Jones, *The Musical and Poetical Relicks of the Welsh Bards*, 1784, Engrafiad, 310 x 228

Y mae darluniau Turner o'i daith ar hyd afon Gwy, megis y lluniau a wnaed ganddo yn ystod ei ymweliad byr â siroedd Dinbych a'r Fflint ddwy flynedd yn ddiweddarach, yn awgrymu dylanwad Philippe de Loutherbourg, arlunydd a aned yn Alsace ond a drigai yn Llundain pan oedd ar anterth ei yrfa. Ym 1784 yr oedd de Loutherbourg, fel Paul Sandby a Thomas Jones o'i flaen, wedi paentio fersiwn o *The Last Bard* cyn ymweld â safle'r gyflafan honedig. Yr oedd darlun de Loutherbourg yn enghraifft bwysig o'r *genre* oherwydd fe'i defnyddiwyd ar gyfer wynebddalen llyfr Edward Jones, *The Musical and Poetical Relicks of the Welsh Bards*. Cyrhaeddodd y gyfrol hon, a ragflaenai *The Bardic Museum* a ddefnyddiodd ddelwedd Ibbetson o John Smith y telynor, gynulleidfa eang gan hybu ymhellach y diddordeb yng Nghymru fel math o archaeoleg fyw o Brydain Fore. Bu darlun de Loutherbourg yn ysgogiad i gyfres newydd o ddelweddau barddol a gyrhaeddodd ei phenllanw o safbwynt arlunwyr Seisnig pan arddangoswyd llun hynod ramantaidd John Martin yn yr Academi Frenhinol ym 1817. Ymhlith y cyfraniadau o Gymru at y *genre* yr oedd lluniad John Downman, sy'n dyddio o tua 1800 ac a fwriadwyd yn sicr fel sail i ddarlun paentiedig, ynghyd â chynigion

246. Philippe de Loutherbourg, *View of Snowdon from Llan Berris Lake, with the Castle of Dol Badon*, 1786, Olew, 499 x 1480

mwy distadl a baentiwyd ar geramig yng Nghrochendy Cambrian yn Abertawe.[55] Byddai thema'r Bardd yn cyffwrdd â Turner maes o law, ond ymddengys mai arddull dirluniol de Loutherbourg yn hytrach na'i destunau a ddenai ei sylw adeg ei daith gyntaf i Gymru. Yr oedd de Loutherbourg wedi ymweld â Chymru ym 1786, ac arweiniodd hynny at gyhoeddi printiau o'r daith yn ei gasgliad *Romantic and Picturesque Scenery in England and Wales*[56] ac at arddangos delweddau trawiadol o olygfeydd mynyddig a morluniau tymhestlog yr efelychwyd eu harddull gan Turner yn ei luniadau o Gymru.

Ym 1795 aeth Turner ar daith ledled Morgannwg a Phenfro, a bu'n gweithio ar y lluniadau a wnaed ganddo yn ystod y daith hon yn ei stiwdio yn Llundain am ddeng mlynedd a rhagor. Cychwynnodd ar ei daith helaethaf yn ystod haf 1798, gan deithio o Sain Dunwyd yn y de i Fiwmares yn y gogledd. Y mae dylanwad digamsyniol Wilson ar gynnyrch y daith hon; yn wir, gwyddys i Turner ymweld â Phenegoes, lle y ganed Wilson, ar ei ffordd i'r gogledd. Y mae angerdd cynnil ei frasluniau o Gastell Cilgerran a'i ddarlun olew *Harlech Castle from Tygwyn Ferry*,

[55] Y mae lluniad Downman wedi ei sgwario yn barod i'w roi ar ganfas. Ganed John Downman yn sir Ddinbych ym 1750 a chafodd ei hyfforddi yn Ysgolion yr Academi Frenhinol ym 1769. Gweithiai fel arlunydd portreadau yn bennaf, er iddo arddangos darluniau testunol yn yr Academi Frenhinol. Daeth yn aelod cyswllt o'r Academi ym 1795. Er iddo dynnu lluniau a phaentio portreadau o rai Cymry, ac iddo gydoesi â Parry a Jones, ymddengys mai ychydig iawn o gysylltiad a oedd rhyngddo a hwy, a bu'n gweithio yn Lloegr am y rhan fwyaf o'i oes. Yn ddiweddarach, symudodd i Gaer ac yna i Wrecsam lle y bu farw ym 1824. Seiliwyd rhai o ddelweddau Crochendy Cambrian ar y darlun o waith S. Shelley, a gyhoeddwyd fel engrafiad ym 1786, yn hytrach nag ar waith de Loutherbourg.

[56] Philippe de Loutherbourg, *Romantic and Picturesque Scenery in England and Wales* (London, 1805). Y mae'r testun yn Saesneg a Ffrangeg.

247. J. M. W. Turner,
Harlech Castle from Tygwyn Ferry, Summer's evening twilight, 1799,
Olew, 870 x 1194

Summer's evening twilight, a gafodd ei arddangos yn yr Academi Frenhinol ym 1799, yn ymddangos yn hollol annodweddiadol o waith y Rhamantydd brwd a welid yn ddiweddarach, er mawr ddirmyg i Ibbetson, a oedd yn sicr yn cyfeirio at Turner pan ddywedodd am weithiau ei hen gyfaill, John Warwick Smith, y byddent bob amser yn cadw eu gwerth 'when the dashing doubtful style has long been exploded, in which everything appears like a confused *dream* of nature'.[57]

Ar ei daith olaf ym 1799 aeth Turner i Eryri, gan ddilyn yr hyn a oedd erbyn hynny yn llwybr cydnabyddedig drwy ogledd Cymru. Gyda chymorth y ffyrdd newydd o Amwythig drwy Fetws-y-coed a Chapel Curig, cynhwysai'r daith ddyffryn Conwy ac atyniadau cyfagos megis Castell Dolwyddelan. Yn ystod y daith olaf hon i Gymru dechreuodd Turner ystyried arwyddocâd hanesyddol y safleoedd a bortreedid ganddo wrth deithio drwy'r golygfeydd mynyddig. Dengys cyfres o luniadau, a esgorodd ar ddyfrlliw mawr, *Scene in the Welsh Mountains with an army on the march*, ei bod yn fwriad ganddo greu darlun o'r 'Bardd Olaf'.

[57] Julius Caesar Ibbetson, *An Accidence, or Gamut, of Painting in Oil and Water Colours, etc.* (London, 1828), t. 21.

248. J. M. W. Turner, *Scene in the Welsh Mountains with an army on the march*, 1799–1800, Olew, 686 x 1000

Gwaetha'r modd, ni orffennodd y gwaith, a rhoddwyd mynegiant cyhoeddus i'w ddiddordeb mewn testunau hanesyddol Cymreig pan arddangoswyd *Dolbadern Castle, North Wales* yn yr Academi Frenhinol ym 1800.[58] Caed ychydig linellau o farddoniaeth i gyd-fynd â'r darlun, a ysgrifennwyd gan Turner ei hun mwy na thebyg, sy'n crynhoi ei naws Ramantaidd ac yn mynegi'r profiad a gawsai cynifer o'i gyfoeswyr Seisnig:

> How awful is the silence of the waste,
> Where nature lifts her mountains to the sky,
> Majestic solitude, behold the tower
> Where hopeless OWEN, long imprison'd, pin'd,
> And wrung his hands for liberty in vain.

Testun y darlun, a welir yn y blaendir, oedd carcharu Owain Goch ap Gruffudd yn Nolbadarn gan ei frawd Llywelyn ap Gruffudd ym 1255.

[58] Cyflwynodd Turner y llun hwn ar gyfer diploma yn yr Academi Frenhinol ym 1802.

249. J. M. W. Turner,
Braslun ar gyfer *Dolbadern Castle, North Wales*, c.1799, Olew, 355 x 335

Erbyn troad y ganrif yr oedd Rhamantiaeth Turner ac eraill yn dechrau disodli gweithgaredd mwy ymenyddol y rhai a geisiai'r *Picturesque*. Yr oedd damcaniaethau Gilpin a Price a'r mynych deithiau i Gymru a ysgogid ganddynt yn dechrau arwain at sinigiaeth ymhlith y Saeson. Oherwydd ei ddiffyg hiwmor yr oedd Gilpin yn darged parod a chrëwyd portread dychanol ohono gan William Combe a Thomas Rowlandson fel Dr Syntax, y teithiwr *picturesque* gorfrwdfrydig.[59] Lleisiodd Rowlandson, gŵr a oedd yn gymwys i farnu gan iddo fynd ar daith gyda Henry Wigstead ym 1797, ei amheuaeth mewn engrafiad enwog o'r enw *An Artist Travelling in Wales*. Portreedir yr arlunydd dan ei faich ac yn wlyb at ei groen, gyda theulu o bobl leol yn edrych yn syn arno. Digon amwys oedd ymateb sylwebyddion mwy bonheddig i'r ffenomen hon yr oedd pobl megis Syr Watkin Williams Wynn, Thomas Pennant, Thomas Johnes ac eraill wedi gwneud cymaint i'w hybu. Ar y naill law, teimlai rhai fod unrhyw fath o sylw gan y Sais yn well na dim sylw o gwbl, tra oedd eraill yn ddig o weld Cymru'n cael ei phortreadu fel gwrthrych esthetig, a'i hanes a chyflwr presennol y bobl yn cael eu camddehongli. Yr oedd Cymru yn dechrau ymystwyrian fel cenedl, gan gyflwyno ei barn ei hun am ei safle yn y byd. Ym 1773 cafwyd yr ymgais gyntaf i gynhyrchu cylchgrawn Saesneg ei iaith ar gyfer Cymru,

250. M. Williams, *A Perspective View of Newton in Carmarthenshire*, 1773, Engrafiad, 98 × 169

cylchgrawn tebyg i'r *Gentleman's Magazine*, a fyddai'n fforwm i drafod y celfyddydau a'r gwyddorau. Yn ôl addewid *The Cambrian Magazine*, 'no expence of Copper-Plates will be spared towards illustrating this Work',[60] a chyhoeddwyd golygfeydd o Newton a'r Gelli-aur yn sir Gaerfyrddin gan Matthew Williams, y tirfesurydd.[61] Serch hynny, byrhoedlog iawn oedd y fenter hon, ac ni chafwyd unrhyw gyfnodolyn arall a gyflwynai ddelweddaeth neu sylwebaeth a gynrychiolai farn Gymreig hyd ymddangosiad *The Cambrian Register* ym 1796. Yr oedd wynebddarlun y cylchgrawn hwnnw, sef *BRITANNIA directing the attention of HISTORY to the distant view, emblematical of WALES*, yn dangos yn glir gyflwr meddwl deallusion Cymreig hŷn y cyfnod. Sais oedd Richard Corbould, yr arlunydd, er ei bod yn amlwg fod ganddo ddiddordeb mewn delweddau Cymreig gan iddo engrafu delwedd o'r 'Bardd Olaf' ar gyfer casgliad o gerddi Gray a gyhoeddwyd yr un flwyddyn.[62] Yr oedd ei bortread o Gymru fel golygfa bell yn adlais o ddirnadaeth Eingl-ganolog Thomson yn *The Seasons*, a gyhoeddwyd 63 o flynyddoedd yn gynharach, ac nid oedd yr arwyddluniau a ddewiswyd wedi newid fawr ddim yn y cyfamser: 'The ruined castle and bardic circle, in the back ground enveloped in clouds, allude to ancient times; and the intermediate space represents the present state of the country', hynny yw, gwlad Anglicanaidd a heddychlon yr oedd yr eglwys a'r aradrwr yn symbol ohoni. I rai hŷn megis Thomas Pennant yn Downing a Thomas Johnes yn yr

[59] William Combe a Thomas Rowlandson, *The Tour of Doctor Syntax in search of the Picturesque, consolation and a wife* (3 cyf., London, 1823).

[60] *The Cambrian Magazine*, I (1773), vii.

[61] Am Williams, gw. *Y Bywgraffiadur Cymreig*, a Paul Joyner, *Artists in Wales c.1740–c.1851* (Aberystwyth, 1997), t. 131.

[62] Caed yr argraffnod 1796 ar *The Cambrian Register for the year 1795* ac ar engrafiad Bromley yn null Corbould. Fe'i cyflwynwyd i Robert Fulk [sic] Greville. Dangosodd Corbould ddarlun olew o'r 'Bardd Olaf' yn yr Academi Frenhinol ym 1807.

251. Thomas Rowlandson, *An Artist Travelling in Wales*, 1799, Acwatint, 310 × 380

252. Bromley yn seiliedig ar Richard Corbould, *BRITANNIA directing the attention of HISTORY to the distant view, emblematical of WALES*, 1796, Engrafiad a dyfrlliw, 136 x 90

253. Edward Pugh, wynebddalen *Cambria Depicta*, 1816, Acwatint, 249 x 170

Hafod, yn ogystal â'u cydnabod Seisnig, yr oedd i'r symbolau hyn apêl arbennig mewn gwlad yr aflonyddid arni fwyfwy, yn eu tyb hwy, gan frwdfrydedd y Methodistiaid a syniadau radicalaidd, tra oedd chwyldro yn erbyn yr hen drefn yr oeddynt hwy yn rhan ohoni yn ysgubo drwy Ffrainc. Serch hynny, ceid yn yr ail gyfrol o *The Cambrian Register* ymosodiad dychanol hir dan y pennawd 'Cursory Remarks on Welsh Tours or Travels', a leisiai anfodlonrwydd deallusion gwladgarol Cymru wrth weld eu cenedl yn cael ei chamddehongli gan y Saeson:

> I fear that, in most of those who have honoured Wales with a visit, will be found a lamentable deficiency. Whether it be from the want of knowledge of the language, or from too transient an acquaintance with the inhabitants, it is remarkable, that, among all the tours into this country, which have met the public eye, (Mr. Pennant's only excepted ...) we have nothing like a resemblance of the men and manners of Wales.[63]

Gan ymosod ar 'Wenglish' – 'swearing G–t–splutter hur nails (a Welsh oath manufactured in England)' – troes y beirniad anhysbys, a'i galwai ei hun yn 'Cymro', ei olygon at ddisgrifiad o daith a gyhoeddasid yn ddiweddar:

> Through South Wales this writer darts with the rapidity of lightning. A compliment, indeed, (envolant) is paid to its beauties; but its description, if such it may be called, is comprised in the table of contents. 'Beautiful landscapes for the pencil and the pen.' 'Abergavenny' – 'Brecknock' – 'Carmarthen' – 'Sea-pieces' – 'Rock-work' – 'New and old Passage' ... Now, from this prospectus, the reader might be lead to expect to hear something about these places: – Not a word. Even their names are never introduced or mentioned through the whole chapter. As to the remaining towns in South Wales, we must rest satisfied with being told, that they are *sweet* places. Then, hark for Machynlleth ... in North Wales! By all the Jack o'lanthorns – if he takes such rapid strides, there is no following this fellow! The man in the seven league boots was a snail to him.[64]

[63] Cymro, 'Cursory Remarks on Welsh Tours or Travels', *The Cambrian Register for the year 1796* (1799), 422. Ni wyddys pwy oedd 'Cymro', ond y mae'n amlwg ei fod yn Gymro Cymraeg a hanai o dde Cymru, a'i fod, y mae'n debyg, yn byw yng Nghymru.

255. Robert Havell yn seiliedig ar Edward Pugh, *Shâne Bwt*, allan o *Cambria Depicta*, 1816, Acwatint, 127 x 102

canol uchod:

254. T. Cartwright yn seiliedig ar Edward Pugh, *A Visit to Cader Idris*, allan o *Cambria Depicta*, 1816, Acwatint, 103 x 137

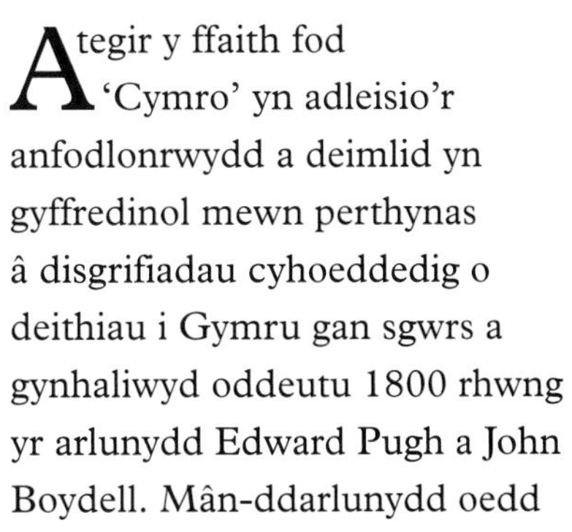

Ategir y ffaith fod 'Cymro' yn adleisio'r anfodlonrwydd a deimlid yn gyffredinol mewn perthynas â disgrifiadau cyhoeddedig o deithiau i Gymru gan sgwrs a gynhaliwyd oddeutu 1800 rhwng yr arlunydd Edward Pugh a John Boydell. Mân-ddarlunydd oedd Pugh yn bennaf, a châi ei noddi gan nifer o Gymry adnabyddus, ond byddai hefyd yn cyfrannu lluniau topograffig a phensaernïol i gyhoeddiadau yn Llundain, gan gynnwys *Remarks on a Tour to North and South Wales* (1799) gan Henry Wigstead.[65] Arweiniodd y sgwrs hon at ddeng mlynedd o lafur yn llunio testun a lluniadau ar gyfer *Cambria Depicta* Pugh:

> A few years before the demise of that venerable patron of the arts, ALDERMAN BOYDELL, chance gave me the opportunity of an hour's conversation with him, at the Shakespeare Gallery. To that conversation the following work owes its origin. Mr. Boydell lamented that the landscape painters, whom he had employed in Wales, confined the efforts of their pencils to the neighbourhood of Snowdon: thus multiplying copies upon copies of the same sketches ... This practice they defended on the ground of the difficulty in which a stranger, unacquainted with the language or the country, involved himself, the moment that he quitted the high roads, and plunged into the intricacies of the mountains. To obviate this inconvenience, Mr. Boydell suggested the expediency of publishing a small volume of direction by a native, whose local knowledge should qualify him for the task.[66]

Teithiodd Pugh ar droed, heb neb yn gwmni iddo ond ci bach, a chan gario 'a light knapsack on my back, containing only what was barely necessary, an umbrella in my right hand, and under my left arm a small portfolio suspended to my right shoulder by a broad piece of tape'.[67] Dymunai gyflwyno Cymru o safbwynt

[64] Ibid., 424–5.

[65] Y tebyg yw i Edward Pugh (1763–1813) gael ei eni yn Rhuthun. Un o'r cyfrolau pwysicaf y cyfrannodd ddarluniau iddo oedd *Modern London*, 1805. Er iddo gael ei enwi fel un o ddarlunwyr testun Wigstead, ni cheir ei lofnod ar yr un o'r engrafiadau. Cafodd Pugh un o'i gomisiynau rhyfeddaf gan Richard Llwyd, 'Bard of Snowden', a ddaeth ar draws gwraig a edrychai yr un ffunud â'i ddiweddar fam yn Llundain. Paentiodd Pugh fân-ddarlun ohoni ac yn ddiweddarach gofynnodd y bardd i Mrs Cobbold o Ipswich baentio portread hanner hyd ohono. Ysgrifennodd Llwyd gerdd i ddiolch iddi, er nad yw ymhlith ei gerddi gorau: 'O Cobbold! while the greatful glow is mine, / A parent's smile celestial shall be thine!' Cyhoeddwyd y gerdd yn *The Cambro-Briton and General Celtic Repository*, II (1821), 329.

[66] Pugh, *Cambria Depicta*, rhagair. Bu farw Boydell ym 1804, a'r tebyg yw felly iddo siarad â Pugh tua 1800. Ni ddechreuodd yr arlunydd weithio hyd y flwyddyn y bu farw Boydell (er iddo ddefnyddio rhai lluniadau cynharach) ac ni fu byw i weld cyhoeddi ei lyfr. Bu farw ym 1813, yn fuan wedi cwblhau'r testun, a gyhoeddwyd gan Evan Williams ym 1816.

[67] Ibid., tt. 10, 17. Yr oedd 'Cymro' yn ei 'Cursory Remarks on Welsh Tours or Travels', t. 451, wedi beirniadu gŵr eglwysig o Sais am deithio ar droed, ac ni allai ymatal rhag dweud 'two or three words upon this silly and ridiculous whim of converting pleasure into toil'.

rhywun o'r tu mewn a oedd yn adnabod ei famwlad, a darparodd yr holl wybodaeth yr oedd ei hangen i arwain arlunwyr a *connoisseurs* i'r golygfeydd gorau yng ngogledd Cymru. Yr oedd ei adroddiad ef o'r daith yn fwy difyr nag unrhyw un arall o'r cyfnod ac yn hollol wahanol ei naws hefyd. Cymro oedd Thomas Pennant yntau, ond yr oedd agwedd Pugh yn llawer mwy democrataidd a'i arddull yn dra gwahanol i ysgwïer Downing. Diddanai ei ddarllenwyr â straeon am ddigwyddiadau diddorol, clecs, a'i syniadau anghonfensiynol, yn enwedig ar estheteg. Yr oedd yn amlwg yn hoff o'r *Picturesque*, a gwnâi sylwadau ffafriol ar yr amrywiaeth o ddulliau pensaernïol a welid yn stryd fawr Y Bala, gan eu cymharu â ffurfioldeb mawr 'the modern method of building in London' a geid yn Portland Place a Cavendish Square. Yn ymhlyg yn hyn oedd beirniadaeth ar John Nash, a oedd ar y pryd yn gosod tuedd Glasurol mewn pensaernïaeth Llundeinig.[68] Yr oedd Pugh ar y llaw arall yn bleidiol i Wilson, a chyfeiriodd ato fel 'a brilliant of the first water'[69] ac – megis Pennant a Thomas Jones – cadarnhaodd fod delweddau Wilson wedi eu serio yn gadarn ar feddwl y cyfnod. Yng Nghadair Idris, er enghraifft, safodd Pugh 'upon the spot where ... Mr Wilson must have sat, to sketch for that fine picture of his, a subject which he afterwards published'.[70]

Ac yntau'n wladgarwr, byddai Pugh ambell waith yn mynegi ei ddicter cyfiawn fod y Cymry'n cael eu camddehongli:

> I have but too often seen it observed by tourists, that the Welsh are an 'unpolished and ignorant people'; if at all ignorant, it must be ignorance of those fashionable dissipations, the never-failing promoters of diseases, incident only to the *great* and fashionably *wise*, who take so much pains to secure them; so far as the Welsh are ignorant of such *finished*, such *elegant* refinement of manners, may they ever remain so![71]

Nid canmoliaeth wag a geid gan Pugh fel rheol, serch hynny, ond yr awydd i wella ei bobl. Er nad oedd yn gyson radicalaidd, ymboenai am gyflwr y Cymry, ac o'r safbwynt hwn yr oedd yn llais newydd ym maes diwylliant gweledol. Efallai fod ei ddarluniau yn gonfensiynol oherwydd (fel y cyfaddefai ef ei hun) ei ddiffygion technegol fel arlunydd, ond yr oedd testun *Cambria Depicta* yn amlygu newid safbwynt sylfaenol a fyddai yn y pen draw yn tra-arglwyddiaethu ar fywyd deallusol Cymru. Er gwaethaf ei ddiddordeb mewn pynciau megis union leoliad hunanladdiad Bardd Olaf Gray,[72] dangosodd Pugh nad Hen Frythoniaid yn unig oedd y Cymry mwyach ond cenedl y gellid disgwyl iddi gynnal diwylliant modern.

[68] Pugh, *Cambria Depicta*, tt. 278–9. Yn ôl Pugh yr oedd yr adeiladau newydd yn Llundain yn 'ever offensive to the eye'. Un o'r nifer o brosiectau gan Nash a osodai'r cywair pensaernïol yn Llundain oedd Regent Street. Gwawdiwyd ei hoffter o stucco yn *The Quarterly Review*, XXXIV, Mehefin a Medi 1826, 193: 'Augustus at Rome was for building renown'd / For of marble he left what of brick he had found / But is not our Nash, too, a very great master; / He finds us all brick and he leaves us all plaster.'

[69] Pugh, *Cambria Depicta*, t. 345.

[70] Ibid., t. 204.

[71] Ibid., t. 53.

[72] Am gariad Pugh at y pwnc a'i fam ar ddelwedd de Loutherbourg, gw. ibid., t. 416.

256. Francis Chantrey, *Thomas Johnes*, c.1819, Plastr, uchder 720

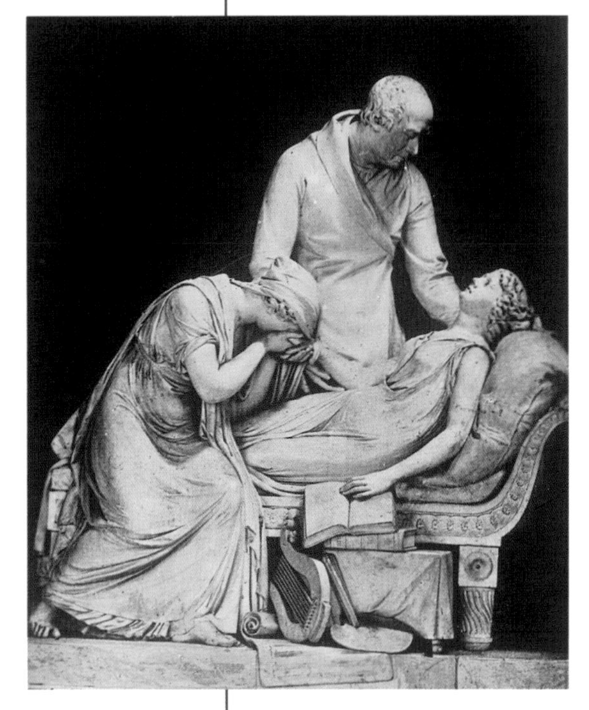

257. Francis Chantrey, *Cofeb i Mariamne Johnes*, Eglwys yr Hafod, Cwmystwyth, c.1811

Ym 1807, tra oedd Pugh yn teithio tua'r gogledd, cafwyd tân trychinebus yn yr Hafod a ddinistriodd nifer helaeth o lyfrau a gweithiau celf Thomas Johnes. Er i Johnes ailadeiladu'r plasty gyda chymorth Baldwin (ond nid Nash y tro hwn), a phrynu llyfrau, darluniau a cherfluniau newydd, yr oedd fel petai'r fenter wedi ei melltithio. Bu farw Mariamne ym 1811, a chomisiynwyd Francis Chantrey i lunio cofeb iddi, i'w gosod yn yr eglwys a adeiladwyd ar yr ystad. Rhygnodd Johnes ymlaen yn yr Hafod hyd 1815, pryd y symudodd i Ddyfnaint, lle y bu farw y flwyddyn ganlynol. Yr oedd ei ymadawiad â'r Hafod yn symbol o ddiwedd cyfnod pan allai'r hen fonedd a'r bobl a dyrrai o'u cwmpas hawlio mai hwy oedd arweinwyr deallusol y genedl, yn union fel yr oedd *Cambria Depicta* yn symbol o oes newydd. Yn lle Johnes a'i debyg, cododd to newydd o blith haenau is cymdeithas y tro hwn. Er eu bod yn coleddu safbwyntiau gwleidyddol gwahanol, yr oedd *connoisseurs* ac esthetwyr ail ran y ddeunawfed ganrif – gwŷr megis Syr Watkin Williams Wynn, Thomas Pennant, Evan Lloyd, Thomas Jones ac eraill – yn unfryd yn eu hatgasedd at y mudiad crefyddol grymus ymhlith y werin-bobl a'r dosbarth canol a fyddai'n ailddiffinio Cymreictod yn ystod y bedwaredd ganrif ar bymtheg. Yr oedd 'the extravagant ravings of methodism' yn wrthun ganddynt oll.[73]

Yn ystod haf 1820 aeth yr arlunydd Hugh Hughes i Bontarfynach i dynnu lluniau ar gyfer ei lyfr o engrafiadau pren, *The Beauties of Cambria*. Yr oedd yr Hafod bellach yn perthyn i'r gorffennol, ac ni cheid gan Hughes ond cyfeiriad anuniongyrchol at y ffaith fod gormodedd o goed wedi eu plannu yn yr ardal.[74] Perthynai ei waith i draddodiad y brodyr Buck, Boydell a Sandby, ac yr oedd yn hollol gyfarwydd â geirfa estheteg dirluniol, fel y dengys ei ddisgrifiad o ddyffryn Conwy, ei fro enedigol, lle'r oedd 'the sun shining nearly horizontal between still heavy clouds upon the hills & fields recently washed with heavy rain, and the stillness [and] crystaline brightness of the gliding stream' yn peri i'r 'meanest objects appear magnificent, and the magnificent inexpressabl y grand and awful'.[75] Eto i gyd, yr oedd ieithwedd o'r fath yn cuddio dealltwriaeth o'r byd a ddeilliai o amgylchiadau tra gwahanol i'r rheini a oedd wedi cyflyru cynnyrch Dyer, Wilson, Parry a Thomas Jones. Yr oedd Hughes wedi ei eni i deulu tlawd, Cymraeg ei iaith. Yr oedd wedi ei addysgu ei hun i raddau helaeth, a dysgodd engrafu pren mewn gweithdy crefft. At hynny, yr oedd

[73] Cymro, 'Cursory Remarks on Welsh Tours or Travels', 431.

[74] Hugh Hughes, *The Beauties of Cambria* (London, 1823), 'Devil's Bridge': 'The exquisite natural beauty of the surrounding scenery is also, in a great measure, destroyed by the thickness and the uniformity of the trees that have been planted here in all directions, it would almost seem, for that purpose.'

[75] LlGC, Llsgr. Cwrt Mawr 130A, Dyddiadur Hugh Hughes, 19 Gorffennaf 1819.

[76] Ibid., 4 Medi 1820.

PROPOSALS FOR PUBLISHING BY SUBSCRIPTION—IN SIX PARTS: PRICE SEVEN SHILLINGS EACH:

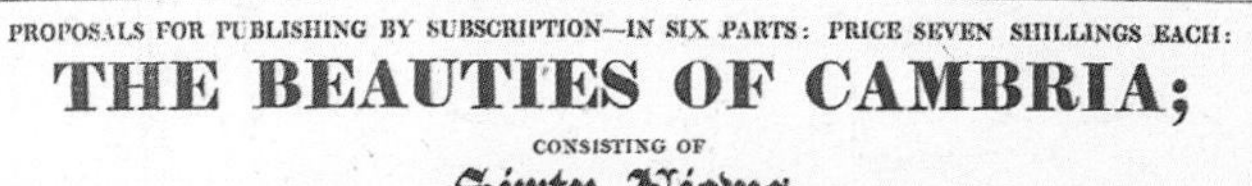

THE BEAUTIES OF CAMBRIA;

CONSISTING OF

Sixty Views

OF

THE MOST SUBLIME AND PICTURESQUE SCENERY IN THE TWELVE COUNTIES OF THE PRINCIPALITY:

ENGRAVED ON WOOD,

FROM CORRECT DRAWINGS TAKEN ON THE SPOT.

THE ENGRAVINGS WILL BE *A THIRD* LARGER THAN THE ABOVE SPECIMEN.

They will be executed in the best Style, and finely printed on Chinese Paper.

A DESCRIPTIVE PAGE OF LETTER-PRESS WILL ACCOMPANY EACH VIEW, FORMING A HANDSOME QUARTO VOLUME.

BY H. HUGHES, OF LLANDUDNO, CAERNARVONSHIRE.

DEDICATED, BY PERMISSION, TO

Sir Watkin Williams Wynn, Bart. M.P.

THE Proprietor, aware of the ardent and generous love of the Fine Arts, which is diffused among the higher ranks of his countrymen, feels encouraged in thus presenting himself to their notice and soliciting their countenance to an arduous, but he trusts a laudable, undertaking; he assures his Patrons that no pains shall be spared in the exercise of his talents; and hopes to prove, by the satisfaction his Work may afford, that the patronage of his Friends will not have been ill bestowed.

N. B. *After the completion of the Work, an advance will be made in the Price to Non-Subscribers.*

PUBLISHED BY E. WILLIAMS, BOOKSELLER TO THE PRINCE REGENT, AND THE DUKE AND DUCHESS OF YORK, STRAND; CADELL AND DAVIES, STRAND; J. MAJOR, SKINNER STREET; AND E. TRIPHOOK, OLD BOND STREET, LONDON.

258. Hugh Hughes, Hysbyslen ar gyfer *The Beauties of Cambria*, gydag engrafiad pren o Gastell Caernarfon, 1818, 231 × 192

259. Hugh Hughes,
Brynllys Castle, allan o
The Beauties of Cambria,
Engrafiad pren, 1822, 84 x 125

260. Hugh Hughes, *Falls of Helygog*,
allan o *The Beauties of Cambria*,
Engrafiad pren, 1821, 84 x 125

yn Fethodist pybyr. Wedi iddo ymweld â Phontarfynach, teithiodd i gyfeiriad Aberystwyth ond aeth ar goll yn llwyr. Er na chyhoeddwyd hwy yn *The Beauties of Cambria*, yr oedd y teimladau a fynegodd ar y pryd yn ei ddyddiadur yn fwy dyledus i'r emynydd William Williams, Pantycelyn, nag i Gilpin, i'r graddau ei fod wedi manteisio ar ei amgylchiadau i ddisgrifio'r cyflwr dynol – y 'Benighted bewildered traveller!'[76] – ar goll mewn anialdir ond yn byw mewn gobaith y deuai o hyd i lety daearol a thragwyddol:

Pererin wyf mewn anial dir
Yn crwydro yma a thraw,
Ac yn rhyw ddisgwyl bob yr awr
Fod tŷ fy nhad gerllaw.

Nid oedd Hughes wedi cael unrhyw hyfforddiant academaidd fel arlunydd. Serch hynny, buasai'n gweithio er 1812 nid yn unig fel engrafwr ond hefyd fel arlunydd portreadau teithiol, gan ddibynnu i raddau helaeth ar nawdd pobl o'r un dosbarth cymdeithasol a thueddiadau crefyddol ag ef ei hun. Aelodau'r dosbarth hwn, yn noddwyr a gwneuthurwyr, a fyddai'r prif gyfrwng ar gyfer delweddu'r genedl hyd ail ran y bedwaredd ganrif ar bymtheg.

pennod chwech

YR ARLUNYDD GWLAD A'R DOSBARTH CANOL

261. Randle Holme III, *The Limner*, allan o *The Academy of Armory*, 1688, Torlun pren, 31 x 24

O ganlyniad i'r newid graddol yn statws rhai mathau o luniau, nid oedd llunio portreadau, at ei gilydd, yn rhan o faes yr arlunydd gwlad erbyn dechrau'r ddeunawfed ganrif. Daethai'r mwyafrif o'r bonedd – er mai prin y gellid eu hystyried yn garedigion celf – i sylweddoli bod y portread yn werthfawr ynddo'i hun yn hytrach nag yn gofnod achyddol yn unig. Yn ogystal â bod yn fynegiant o falchder y bonedd yn eu tras, daeth y portread yn arwydd o gyfoeth a chwaeth y noddwr. Arweiniodd y codiad yn statws y grefft o arlunio at godi statws yr arlunwyr hefyd. Dechreuasant arbenigo mewn gwahanol agweddau ar y grefft – arlunio hanesyddol, portreadau, tirluniau ac yn y blaen – pob un â'i hierarchaeth ei hun a phob un yn gofyn am hyfforddiant arbenigol. Yn wahanol i'r sefyllfa yn yr Alban, lle y sefydlwyd Academi Sant Luc yng Nghaeredin ym 1729, nid oedd gan Gymru ganolfan hyfforddiant a nawdd, a thrwy gydol y ddeunawfed ganrif a'r bedwaredd ganrif ar bymtheg yr oedd ei boneddigion yn drwm dan ddylanwad chwaeth Llundain. Y mae'n bosibl y byddai disgynyddion y bonedd a fu'n noddi Reynolds yng nghanol y ddeunawfed ganrif yn noddi Herkomer ar ddiwedd y bedwaredd ganrif ar bymtheg, tra ceisiai'r rhai llai cyfoethog yn eu plith wasanaeth ail reng o arlunwyr a efelychai arddulliau cewri celf y brifddinas.[1] Yr oedd yr ymdeimlad o hunaniaeth genedlaethol neu blwyfol y manteisiodd Wilson arno fel arlunydd portreadau ac fel tirluniwr yn y ddeunawfed ganrif i'w weld yn achlysurol yn nawdd y bonedd yn y bedwaredd ganrif ar bymtheg a dechrau'r ugeinfed ganrif pan ddaeth arlunwyr Cymreig megis Penry Williams neu Augustus John i amlygrwydd, ond ni ellir dweud bod hon yn duedd amlwg nac eang ymhlith y bonedd.[2]

Serch hynny, nid arweiniodd statws uwch yr arlunydd celf at dranc traddodiad yr arlunydd gwlad yng Nghymru. Parhaodd elfennau o'r amrywiaeth eang o gomisiynau a roddwyd, er enghraifft, i Thomas Ffrancis yng Nghastell Y Waun yn y 1670au ymhell i'r bedwaredd ganrif ar bymtheg, er iddynt newid yn sgil datblygiadau yn chwaeth noddwyr. Ymddengys mai lliw-olchi syml a geid ar y weinsgotiau yng Nghastell Y Waun o'r math a esgorodd ar ddisgrifiadau megis 'ystafell goch' neu 'ystafell las' yn rhestrau eiddo'r cyfnod. Eto i gyd, y mae'n debyg y gallai Ffransis fod wedi ymgymryd â chynlluniau addurnol mwy cymhleth megis y gwaith yn Stryd Tudor yn Y Fenni, ac er i ddyfodiad papur wal wedi ei baentio â llaw, a phapur wal printiedig yn ddiweddarach, arwain at leihad yn nifer y cynlluniau hyn yn y ddeunawfed ganrif a'r bedwaredd ganrif ar bymtheg, byddai addurniadau mur o waith arlunwyr gwlad yn dod yn ffasiynol eto o bryd i'w gilydd. Ar ddechrau'r bedwaredd ganrif ar bymtheg cyfeiriodd Edward Pugh yn ddirmygus at duedd a ddeilliai o ffasiwn uchel-ael a oedd, yn ei dyb ef, yn gyffredin iawn yn ardal Y Trallwng:

[1] Er enghraifft, rhoes Frederick Vaughan Campbell o'r Gelli-aur, gŵr yr oedd ei gyndadau wedi noddi Reynolds, Lawrence a Beechley, gomisiwn i Herkomer ym 1886.

[2] Er enghraifft, noddid Penry Williams gan deulu Guest. Gw. Lord, *Diwylliant Gweledol Cymru: Y Gymru Ddiwydiannol*, tt. 60–2, 74. Derbyniai Augustus John nawdd y chwiorydd Davies yn y 1930au.

262. Anhysbys, *Y Tŷ Gwyrdd*, Llantarnam, Sir Fynwy, 1719, Carreg

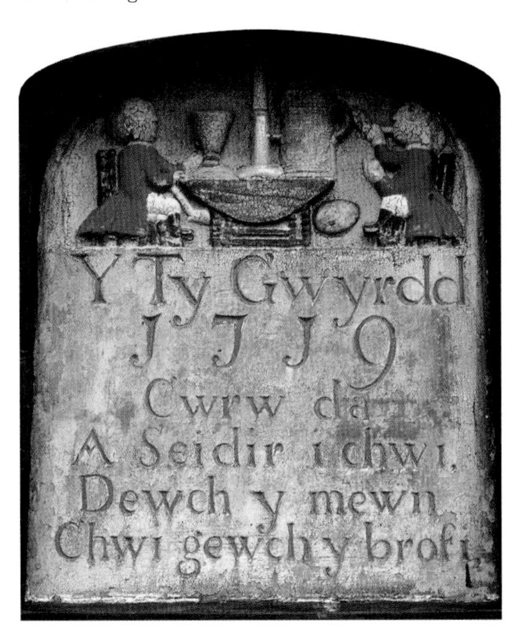

> Before I quit this neighbourhood, I shall take the opportunity of noticing how general it is, to paint the walls of the rooms of public-houses in size, with decorations of festoons, and in pannels ornamented with various devices, strongly mimicking the present mode, so prevalent among the fashionable world; than which nothing can more display a want of taste.[3]

Wrth ymhelaethu ar y pwnc, dangosodd Pugh yn eglur fod gwahaniaeth pendant bellach rhwng yr arlunydd gwlad a'r arlunydd celf, a bod y berthynas rhyngddynt yn hierarchaidd:

> Is it not to be lamented, that preference should be given to the performances of those who follow the meanest, and lowest parts of the arts (it is a question, indeed, whether they belong to them at all), and which are often executed by sign-painters, when the highest and most noble branches of painting are neglected, and suffered to decay?[4]

Yr oedd y nawdd a dderbyniai'r arlunwyr gwlad gan deulu Myddelton yn ystod yr ail ganrif ar bymtheg yn ymestyn ymhell y tu hwnt i ffiniau'r castell ac yn cynnwys comisiynau cyhoeddus. Yn wir, dengys yr arwydd a baentiodd Thomas Ffrancis ar gyfer tafarn y Bull yn Ninbych fod eu nawdd yn ymestyn i ganol bywyd y dref. Teulu Myddelton a oedd yn berchen ar y Bull, a rhoddwyd comisiwn tebyg ymron ddeng mlynedd ar hugain yn ddiweddarach, ym mis Medi 1700, pan dalwyd £2 9*s* 6*d* i Shadracke Pride 'for painteing & makeing a new white Lyon (the ould one beinge broke) at the white lion in Ruthin'.[5] Y mae'r cyfrifon yn awgrymu i'r llew gael ei gerfio ar ddarn o bren yn hytrach na'i baentio, a cheir tystiolaeth am rai enghreifftiau eraill o arwyddion wedi eu cerfio a'u llythrennu, megis yr arwydd a wnaed ym 1719 ar gyfer y Tŷ Gwyrdd yn Llanfihangel Llantarnam yn sir Fynwy, ac a addawai:

> Cwrw da
> A Seidir i chwi
> Dewch y mewn
> Chwi gewch y brofi.

Uwchben y gwahoddiad cynnes uchod darluniwyd dau ŵr bonheddig yn smocio pibelli clai, gobled, a thancard. Ymddengys i'r arwydd a wnaed gan Thomas Ffrancis ar gyfer y Bull sefyll am ymron hanner canrif, hyd nes iddo gael ei ailbaentio neu ei dynnu i lawr ym 1721.[6] Gan y byddent yn gwbl agored i'r tywydd, y mae

[3] Pugh, *Cambria Depicta*, t. 247.

[4] Ibid.

[5] Myddelton, *Chirk Castle Accounts (Continued)*, t. 316. Ym 1696 yr oedd Pride wedi paentio deialau haul yn y gerddi, a cheir cofnod yng nghyfrifon wardeiniaid yr eglwys yn Rhuthun iddo dderbyn tâl ym 1692 am drwsio dau Lyfr Gweddi Gyffredin.

[6] Paentiwyd yr arwydd newydd gan John Maurice.

263. D. J. Williams, *The Four Alls*, c.1850, Olew, 1193 x 787

264. John Thomas, *The Goat Inn, Bala*, c.1860–70

arwyddion o'r ddeunawfed ganrif yn eithriadol o brin, ond ceir enghreifftiau sydd wedi goroesi o'r bedwaredd ganrif ar bymtheg, megis *The Four Alls*, a baentiwyd gan D. J. Williams ym Mhorthaethwy, sy'n dangos parhad cynnyrch yr arlunydd gwlad dros ddwy ganrif, er ei bod yn annhebygol mai'r bonedd lleol a'u comisiynai erbyn y cyfnod hwnnw. Dengys y ffotograffau a dynnwyd gan John Thomas yn y 1860au fod digon o arlunwyr ar gael i gyflenwi arwyddfyrddau hyd yn oed ym mhentrefi tlotaf cefn gwlad Cymru.[7] Y mae profiad John Gibson yng Nghonwy ar ddiwedd y ddeunawfed ganrif yn rhoi amcan o effaith yr arwyddion hyn ar y bobl gyffredin nad oeddynt yn gyfarwydd â chael lluniau academaidd wedi eu fframio yn eu cartrefi. Cydnabu'r cerflunydd mawr faint y dylanwad a gawsant arno:

> When about seven years old I began to admire the signs painted over ale-houses, and used constantly to gaze up at them with great admiration.[8]

Cafodd traddodiad yr arlunydd gwlad o ymarfer ei grefft mewn mannau cyhoeddus hefyd ei gynnal yn yr eglwysi yn y bedwaredd ganrif ar bymtheg. Ym 1679 talodd teulu Myddelton £5 i Thomas Ffrancis 'for writeinge the Ten comaundments to be sett vp in Chirke Church',[9] a gellid meddwl i waith o'r fath ddod yn gyffredin iawn gan fod deddf eglwysig yn nodi y dylid gosod arysgrifau ysgrythurol 'at the charge of the parish upon the east end of every church ... and chapel, where the people may best see and read the same'.[10] Serch hynny, yn anaml yr ufuddheid i lythyren y ddeddf, a hyd yn oed pan gomisiynid arysgrifau a darluniau newydd yn ystod yr ail ganrif ar bymtheg a'r ddeunawfed ganrif, y tebyg yw na fyddai'r wardeiniaid a'u hetifeddai yn ymboeni rhyw lawer am eu cynnal a'u cadw. Yr oedd adroddiad ymweliad yr archddiacon ar gyfer ardal Penllyn ac Edeyrnion ym 1729 yn feirniadol iawn o ymdrechion plwyfi megis Llangywer: 'The plaistering of the whole church is dirty and foul, and within the chancel the King's Arms, the Creed, the Lord's Prayer and other useful, chosen sentences are almost quite defac'd.'[11] Prin yw'r eglwysi hynny lle y ceir rhywbeth amgenach na dernynnau o luniau a thestunau a baentiwyd gan arlunwyr gwlad y ddeunawfed ganrif, ond y mae'r gwaith a oroesodd yn eglwys Cil-y-cwm yn sir Gaerfyrddin yn eithriad, nid yn unig o safbwynt ei faintioli – y mae'n cynnwys Arfau Brenhinol, Credo, y Deg Gorchymyn, ynghyd â dau ddyfyniad ysgrythurol arall – ond oherwydd ei fod wedi ei ddyddio ac y gellir bod yn weddol hyderus pwy yw'r arlunydd. Lluniwyd y gwaith ym 1724 (er ei bod yn bosibl fod rhan ohono yn seiliedig ar ddarnau cynharach) ac y mae'n debyg mai John Arthur oedd yr arlunydd. Y mae'r ffaith ei fod hefyd yn saer meini coffa yn dangos mor amryddawn y disgwylid i grefftwr fod mewn ardal wledig.

Byddai rhai arlunwyr gwlad yn gweithio ar blastr ac eraill ar fyrddau, megis yn Llanerfyl, lle y paentiwyd cyfres hynod o destunau crefyddol ar dri phanel ym 1727. Yr oedd y paneli yn wreiddiol yn rhan o wyneb yr oriel, a'r testunau, a gynhwysai Moses, Bedydd Crist, Y Forwyn Fair a'i Phlentyn a'r Croeshoeliad, yn anarferol iawn yng Nghymru yn y cyfnod hwnnw. Er i ddelweddaeth ffigurol ddychwelyd i'r eglwysi wedi'r Adferiad, yr oedd testunau addas megis Moses ac Aaron gyda'r Deg Gorchymyn yn brin iawn. Yr oedd y ddelweddaeth a ddefnyddiwyd yn Llanerfyl yn wahanol i'r confensiwn hwn. Teg tybio i'r arlunydd anhysbys seilio'r gwaith ar engrafiadau yn null darluniau'r Dadeni, a gyhoeddasid mewn beiblau darluniedig, ond ni wyddys beth oedd cefndir y comisiwn. Prin iawn fel rheol yw'r dystiolaeth ddogfennol am gomisiynau o'r fath, boed breifat neu gyhoeddus, er bod peth gwybodaeth ar gael am y comisiwn a roddwyd gan Simon Yorke o Erddig oddeutu 1746 am Ddeg Gorchymyn a Chredo ar gyfer Capel Berse Drelincourt

265. Anhysbys,
Darluniau ar Destunau Beiblaidd,
Eglwys Sant Erfyl, Llanerfyl,
1727, Olew

[7] Yn groes i dystiolaeth y Parchedig H. Longueville Jones gerbron Pwyllgor y Cyngor ar Addysg ar gyfer 1854–5, sy'n awgrymu fel arall. Am drafodaeth ar y dystiolaeth hon, gw. Peter Lord, 'Mr Richard's Pictures: Published for the Encouragement of Native Talent', *Planet*, 126 (Rhagfyr 1997 / Ionawr 1998), 66–74.

[8] Thomas Matthews, *The Biography of John Gibson, RA Sculptor, Rome* (London, 1911), t. 3.

[9] Myddelton, *Chirk Castle Accounts (Continued)*, t. 134.

[10] Canon 82.

[11] LIGC, SA/RD/21; fe'i dyfynnwyd yn G. M. Griffiths, 'A Report of the Deanery of Penllyn and Edeimion by the Reverend John Wynne 1730', *The Merioneth Miscellany*, cyfres 1, rhif 3 (1955), t. 20.

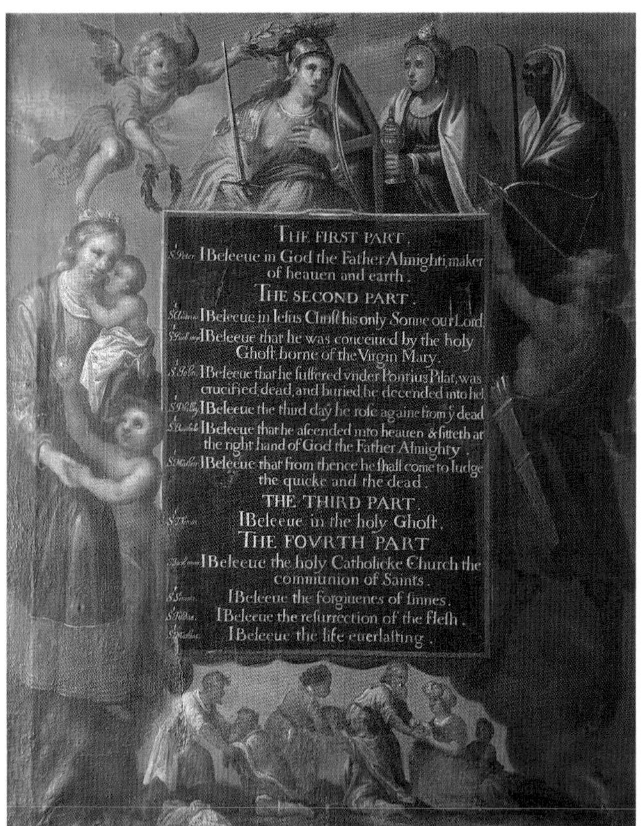

266. Anhysbys, *Y Credo*, Capel Berse Drelincourt, 1746, Olew, 1120 x 890

ger Wrecsam. Yr oedd paentiadau eglwys y Bers wedi eu gwneud ar gynfas ac yn anarferol o soffistigedig. Gyda'r Deg Gorchymyn ceid delweddau o Foses ac Aaron, a chylchynwyd y Credo gan ddelwedd o Britannia yn holl arfogaeth Duw a gweithredoedd tosturi.[12] Ymron hanner canrif yn ddiweddarach, ym 1791, talwyd £3 i Thomas Jones am y darlun *Gweddi'r Arglwydd a'r Deg Gorchymyn*, gyda ffigur dynol o boptu iddo, ar gyfer eglwys Pennant Melangell. (Y mae un o'r ddau ffigur yn adeiniog ac y mae'n amlwg, felly, nad Moses ac Aaron oeddynt yn yr achos hwn.) Cafodd y darlun ei baentio'n uniongyrchol ar y mur. Gwyddys hefyd pwy a baentiodd rai o'r lluniau eraill sydd wedi goroesi, megis y darlun yn Llansilin, lle y cofnodir taliad o £3 3*s* 0*d* i ryw Mr Griffiths am baentio Gweddi'r Arglwydd ym 1813.[13] Ceir hefyd yn Llansilin enghraifft wych o fwrdd elusennol paentiedig, math arall o gomisiwn cyhoeddus a roddid i arlunwyr gwlad ac a welid fel rheol mewn eglwysi. Y mae bwrdd Llansilin, sy'n dyddio o 1740, wedi ei fframio gan bedair colofn rychiog, a phaentiwyd angylion wedi eu mowntio mewn lliwiau llwyd a brown cynnil o boptu enwau'r rheini a adawodd arian ar gyfer tlodion y plwyf.[14]

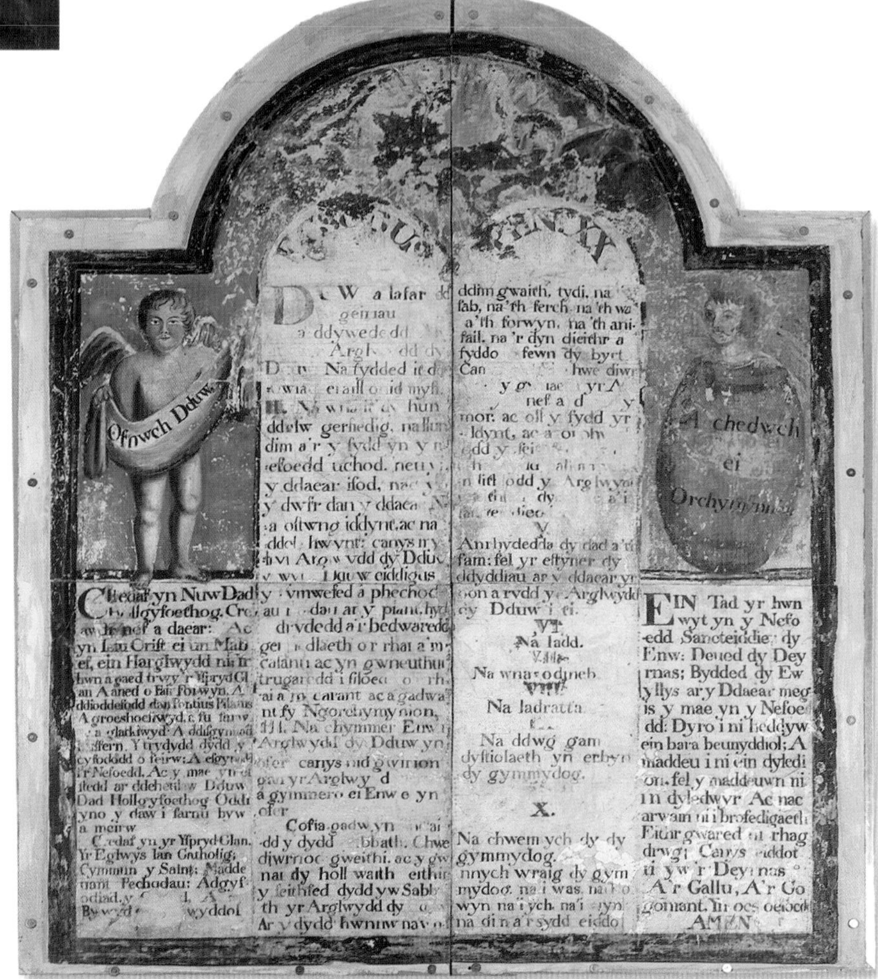

267. Thomas Jones, *Gweddi'r Arglwydd a'r Deg Gorchymyn*, Eglwys y Santes Melangell, Pennant Melangell, 1791, Paent ar blastr

[12] Adeiladwyd Capel Berse Drelincourt fel rhan o ysgol elusennol i ferched. Yn ychwanegol at y testunau a'r delweddau confensiynol, 'a Large Picture of Our Saviour Discovering Himself to the Disciples in Breaking the Bread was given by the Rev. Mr. Henry Lewis Young of Ireland'. Gw. A. N. Palmer, *History of the Thirteen Country Townships of the Old Parish of Wrexham* (Wrexham, 1903), t. 96. Difrodwyd y Deg Gorchymyn gan dân yn y capel. Ceir enghraifft bellach o eiconograffeg Moses ac Aaron yng Nghil-y-cwm yn sir Gaerfyrddin.

[13] Y mae'n bosibl mai Richard Griffiths o Groesoswallt oedd y Mr Griffiths hwn.

[14] Yn eglwys Sant Teilo yn Nhre-lech, sir Gaerfyrddin, ceir bwrdd elusennol anarferol o'r bedwaredd ganrif ar bymtheg sy'n dangos y tu mewn i ysgol elusennol. Cafodd ei baentio gan Job Brigstocke.

Rhoddai'r Arfau Brenhinol a welir mewn sawl eglwys gyfle i'r arlunydd ddangos ei ddoniau i'r cyhoedd ar raddfa fawr.[15] Am resymau amlwg, prin yw'r Arfau Brenhinol sydd wedi goroesi o'r cyfnod yn union cyn y rhyfeloedd cartref,[16] ond ceir sawl enghraifft o gyfnod yr Adferiad ac o ddechrau'r ddeunawfed ganrif ymlaen. Yn eu plith ceir rhai sy'n cynnwys llofnod yr arlunydd, megis yng Ngholfa ym Mhowys, lle'r ymddengys enw Jeremiah Cartwright a'r dyddiad 1733. Bu o leiaf ddwy genhedlaeth o'r teulu Cartwright, Jeremiah a William, yn gweithio fel arlunwyr ac fel saer meini coffa yn yr ardal. Yn yr un modd, yr oedd rhai o'r arfbeisiau a osodid yn yr eglwysi gan deuluoedd lleol amlwg yn nhraddodiad arlunwyr herodrol yr unfed ganrif ar bymtheg a'r ail ganrif ar bymtheg hefyd yn gallu bod yn addurniadol iawn. Parhaodd y traddodiad hwn mewn rhai achosion yn y bedwaredd ganrif ar bymtheg.

268. Jeremiah Cartwright, *Yr Arfbeisiau Brenhinol*, Eglwys Dewi Sant, Colfa, Powys, 1733, Olew, 2032 x 2159

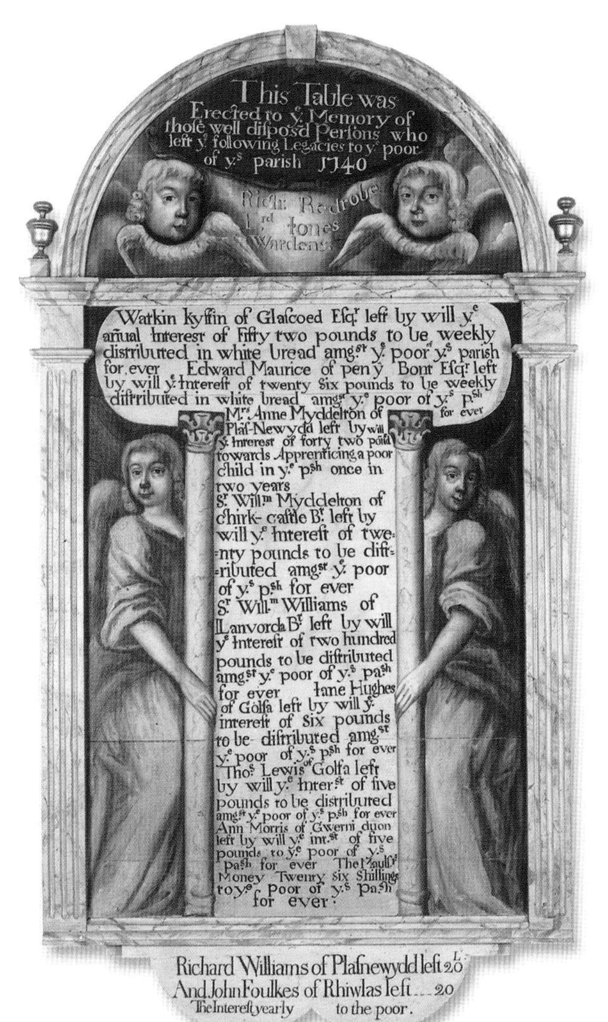

269. Anhysbys, *Bwrdd Elusennol*, Eglwys Sant Silin, Llansilin, 1740, Olew

[15] Ambell waith câi'r Arfau Brenhinol eu cerfio neu eu mowldio mewn plastr. Yn Llansilin ceir enghraifft nodedig mewn plastr sy'n dyddio o gyfnod y Frenhines Anne (1702–14).

[16] Y mae enghraifft wedi goroesi yn Llanilltud Fawr.

Y mae'n amlwg o'u gweithgarwch mewn meysydd eraill fod rhai arlunwyr gwlad a weithiai ar ddechrau'r ddeunawfed ganrif mewn ardaloedd gwledig neu drefi bach yn gallu paentio portreadau. Ym 1785 paentiodd arlunydd gwlad anhysbys bortread grŵp o saith o weision Gwaenynog yn dathlu'r ffaith fod Richard Myddelton o Gastell Y Waun wedi dyfod i oed.[17] Y mae pedwar ohonynt yn bortreadau proffil llawn a cheir dwy arysgrif, confensiwn yr oedd arlunwyr portreadau academaidd wedi rhoi'r gorau iddo erstalwm ond a oedd yn dal yn gyffredin ymhlith paentwyr arwyddion tafarn a thestunau eglwysig. Darlun o fewn darlun yw'r arysgrif gyntaf, wedi ei gosod ar y mur y tu ôl i'r dathlwyr, ar ffurf penillion uwchben delwedd o'r castell. Pennill i glodfori'r teulu yw'r ail arysgrif; nis cofnodwyd yn unman arall ond fe'i lluniwyd yn yr un arddull yn union â'r englyn mawl a welir ar ddarlun, dyddiedig 1787, a baentiwyd i gofnodi dyfod Robert William Wynn o Felai, Maenan a Garthewin i oed.[18] Y mae Melai a Garthewin gerllaw Gwaenynog, ac y mae'n bur debyg mai'r un arlunydd a wnaeth y ddau lun. Nid oes unrhyw bortreadau yn narlun dyfod i oed Wynn, serch hynny, ond y mae'n cyfuno herodraeth, angel ac utgorn (sy'n nodweddiadol o luniau eglwysig y cyfnod), ynghyd â chodiad haul symbolaidd dros dirwedd, y cyfan yn elfennau cyfarwydd o gynhysgaeth yr arlunydd gwlad. Ni wyddys a ydyw'r ddau lun yn cynrychioli'r enghreifftiau olaf sydd wedi goroesi o'r traddodiad eang o gomisiynu arlunwyr gwlad i baentio darluniau dyfod i oed, y gellir eu cymharu â cherddi i ddathlu achlysuron o'r fath, ac ni wyddys ychwaith beth yw'r berthynas rhyngddynt a'r defodau hyn. Yn achos Robert William Wynn, teg yw synied i'r darlun gael ei arddangos yn gyhoeddus mewn dawns neu ddigwyddiad cyffelyb arall a gynhaliwyd i ddathlu'r achlysur.[19] Sut bynnag, datblygodd paentio gweision cyflog yn *genre* yn y ddeunawfed ganrif, a gwneid hyn fel rheol gan arlunwyr gwlad. Y mae'r enghraifft gynharaf y gwyddys amdani, sef *Y Cipar yn Rhydodyn*, mewn gwirionedd yn un o sawl fersiwn o waith gan yr arlunydd o Ddenmarc, Bernhardt Keil. Gellid tybio iddo gael ei gopïo o engrafiad. Er bod pensaernïaeth y tŷ crand yn y cefndir wedi ei addasu, y mae nodweddion yr eisteddwr yn agos iawn i'r gwreiddiol.[20] Eto i gyd, rhaid bod cipar Rhydodyn yn ŵr arbennig iawn, gan y comisiynwyd cerflun plwm ohono yn ogystal, comisiwn gan Syr Nicholas Williams, yn ôl pob tebyg.

Er mai darlun Rhydodyn yw'r enghraifft gynharaf o'r *genre* o baentio portreadau o weision cyflog, ceir yng Nghastell Y Waun ddarlun sy'n fwy nodweddiadol o waith yr arlunydd gwlad ac y mae'n bosibl mai gwaith arlunydd Gwaenynog ydoedd. Awgryma'r portread direidus o aelod o'r staff yn ymlafnio i ganu cloch y castell mai gwaith unigolyn o statws cyffelyb ydoedd. Cyrhaeddodd y *genre* hwn ei

[17] Ni wyddys ym mhle y mae'r llun hwn bellach. Fe'i cyhoeddwyd yn W. M. Myddelton, *Pedigree of the Family of Myddelton of Gwaynynog, Garthgynan and Llansannan* (Horncastle, 1910), t. 24.

[18] Nid yw'r gerdd i Myddelton ar y darlun yn hollol eglur ond y mae'n dechrau â'r geiriau: 'Yfwn Gwrw yn Gaerog / Mewn llawen fodd galluog / ...MILTWN [sef Myddelton] ...'. Yr oedd Robert Myddelton o Waenynog yn bleidiol i'r iaith Gymraeg, gw. uchod, Pennod 5, nodyn 18. Y mae'r englyn i Wynn yn fwy cyflawn: 'Fel yr Haul araul iw Oror, cadarn / I cododd ein Blaenor; / Trwsiwn WYNN, WYNN yw'n Try[sor] / Fu fawr fawl o for i for!'

[19] Y mae darlun Wynn yn hynod o ddiddorol hefyd gan iddo gael ei baentio dros lun o wrn â rhuban sydd, y mae bron yn sicr, yn enghraifft o gelfyddyd angladdol gyfoes a gomisiynid mor aml gan deulu Myddelton yn yr ail ganrif ar bymtheg a dechrau'r ddeunawfed ganrif. Daeth y gwreiddiol i'r amlwg pan dynnwyd llun pelydr-X o'r darlun.

271. Anhysbys, *Canu Cloch y Castell*, c.1785, Olew, 558 x 469

272. Anhysbys, *Robert William Wynn o Felai, Maenan a Garthewin, Sir Ddinbych, wedi dod i oed*, 1787, Olew, 635 x 584

273. Anhysbys, *Gweision yng Ngwaenynog yn dathlu bod Richard Myddelton o Gastell Y Waun wedi dod i oed*, 1785, cyfrwng a maint yn ansicr

gyferbyn: 270. Anhysbys, yn seiliedig ar Bernhardt Keil, *Y Cipar yn Rhydodyn*, 1725, Olew ar gynfas, 1250 x 1000

uchafbwynt yn Erddig, ger Wrecsam, heb fod yn bell o Gastell Y Waun. Paentiwyd portread o was coets ar gyfer John Mellor ar ddechrau'r ddeunawfed ganrif,[21] ac ychwanegodd Philip Yorke I, perchennog yr ystad ar ddiwedd y ganrif, benillion mawl Saesneg ato yn y 1790au, er mwyn iddo gydweddu â chyfres o bortreadau o weision, morynion a masnachwyr a gomisiynwyd ganddo ef. Ym 1793 cofnododd Yorke yn ei ddyddiadur iddo dalu pedair gini i John Walters o Ddinbych am baentio portreadau y 'spider brusher', sef Jane Ebrell, a'r gof, William Williams. Yr oedd Jack Henshaw, cipar ar yr ystad, Jack Nicholas, porthor, ac Edward Prince, saer coed, eisoes wedi cael eu paentio ym 1791 a 1792, a chwblhawyd y gyfres ym 1796 gyda'r portread o Tom Jones, cigydd a thafarnwr yn Wrecsam. Awgryma arddull y lluniau, a'r ffaith na wyddys am unrhyw bortreadau eraill ganddo, mai arlunydd gwlad a ymgymerai ag amrywiol ddyletswyddau oedd Walters. Y mae'r darluniau yn amrywio'n sylweddol o ran eu heiconograffeg. Yn y ddau lun cynharaf, ceir adlais o'r portread confensiynol o'r gŵr bonheddig â'i blasty yn y cefndir, ac y mae'n bosibl mai *pastiches* bwriadol oeddynt, dan gyfarwyddyd Philip Yorke, y

[20] Yng nghatalog arwerthiant Sotheby, *Important British Paintings*, 24 Tachwedd 1999, t. 106, darlunnir copi tebyg iawn a gedwid ar un adeg mewn persondy yn Berkshire.

[21] A chymryd iddo gael ei baentio yn y fan a'r lle, yn hytrach nag o'r cof. Yr oedd y darlun yn ddigon enwog i o leiaf un copi maint llawn gael ei wneud ohono.

274. John Walters, *William Williams, Gof*, 1793, Olew ar gynfas, 1115 x 930

gyferbyn:
275. John Walters, *Thomas Jones, Cigydd a Thafarnwr*, 1796, Olew ar gynfas, 1095 x 1090

mae ei synnwyr digrifwch yn amlwg o'r penillion a ysgrifennwyd ganddo ar gyfer y gyfres. Y mae'r portreadau o Jane Ebrell, William Williams ac Edward Prince yn llai ffurfiol, ac fe'u gwelir yn eu cartref neu yn eu gweithle, a'r tebyg yw eu bod yn cynrychioli dyheadau artistig yr arlunydd. Y mae'r ddelweddaeth yn y portread o Williams y gof yn adlewyrchiad cryf o gynnwys y penillion, ac fe'i gwelir o flaen ei efail ac, ar yr un pryd, yn ymladd mewn gornest baffio yn y cefndir, camp yr oedd yn enwog amdani. Y mae'r dull storïol hwn yn fwyaf amlwg yn y llun olaf yn y gyfres. Dengys tŵr enwog yr eglwys, Tŵr Iâl, fod y darlun wedi ei leoli yn Wrecsam, a holltwyd adeilad a oedd yn y ffordd yn ei hanner er mwyn cynnwys yr eglwys yn y llun. Portreedir Tom Jones o flaen ei siop gig a thafarn y Royal Oak, lle y gwelir arwydd o'r math y gellid tybio y byddai Walters wedi paentio amryw o rai tebyg iddo.

T. JONES
BURTON
IN Nature's chain, a double link,
For Tom provides both *meat* and *drink*;
Moreover was a ſtout freeholder,
Which makes him rather cock his ſhoulder:
In voting matter had connections,
And roared loudly, at elections,
"Sir Wa in ever, none ſhall touch her!
And might have made a *Borough butcher* *
But that he ſcorn'd ſuch rotten places,
And only join'd in County caſes.
Tom in his figure, not emaciate,
Is rather ſomewhat calefaciate,
But honeſt, active in his calling,
Nor ever given to foreſtalling;
In trade, as proper, is a winner,
And tho' a Publican, no Sinner.
Borough Broker, one who deals

276. Anhysbys, *Cofeb i Jeffrey Johnes, Teiliwr Aberhonddu*, Eglwys Gadeiriol Sant Ioan yr Efengylydd, Aberhonddu, 1618, Carreg, 800 x 330

277. Anhysbys, *Carreg fedd Alice Evans o Langatwg*, Eglwys Sant Cadog, Llangatwg Feibion Afel, 1706, Carreg, 1100 x 480

Y mae ymddangosiad arlunwyr gwlad megis Walters, a fyddai ambell waith yn llofnodi eu lluniau, a phortreadau o bobl a berthynai i ddosbarth cymdeithasol is na'r bonedd, yn cael ei adleisio yng ngwaith y seiri meini o ddiwedd yr ail ganrif ar bymtheg ymlaen. Lledaenodd yr arfer o nodi man claddu drwy ddefnyddio slabiau ac arysgrifen neu addurn arnynt ac, yn ddiweddarach, gerrig beddau unionsyth, o'r dosbarthiadau masnachol i'r dosbarthiadau crefftwrol ac yna i'r bobl gyffredin. O fewn y tueddiadau cyffredinol a welid ar hyd a lled y wlad – megis pen adeiniog i gynrychioli angel – datblygodd nodweddion arddulliol pendant mewn rhai ardaloedd. Y mae casgliad helaeth a hynod o gofadeiliau yn Eglwys Gadeiriol Aberhonddu a phlwyfi cyfagos yn cynrychioli cyfnod o drawsnewid rhwng y beddrod canoloesol a'r garreg fedd fodern. Er eu bod yn ymestyn o ddiwedd yr unfed ganrif ar bymtheg i ddechrau'r ddeunawfed ganrif, awgryma'r ffaith eu bod yn unffurf eu harddull eu bod yn gynnyrch un gweithdy a rychwantai o leiaf bedair cenhedlaeth.[22] Deilliai'r ddelwedd o groes flodeuol ar sylfaen risiog o arddull yr oesoedd canol, ond adlewyrchai'r arysgrifau achyddol trawiadol arysgrifau pren cerfiedig diwedd yr unfed ganrif ar bymtheg, megis arysgrifau'r saer coed o ogledd Cymru. Yr oedd rhai o'r slabiau yn dwyn arwydd urdd y masnachwr neu'r crefftwr, yn hytrach nag arfbeisiau'r bonedd. Erbyn dechrau'r ddeunawfed ganrif yr oedd y llythrennu yn hynod o henffasiwn a daeth y cofadeiliau i ben yn ddisymwth. Fe'u disodlwyd gan gerrig beddau unionsyth a chofadeiliau ac arnynt lythrennu Rhufeinig neu italig, ynghyd ag arddull a adlewyrchai ddylanwad llyfrau printiedig a ddefnyddid yn eang hefyd ar gyfer arysgrifau paentiedig.

Y mae llawer o'r enghreifftiau mwyaf deniadol yn syml eu dyluniad ac yn eclectig o ran eu defnydd o ffurfiau llythrennau a symbolau. Ar garreg fedd Alice Evans (m. 1706) yn Llangatwg Feibion Afel, sir Fynwy, cyfunwyd symboliaeth yr angel adeiniog a oedd yn nodweddiadol o arddull y ddeunawfed ganrif â phatrymau pleth nid annhebyg i'r rhai a geid ar groesau uchel y cyfnod Celtaidd-Gristnogol. Erbyn diwedd y ddeunawfed ganrif daethai'n arfer cyffredin i ddynodi beddau'r bobl gyffredin, a dengys astudiaethau lleol fod gan hyd yn oed ardaloedd tlotaf Cymru gerfwyr unigol a gynhyrchai nifer sylweddol o weithiau. Darganfuwyd chwe grŵp penodol yn sir Aberteifi hyd at y cyfnod 1820, pryd y gwelwyd dirywiad cyflym mewn arddulliau lleol.[23] Y mae'n bosibl mai'r arddull ranbarthol fwyaf nodedig yw eiddo teulu Brute, a weithiai yn Llanbedr Ystrad Yw ger Crucywel, a hynny oherwydd iddi ddatblygu dros ddwy ganrif yn nwylo un gweithdy ac oherwydd ei tharddiad cynnar.[24] Ni chanfuwyd unrhyw waith wedi ei lofnodi gan John Brute, y saer maen cyntaf, a aned ym 1665, ond parhaodd ei ddisgynyddion, Thomas, Aaron a John, â'r busnes hyd at ddechrau'r bedwaredd ganrif ar bymtheg. Defnyddient ddyluniadau llinol a blodeuol a dehonglent angylion a phennau adeiniog mewn ffordd idiosyncratig. Ambell dro byddai eu gwaith yn adlewyrchu'r newidiadau mewn ffasiynau celfyddyd aruchel ac yn cynnwys motiffau Clasurol, fel y gwelir yng nghofadail Thomas Brute i'w fab bach a fu farw ym 1724, ond yn gyffredinol glynent wrth y nodweddion teuluol. Fel rheol, gwneid y cofadeiliau o dywodfaen lleol, ond rhoddid côt o baent du ar lawer o'r rhai a fyddai'n cael eu

[22] Ni lwyddwyd i ddarganfod pwy oedd y gwneuthurwyr, a hynny o bosibl am nad oedd y gweithdy yng nghanol y dref. Y mae lle tân o'r un cyfnod yn Newton, sir Frycheiniog, sydd â llythrennu tebyg, yn awgrymu bod y gweithdy yn gwasanaethu ardal ehangach.

[23] Gw. A. O. Chater, 'Early Cardiganshire Gravestones', *Arch. Camb.*, CXXV (1976), 140–61; ibid., CXXVI (1977), 116–38.

278. Aaron Brute,
Cofeb i Nicolas Vaughan,
Eglwys Sant Teilo, Llandeilo
Bertholau, 1784, Carreg,
965 x 660, manylyn

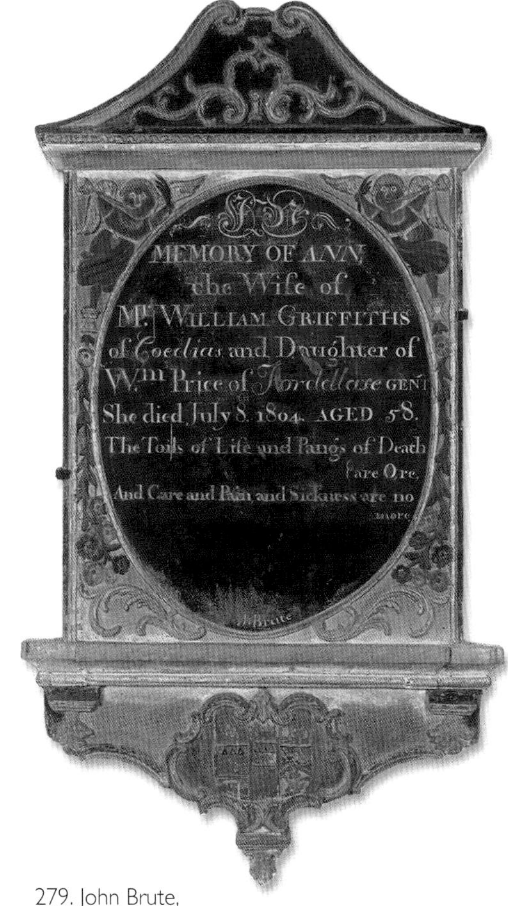

279. John Brute,
Cofeb i Ann, gwraig Mr William Griffiths,
Eglwys Sant Ishow, Patrisio, Sir Frycheiniog,
c.1804, Carreg, 1397 x 813

gosod mewn eglwys, efallai er mwyn efelychu marmor neu lechen, cyn eu lliwio a'u goreuro. Mewn rhai ardaloedd byddai'r seiri meini yn arfer lliwio'r cerrig a osodid yn y fynwent yn ogystal â'r cofebau ar y muriau o fewn yr eglwys ei hun, ac yr oedd mynwentydd y ddeunawfed ganrif yn llawer mwy lliwgar na mynwentydd heddiw. Eto i gyd, nid oedd hyn yn arfer cyffredinol. Ar ddechrau'r bedwaredd ganrif ar bymtheg cofnodwyd yr arfer o wyngalchu cerrig beddau unionsyth ym Morgannwg dair gwaith y flwyddyn, sef adeg y Pasg, y Sulgwyn a'r Nadolig.[25]

Erbyn diwedd y ddeunawfed ganrif yr oedd yr arfer cyffredin o ddynodi beddau yn adlewyrchu'r cynnydd sylweddol yn nifer y bobl a allai fforddio eu dyrchafu eu hunain uwchben dinodedd eu hynafiaid, pe bai ond ar adeg eu marwolaeth. Yn eu plith ceid dosbarth canol o bobl broffesiynol megis cyfreithwyr, gweinidogion a siopwyr ac, yn nhrefi'r glannau, pobl a oedd yn gysylltiedig â'r fasnach longau, a feddai ar incwm wrth gefn ynghyd ag awydd i fwynhau rhai agweddau ar y bywyd gwâr a arferai berthyn i'r bonedd yn unig. Adlewyrchid y cynnydd hwn mewn nawdd gan ddatblygiadau yn y crefftau creadigol, a hynny o ran yr amrywiaeth a geid ynddynt yn ogystal â'r lefel o fedrusrwydd a'r ymwybyddiaeth o ffasiwn Llundeinig a ddangosid ganddynt. Yng Nghaerfyrddin, er enghraifft, erbyn dechrau'r bedwaredd ganrif ar bymtheg yr oedd Daniel Mainwaring yn gwneud cofebau marmor o'r ansawdd gorau a gallai'r plastrwr Stephen Poletti gaboli tai newydd yn y dref a gynlluniwyd gan bensaer yn hytrach na chan yr adeiladydd lleol.[26] Mewn tai newydd o'r fath ceid celfi mahogani ffasiynol wedi eu gwneud gan David Morley yn lle'r celfi derw traddodiadol. Yn ôl pob tebyg cedwid llyfrau cain wedi eu hargraffu gan John Ross yn y cabinetau a wnaed gan Morley. Mewn trefi megis Caerfyrddin, Abertawe a Chaernarfon, gellid comisiynu portreadau i'w hongian ar furiau'r tai naill ai gan arlunwyr gwlad preswyl neu gan arbenigwyr portreadau teithiol o'r tu allan i Gymru. Criw digon cymysg oeddynt, a honnai rhai ohonynt eu bod wedi derbyn hyfforddiant academaidd, ond gwelir rhai nodweddion cyffredin yn eu harferion gweithio rhwng diwedd y ddeunawfed ganrif a'r 1840au. Yr oeddynt yn arbennig o weithgar yn nhrefi arfordirol y de a'r gorllewin, sy'n awgrymu eu bod yn teithio ar y môr o'r naill fan i'r llall,[27] a chynigient un neu ragor o dri math o wasanaeth portreadau – silwét, mân-ddarlun

[24] Disgrifir y traddodiad cyfoethog o gerfio coffadwriaethol, yn enwedig tabledi mur, a geid yn ne-ddwyrain Cymru yn Liz Pitman, 'Gilded Angels – The 18th century funeral monuments of the Brute family of Llanbedr', *Brycheiniog*, XXXII (2000), 85–101. Yr wyf yn ddiolchgar i Liz Pitman am ganiatáu i mi weld ei hymchwil fanwl ar deulu Brute. Yn groes i'r hyn a nodwyd mewn astudiaethau cynharach, dangosodd Pitman nad oedd y teulu yn defnyddio llechi ar gyfer eu cofebau.

[25] F. Burgess, 'Painted Tombs – Some Historical Precedents', *Commemorative Art*, XXXIII (Gorffennaf, 1996), 241.

[26] Am Daniel Mainwaring (1776–1839), gw. Thomas Lloyd, 'Sculpture in Carmarthenshire: A Survey of Church Monuments', *The Carmarthenshire Antiquary*, XXV (1989), 35–60.

[27] Byddai eu cwsmeriaid dosbarth-canol hefyd yn gwneud hyn ambell waith. Ym 1834 aeth Sarah Hughes ar y stemar o Gaerfyrddin i Aberystwyth i ymweld â'i chwaer Eliza Davies, yn hytrach na theithio ar y ffordd. LIGC Llsgr. 10548B, 1 Awst 1834. Gwaetha'r modd, 'She took a violent cold in coming up which confined her to bed.'

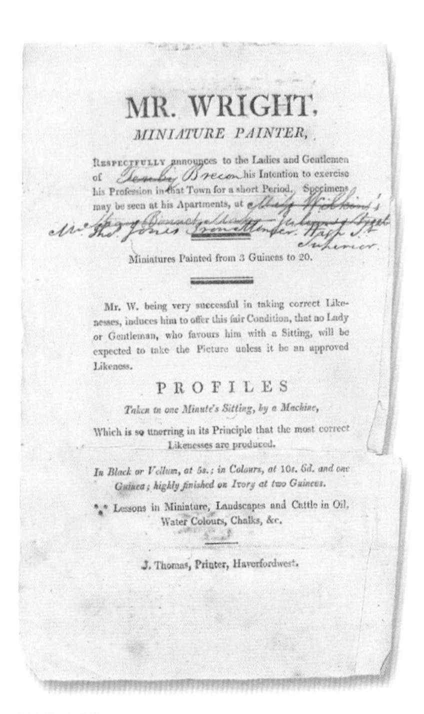

MR. WRIGHT,

MINIATURE PAINTER,

RESPECTFULLY announces to the Ladies and Gentlemen of [illegible] Brecon his Intention to exercise his Profession in that Town for a short Period. Specimens may be seen at his Apartments, at [illegible]

Miniatures Painted from 3 Guineas to 20.

Mr. W. being very successful in taking correct Likenesses, induces him to offer this fair Condition, that no Lady or Gentleman, who favours him with a Sitting, will be expected to take the Picture unless it be an approved Likeness.

PROFILES

Taken in one Minute's Sitting, by a Machine,

Which is so unerring in its Principle that the most correct Likenesses are produced.

In Black or Vellum, at 5s.; in Colours, at 10s. 6d. and one Guinea; highly finished on Ivory at two Guineas.

*** Lessons in Miniature, Landscapes and Cattle in Oil, Water Colours, Chalks, &c.

J. Thomas, Printer, Haverfordwest.

280. J. Thomas, *Taflen yn hysbysebu'r mân-ddarlunydd Thomas Wright*, c.1815–16, Argraffwaith, 170 x 105

281. Anhysbys, *Edward Landeg o Abertawe*, c.1770, Silwét papur wedi ei dorri a dyfrlliw, 125 x 125

ac, yn llai cyffredin, portread olew. Ymddengys na fyddai'r mwyafrif ohonynt yn llofnodi eu gwaith, a'r dystiolaeth bennaf o weithgarwch unigolion penodol yw'r taflenni a argreffid ganddynt i gyhoeddi eu bod wedi cyrraedd tref arbennig neu'r hysbysebion a roddid ganddynt yn y papurau lleol. Y mae'n sicr mai Abertawe oedd y gyrchfan bwysicaf oherwydd ei chyfuniad o gyfoeth diwydiannol a'r fasnach haf a oedd yn seiliedig ar ei phoblogrwydd fel tref glan môr.[28]

Abertawe oedd y gyrchfan gyntaf ar daith a allai hefyd gynnwys Caerfyrddin, Hwlffordd, Aberteifi ac Aberystwyth. Ym mis Awst 1815 cyhoeddwyd hysbyseb yn y *Carmarthen Journal* fod Thomas Wright, y mân-ddarlunydd, wedi cyrraedd Dinbych-y-pysgod. Ymwelodd â Hwlffordd yn ogystal ac ymddengys iddo, yn anarferol efallai, dreulio'r gaeaf yn yr ardal gan iddo gyhoeddi ym mis Chwefror 1816 ei fod yn gweithio yng Nghaerfyrddin. Paentiai fân-ddarluniau 'on Ivory, for Rings, Brooches, Lockets, etc. from Three Guineas to Twenty; – on Card, One Guinea and upwards'.[29] Dair blynedd yn ddiweddarach yr oedd gŵr o'r enw G. Romney, a hysbysebai ei fod yn dod o Lundain, yn cynnig mân-ddarluniau ar ifori am gini, sef pris llawer is, yn ogystal â phortreadau mewn creon am ddwy gini, a 'shade profiles', sef silwetau, am ddeuswllt.[30] Nodai'r ddau arlunydd na fyddai'n rhaid talu dim oni fyddai'r cwsmer yn fodlon ar y gwaith.

Darganfu sawl un o'r arlunwyr fod cylchdaith gorllewin Cymru yn ddigon proffidiol i warantu ail ymweliad. Gweithiai gŵr o'r enw Mr Brooke, a hysbysebai ei fod yn 'student at the Royal Academy under Mr. Fuzele', yng Nghaerfyrddin ac Aberystwyth ym 1826, ac yn Abertawe y flwyddyn ganlynol. Gwyddys iddo ddychwelyd i Abertawe ym 1841, os nad cyn hynny, ac i Gaerfyrddin ym 1846, cyn symud tua'r gogledd i Aberteifi lle'r argraffwyd taflenni drosto i hysbysebu ei waith.[31] Ymsefydlodd yn siop gwneuthurwr watsys o'r enw W. A. Davies. Yr oedd yn arfer digon cyffredin i ffurfio cysylltiad â chyd-grefftwr y gallai ei gwsmeriaid fod yn ffynhonnell nawdd. Diau y byddai Davies yntau wedi elwa ar y trefniant drwy ddarparu fframiau, tlysau a locedau ar gyfer y mân-ddarluniau. Y mae'n debyg y byddai rhai teuluoedd yn crynhoi nifer helaeth o fân-ddarluniau a silwetau dros genedlaethau, ac arferid eu crogi mewn grwpiau o gylch yr aelwyd mewn nifer o gartrefi. Er enghraifft, cychwynnodd casgliad teulu Landeg yn Abertawe gyda phroffil lliw deniadol yn y 1770au ac ychwanegwyd mân-ddarluniau a silwetau ato'n rheolaidd hyd y 1840au. Y mae'n debyg i'r mwyafrif ohonynt gael eu gwneud yn lleol, ond gwnaed un pâr o bortreadau yng Nghaerfaddon, tref a ddenai ymwelwyr cyfoethog a allai fod yn barod i roi comisiwn i un o'r arlunwyr niferus a ymgasglai yno er mwyn cael cofnod parhaol o'r achlysur.[32]

[28] Rhwng 1750 a 1850 yr oedd tair gwaith cymaint o arlunwyr ac athrawon celf wedi ymweld ag Abertawe ag â Chaernarfon, yr ail dref fwyaf poblogaidd. Paul Joyner, 'A Place for a Poussin' (traethawd PhD anghyhoeddedig Prifysgol Caer-grawnt, 1989).

[29] *Carmarthen Journal*, 25 Awst a 27 Hydref 1815, 23 Chwefror a 1 Mawrth 1816.

[30] Ibid., 26 Mawrth a 16 Ebrill 1819.

[31] Argraffwyd y taflenni gan Isaac Thomas. Gw. isod, tt. 222–3.

[32] Y mae casgliad Landeg yn gyflawn yn Amgueddfa Werin Cymru, Sain Ffagan. Paentiwyd y mân-ddarluniau o Mr a Mrs John Landeg, a wnaed yng Nghaerfaddon, gan Hamlet.

[33] Câi silwetau eu paentio hefyd ar bapur neu gerdyn neu ar wydr.

[34] Maentumir mai Cymraes oedd Eliza Jones (*fl.*1807–52), ond ni wyddys unrhyw beth am ei chefndir teuluol, a gweithiai yn Llundain. Bu'n arddangos ei gwaith yn yr Academi Frenhinol, Y Sefydliad Prydeinig a'r Gymdeithas Dyfrlliwiau. Yr oedd yn gyfaill agos i William Owen Pughe, a roes gomisiynau iddi, ac ymddengys iddi hithau roi gwersi iddo yntau.

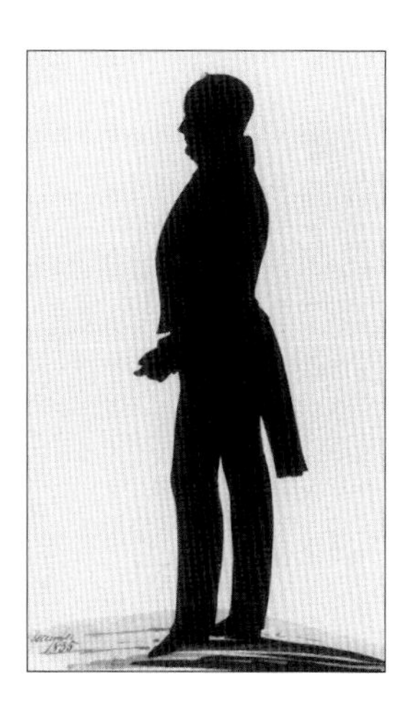

282. Oriel Hubard, *Anne Temple a Robert Griffith Temple o Glansevern, Powys*, 1835, Silwetau papur wedi eu torri, 380 x 280

de eithaf: 283. Isaac Thomas, *Taflen yn hysbysebu Oriel Hubard*, 1848, Argraffwaith, 220 x 140

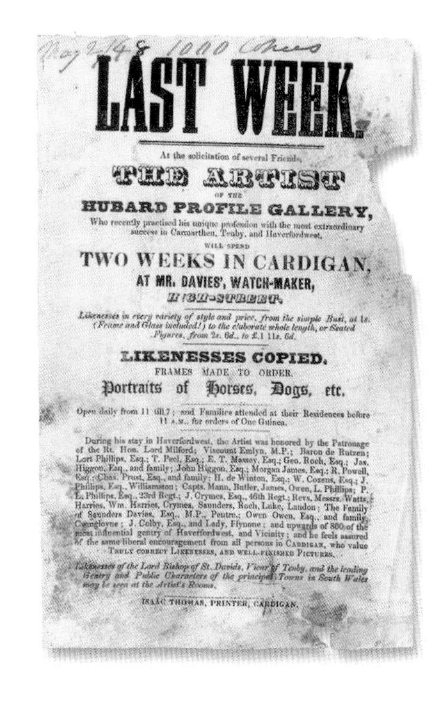

LAST WEEK.

At the solicitation of several Friends,

THE ARTIST

OF THE

HUBARD PROFILE GALLERY,

Who recently practised his unique profession with the most extraordinary success in Carmarthen, Tenby, and Haverfordwest,

WILL SPEND

TWO WEEKS IN CARDIGAN,

AT MR. DAVIES', WATCH-MAKER,

HIGH-STREET.

Likenesses in every variety of style and price, from the simple Bust, at 1s. (Frame and Glass included!) to the elaborate whole length, or Seated Figures, from 2s. 6d., to £.1 11s. 6d.

LIKENESSES COPIED.

FRAMES MADE TO ORDER.

Portraits of Horses, Dogs, etc.

Open daily from 11 till 7; and Families attended at their Residences before 11 A.M., for orders of One Guinea.

During his stay in Haverfordwest, the Artist was honored by the Patronage of the Rt. Hon. Lord Milford; Viscount Emlyn, M.P.; Baron de Rutzen; Lort Phillips, Esq.; T. Peel, Esq.; E. T. Massey, Esq.; Geo. Roch, Esq.; Jas. Higgon, Esq., and family; John Higgon, Esq.; Morgan James, Esq.; R. Powell, Esq.; Chas. Prust, Esq., and family; H. de Winton, Esq.; W. Cozens, Esq.; J. Phillips, Esq., Williamston; Capts. Mann, Butler, James, Owen, L. Phillips; P. L. Phillips, Esq., 23rd Regt.; J. Crymes, Esq., 46th Regt.; Revs. Messrs. Watts, Harries, Wm. Harries, Crymes, Saunders, Roch, Luke, Landon; The Family of Saunders Davies, Esq., M.P., Pentre; Owen Owen, Esq., and family, Cwmgloyne; J. Colby, Esq., and Lady, Ffynone; and upwards of 800 of the most influential gentry of Haverfordwest, and Vicinity; and he feels assured of the same liberal encouragement from all persons in CARDIGAN, who value TRULY CORRECT LIKENESSES, AND WELL-FINISHED PICTURES.

Likenesses of the Lord Bishop of St. Davids, Vicar of Tenby, and the leading Gentry and Public Characters of the principal Towns in South Wales may be seen at the Artist's Rooms.

ISAAC THOMAS, PRINTER, CARDIGAN.

Erbyn canol y ganrif yr oedd torri silwetau papur wedi datblygu'n fusnes llewyrchus.[33] Yr oedd William Hubard, a sefydlodd ei fusnes yn Lloegr ac a ehangodd wedi hynny i'r Unol Daleithiau, yn anfon ei arlunwyr i weithio yng nghylchdaith gorllewin Cymru erbyn 1834. Yn ystod ei ymweliad â'r ardal ym 1848 bu un o arlunwyr Hubard, megis Mr Brooke yr arlunydd, yn gweithio o siop Davies y gemydd. Y mae'n bosibl hefyd i artistiaid lleol heb hyfforddiant ffurfiol sefydlu busnesau, er na wyddys ond am ddau Gymro a weithiai fel mân-ddarlunwyr yng Nghymru yn y cyfnod hwn.[34] Er iddo dreulio'r rhan helaethaf o'i yrfa hyd droad y ganrif yn Llundain, y mae'n bosibl i Edward Pugh weithio yng Nghymru o bryd i'w gilydd, ac efallai iddo'i gynnal ei hun ar ei deithiau pan oedd yn ysgrifennu *Cambria Depicta* drwy lunio portreadau.[35] Gwyddom i sicrwydd i Thomas George, a oedd yn frodor o Abergwaun, weithio yng Nghymru, er yr ymddengys iddo ei gyfyngu ei hun i'r de-orllewin. Fe'i ganed oddeutu 1790, yn fab i James George, gwneuthurwr watsys a chlociau, ond ni wyddys ymhle y cafodd ei hyfforddi. Hyd y gwyddys, ei bortreadau o deulu Leach o Aberdaugleddau, a baentiwyd ym 1819, oedd ei waith cynharaf. Ym 1824 arwyddodd fân-ddarlun arall gan roi cyfeiriad yn Hwlffordd. Yr oedd wedi symud i Lundain erbyn 1826, lle y trôi mewn cylchoedd Cymreig a dod i adnabod William Owen Pughe a Hugh Hughes, yr arlunydd a'r engrafwr.

[35] Ychydig iawn o'r bobl y gwnaeth Pugh bortreadau ohonynt rhwng 1793 a 1821 a gafodd eu henwi. Nodwyd bod John Roberts, a baentiwyd tua 1795, yn dod o Lundain, Arwerthiant Silwetau a Mân-ddarluniau Sotheby, 20 Gorffennaf 1981, eitem 181, ac yr oedd comisiwn a roddwyd gan William Owen Pughe, tua 1802, i gael ei baentio yng nghartref Pughe yn Pentonville, LlGC Llsgr. 13224B, eitem 203. Paentiodd fam Richard Llwyd ('Bard of Snowdon') hefyd, ac er i'r bardd fynd i nôl y darlun yn Llundain y mae'n fwy na thebyg iddo gael ei baentio yng nghartref y teulu ym Miwmares. Gw. Pennod 5, nodyn 65. Ni wyddys ym mhle y paentiodd ei bortread enwocaf, *Mr Edwards the bard, commonly called the Welsh Shakespeare*, 1799. Y mae'r mân-ddarlun gwreiddiol o Twm o'r Nant ar goll, ond fe'i hanfarwolwyd ar ffurf engrafiad. Gw. isod, t. 203.

chwith: 284. Thomas George, *Hunanbortread*, c.1840, Dyfrlliw, 210 x 165

canol: 285. Thomas George, *Gertrude Leach*, c.1819, Pensil, 102 x 105

de: 286. Thomas George, *Menyw mewn Siôl Biws*, 1835, Dyfrlliw, 180 x 152

287. Hugh Hughes,
Teulu Huw Griffith, Bodwrda,
1813, Olew,
460 x 305

288. Hugh Hughes,
Laura Hughes, naw oed,
1813, Olew,
257 x 200

Yr oedd gyrfa hir Hugh Hughes fel arlunydd portreadau wedi cychwyn yng Nghymru ym 1812. Teithiai drwy ogledd Cymru cyn i hyn ddod yn arfer cyffredin ymhlith arlunwyr Seisnig a weithiai yn y de a'r gorllewin. Ddeng mlynedd ynghynt, pan oedd Hugh Hughes yn ddeuddeg oed, symudasai ei deulu o Landudno i Lerpwl, ac o Loegr felly y daethai ar ei deithiau i Gymru ym 1812, 1813 a 1814. Diau y deuai yn ystod yr haf, gan gerdded o le i le – i'r Bala, Caernarfon a Phenrhyn Llŷn – a'i offer paentio ar ei gefn. Eto i gyd, nid dieithryn mohono. Siaradai Gymraeg ac yr oedd ganddo rwydwaith o gyfeillion yng ngogledd Cymru, yn enwedig drwy'r eglwys Fethodistaidd Galfinaidd yr oedd yn aelod selog ohoni yn Lerpwl. Dibynnai'r nawdd a dderbyniai i raddau helaeth ar y rhwydwaith hwn ac ar ei gysylltiadau teuluol yn nyffryn Conwy a Phen Llŷn. Paentiai fân-ddarluniau, ond y cynnyrch sy'n dweud mwyaf am arfer arlunydd gwlad yn y cyfnod yw'r grŵp o bortreadau olew bychain a baentiwyd ganddo ym Mhwllheli yn bennaf. Gan fod cynifer o'r rhain wedi goroesi, a rhai ohonynt wedi eu llofnodi a'u dyddio, gellir eu rhoi mewn trefn amseryddol.[36] Y lluniau mwyaf nodweddiadol o waith arlunydd gwlad, o safbwynt nawdd ac arddull, yw'r portreadau a baentiwyd ym 1813 o dri phlentyn William Hughes, siopwr a chanddo fuddiannau mewn yswiriant llongau. Penderfynodd Hughes eu portreadu mewn proffil llawn, fel y gwnaeth yn y portread ceinaf o'i waith yn y

[36] Y portreadau cynharaf yn y gyfres yw'r rhai o Robert Griffith, cyfreithiwr ym Mhwllheli, a'i fab Humphrey, a baentiwyd ym 1812. Gwnaeth Hughes bortread arall o Robert Griffith y flwyddyn ganlynol.

289. Hugh Hughes,
*Teulu John Evans o Gaerfyrddin wrth eu Brecwast, c.*1823,
Olew, 710 x 1070

cyfnod hwn, *Teulu Huw Griffith, Bodwrda*, a baentiwyd yr un flwyddyn. Tenant ar ystad Nanhoron oedd Huw Griffith, a'r tebyg yw i'r portread gael ei wneud yn ei gartref ger Aberdaron neu efallai mewn sasiwn yn Y Bala, gan ei fod yntau, fel Hugh Hughes, yn Fethodist amlwg.

Y mae'r portread o deulu Huw Griffith a'r portreadau unigol o John, Robert a Laura Hughes yn nodweddiadol o waith yr arlunwyr gwlad. Y maent yn gynnyrch nawdd y dosbarth canol a gwelir ynddynt hefyd y confensiynau gweledol a fabwysiadwyd gan yr arlunydd anacademaidd.[37] Y mae'r defnydd o broffil, fel yn y darlun o weision Gwaenynog a baentiwyd bron ddeng mlynedd ar hugain ynghynt, ynghyd â'u hagwedd ansoffistigedig at olau a chefndir ac at y gwrthrychau symbolaidd a welir yn llaw'r eisteddwyr, yn dwyn i gof arferion yr unfed ganrif ar bymtheg. Yn wir, deilliai'r confensiynau arluniol hyn yn unionlin o arddull ynysol addurnol y cyfnod hwnnw. Yn yr Unol Daleithiau yr oedd darluniau o'r fath o'r ail ganrif ar bymtheg a'r ddeunawfed ganrif, y cyfeirir atynt ambell waith fel gweithiau neo-ganoloesol er mwyn gwahaniaethu rhyngddynt

[37] Cafodd y lluniau hyn eu paentio ar alcam yn hytrach nag ar gynfas, a oedd yn eithaf anarferol a hefyd yn wahanol i arfer yr arlunwyr academaidd. Ceir ymdriniaeth fanwl â bywyd a gwaith Hugh Hughes yn Peter Lord, *Hugh Hughes, Arlunydd Gwlad, 1790–1863* (Llandysul, 1995).

a realaeth gyfandirol Van Dyck, Lely a'u dilynwyr, yn dechrau ennill eu plwyf ac ar ddechrau'r bedwaredd ganrif ar bymtheg daethant yn fodelau i'w hefelychu drwy gyfrwng gwaith arlunwyr gwlad megis Ralph Earl.[38] Yn yr un modd, yng Nghymru parhaodd chwaeth y bonedd am arddull arddurnol fflat campweithiau megis *Syr Thomas Mansel o Fargam a'i wraig Jane* ymhell i'r ail ganrif ar bymtheg. Trosglwyddwyd yr arddull hon i'r ddeunawfed ganrif a'r bedwaredd ganrif ar bymtheg drwy gyfrwng arwyddion a phaentio herodrol yr arlunwyr gwlad i gychwyn, ac yna fe'i trosglwyddwyd i baentio portreadau unwaith eto wrth i'r galw amdani gynyddu. Yr oedd arferion ac arddulliau arlunwyr gwlad Cymru yn hynod o debyg i'r rheini a welid yng ngogledd-ddwyrain yr Unol Daleithiau, lle'r oedd arlunwyr yn aml yn rhai teithiol ac yn ddibynnol ar nawdd y dosbarth canol.

[38] Samuel M. Green, 'The English Origins of Seventeenth-century Painting in New England' yn Ian M. G. Quimby (gol.), *American Painting to 1776: A Reappraisal* (Virginia, 1971), tt. 15–62.

Paentiwyd portreadau ceinaf Hughes, a'r rhai a ymdebygai fwyaf o ran eu harddull i weithiau gogledd America, ar ddechrau'r 1820au. Ymhlith y saith darlun sy'n hysbys ceir dau bortread grŵp gwych.[39] Er nad yw'r darlun *Teulu John Evans o Gaerfyrddin wrth eu Brecwast* wedi ei lofnodi, fe'i defnyddiwyd fel llinyn mesur ar gyfer priodoli lluniau i Hugh Hughes yn y cyfnod hwn gan y gwyddys i sicrwydd mai ei waith ef ydoedd, ac iddo gael ei baentio ym 1823, yn ôl pob golwg, pan oedd y berthynas rhyngddo a John Evans ar ei chryfaf.[40] Yr oedd Evans yn nodweddiadol o'r noddwyr newydd. Yr oedd yn argraffydd a chyhoeddwr llwyddiannus, a'i ddaliadau Ymneilltuol yn ddylanwad cyn bwysiced ar ei agweddau cymdeithasol ag ar ei fywyd ysbrydol. Ac yntau wedi dod ymlaen yn y byd yn economaidd ac addysgol drwy ei ymdrechion ef ei hun, credai fod addysg yn arf hanfodol i wella cymdeithas. At hynny, credai, fel y gwnâi Hughes, fod y llwyddiant hwn yn mynd law yn llaw nid yn unig ag Ymneilltuaeth ond yn enwedig â'r agweddau Cymreig arni ac â'r iaith Gymraeg. Y mae Hughes yn portreadu Evans yn agor ei lythyrau wrth y bwrdd brecwast, a'i fab hynaf yn darllen y *Carmarthen Journal*, papur a gyhoeddid gan y teulu. Serch hynny, dewisodd Mrs Evans, yn hytrach na'i gŵr na'i mab, yn ganolbwynt y teulu syber drwy ei gosod yn union yng nghanol y llun. Yr oedd hyn yn hollol fwriadol, gan y credai Hughes fod y fam yn chwarae rhan ganolog ym mywyd y teulu Ymneilltuol. Gyda gwrthrychedd Protestannaidd, dangosodd Mrs Evans â'r bwlch yn ei gwefus a'i merch, a ddioddefai o grymedd ar yr asgwrn cefn, mewn proffil. Credai Hughes mai rhodd Duw oedd y pethau hyn ac, yn wahanol i ffalsrwydd a thwyll y portreadau academaidd ffasiynol, fe'u cyflwynodd i'r byd mewn ffordd gwbl ddi-dderbyn-wyneb.

290. Hugh Hughes, *Cyfarfod Cymdeithas o Wŷr Bonheddig*, c.1823, Olew, 800 x 1450

Tua'r un adeg â darlun Caerfyrddin, paentiodd Hughes grŵp mwy ffurfiol byth, er nad oes unrhyw wybodaeth ar gael am y comisiwn na'r eisteddwyr. Y mae cynnwys *Cyfarfod Cymdeithas o Wŷr Bonheddig* yn awgrymu iddo gael ei seilio ar gynsail o gyfnod y Dadeni, megis *Swper Olaf* Leonardo, a drosglwyddwyd o bosibl drwy gyfrwng engrafiadau a gyhoeddasid mewn beiblau darluniedig. Yn yr Unol Daleithiau yr oedd yr arlunydd gwlad Edward Hicks wedi seilio ei ddarluniau enwog o *The Peaceable Kingdom* ar engrafiadau o'r fath. Ar y mur uwchben y bobl yn narlun Hughes ceir tri thirlun o'r math y byddai ef ei hun yn ei baentio'n aml mewn blynyddoedd i ddod.[41]

[39] Y darluniau eraill yw'r hunanbortread a baentiwyd ym 1821, *Mr and Mrs Lawford of the Mumbles* c.1821, a'r portreadau o ddau berson o Gaerfyrddin, *Hannah White*, tua 1822–3, a *David Morley*, 1824.

[40] Trafodir arwyddocâd y darlun a'i hanes gan Peter Lord yn 'The Family of John Evans at Breakfast – The Concept of Quality in Painting', *Planet*, 114 (1995), 62–71. Y mae tebygrwydd agos rhyngddo a darluniau Americanaidd adnabyddus megis *The Moore Family*, a baentiwyd ym 1835 gan Erastus Salisbury Field.

[41] Ni wyddys pwy yw'r bobl yn y llun; y mae'n bosibl eu bod yn aelodau o helfa. Nid yw hyn yn debygol iawn, serch hynny, gan na chafodd Hughes nawdd y boneddigion hyd 1826. Y mae hanes y llun yn awgrymu iddo gael ei baentio yn ardal Yr Wyddgrug.

291. William Roos,
John Williams, 'Yr Hen Syr',
1827, Olew, 750 x 580

Genhedlaeth yn ddiweddarach, cafodd y patrwm a osodwyd gan Hugh Hughes ei ailadrodd gan William Roos, a aned ym Môn ym 1808. Cafodd Roos ei addysgu yn ysgol forwriaeth William Francis yn Amlwch, ond gan ei bod yn annhebyg iawn iddo dderbyn unrhyw hyfforddiant mewn arlunio yno y mae'r gallu a ddangosodd yn y portread *John Williams, 'Yr Hen Syr'*, a wnaed pan oedd yn bedair ar bymtheg oed, yn nodedig iawn. Buasai Williams, prifathro Ysgol Ramadeg Ystradmeurig, farw ym 1818, ac felly seiliodd Roos ei lun ar engrafiad o bortread cynharach gan arlunydd Seisnig. Ni wyddys sut y cafodd y comisiwn hwn, ond trawsnewidiodd y ddelwedd academaidd yn ddarlun beiddgar ac uniongyrchol a oedd yn nodweddiadol o waith arlunydd gwlad. Ychydig iawn o'i ddarluniau cynnar sydd wedi goroesi, ond yr oedd rhinweddau ansoffistigedig yr arlunydd anacademaidd i'w gweld yn ei waith o leiaf hyd 1835 pan baentiodd Christmas Evans, gweinidog gyda'r Bedyddwyr. Hughes a Roos oedd yr arlunwyr gwlad teithiol pwysicaf yng Nghymru a gwyddys iddynt baentio dros ddau gant o luniau. Ceid nifer o arlunwyr gwlad eraill a weithiai o fewn rhwydwaith nawdd neu gonfensiynau gweledol cyffelyb, ond y cyfan sy'n wybyddus amdanynt yw eu hysbysebion neu ambell lun unigol. Yn y gogledd-ddwyrain, er enghraifft, paentiodd arlunydd gwlad o'r enw William Jones bortread cain o Owen Lloyd o Fachymbyd Fawr ger Rhuthun ym 1846. Bachgen ifanc tua phedair ar ddeg oed oedd Owen Lloyd, gwrthrych y darlun, ac yr oedd yn fab i denant llewyrchus o gyffelyb statws i Huw

292. William Jones,
Owen Lloyd o Fachymbyd Fawr,
1846, Olew, 950 x 730

293. Anhysbys,
Capten John Evans, Aberaeron, c.1840,
Olew, 762 x 635

294. Anhysbys, *Margaret Rowlands, Caergybi, ei merch Ann a'i mab Robert Hugh*, c.1845, Olew, 840 x 676

295. Anhysbys, *Hugh Rowlands, Caergybi a'i fab Owen*, c.1845, Olew, 840 x 676

296. Anhysbys, *Edith Eleanor, Aberystwyth*, c.1881, Olew, 380 x 540

297. Anhysbys, *Blaenddelw ar gyfer llong anhysbys*, Aberystwyth, c.1838, Cerfiad pren wedi ei baentio, uchder 2000

298. John Cambrian Rowland, *James Beynon Lloyd-Philipps o Bentyparc*, 1840, Olew, 368 x 254

299. John Cambrian Rowland, *Menyw mewn siôl*, c.1850, Olew, 711 x 558

300. John Roberts, *Robert Owen, y Crydd*, c.1840, Olew, 656 x 530

Griffith o Fodwrda a baentiwyd gan Hugh Hughes dros ddeng mlynedd ar hugain ynghynt. Y mae'r un wedd statig a diamser a welir mor aml yng ngwaith yr arlunwyr gwlad gorau yn perthyn i'r ddau lun. Y mae Owen Lloyd yn dal afal yn null gosgeiddig boneddigesau portreadau'r unfed ganrif ar bymtheg. Yn y gogledd-orllewin, gwnaed y portreadau o Hugh Rowlands o Gaergybi a Margaret Rowlands a'u plant tua'r un cyfnod â phortread Owen Lloyd ac y mae cryn debygrwydd rhyngddynt.[42] Y mae'n bosibl na ellir byth ddweud ai gwaith yr un arlunydd oeddynt – arlunydd gwlad teithiol na wyddys dim arall amdano – gan fod cynifer o ddarluniau o'r fath wedi eu dinistrio oherwydd na werthfawrogid eu rhinweddau.[43] Pan ehangwyd y diwydiant llongau cafwyd rhwydwaith newydd o noddwyr ar hyd arfordir Cymru, yn gapteiniaid a pherchenogion llongau a gomisiynai arlunwyr gwlad i baentio portreadau a lluniau o'u llongau. Yn Aberystwyth parhaodd y traddodiad hyd ddiwedd y bedwaredd ganrif ar bymtheg, ac ym 1881 paentiwyd portread o'r *Edith Eleanor*, y llong olaf i'w hadeiladu yn y porthladd. Y mae'n bosibl mai'r arlunydd anhysbys hwn a baentiodd benddelwau'r llongau eraill a adeiladwyd yn y porthladd, yn ogystal â'u cerfio. Ychydig i'r de, yn Aberaeron, paentiodd arlunydd gwlad anhysbys arall bortread o Gapten John Evans, Milford House, yn sefyll wrth fwrdd wedi ei orchuddio â lliain glas llachar yn cyflwyno ei feibl fel arwydd o'i unplygrwydd moesol.

Yr arlunydd gwlad mwyaf adnabyddus y gwyddys iddo baentio llongau a phortreadau oedd John Roberts, a aned ym mhlwyf Aber-erch yn Llŷn ym 1810. Yn ôl John Jones (Myrddin Fardd), pan oedd Roberts yn blentyn 'ryw ddydd

[42] Y mae'r darluniau hefyd yn debyg o ran eu maint. Dengys cyfrifiad 1841 fod paentiwr coetsys o'r enw William Hopson yn byw yng Nghaergybi, ac y mae'n bosibl mai ef a wnaeth y portreadau o deulu Rowlands. Ni lwyddwyd i olrhain William Jones.

[43] Y mae hyn yn wahanol i'r sefyllfa yn yr Unol Daleithiau. Dechreuwyd adfer darluniau o'r fath yn gynt yno nag yng Nghymru, a rhoddir pris uchel amynt erbyn hyn. Gw. Peter Lord, *The Aesthetics of Relevance* (Llandysul, 1992), tt. 43–5.

digwyddodd i baentiwr teithiol ddyfod heibio y bwthyn ar ei hynt, a chanfod John yn prysur weithio fel arlunydd ... addawodd ei gymeryd yn egwyddorwas – dechreuodd John yn ddioed ar y gorchwyl o fod yn un o'r adar symudol, a chyn pen hir yr oedd yn tra rhagori ar ei feistr'.[44] Wedi hyn, sefydlodd ei fusnes ei hun yn ei ardal enedigol a daeth yn arlunydd gwlad cyffredinol, gan baentio portreadau megis *Robert Owen, y Crydd*, yn ogystal ag arwyddion ar gyfer tafarnau, arysgrifau a darluniau crefyddol. Bu'n gweithio yn eglwys plwyf Llanystumdwy a hefyd yng nghapel Rhos-lan gerllaw, lle y paentiodd lun o long fel rhan o'r comisiwn. Gwnaeth enw iddo'i hun yn lleol drwy baentio lluniau o'r llongau a hwyliai o Bwllheli a Phorthmadog, a'r tebyg yw fod rhan helaeth o'i incwm yn deillio o'r ffynhonnell hon.

Tua'r un adeg datblygai gyrfa John Cambrian Rowland yn sir Aberteifi. Fel John Roberts, ganed Rowland mewn cymuned fach wledig, ond manteisiodd ar y nawdd a oedd ar gael yn Aberystwyth, lle'r ymsefydlodd ym 1841. Y mae'n annhebyg iddo dderbyn mwy na hyfforddiant mewn crefft ac ymddengys mai busnes teithiol a oedd ganddo oherwydd y mae portreadau o'i eiddo wedi goroesi yn siroedd Caerfyrddin, Penfro a Maesyfed. Yn wahanol i John Roberts, fodd bynnag, llwyddodd i ddenu rhyw gymaint o nawdd gan y bonedd, a gweithiai i deulu Lloyd-Philipps o Bentyparc mor gynnar â 1840. Y mae ei bortread bach hyd llawn o James Beynon Lloyd-Philipps gyda golygfa o filwyr y tu allan i farics yn y cefndir (milisia sir Aberteifi, gellid tybied), er ei symlrwydd, yn awgrymu ei fod yn dymuno dilyn confensiynau mwy academaidd, dyhead a wireddid maes o law.

301. William Jones, *Thomas Rogers, Saer Coed*, 1830, Olew, 1115 x 938

Yr oedd dylanwad confensiynau academaidd ar bortreadau arlunwyr gwlad yn gryfach yng Nghymru nag yn yr Unol Daleithiau gan fod nifer helaeth o bortreadau gan arlunwyr academaidd i'w gweld yn nhai'r bonedd a chan nad oedd Llundain mor bell i ffwrdd â hynny.[45] Dengys busnes paentio teulu Jones ym Miwmares y ffenomen hon yn glir. Arlunydd gwlad cyffredinol yn Nhreffynnon oedd Hugh Jones, ond erbyn 1795 yr oedd wedi symud ei fusnes i Fiwmares lle y bu mor eithriadol o ffyniannus fel y derbyniai nawdd teuluoedd Paget a Bulkeley.[46] Uchelgais ei fab, William, oedd bod yn arlunydd celf a dichon fod y cysylltiad â theuluoedd o'r fath yn hwb iddo wireddu'r uchelgais hwnnw oherwydd ym 1808 aeth i Ysgolion yr Academi Frenhinol. Yn ogystal â dod yn arlunydd, daeth William

[44] Myrddin Fardd, 'John Roberts, Llanystumdwy', *Cymru*, VIII (1895), 63. Gwaetha'r modd, ni ddywedodd Myrddin Fardd pwy oedd meistr John Roberts. Yr oedd Hugh Hughes yn ymwelydd cyson â'r ardal, ond yr oedd yn gweithio yng Nghaerfyrddin a Llundain yn bennaf yn y cyfnod hwn, sef oddeutu 1825.

[45] Y mae portread Hugh Hughes o Robert Griffith o Bwllheli, a wnaed ym 1813, yn awgrymu'n gryf fod Robert Griffith wedi gofyn iddo seilio'r llun ar y portreadau academaidd ansawdd uchel y gallai fod wedi eu gweld yn Nanhoron, gan ei fod yn gweithio i'r teulu. Yr oedd John Opie, er enghraifft, wedi bod yn gweithio yn y tŷ yn ddiweddar.

[46] Ym mis Ionawr 1798 talodd Plas Newydd ddwy anfoneb am £30, ac ym 1797 a 1799 talwyd am baentio ac euro ciwpola yn Baron Hill. Yr wyf yn ddiolchgar i E. M. Hughes-Jones am ganiatáu i mi weld ei ymchwil ar y teulu hwn o arlunwyr.

yn weinidog gyda'r Methodistiaid Wesleaidd, ac ym 1816 fe'i hanfonwyd i gylchdaith Caer, lle y bu'n ymarfer y ddau broffesiwn. Ni chollodd ei gysylltiad â Chymru, serch hynny, ac ym 1830 fe'i comisiynwyd i ychwanegu at gyfres John Walters o bortreadau yn Erddig drwy baentio *Thomas Pritchard, Garddwr, Edward Barnes, Coediwr*, a *Thomas Rogers, Saer Coed.* Y mae'r portreadau'n rhai bras iawn ac y mae'n weddol amlwg na cheisiodd wneud dim mwy uchelgeisiol nag efelychu safon ei ragflaenydd.[47] Gan fod William Jones wedi symud i Gaer, etifeddwyd y busnes, wedi marwolaeth eu tad ym 1827, gan Hugh, ei frawd ieuengaf. Nid oes unrhyw dystiolaeth iddo gael ei hyfforddi y tu allan i Gymru, a'r tebyg yw mai ei frawd hynaf a ddysgodd iddo'r confensiynau a'r technegau academaidd sydd mor amlwg yn ei bortreadau. Parhaodd hefyd i ymgymryd â gwaith cyffredinol arlunydd gwlad, sef asgwrn cefn y busnes. Prif gomisiwn Hugh Jones oedd paentio cyfres o bortreadau o Arweinwyr Helfa Môn. Rhoddwyd y comisiwn hwn iddo ym 1830, 'for the encouragement of native Talent',[48] ac yn ei hanfod golygai gopïo wynepryd gwŷr ymadawedig o bortreadau benthyg a'u paentio yng ngwisg yr helfa. Ym 1835 derbyniodd gomisiwn i gopïo portread ei frawd hynaf o John Bodychan Sparrow, a baentiwyd tua 1820. Cafodd gomisiwn hefyd i baentio portreadau gwreiddiol o'r Arweinwyr newydd, a phaentiodd o leiaf ugain o luniau hyd at 1839.

302. Hugh Jones,
Thomas Peers Williams, Comptroller of the Anglesey Hunt, c.1830,
Olew, 616 x 602

303. James Flewitt Mullock,
Plant William Evans, 'The Fields', Casnewydd, c.1855, Olew,
510 x 610

[47] Cafodd y lluniau hyn eu priodoli i William Jones ar sail hysbysiad am farwolaeth Thomas Rogers mewn papur newydd a gyhoeddwyd yn Wrecsam. Fe'i dyfynnir yn 'A Mystery Solved', *Newyddlen Ymddiriedolaeth Genedlaethol Cymru*, Gwanwyn 1966, dim rhifau tudalen. Ni ellid bod wedi eu priodoli iddo ar sail arddull.

[48] Archifdy Ynys Môn, MD/I/1.

isod: 305. William Watkeys, *Hunanbortread*, c.1830, Olew, 386 x 308

isod: 306. William Watkeys, *Gŵr Anhysbys o Abertawe*, c.1830, Pensil, 251 x 197

304. William Watkeys, *George Martin Lloyd o Fronwydd*, 1837, Olew ar gynfas, 368 x 298

Oherwydd y gwelliannau a gafwyd mewn safon byw yn nhrefi bychain gogledd a gorllewin Cymru yn sgil datblygiadau amaethyddol a chynnydd cyffredinol mewn masnach, gallai'r arlunydd gwlad gynnal busnes teithiol ffyniannus. Bu cynnydd economaidd ar raddfa lawer helaethach yn y de diwydiannol yn fodd i rai arlunwyr gwlad, ynghyd ag arlunwyr a dderbyniasai ryw gymaint o hyfforddiant academaidd, gynnal busnes paentio portreadau mewn trefi neilltuol. Drigain mlynedd wedi ymdrech fyrhoedlog Giuseppe Marchi i ddatblygu busnes yn Abertawe, yr oedd y dref wedi datblygu digon i alluogi William Watkeys i ymsefydlu yno. Yn ôl pob tebyg ganed Watkeys yn Stroud ym 1800 ac aeth i Ysgolion yr Academi Frenhinol ym 1821. Ym 1829 symudodd i Abertawe lle'r oedd ei gefnder, David Watkeys, yn cadw tafarn y Wheatsheaf,[49] a hysbysebodd fel arlunydd portreadau am y tro cyntaf yn y dref ym 1831. Y mae portreadau Watkeys yn perthyn i ddau ddosbarth. Yn gyntaf, ceir ychydig o bortreadau a lofnodwyd ganddo, ynghyd â rhai sy'n debyg iawn iddynt o ran arddull. Defnyddiai arddull academaidd er bod iddi hefyd rai nodweddion hynod megis y duedd i baentio dwylo ei eisteddwyr yn rhy fach. Y mae enw Watkeys wedi ei stensilio ar gefn cynfas yr ail grŵp o bortreadau, ac y mae rhai o'r lluniau a berthyn i'r dosbarth hwn o ansawdd gwael iawn, sy'n awgrymu ei fod yn cyflogi arlunydd arall i wneud gwaith ar gyfer ei gwsmeriaid llai cyfoethog neu lai gwybodus.[50]

[49] Y mae'r wybodaeth hon yn seiliedig ar dystiolaeth John Deffett Francis, yr arlunydd o Abertawe. Yn ôl Joyner, *Artists in Wales*, t. 125, cafodd ei eni yn Abertawe. Bu Watkeys yn gweithio yn Abertawe hyd 1850 o leiaf, a bu farw ym 1873.

[50] Er enghraifft, y portread o John Thomas o Bengwern, 1833, a welir yn Joyner, *Artists in Wales*, t. 125.

[51] Yr oedd ei destunau yn cynnwys Dr Hewson, ficer Abertawe, Mrs Hewson, a Dr David Rhys Stephen, gweinidog gyda'r Bedyddwyr, yr engrafwyd ei bortread. Nid oedd ei destunau i gyd mor barchus â'r hoelion wyth hyn. Ei ddarlun enwocaf oedd ei bortread o'r nofelydd Julia Ann Hatton ('Ann of Swansea'), a oedd yn chwaer i'r actores Sarah Siddons.

Dinasyddion cefnog Abertawe oedd y mwyafrif o'i gwsmeriaid, serch hynny,[51] a derbyniai ryw gymaint o nawdd gan y bonedd yn ogystal. Paentiodd George Martin Lloyd a James John Lloyd o Fronwydd ym 1837.[52] Yng Nghasnewydd, yr oedd James Flewitt Mullock, brodor o'r dref, hefyd yn elwa ar rwydwaith cymysg o nawdd, yn enwedig yn ystod rhan gyntaf ei yrfa yn y 1840au a'r 1850au. Paentiodd *Plant William Evans, 'The Fields', Casnewydd*, gŵr busnes lleol, oddeutu 1855, ynghyd â'r *Teulu Lloyd*, perchenogion gwesty'r King's Head. Yr oedd gan deulu Lloyd gysylltiadau helaeth â'r bonedd gan mai hwy a fyddai'n gyfrifol am ginio a seremoni wobrwyo sioe wartheg flynyddol Syr Charles Morgan. Elwai Mullock i'r eithaf ar ei gylch o dirfeddianwyr, eu hasiantiaid a'u tenantiaid mwyaf cyfoethog, a chynhyrchodd y darluniau gorau o anifeiliaid a welwyd yng Nghymru yn y bedwaredd ganrif ar bymtheg. Yr oedd Syr Charles Morgan o Dredegyr yn arloeswr adnabyddus ym myd amaeth ac yr oedd y sioe a gynhelid ganddo yn bwysig iawn yng ngolwg pobl siroedd Morgannwg a Mynwy. Daeth cyfle Mullock i baentio Syr Charles yng ngornest aredig Cas-bach ym 1845. Ni wyddys a gafodd unrhyw hyfforddiant ffurfiol, ond y mae portreadau megis yr un o fuwch fyrgorn yn dangos cryn ddawn, yn enwedig o ran cymeriadaeth.[53] O bryd i'w gilydd, llwyddai'r arlunydd i ymestyn ei weithgarwch, gan wneud lluniau ar gyfer y gymuned hela a rasio.

307. James Flewitt Mullock, *Syr Charles Morgan yng Nghystadleuaeth Aredig Cas-bach*, 1845, Olew, 635 x 760

308. James Flewitt Mullock, *Buwch Fyrgorn*, c.1840–50, Olew, 535 x 660

gyferbyn:
309. James Chapman, *William Williams, 'Wil Penmorfa'*, 1826, Olew, 1380 x 990

[52] Dim ond ar y portread o George Martin Lloyd y ceir llofnod a dyddiad. Nid yw bodolaeth y portreadau hyn yn awgrymu mai arlunydd teithiol oedd Watkeys, oherwydd yr oedd gan y teulu gysylltiadau agos ag Abertawe trwy fam y bechgyn.

[53] Ceir disgrifiad manwl o yrfa Mullock yn ei chyd-destun cymdeithasol yn John Wilson, *Art and Society in Newport: James Flewitt Mullock and the Victorian Achievement* (Newport, 1993).

310. W. J. Chapman, *George White, Bwtler yn Nanteos,* 1836, Olew, 457 x 362

311. W. J. Chapman, *Bumble, the Carriage Horse, with Thomas the Coachman,* 1859, Olew ar gynfas, 610 x 495

gyferbyn: 312. Anhysbys, *Lady Pryse in a carriage drawn by Merlin and Vulpecide, with the dogs Topsy and Blackberry, and Dick the coachman,* 1863, Olew, 540 x 790

Yr oedd digon o alw am luniau o olygfeydd hela a rasio erbyn dechrau'r bedwaredd ganrif ar bymtheg i gynnal nifer cynyddol o arlunwyr teithiol a oedd wedi derbyn rhywfaint o hyfforddiant academaidd. Yng Nghymru cyflawnai W. J. Chapman gymaint â neb, er nad oes unrhyw wybodaeth ar gael am ei fywyd personol. Y gwaith cynharaf o'i eiddo y gwyddys amdano oedd *The Cyfarthfa Hunt*, a baentiwyd yn nhref lewyrchus Merthyr ym 1830, er bod y nawdd diwydiannol a gysylltir â'r darlun gwych hwn yn peri ei fod yn achos arbennig.[54] Y mae'r ffaith i Chapman dderbyn y rhan fwyaf o'i nawdd gan fonedd de a gorllewin Cymru dros gyfnod o ryw ddeng mlynedd ar hugain yn awgrymu bod ganddo berthynas agos iawn â'r wlad, er iddo weithio yn Lloegr hefyd.[55] Y mae'n bosibl ei fod yn perthyn i'r James Chapman a fu'n gweithio yng Nghymru ym 1825 a 1826, ac a gynhyrchodd y darlun cain *William Williams, 'Wil Penmorfa'*, telynor dall Tre-gib, yn null y portreadau o weision cyflog.[56] Nid cefn gwlad sir Gaerfyrddin a welir y tu ôl i William Williams ond mynyddoedd Eryri, ynghyd â'r tŷ lle y'i ganed, y mae'n debyg, yn null naratif John Walters. Nid oes unrhyw dystiolaeth bellach am James Chapman, ond yn fuan wedi hyn cafodd W. J. Chapman ei gyflogi gan deulu Lloyd-Philipps o Bentyparc, nid nepell o Dre-gib, a pherthnasau eraill, i baentio cyfres o bortreadau rhwng 1835 a 1840. Ym 1865 paentiodd *A Prospect of Aberglasni*, ac erbyn hynny yr oedd wedi teithio cyn belled i'r gogledd ag Aberystwyth i wneud y portread *George White, Bwtler yn Nanteos*, gŵr a oedd yn adnabyddus am ei drwyn coch, a gofnodwyd yn ofalus gan yr arlunydd.[57] Ym 1859 hysbysebodd yn y papur lleol ei fod yn gweithio yng Nghaerfyrddin ac fe'i comisiynwyd gan Grismond Philipps i baentio tri o'i geffylau. Y mae'r wybodaeth fanwl a

[54] Trafodir darluniau a phortreadau Chapman o weithwyr diwydiannol ardal Merthyr yn Lord, *Diwylliant Gweledol Cymru: Y Gymru Ddiwydiannol*, tt. 63–9, ac yn idem, *The Francis Crawshay Worker Portraits / Portreadau Gweithwyr Francis Crawshay* (Aberystwyth, 1996).

[55] Y mae'r ffaith i Chapman wneud cymaint o waith yng Nghymru yn awgrymu mai Cymro ydoedd. Eto i gyd, y mae gweithiau megis *Uncle John Crundle, a Sportsman with Game Dogs and Game* (Dreweatt Neate, Newbury, arwerthiant 23 Hydref 1991) a *A Family before a Country House* (Bonhams, arwerthiant Medi 1993) yn awgrymu iddo dderbyn nawdd tebyg yn Lloegr. Datblygodd James Loder o Gaerfaddon fusnes teithiol tebyg yn ne Cymru, gan baentio ceffylau yn y 1840au a'r 1850au. Bu'n arddangos ei waith yn y Sefydliad Prydeinig rhwng 1854 a 1866.

[56] Yr oedd James Chapman wedi cyhoeddi engrafiad o Abertawe ym 1825. Gw. Joyner, *Artists in Wales*, t. 15.

ysgrifennwyd gan Philipps ar gefn y lluniau, sy'n nodi llwyddiannau ei helfarch Isaac, 'who won a match agst. A. S. Davies Grey Horse. For £20 a side. Owners up. Two miles ... I shall never have such a Horse again', yn dangos mor bwysig oedd lluniau o'r fath i'r boneddigion hynny a ymddiddorai mewn ceffylau. Bu'n rhaid i Chapman hefyd baentio *Bumble, the Carriage Horse, with Thomas the Coachman*, *genre* arall a apeliai at fonedd y cyfnod, ac a roid yn aml yn nwylo arlunwyr teithiol. Ceir enghraifft dda o hyn yng Ngogerddan, ger Aberystwyth, lle y paentiwyd gan arlunydd anhysbys *Lady Pryse in a carriage drawn by Merlin and Vulpecide, with the dogs Topsy and Blackberry, and Dick the coachman.*

[57] Nodir yn *The Welsh Gazette*, 2 Chwefror 1905, mai George White, Nanteos, yw testun y llun, ar sail ei drwyn enwog. Tra oedd yn Llundain, heriwyd ef gan bartner yfed: "'I'll give you a gallon of ale, if you will answer in rhyme a rhyming question". "Try him 'etto'," (meaning 'try me again') exclaimed the old toper. "Well," said the challenger – "you mortal man that lives by bread What makes your nose to look so red?" "Try him 'etto'," again chuckled the rhyming butler of Nanteos and immediately replied:– "Nanteos ale both strong and stale / Keep my nose from looking pale"!'

313. Hugh Hughes,
Meibion Pryse Pryse, Gogerddan,
1826, Olew, 622 × 627

Er bod Chapman yn derbyn cyfran helaeth o'i gomisiynau gan y bonedd, ym 1859, sef y flwyddyn yr ymwelodd â Chwmgwili, bu hefyd yn Abertawe yn paentio portread o Thomas Thomas, gweinidog gyda'r Annibynwyr, a'i wraig Mrs Thomas, comisiwn dosbarth-canol a oedd yn fwy nodweddiadol o'r nawdd a roddid i arlunwyr gwlad yng Nghymru.[58] Bu Hugh Hughes bron yn llwyr ddibynnol ar nawdd o'r fath drwy gydol ei yrfa, ac am gyfnod byr yn unig y derbyniodd nawdd y bonedd. Ym 1826 comisiynwyd ef gan Pryse Pryse, Gogerddan, i baentio tri llun, comisiwn a ddynodai nid yn unig newid dros dro yn ei batrwm nawdd ond hefyd newid yn ei arddull. Rhoes y gorau i arddull blaen yr arlunydd gwlad, a welwyd ar ei gorau yn y darlun a baentiwyd ganddo ym 1823, sef *Teulu John Evans o Gaerfyrddin wrth eu Brecwast*, a cheisiodd efelychu confensiynau academaidd, arddull na fu erioed yn gyfforddus â hi. Yr oedd yn ddigon cymwys i baentio portreadau unigol megis *Pryse Pryse, Gogerddan*, ond pan gomisiynwyd ef gan ei noddwr newydd i baentio *Helfa Gogerddan* ar raddfa fawr, yr oedd ei ddiffyg hyfforddiant academaidd yn rhwystr iddo. Yr oedd ar dir cyfarwydd pan baentiodd y trydydd llun i deulu Gogerddan, sef *Meibion Pryse Pryse, Gogerddan*, a chynhyrchodd astudiaeth gain a adlewyrchai ei arddull gynnar, dull y byddai'n ei ddefnyddio'n gyson yn ei bortreadau o blant hyd ddiwedd ei yrfa.

Erbyn 1834 yr oedd Hughes yn byw yng Nghaernarfon, tref a ddaeth yn ganolfan bwysig i arlunwyr gwlad. Yr oedd William Roos yno eisoes ac ym 1838 symudodd Hugh Jones o Fiwmares i'r dref, gan rentu stiwdio yn Segontium Terrace. Yr oedd arlunydd gwlad o'r enw William Griffith hefyd yn gweithio yno rhwng 1835 a 1850, a gwyddys iddo baentio portreadau, er na lwyddwyd i adnabod unrhyw waith o'i eiddo.[59] Nid oedd digon o nawdd i'w gael yn y dref ei hun i gynnal cynifer o arlunwyr, a pharhaodd Hughes â'i waith fel arlunydd teithiol drwy grwydro yn bell a hefyd drwy baentio tirluniau. Ym 1836 ceisiodd chwyddo ei incwm drwy godi tâl ar bobl a ymwelai â'i gartref yn Church Street i weld cyfres o olygfeydd eang:

314. Hugh Hughes,
Ffair Foch Llanidloes,
*c.*1847, Olew, 420 × 515

> Diaromic Exhibition; consisting of the following views, each Picture containing from 200 to 300 feet of canvas, and painted on the spot; the first is the SUMMIT OF SNOWDON, Comprehending The whole range of sea and land, from the middle of Cardigan Bay to Carnarvon Bar. ABERYSTWYTH, From the Castle Hill, with portions of the old Ruin; the Castle House; the Bay, with the Vale of Clwyd steamer, landing her passengers; the Bar of Aberdovey; the Towyn Point; with Snowdon in the extreme distance.[60]

316. Hugh Hughes, *John Davies, Fronheulog*, 1841, Olew, 1136 x 908

uchod ar y chwith:

315. Hugh Hughes, *Jennett Davies, Fronheulog*, 1841, Olew, 1136 x 908

Yr oedd arddangosfeydd o olygfeydd eang o'r fath yn bur anghyffredin yng Nghymru, ac ni wyddys ond am un enghraifft gynharach. Y mae'n debyg fod gwaith Hughes wedi ei osod ar roleri, fel y gellid dangos yr olygfa fesul darn. Yr oedd ei olygfeydd yn rhai nodedig gan iddynt gael eu paentio yn y fan a'r lle, ond nid yw'n glir a ellir priodoli ei benderfyniad i ymgymryd â phaentio *plein air* ar raddfa eang oherwydd ei fod yn synhwyro'n gynnar iawn fod hyn ar fin dod yn ffasiynol ymhlith tirlunwyr, ynteu i'w wreiddioldeb diamheuol. Aflwyddiannus, serch hynny, fu ei ymgais gyntaf i baentio'r olygfa o ben Yr Wyddfa. Yn ôl William Morgan Williams (Ap Caledfryn): 'H.H.'s ideas were sometimes very broad especially when he attempted a panoramic landscape from the top of Snowdon unfortunately his tent and paraphernalias were blown to pieces and he had to abandon all'.[61] Eto i gyd, yr oedd y golygfeydd a wneid ar gyfer ymwelwyr yn ffynhonnell incwm gynyddol bwysig i Hughes yn y 1840au a'r 1850au. Câi'r lluniau eu harddangos mewn pabell y byddai'n gweithio yn ei hymyl yn ystod yr haf. Yr oedd ei gynnyrch helaeth hefyd yn cynnwys ffigurau megis *Ffair Foch Llanidloes*, a oedd yn adlais o'r golygfeydd o fywyd pob dydd a gâi eu paentio gan arlunwyr academaidd a ymwelai â Chymru yn ystod y cyfnod hwn, yn enwedig yr arlunwyr a dyrrai i Fetws-y-coed. Er y byddai Hughes yn ymweld â Betws-y-coed yn gyson, y mae'n arwyddocaol na fu unrhyw gysylltiad proffesiynol rhyngddo a'r arlunwyr Seisnig hyn. Parhaodd i ganolbwyntio ar baentio portreadau ar gyfer y dosbarth canol, a deilliai llawer o'i waith o'i gysylltiadau crefyddol eang. Dau o'r portreadau gorau a wnaeth yn y dull academaidd oedd *Jennett Davies* a *John Davies, Fronheulog*, ill dau yn Fethodistiaid amlwg a dylanwadol, a baentiwyd ganddo ym 1841.

[58] Cyfeirir at y comisiwn hwn yn *Yr Annibynwr*, III, rhif 29 (1859), 114. Ni lwyddwyd i olrhain y portreadau. Talwyd £34 i Chapman, a oedd yn swm llawer mwy na'r hyn a godai Hugh Hughes a William Roos yng nghanol y ganrif.

[59] Nodir yn y cyfarwyddiaduron busnes fod Griffith yn masnachu yn Castle Ditch ac yna yn Pool Street, lle y gweithiai adeg cyfrifiad 1851. Yr oedd yn 39 oed y pryd hwnnw, ac yr oedd dau gerfiwr ac eurwr yn aros gydag ef. Ceir yn yr ardal nifer o bortreadau heb eu harwyddo mewn casgliadau preifat, portreadau y mae'n amlwg nad gwaith Hughes, Roos na Jones mohonynt. Y mae'n bosibl mai Griffith a'u paentiodd.

[60] *Carnarvon and Denbigh Herald*, 2 Gorffennaf 1836. Câi pedair golygfa eu harddangos yn wreiddiol, 'occupying 1200 feet of canvas', *Y Papyr Newydd Cymraeg*, 22 Medi 1836. Codid tâl mynediad o swllt, gyda gostyngiad i blant a gweision a morynion.

[61] LlGC Llsgr. 6358B, heb rifau tudalen. Cynhaliwyd arddangosfa gynharach o olygfa eang yng Nghymru yn Aberteifi ym 1835. Gw. Lord, *Hugh Hughes, Arlunydd Gwlad*, tt. 221–2.

317. William Roos,
John Cox, Argraffydd, o Aberystwyth,
1845, Olew ar gynfas,
650 x 490

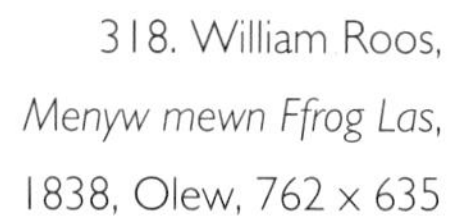

318. William Roos,
Menyw mewn Ffrog Las,
1838, Olew, 762 x 635

Megis Hugh Hughes, dechreuodd William Roos, yntau, ddilyn confensiynau hollol wahanol yn gynnar yn ei yrfa. Mewn llythyr at ei gyfaill Dewi Wyn o Eifion ym 1836 nododd ei fod 'gwedi crwydro cannoedd o filldiroedd' a'i fod newydd dreulio tri mis yn paentio ymhlith y Cymry yn Llundain:

> Cefais fy nymuniad o weled un o ben Dinasoedd Byd y lle nesaf sydd yn fy ngolwg yw Paradwys y celfyddydau sef Rhufain wyf yn gobeithio caf ei weled o hyn i ben y flwyddyn a hanner o leiaf.[62]

Hyd ddiwedd ei oes cadwodd Roos y symlrwydd personol a amlygir yn ei ddyheadau rhamantaidd i ymweld â Rhufain. Serch hynny, tra oedd yn Llundain cafodd rai gwersi gan arlunydd a ddisgrifiwyd ganddo fel 'the best portrait painter in England',[63] ac o ganlyniad newidiodd confensiynau a thestun ei waith. Yr oedd

[62] LIGC, Llsgr. Cwrt Mawr 74C, f. 58, dyddiedig 27 Rhagfyr 1836.

[63] *The Welshman*, 9 Gorffennaf 1875. Nid yw tystiolaeth Roos ynghylch pwy oedd ei athro yn eglur. Cyfeiria at arlunydd o'r enw Ben Caunt, na lwyddwyd i'w olrhain, ond ceir peth tystiolaeth amgylchiadol mai William Beechy oedd ei athro. Trafodir hyn yn Peter Lord, *Arlunwyr Gwlad / Artisan Painters* (Aberystwyth, 1993), t. 31.

chwith uchod:
319. William Roos, *Margaret Mary Thomas o Langaffo*, 1847, Olew, 750 x 620

de uchod:
320. William Roos, *William Davies Bryan, Rhydwhiman, Trefaldwyn*, 1862, Pastel, 396 x 330

321. William Roos, *Bywyd Llonydd Petris*, 1841, Olew, 533 x 406

ei bortreadau newydd, megis *John Cox, Argraffydd, o Aberystwyth*, a baentiwyd ym 1845, wedi eu llunio o wahanol haenau sgleiniog, ac wedi eu modelu'n llawn, gyda disgleirdeb tebyg i enamel, ac oherwydd hyn, ynghyd ag ystum nodweddiadol y pen a roesai i'w eisteddwyr, yr oedd yn hawdd adnabod ei waith. Yn wahanol i Hughes, yr oedd Roos yn ddigon hapus i weithio o fewn y confensiynau mwy academaidd hyn, er na roes y gorau'n llwyr i rai o nodweddion y traddodiad hŷn megis manylion addurnol ac ansawdd arwyneb paent â gorffeniad sidan a satin. At hynny, yr oedd ei batrwm nawdd, ei fywyd crwydrol a'r tâl truenus o fach a gâi am ei waith yn golygu ei fod yn perthyn yn bendant i ddosbarth yr arlunwyr gwlad.[64]

Yr oedd Roos yn anterth ei yrfa yn y 1840au. Y mae ei bortreadau unigol o Hugh Thomas o Langaffo, ffermwr o Fôn, a'i wraig Margaret a'u dau fab, a baentiwyd ym 1847, ymhlith y gwychaf o'i luniau. Gweithiai mewn pastel o bryd i'w gilydd,

[64] Er enghraifft, cynigiodd Roos werthu portread o Joseph Jones o Amlwch am 2½ gini tua 1840. Cynhyrchai gopïau o bortreadau a baentiwyd ganddo ef ei hun a chan arlunwyr eraill, ond yr oedd eu hansawdd yn aml yn wael iawn.

ond y mae'n bosibl mai tua diwedd ei yrfa y dechreuodd wneud hynny gan mai'r unig bortreadau o'r fath sydd wedi goroesi yw'r tri phortread o aelodau o deulu Bryan o sir Ddinbych a wnaed ym 1862.

322. William Roos, *Cyrnol Thomas Rowland Powell, Nanteos*, 1862, Olew, 410 x 340 (Y mae hunanbortread gwawdluniol o'r arlunydd i'w weld o dan y sbandrel.)

Manteisiai Roos hefyd ar y farchnad am wahanol fathau o luniau hela, o leiaf o 1841 ymlaen pan baentiodd *Bywyd Llonydd Petris*, gan nodi i'r adar gael eu lladd gan 'H. Webster, Esq.' Yr oedd y darlun hwn, a wnaed ar banel, yn gampwaith o ystyried mai gŵr wedi ei addysgu ei hun oedd yr arlunydd, ac y mae'n amlwg iddo ddefnyddio lluniau bywyd llonydd Isalmaenig yn batrwm. Yr oedd Roos yn ymwybodol iawn o'i dras Isalmaenaidd, a chydnabyddai hyn yn ei lythyrau ac yn realaeth ei arddull bortreadol. Erbyn 1849 yr oedd yn paentio ceffylau hela ar gyfer y bonedd, ac ymddengys mai darluniau yn y *genre* hwn oedd yr unig nawdd sylweddol iddo ei dderbyn gan Saeson.[65] Unwaith yn unig y gwyddys iddo wneud portread ar gyfer un o'r boneddigion, sef *Cyrnol Thomas Rowland Powell, Nanteos*, ger Aberystwyth, darlun a baentiwyd ym 1862. Portreadau unigol o feddygon, gweinidogion, argraffwyr a chyfreithwyr a berthynai i'r dosbarth canol oedd ei gynnyrch gorau hyd at y 1860au ond, er cystal ei waith, ni chafodd lwyddiant ariannol. Ym 1873 ysgrifennodd at Nicholas Bennett o Drefeglwys:

> If you want a boy to look after the Sheep & Cattle, weed the fields & garden, do some light work on your Farm in return for his Board & Lodgings and, he would expect a little pocket money now & then, please let me know. I have an overgrown boy, in London, who wants pure air, and plenty of milk diet, to strengthen him he is 15 yrs old & 5ft 7½ in. in height, a nice amiable Boy. every one, who sees his countenance like him, – very obedient, his only weakness is his pride ... I lost my eldest son 12 months ago. he died at Pennal within 8 miles of the place where he was born .... I fear my second & third son is going the same way, if they stop long in London, the Smoke and Gasses destroy them fast.[66]

Cerddor oedd Nicholas Bennett, a ddaeth yn enwog am ei gasgliad o ganeuon gwerin, *Alawon fy Ngwlad*, a gyhoeddwyd ym 1896. Yr oedd yn adnabyddus ymhlith deallusion yr oes, ac y mae'r cysylltiad rhyngddo a Roos yn amlygu un nodwedd arbennig ar waith arlunwyr gwlad Cymru. Mewn gwledydd eraill, carfan elitaidd o arlunwyr academaidd hyfforddedig a gâi'r fraint o baentio portreadau'r deallusion, ond yng Nghymru câi'r gwaith hwn ei roi fel rheol i arlunwyr gwlad.

[65] Er enghraifft, bu'n gweithio i Robert Lowther o Acton, swydd Amwythig.

[66] LIGC Llsgr. 584B, eitem 194, dyddiedig 16 Mai 1873.

pennod saith

Yr arlunydd gwlad a'r deallusion

323. Anhysbys,
Welch Chapel Jewin Street,
c.1825, Engrafiad pren,
maint yn ansicr

O ail ran y ddeunawfed ganrif ymlaen yr oedd bywyd deallusol Cymru, a ganolbwyntiai yn bennaf ar grefydd a'r celfyddydau, yn graddol golli ei ddibyniaeth ar nawdd ac arweiniad y bonedd ac yn trosglwyddo i ddwylo'r dosbarth canol. Yr oedd y dosbarth hwn at ei gilydd yn deillio o'r werin gyffredin, ac er bod yn well gan amryw ohonynt ddefnyddio'r Saesneg yn eu bywyd pob dydd fel arwydd o'u llwyddiant cymdeithasol, yr oedd eu cysylltiadau â'r iaith Gymraeg yn dal i'w clymu wrth eu gwreiddiau. Cymraeg oedd prif iaith lenyddol y cyfnod, ac yr oedd nifer helaeth o'r deallusion newydd – er nad pawb ohonynt – yn Ymneilltuwyr. Nid oedd y dadeni hwn wedi ei gyfyngu i ardal arbennig, ac ymledai'r gweithgarwch llenyddol dros y rhan fwyaf o'r wlad. Yr oedd y diwylliant dinesig Cymreig wedi ei gyfyngu i Lundain yn bennaf, er bod cymunedau pwysig hefyd yn Lerpwl, ym Manceinion ac yng Nghaer. O fewn y canolfannau hyn, fel yng Nghymru ei hun, yr oedd gweithgarwch deallusol ar drai ymhlith y bonedd a roesai nawdd i'r Cymmrodorion ar y dechrau, ac ar gynnydd o fewn grwpiau mwy diweddar megis cymdeithasau'r Cymreigyddion a oedd â'u gwreiddiau yn radicaliaeth ddemocrataidd John Jones (Jac Glan-y-gors) a Thomas Roberts, Llwyn'rhudol, a berthynai i'r Cymreigyddion gwreiddiol yn Llundain. Er mai ychydig iawn o aelodau a oedd gan y grwpiau hyn, yr oedd ganddynt gryn ddylanwad. Yr oedd capeli Cymraeg megis Jewin Crescent yn Llundain, yn ogystal â bod yn addoldai, yn ganolfannau ar gyfer gweithgarwch cymdeithasol a deallusol yr ymledai ei ddylanwad yn ôl i Gymru.

Yr oedd yr arweiniad deallusol newydd hwn, felly, yn deillio o blith y bobl y dibynnai'r arlunwyr gwlad arnynt am nawdd. Er yr holl debygrwydd rhwng yr arlunwyr teithiol a'u confensiynau gweledol yng Nghymru a'r Unol Daleithiau, datblygodd crefft yr arlunydd gwlad yng Nghymru mewn ffordd dra gwahanol i'r traddodiad nodedig a geid yno. Arlunwyr portreadau wedi eu hyfforddi'n academaidd a ddiwallai anghenion yr arweinwyr deallusol a gwleidyddol yng nghanolfannau trefol Efrog Newydd a Boston, fel ym mhrifddinasoedd gwledydd mawr Ewrop, ond yng Nghymru, a oedd yn amddifad o wleidyddiaeth frodorol a heb unrhyw academi arlunio, rhaid oedd dibynnu ar wasanaeth yr arlunwyr gwlad. Gan iddynt lwyddo i fanteisio ar nawdd y dosbarth canol, daeth Hugh Hughes, a William Roos yn ddiweddarach, i gysylltiad â'r cylchoedd deallusol newydd, a thrwyddynt â thraddodiad hŷn yr hynafiaethwyr Anglicanaidd. Byddai sawl aelod o'r dosbarth newydd o ddeallusion, a oedd yn cynnwys awduron, cerddorion, gwyddonwyr a gweinidogion, yn dod yn destun eiconograffeg sylweddol a ddeilliai'n bennaf o waith yr arlunwyr gwlad. Daeth yr eiconograffeg honno yn eiddo cyhoeddus drwy gyfrwng engrafiadau, ac yr oedd iddi bwysigrwydd amgenach na'r dogfennol neu'r esthetig. Aeth y cyhoeddwyr Cymreig ati i gomisiynu ac argraffu mwy a mwy o bortreadau engrafedig yn sgil y galw cynyddol o du'r cyhoedd yr oedd eu hymdeimlad â Chymreictod bellach yn ymestyn y tu hwnt i ffiniau lleol ac enwadol at destunau cenedlaethol eu naws.

324. J. Chapman yn seiliedig ar Edward Pugh, *Thomas Edwards, 'Twm o'r Nant', The Cambrian Shakespeare*, 1800, Engrafiad, 368 x 315

325. Anhysbys, *Thomas Edwards, 'Twm o'r Nant'*, c.1800–10, Olew, 450 x 350

Y cyntaf o'r gwŷr llên newydd i gael ei bortreadu'n helaeth oedd y bardd a'r dramodydd Thomas Edwards (Twm o'r Nant). Fe'i paentiwyd am y tro cyntaf ym 1763, sef blwyddyn ei briodas, a hynny gan arlunydd anhysbys. Y mae'r ail bortread a wnaed ohono hefyd yn dathlu achlysur arbennig ac yn gysylltiedig â'r Eisteddfod, a fyddai dros y can mlynedd nesaf yn ysgogi nifer helaeth o bortreadau pwysig. Mewn ystafell gynnull yn Eisteddfod Y Bala ym 1789 bu Thomas Jones, ecseismon o Gorwen, yn gyfrifol am ddangos a chrogi 'an emblematical painting representing on one side the Muse in tears, the other depicting "The sense and thoughts of Jonathan Hughes", "The Muse and flowing vein of Thomas Edwards", and "The rules and purity of language of Walter Davies"'.[1] Portreadai'r darlun digrif hwn yr hyn a ddigwyddodd yn Eisteddfod Corwen yn gynharach yn y flwyddyn pan ddyfarnwyd Walter Davies (Gwallter Mechain) yn fuddugol a Twm o'r Nant yn ail, dyfarniad a arweiniodd at ddadlau cyhoeddus. O ganlyniad, gwobrwywyd Twm â phensel arian, sydd i'w gweld yn glir yn y mân-ddarlun a baentiwyd gan Edward Pugh rywbryd cyn diwedd y ganrif. Bu'r ddelwedd hon a'i chyfeiriad gweledol at hagiograffeg Twm o'r Nant yn sail i'r engrafiad o waith J. Chapman ym 1800 a gyflwynodd ei wynepryd i'r cyhoedd am y tro cyntaf.[2] Yr oedd yr engrafiad hwn yn parhau'n boblogaidd ymhlith y werin-bobl yn ystod ail ran y bedwaredd ganrif ar bymtheg. Er enghraifft, pan aeth George Borrow i chwilio am fedd Iolo Goch yn Abaty Glyn-y-groes ym 1854, dywedodd yr hen wraig a drigai yn y fynachlog nad oedd erioed wedi clywed sôn amdano, ond y gallai ddangos portread o 'fardd mawr' iddo. 'There', meddai, gan ddangos iddo ddarlun wedi ei fframio, 'is the portrait of Twm o'r Nant, generally called the Welsh Shakespear.'

[1] Gwilym Hughes, 'Old Eisteddfod Medals', *Young Wales*, V (1899), 91.

[2] Y mae engrafiad sy'n seiliedig ar yr un darlun gwreiddiol gan Stoddart heb ei ddyddio. Paentiodd William Owen Pughe fân-ddarlun o Twm o'r Nant ym 1809.

> I looked at it. The Welsh Shakespear was represented sitting at a table with a pen in his hand; a cottage-latticed window was behind him, on his left hand; a shelf with plates and trenchers behind him, on his right. His features were rude, but full of wild, strange expression.[3]

Ni chafodd unrhyw Gymro er dyddiau'r Syr Watkin Williams Wynn cyntaf ei bortreadu mor helaeth â Twm o'r Nant, ac y mae'r gagendor cymdeithasol rhwng y ddau, ynghyd â'r ddelwedd gartrefol o'r bardd a wnaeth gymaint o argraff ar Borrow, yn arwydd o'r newid mawr a oedd yn digwydd ym mywyd Cymru. Yn ystod y bedwaredd ganrif ar bymtheg ni châi'r un gŵr bonheddig, tirfeddiannwr na hyd yn oed ddiwydiannwr ei bortreadu mor helaeth â gwŷr llenyddol a gweinidogion yr efengyl. Gwnaethpwyd dau bortread pellach o Twm pan oedd yn hen ŵr. Nid atgynhyrchwyd un ohonynt, ond gwnaed copïau ac engrafiadau di-rif o'r darlun arall, a gomisiynwyd gan William Madocks i ddynodi ymddangosiad cyhoeddus olaf y dramodydd ar achlysur agor Capel Peniel, Tremadog, ym 1810.[4]

[3] George Borrow, *Wild Wales*, gyda rhagymadrodd gan William Condry (Llandysul, 1995), t. 60.

[4] Nid yw'n amlwg pa un o'r lluniau yn y Llyfrgell Genedlaethol a'r Amgueddfa Genedlaethol a gafodd ei gomisiynu gan Madocks (os cafodd yr un ohonynt). Y mae'r fersiwn a geir yn yr Amgueddfa Genedlaethol yn dwyn y geiriau 'Lewis Hughes, Painter', sef yr unig gofnod o waith yr arlunydd gwlad hwn. Eto i gyd, ceir y geiriau 'From a painting by Newberry' ar y dyfrlliw bach sydd hefyd yn yr Amgueddfa Genedlaethol ac sy'n amlwg wedi ei seilio ar yr un darlun gwreiddiol.

326. Hugh Hughes, *Mrs Mary Jones, Dinbych*, c.1812, Dyfrlliw, 82 × 69

327. Hugh Hughes, *Thomas Jones, Dinbych*, c.1812, Dyfrlliw, 82 × 69

328. A. R. Burt yn seiliedig ar Hugh Hughes, *Revd. Thomas Jones, Denbigh*, 1820, Engrafiad, 97 × 78

329. Robert Bowyer, *Daniel Rowland*, c.1775–90, Dyfrlliw, 85 x 67

330. Anhysbys yn seiliedig ar John Williams, *William Williams, Pantycelyn*, 1867, Engrafiad, 624 x 425

O fewn blwyddyn neu ddwy yn dilyn y portread olaf o Twm o'r Nant yr oedd Hugh Hughes wedi dechrau paentio ffigurau cyhoeddus. Yr oedd yn ymwybodol iawn o'r effaith y gallasai portreadau o'r fath ei chael ar yr ymwybyddiaeth genedlaethol pe caent eu lledaenu ymhlith y werin-bobl ar ffurf delweddau printiedig. Yr oedd yn bresennol yn y sasiwn dyngedfennol a gynhaliwyd yn Y Bala ym 1811 pan dorrodd y Methodistiaid Calfinaidd Cymreig yn rhydd oddi wrth Eglwys Loegr drwy ordeinio eu gweinidogion eu hunain. Dyma benllanw'r Diwygiad Mawr a gychwynnodd yng nghanol y ddeunawfed ganrif, mudiad a fu'n hanfodol bwysig i esblygiad Cymru fodern ond a esgorodd ar ychydig iawn o ddelweddau gweledol. Yr unig un o arweinwyr y mudiad a gafodd ei bortreadu'n ffurfiol oedd Daniel Rowland, y gwnaed mân-ddarlun ohono gan Robert Bowyer.[5] Cynnyrch y bedwaredd ganrif ar bymtheg yw'r engrafiad adnabyddus o William Williams, Pantycelyn, bardd enwocaf y mudiad, ac fe'i seiliwyd ar gameo bychan a wnaed o'r cof. Sicrhaodd Hugh Hughes, serch hynny, well coffâd i'r to newydd o arweinwyr a fu'n gyfrifol am weddnewid Methodistiaeth yn enwad Cymreig ar wahân. Erbyn 1812 yr oedd wedi dechrau paentio portreadau o arweinwyr pwysicaf y mudiad yng ngogledd Cymru, ar ffurf mân-ddarluniau gan amlaf. Yn eu plith ceid y darluniau cyntaf o'r gwragedd a oedd yn gysylltiedig â'r mudiad, megis Mary Lloyd, priod Thomas Jones o Ddinbych, un o'r lladmeryddion mwyaf selog dros wahanu. Yr oedd Jones yn un o bedwar o leiaf o'r Tadau Methodistaidd yr atgynhyrchwyd eu portreadau fel engrafiadau. Yr enwocaf o'r rhain oedd *Mr. John Evans o'r Bala*, delwedd hynod o drawiadol, a engrafwyd gan Hughes ei hun ac a ddosbarthwyd

[5] Cafodd y Parchedig Howel Davies (*c.*1716–70), un o'r amlycaf o'r Methodistiaid Calfinaidd cynnar yn sir Benfro, ei baentio gan arlunydd anhysbys (capel y Tabernacl, Hwlffordd). Dair blynedd ar ôl ei farwolaeth, cyhoeddwyd engrafiad ohono gan Carington Bowles, y cyhoeddwr printiau poblogaidd o Lundain. Y mae achos Davies yn eithriadol, fodd bynnag, gan iddo briodi aeres gyfoethog a derbyn nawdd gan y bonedd. Y mae'r portread a'r engrafiad yn adlewyrchu'r agwedd hon ar ei fywyd yn gymaint â'i enwogrwydd fel Methodist.

331. Hugh Hughes, *Mr. John Evans o'r Bala*, 1819, Engrafiad, yn seiliedig ar ei baentiad gwreiddiol, dyddiedig 1812, 176 × 125

yn eang drwy gyfrwng y cylchgrawn enwadol *Y Drysorfa* ym 1819. Yr oedd cefndir Hughes fel arlunydd gwlad yn ei alluogi i esgyn uwchlaw confensiynau'r portreadau engrafedig o weinidogion, a gyflwynid mewn ffordd mor brennaidd yn y delweddau fformiwläig a gyhoeddid ym mhob rhifyn o'r *Evangelical Magazine*. Eto i gyd, engrafwyr eraill mwy confensiynol nag ef a fu'n gyfrifol am gyflwyno ei bortread cynharaf a mwyaf cyntefig, sef ei bortread o Thomas Charles o'r Bala, ffigur amlycaf yr Eglwys newydd a'r ddelwedd fwyaf dylanwadol ac eang ei dosbarthiad y bu iddo erioed ei phaentio. Er i bortreadau mwy soffistigedig o Charles gael eu gwneud, darlun Hughes a ddefnyddiwyd ar gyfer y ddelwedd gyhoeddus ohono a atgynhyrchid o bryd i'w gilydd drwy gydol y bedwaredd ganrif ar bymtheg.[6] Cyrhaeddodd y ddelweddaeth ei phenllanw gyda'r cerflun o waith William Davies (Mynorydd) yn Y Bala, y cychwynnwyd arno ym 1872. Erbyn hynny yr oedd mytholeg Methodistiaeth wedi cydblethu â mytholeg y genedl ei hun. Câi cyltiau personoliaeth y pregethwyr, prif elfen y fytholeg hon, eu meithrin mewn ffordd hollol fwriadol a phwrpasol. Er enghraifft, ym 1838 rhoddodd Robert Saunderson, argraffydd yn Y Bala, gyfarwyddyd i Bailey, yr engrafwr, drwy un o weithwyr y cyhoeddwr Edward Parry yng Nghaer, i addasu portread Hughes ar gyfer print newydd:

> I have ... directed him to place a Pen in the hand, as if in the act of writing a Letter – it has since occurred to me, that as Mr. C. is to appear in his Black Gown, it will be better to alter that part of the Portrait, and instead of a pen, he had better appear in the act of preaching – and to have the Bible before him, and a Reading Glass in his right hand ... You will also please to tell him to put as much benevolence as he can in Mr. Charles's countenance – for he certainly had a most benign smile when animated by his subject.[7]

Yr oedd Hughes bron â chwblhau ei gyfres o bortreadau o'r tadau Methodistaidd erbyn 1814, pan symudodd i Lundain. Dychwelai i Gymru yn rheolaidd, serch hynny, ac ym 1816 bu'n engrafu'r sasiwn yn Y Bala, gan ychwanegu delwedd o bobl gyffredin y mudiad at y delweddau o'r arweinwyr. Ddwy flynedd yn ddiweddarach

[6] Lord, *Gwenllian: Essays on Visual Culture*, tt. 43–72. Yr oedd y rhan fwyaf o'r engrafwyr yn gweithio y tu allan i Gymru, er i rai ohonynt engrafu nifer helaeth o destunau Cymreig. Er enghraifft, bu Richard Woodman o Lundain yn gweithio ar luniau gwreiddiol gan Hugh Hughes o 1827 ymlaen, a bu hefyd yn engrafu i William Watkeys. Ymhlith yr engrafiadau o bortreadau a wnaeth Woodman ar gyfer Hughes yr oedd *W. J. Rees, Casgob* (1827) a *John Evans, Llwynffortun* (1841).

[7] LlGC Llsgr. 9031E, f. 88.

332. Hugh Hughes, *Thomas Charles, Y Bala*, 1812, Dyfrlliw, 110 x 110

333. Bailey yn seiliedig ar Hugh Hughes, *Parch. Thomas Charles*, c.1838, Engrafiad, 236 x 150

yr oedd yng Nghymru unwaith eto, y tro hwn i wneud engrafiadau pren o dirluniau ar gyfer *The Beauties of Cambria*, ond daeth y gwaith creu a marchnata ag ef i gysylltiad â chylch o unigolion y tu allan i'w Eglwys. Ym 1820, am y tro cyntaf, fe ymddengys, mynychodd eisteddfod a gynhaliwyd yn Wrecsam. Yr eisteddfod hon oedd yr ail mewn cyfres o gyfarfodydd rhanbarthol a drefnwyd gan grŵp o wŷr eglwysig a ymddiddorai mewn hynafiaethau, dan arweiniad John Jenkins (Ifor Ceri).[8] Bu'r cyfarfod cyntaf a gynhaliwyd ganddynt yng Nghaerfyrddin flwyddyn ynghynt, pan ddaeth Iolo Morganwg â Gorsedd y Beirdd a'i seremonïau i gorlan yr Eisteddfod, yn drobwynt yn ei datblygiad. Bu'r gyfres hon o eisteddfodau yn gyfrwng i ddwyn ynghyd bobl o wahanol gefndiroedd, a llwyddwyd i ddenu hynafiaethwyr o genhedlaeth Iolo, megis William Owen Pughe, ynghyd â bonedd, gwŷr eglwysig, a deallusion Ymneilltuol ieuainc megis Hughes a'r bardd William Williams (Caledfryn), a oedd hefyd yn bresennol yn y cyfarfod a gynhaliwyd yn Wrecsam. Yr oeddynt yn bwysig yn eu hanfod oherwydd iddynt uno'r hen a'r newydd a gosod sylfaen mudiad a fyddai'n darparu'r fframwaith sefydliadol pwysicaf ar gyfer celfyddyd yng Nghymru ymhell i ail ran y bedwaredd ganrif ar bymtheg. Yn Wrecsam, lle y tynnodd Syr Watkin Williams Wynn sylw'r cyhoedd at *Beauties of Cambria*, cyfarfu Hugh Hughes ag Ifor Ceri a'i gyfaill Gwallter Mechain, bardd a beirniad llenyddol pwysicaf y cyfnod yn nhyb llawer. Yn sgil ei gysylltiad â'r gwŷr hyn daeth Hughes yn adnabyddus am y tro cyntaf y tu allan i'r cylchoedd Methodistaidd. Ym 1823 ysgrifennodd Peter Bailey Williams, ficer Llanrug, at Richard Jones (Gwyndaf Eryri), enillydd cadair Eisteddfod Caerfyrddin ym 1821:

[8] Câi John Jenkins, a groesawai feirdd, arlunwyr a deallusion i'w gartref, ei adnabod fel Ifor Ceri, ar ôl Ifor Hael, tywysog o'r oesoedd canol cynnar a oedd yn enwog am ei letygarwch.

334. Hugh Hughes, *Sasiwn Y Bala*, 1816, Engrafiad, 102 x 168

335. William Jones,
Richard Llwyd, 'Bard of Snowdon',
c.1810–20, Olew, 763 x 641

336. William Jones,
David Thomas, 'Dafydd Ddu Eryri',
1821, Olew, 740 x 620

> Nid ydyw fy *Income* (*Rhent*) ond bechan: nid ydyw degwm Llanberis ond deg punt a deugain, a llai na hynny rai blynyddoedd; ac ni fedraf fi wneuthur fawr – ond *hyn* a ewyllysiwn, sef cynnorthwyo, hyd eithaf fy ngallu, bob dyn ieuangc, yn mhob crefft a swydd, yr hwn a fyddai yn debyg o fod yn anrhydedd i'w wlad. Nid ydwyf yn barnu fod eisiau athrylith a doniau ymhlith y Cymry mwy na'r Saeson, ond eisiau dysg ac hyfforddiant. Dynion ag sydd yn dwyn clod i'w gwlad (yn fy marn i), ydyw Mr. Wm. Jones, y Lluniedydd (*Painter*), o'r Beaumaris; a Mr. Hugh Hughes, o ymyl Conway, Cerfiwr a Lluniedydd cywrain; a'r cyffelyb.[9]

Daethai William Jones i gysylltiad â mudiad newydd yr eisteddfod yn y cyfarfod a gynhaliwyd yng Nghaernarfon, pan gomisiynwyd ef i baentio'r bardd David Thomas (Dafydd Ddu Eryri), gŵr a chwaraeodd ran bwysig yn y trafodaethau. Gwisgai

[9] John Jones (Myrddin Fardd), '*Adgof Uwch Anghof*': *Llythyrau Lluaws o Brif Enwogion Cymru* (Pen y Groes, 1883), t. 180.

[10] Cafodd y comisiwn hwn gan John Williams o Dreffos, un o'r bobl gyntaf iddo eu paentio.

[11] Un o'r bobl a baentiwyd gan Jones tra oedd yng Nghaer oedd y gweinidog John Parry, yr engrafwyd portread ohono ar gyfer Edward Parry. Y mae'r portread gwreiddiol ar goll, ac y mae'n bosibl mai cybydd-dod Methodistiaid Caer ar ddechrau'r ugeinfed ganrif a oedd yn gyfrifol am hyn. Yn ôl R. Morgan ym 1904: 'Ni fydd Methodistiaid Caer yn deilwng o'r enw tra parhânt i fod yn glust-fyddariaid i goffadwraeth eu cymwynaswr pennaf. Dywedir iddynt wrthod prynnu *oil painting* o hono, o waith William Jones (y *limner*), yr hwn a bwrcaswyd ar y cyntaf am hanner cant o bunau, ac a gynhigiwyd i awdurdodau y Methodistiaid yng Nghaer am y swm isel o bum punt', *Cymru*, XXVII (1904), 191. Paentiodd William Jones bortreadau gwreiddiol a chopïau ar gyfer teulu Grosvenor, a gwyddys am fodolaeth noddwr arall o Gaer, sef John Lloyd o'r Mount, ar sail engrafiad a gyhoeddwyd gan Parry ym 1841. Parhaodd Jones hefyd i weithio i fonedd gogledd Cymru. Un o'i noddwyr mwyaf adnabyddus oedd E. M. Lloyd Mostyn, a baentiwyd gan Hugh Hughes yn ogystal. Gellir gweld y portreadau hyn, ynghyd ag ymdriniaeth amynt yn Lord, *Hugh Hughes, Arlunydd Gwlad*, t. 229.

337. Hugh Hughes,
John Jenkins, 'Ifor Ceri',
1825–6, Olew, 552 x 419

338. Hugh Hughes,
Elizabeth Jenkins, 'Eos y Bele',
1825–6, Olew, 533 x 419

339. Pensaer anhysbys,
The Moat, Ceri, Sir Drefaldwyn,
1810

Dafydd Ddu ei fedalau eisteddfodol, a daeth hyn yn arfer cyffredin ar gyfer portreadau swyddogol o'r beirdd.[10] Gartref yng Nghaer yr oedd Jones yn troi ymhlith cylch o ddeallusion 'alltud', gwŷr megis y cyhoeddwr Edward Parry, a oedd yn aelod canolog, a Richard Llwyd ('Bard of Snowdon'), a baentiwyd ganddo hefyd.[11] Erbyn 1824 yr oedd Hugh Hughes yntau yn elwa ar y nawdd hwn a ysgogwyd gan y cynnydd mewn gweithgarwch llenyddol a oedd yn gysylltiedig â'r eisteddfodau newydd, pan gomisiynwyd ef i gynhyrchu portread swyddogol o Thomas Beynon, aelod o gylch Ceri. Y mae'n eithaf tebyg iddo gael cynnig y comisiwn hwn oherwydd ei gyfeillgarwch â John Evans, y cyhoeddwr o Gaerfyrddin, gan iddo gael ei roi gan Gymreigyddion Caerfyrddin, cymdeithas yr oedd Evans yn aelod blaenllaw ohoni. Y mae'r portread *Thomas Beynon, Llywydd Cymreigyddion Caerfyrddin* wedi mynd i ddifancoll, ond yn fuan wedyn comisiynwyd cyfres o bortreadau o aelodau cylch Ceri. Y mae'r portread o Gwallter Mechain yn dilyn yr eiconograffeg farddol a sefydlwyd gan William Jones ac y mae'r gyfres gyfan yn wahanol o ran ei naws i waith cynnar Hughes, gan efelychu'r arddull academaidd. Dichon mai'r cysylltiad rhwng yr arlunydd a deallusion soffistigedig cylch Ceri sy'n gyfrifol am y newid anffodus hwn.[12] Wedi iddynt gael eu cwblhau ym 1826, cafodd y darluniau hyn, a ystyrid yn gyfres genedlaethol i ddathlu cyfraniad yr 'hen bersoniaid llengar', eu crogi yn y Moat, cartref hardd a thra modern Ifor Ceri, a adeiladwyd yn arddull y diwygiad Gothig. Trigai'r llenor yno gyda'i briod Elizabeth Jenkins, y wraig gyntaf i ddod yn aelod o Orsedd y Beirdd.[13]

[12] Cyfeiriwyd at y newid hwn eisoes wrth drafod yr ychydig bortreadau o foneddigion a baentiwyd gan Hughes yr adeg hon ac, yn wir, ffynhonnell y comisiynau hyn oedd Gwallter Mechain. Gw. uchod, t. 196.

[13] Ceir sawl cyfeiriad at hyn yn llythyrau Hughes at Ifor Ceri ac yn yr ohebiaeth rhwng aelodau o'r cylch Anglicanaidd. Lord, *Hugh Hughes, Arlunydd Gwlad*, tt. 130–44. Y mae'n rhaid bod portread Hughes o Beynon, a baentiwyd ar gyfer y Cymreigyddion, yn ddarlun gwych, gan i'r arlunydd dderbyn 25 gini amdano, swm llawer mwy nag a gâi fel rheol. Fe'i disgrifiwyd yn y *Carmarthen Journal*, 10 Rhagfyr 1824.

340. Hugh Hughes,
Walter Davies, 'Gwallter Mechain',
1825–6, Olew, 540 x 425

Byrhoedlog fu'r berthynas rhwng Hugh Hughes a'r gwŷr eglwysig. Daeth i ben y mae'n debyg oherwydd yr enw drwg a gawsai am bleidio achos Rhyddfreinio'r Pabyddion ym 1828, ac oherwydd natur anweddus y cweryl hallt a fu rhyngddo a John Elias, arweinydd y Methodistiaid yng Nghymru, ac a'i gwnaeth yn esgymun mewn cymdeithas barchus. Cafodd ei dorri allan o'r Eglwys gan Elias, ac i ddial am hyn cyhoeddodd gyfres o lythyrau a phamffled lle y cyfeiriai ato fel Pab Môn.[14] Yr oedd Hughes wedi paentio ac engrafu Elias ym 1812, ond yr oedd ei ddelwedd ddigyfaddawd, megis ei ddarlun o John Evans o'r Bala, yn dwyn i gof wreiddiau gwerinol y mudiad yng nghanol y ddeunawfed ganrif, ac ni ddaethai'n boblogaidd ymhlith Methodistiaid dosbarth-canol. Yr oedd amgyffred Hughes o ystyr y mudiad ynghlwm wrth ei wreiddiau democrataidd a gwrthwynebai gwlt cynyddol y gweinidogion yr oedd llawer o'i ddelweddau eraill, yn eironig iawn, wedi cyfrannu ato. Yn nhyb ei gyfoeswyr, yr oedd ganddo bellach wrthwynebiad radicalaidd eithafol i'r weinidogaeth fel sefydliad. Credai Hughes mai'r cyfan a wnâi oedd cadarnhau egwyddorion y Methodistiaid cynnar ac, yn wir, yr Eglwys Gristnogol gynnar, lle nad oedd offeiriad yn gyfrwng rhwng perthynas dyn a Duw.

Rhwng 1828 a 1832 datblygodd Hughes ei agenda radicalaidd grefyddol, wleidyddol a chymdeithasol drwy ei gysylltiad â Chymdeithas Cymreigyddion Llundain, a gynhyrchai gylchgrawn *Y Cymro.* Dyluniodd ac engrafodd Hughes wynebddarlun ar ei gyfer a geisiai ddiffinio cenedl newydd, wedi ei seilio ar gynnydd y bobl gyffredin drwy gyfrwng addysg. Yn ei ddelwedd dyfynnodd Hughes o'r engrafiad a wnaed ar ôl Corbould ym 1796, y bwriadwyd iddo grynhoi gweledigaeth hynafiaethwyr ac esthetwyr y ddeunawfed ganrif, sef *Britannia directing the attention of History to the distant view, emblematical of Wales*. Ychwanegodd Hughes long ager, offer gwyddonol a ffatri at feini hirion, castell Edwardaidd ac aradrwr yr engrafiad cynharach, er gwaethaf ei gasineb at y Gymru ddiwydiannol. Cymerwyd lle'r ffigur alegorïaidd Hanes gan y Cymro newydd, a ysgrifennai nid yn unig am y gorffennol ond hefyd am ddyfodol y genedl ar sail ymchwil resymegol.[15] Adlewyrchid yr egwyddor hon gan gynnwys y cylchgrawn, lle y ceid, er enghraifft, y traethodau sylweddol cynharaf yn y Gymraeg ar ystadegaeth a gwyddoniaeth, ynghyd â darluniau ategol a engrafwyd gan Hughes.

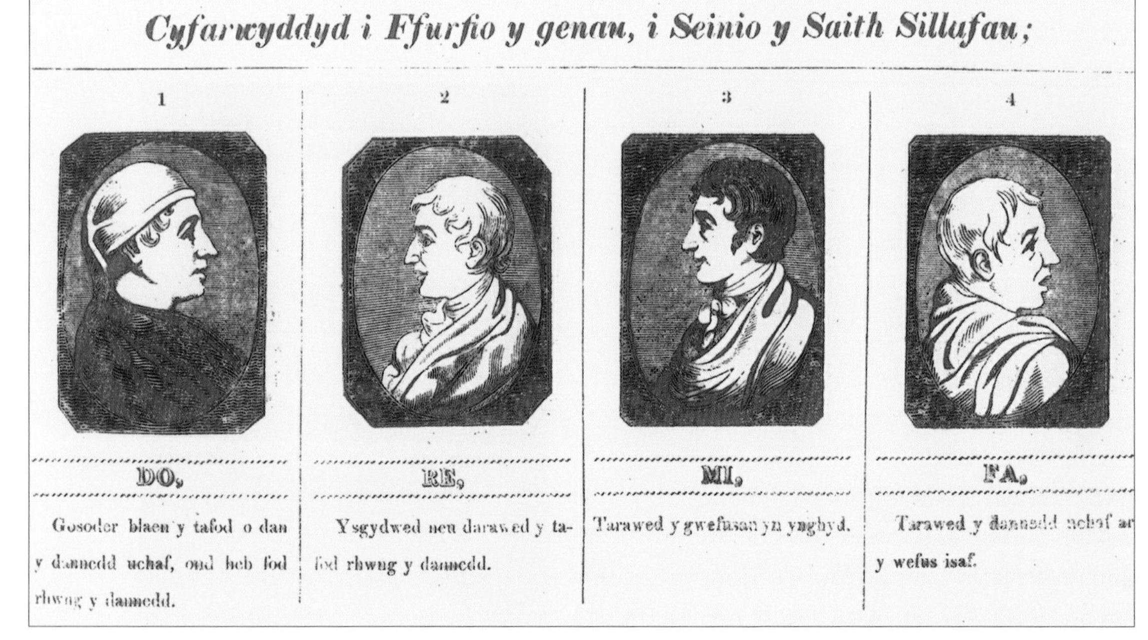

341. Hugh Hughes, *Cyfarwyddyd i Ffurfio y genau, i Seinio y Saith Sillafau*, allan o Owen Williams, *Egwyddorion Canu*, 1818, Engrafiad pren, 103 x 193

[14] Ymdrinnir yn fanwl â'r anghydfod yn Lord, *Hugh Hughes, Arlunydd Gwlad*, tt. 145–72.

[15] Pan ymddangosodd gyntaf yr oedd eglurhad ysgrifenedig gyda'r engrafiad, a wnâi yn hollol eglur beth a olygai'r ddelwedd. Am hyn a chyfraniad Hughes i Gymdeithas y Cymreigyddion, gw. Lord, *Hugh Hughes, Arlunydd Gwlad*, tt. 173–201.

[16] Cyfieithiad estynedig o Peter Roberts, *Cambrian Popular Antiquities*, gydag engrafiadau pren gan Hughes.

[17] Cyhoeddodd Evans *Brut y Cymry* yn ogystal mewn ymgais i gynhyrchu cofnod hanesyddol darluniedig o Gymru, wedi ei ysgrifennu a'i ddarlunio gan Hughes, ond methodd ar ôl y rhifyn cyntaf ym 1824.

342. Hugh Hughes,
Y Parch^g John Elias o Fon,
1812, Engrafiad, 91 × 70

Y Cymro.

RHIF. I.] IONAWR, 1830. [CYF. I.

EGLURHAD O'R CERFIAD.

EIN darllenyddion a welant Gymro gwladaidd (plain) yn cyfansoddi Rhifyn o'r CYMRO. Gwelir yn y pellder Gwch Angerdd, (steam vessel,) yn nghyd a llongau ereill; ac hefyd gweithfa fasnachol (factory,) a mwyndai tawdd, i'r dyben o arddangos y bydd i'r Cyhoeddiad roddi dealldwriaeth hysbysol ar faterion masnachol, diwydrwydd, a chynnyrch y wlad. Yr awyr-ged, (air balloon,) a ddengys y bwriedir difyru yn gystal a dysgu yr anghyfarwydd. Y Castell a hysbysa y darllenydd, y geill ddysgwyl yn y gwaith hwn erthyglau ar yr ymdrechiadau gorchestol a wnaed gan ein Henafiaid i gadw meddiant o, ac amddiffyn "Gwyllt Walia." Tra yr adgoffa y Gromlech iddo y caiff ei dueddgarwch henafiaethol ei boddâu. Yr Arddwr yn aredig, yn nghyd a'r gwartheg corniog, a addawant na chaiff hwsmonaeth ac amaethyddiaeth eu hebargofi. Y Belen

343. Hugh Hughes,
Wynebddalen *Y Cymro*, 1830,
Engrafiad pren, 212 × 126

Yr oedd y wynebddarlun a engrafwyd gan Hughes ar gyfer *Y Cymro* ym 1830 yn crynhoi'r defnydd a wnâi o'r engrafiad pren i oleuo'r Cymry cyffredin ar agweddau ar grefydd, hanes Cymru, a gwybodaeth gyffredinol. Yr oedd ei safbwyntiau crefyddol wedi dylanwadu nid yn unig ar ei feddylfryd cymdeithasol a gwleidyddol ond hefyd ar ei gelfyddyd am gyfnod o ddeng mlynedd cyn iddo droi'n radical yn sgil yr anghydfod dros ryddfreinio'r Pabyddion. Ym 1818 yr oedd wedi llunio cyfres o engrafiadau hyfryd ar gyfer gwerslyfr cerddorol gan John Ellis, *Egwyddorion Canu*, a thair blynedd yn ddiweddarach engrafodd gloriau ar gyfer cyfieithiadau o destunau moesol Seisnig i blant a gyhoeddwyd gan Robert Saunderson yn Y Bala. Ym 1823, mewn cydweithrediad â John Evans o Gaerfyrddin, cynhyrchodd y deunydd gwreiddiol cyntaf i blant yn y Gymraeg, ynghyd â lluniau i gyd-fynd ag ef. Daeth cylchgrawn misol *Yr Addysgydd* yn batrwm ar gyfer sawl cylchgrawn enwadol a gynhyrchid at ddefnydd yr ysgolion Sul a fyddai'n ffynnu yn y degawd canlynol. Adlewyrchai prosiectau eraill yn dwyn perthynas â hynafiaethau Cymreig, megis *Yr Hynafion Cymreig*,[16] yr ymgymerodd ag ef ar y cyd ag Evans, ymdeimlad cenedlgarol Hughes. Y mae'r ymdrechion hyn i gyflwyno i siaradwyr Cymraeg ddeunydd a oedd cyn hynny i'w gael yn Saesneg yn unig yn arwydd o ddyheadau ehangach y deallusion Ymneilltuol yn y 1820au. Meddai unigolion megis John Evans ar ddigon o hunanhyder i ddilyn y trywydd llenyddol a hynafiaethol a arloeswyd gan y Cymmrodorion yn y ddeunawfed ganrif drwy'r cymdeithasau newydd a sefydlwyd yng Nghymru ei hun.[17]

344. Hugh Hughes,
Nos Ynyd, allan o Anhysbys,
Yr Hynafion Cymreig, 1823,
Engrafiad pren, 60 x 100

ADDYSGYDD.

RHIF. V.] MAI. [1823.

"Yna y morwyr a gymmerasant Jonah, ac a'i bwriasant ef i'r môr."—*Darllener Llyfr Jonah.*

JONAH.

GOLYGIR fod darllenwyr yr ADDYSGYDD yn gyfarwydd â hanes y prophwyd hwn, ac ymddengys yn afreidiol gosod dim o hono i lawr yma, ond yn unig crybwyll fod Jonah yn byw yn ninas o'r enw Gitta Hepher, yn llwyth Zabulon, yn Galilee, yn amser yr ail Jeroboam.

Ninifeh, y lle y danfonwyd ef iddo, oedd brif-ddinas Assyria, a'r ddinas fwy-

345. Hugh Hughes,
Jonah, Darlun yn *Yr Addysgydd*, golygiad
David Charles a Hugh Hughes, 1823,
Engrafiad pren, 37 x 51

Ym 1830 troes Hughes at bortreadaeth unwaith eto mewn ymgais i ennyn ymwybyddiaeth genedlaethol drwy gyfrwng delweddaeth radicalaidd. Yn awyrgylch gosmopolitaidd Llundain cafodd yr arlunydd y syniad o sefydlu oriel bortreadau i ddathlu cyfraniad Cymry o bob argyhoeddiad at fywyd y genedl. Gan ddilyn arfer y Cymmrodorion a oedd, fel y gwelwyd eisoes, wedi comisiynu William Parry i baentio portreadau yn y 1770au, yr oedd Cymdeithas y Gwyneddigion wedi comisiynu o leiaf bum portread o Gymry adnabyddus, gan gynnwys portread o Owen Jones (Owain Myfyr), sylfaenydd y gymdeithas, a baentiwyd gan John Vaughan, un o'r aelodau.[18] Y mae'n debyg fod a wnelo William Owen Pughe â rhai o'r comisiynau hyn. Yr oedd gan Pughe wanc anniwall am bortreadau, gan gynnwys portreadau ohono ef ei hun, a chomisiynodd Eliza Jones ym 1824, Thomas George ym 1826 a 1832, a Hugh Hughes, cyfaill George, ym 1826, 1827 a 1831. Yr oedd Hughes hefyd wedi dwyn perswâd ar ei gymdeithas ef ei hun, sef y Cymreigyddion, i gomisiynu o leiaf ddau bortread. Y mwyaf nodedig o'r rhain oedd y portread o Thomas Roberts, Llwyn'rhudol, yr unig un o sylfaenwyr y gymdeithas a oedd yn parhau'n weithgar. Yr oedd ei argymhelliad y dylid sefydlu 'Cambro-British Picture Gallery' yn Llundain, a gyhoeddwyd yn y *Cambrian Quarterly Magazine* ym 1830, yn ganlyniad naturiol i broses hir:

> It has long been regretted that Welshmen of eminence often sink into the grave without any memorial remaining, to inform strangers and posterity of the form of their features; and any steps likely to remedy this defect, as far as circumstances will allow, will be valued by all who are interested in the affairs

[18] Y mae peth amheuaeth ynghylch pryd yr ymgymerwyd â'r comisiwn. Yn ôl cofnodion y Gymdeithas, gofynnwyd i Owain Myfyr eistedd i John Vaughan ym 1802, ond ni wyddys a wnaeth hynny ai peidio, gan y gofynnwyd iddo drachefn ym 1813. Bu farw y flwyddyn ganlynol, a chofnodir bod y llun yn crogi yn ystafelloedd y gymdeithas erbyn 1820. Y mae'r gwreiddiol, ynghyd â phortreadau James Davies, Robert Hughes a Dafydd Samwell, wedi mynd ar goll. O blith y nifer o bortreadau o Twm o'r Nant sydd wedi goroesi, y mae'n bosibl fod un ohonynt yn llun a roddwyd i'r gymdeithas a'i fod yn crogi yn ei hystafelloedd erbyn 1820.

[19] *The Cambrian Quarterly Magazine*, II (1830), 112.

of Wales. A committee of gentlemen attached to the Royal Cambrian Institution will undertake the management of the plan, and fix upon the individuals whose portraits shall be deemed of sufficient public interest to occupy a place in the gallery. Excellent likenesses of several literary men connected with Wales have already been painted, by the individual with whom the suggestion originated. The gentleman alluded to is Mr. H. Hughes, artist, of Greek Street, Soho, a native of Wales, who has, with a liberality which does him honour, proposed to paint, in his best style, the portraits of persons introduced to his notice by the committee.[19]

Gwelodd William Owen Pughe nifer o bortreadau gan Hughes yn ei stiwdio ym 1831, ond ni chlywyd rhagor am y cynllun. Y mae bron y cyfan o'r darluniau a gomisiynwyd gan y cymdeithasau wedi diflannu, a dim ond dau bortread a baentiwyd gan Hughes yn Llundain yn y cyfnod hwn y gwyddys i sicrwydd eu bod wedi goroesi. Un o'r rhain yw'r darlun uchelgeisiol, *Hunanbortread gyda Sarah Hughes a Sarah Phillips Hughes*, a baentiwyd ganddo o bosibl ar gyfer yr Oriel Genedlaethol.

uchod:
347. Hugh Hughes, *Hunanbortread gyda Sarah Hughes a Sarah Phillips Hughes*, c.1830, Olew, 1250 x 1010

uchod, ar y chwith:
346. Hugh Hughes, *Arglwydd Holland ac Arglwydd John Russell*, c.1828–31, Mesotint, 457 x 305

348. Richard Woodman yn seiliedig ar Thomas George, *William Owen Pughe*, 1832, Lithograff, 190 x 140

349. William Roos,
Dewi Wyn o Eifion, c.1836,
Olew, 760 x 640

Fel yr oedd gweithgarwch radicalaidd Hughes yn cyrraedd ei benllanw ar ddechrau'r 1830au yr oedd gyrfa William Roos yn dechrau datblygu. Ar lawer ystyr yr oedd yn wahanol iawn i Hughes – er bod ei dechneg yn fwy graenus, gŵr syml ydoedd yn y bôn, ac yn sicr nid oedd yn un o'r deallusion. Serch hynny, daeth ei waith ag ef i gysylltiad â'r to newydd ohonynt. Er enghraifft, pan aeth i Lundain am y tro cyntaf ym 1836, un o'r rhai y cafodd ei gomisiynu i'w baentio oedd John William Thomas (Arfonwyson), mathemategydd o fri a oedd yn gweithio yn yr Arsyllfa Frenhinol yn Greenwich, ac aelod blaenllaw o Gymdeithas y Cymreigyddion. Mab i weithiwr cyffredin o sir Gaernarfon oedd Arfonwyson, a ddaethai i amlygrwydd drwy ei ymdrechion ef ei hun, a gellid ei ystyried yn enghraifft nodweddiadol o'r gŵr deallusol dosbarth-canol newydd. Ceir yr unig gyfeiriad at y llun hwn mewn llythyr, dyddiedig 27 Rhagfyr 1836, a anfonodd Roos at ei gyfaill David Owen (Dewi Wyn o Eifion), a oedd ei hun yn ffigur amlwg ac a gyfrifid yn un o feirdd amlycaf ei genhedlaeth erbyn y 1830au.[20] Yr oedd Roos hefyd yn adnabod Hugh Derfel Hughes, bardd iau y gwnaeth ei gerdd enwocaf, 'Y Cyfamod Disigl', argraff ddofn arno. Cyfarfu Hugh Derfel â Roos adeg y Nadolig 1844 ac yntau ar ei ffordd adref o dde Cymru lle y buasai'n gwerthu ei gyfrol o gerddi, *Blodeu'r Gân*. Yr oedd yr arlunydd hefyd ar daith, yn gwneud portreadau, a disgrifiodd Hugh Derfel ef fel a ganlyn:

> William Roos ... sydd ddynsawd o faintioli cyffredin, ac yn dra thew a chigog. Ei wyneb sydd ddiflew, crwn llyfn, a gwridog, ac o olygiad boddlon a thangnefeddus. Ei gerddediad sydd hwyrdrwm ac arafaidd, a'i ymddygiad cyffredin sydd isel a gostyngedig. Ei luniau ydynt gywrain a chanmoladwy. Y mae ei deulu lled isel eu hamgylchiadau, a thrwy lawer o anfanteision y gweithiodd Roos ei ffordd ymlaen i'r cywreinrwydd crybwylledig.[21]

Y mae'r cyfeiriadau niferus at ymwneud arlunwyr gwlad a beirdd gwlad megis Hugh Derfel â'i gilydd yn pwysleisio'r ffaith eu bod yn perthyn i'r un dosbarth cymdeithasol ac yn rhannu'r un math o draddodiadau o ran eu crefft. Yr oedd John Roberts, er enghraifft, yn adnabod Robert Williams (Robert ap Gwilym Ddu) a phaentiodd bortread ohono. Y mae'n bosibl mai ef hefyd a baentiodd ddarlun arbennig o gain o'r bardd, darlun sydd bellach wedi diflannu.

Cyfrannodd Roos ddelweddau newydd a ddaeth yn sylfaen ar gyfer eiconograffegau poblogaidd a manteisiodd yr un pryd ar ddelweddau a oedd eisoes yn bodoli. Bu poblogrwydd delweddau megis y portread o Thomas Charles yn gyfrifol am greu peth galw ymhlith pobl gysurus eu byd am gopïau o ddarluniau olew, yr honnid ambell waith eu bod yn lluniau gwreiddiol. Yng nghanol y 1830au paentiodd Roos bortread olew o Thomas Charles gan ei seilio ar yr engrafiad a wnaed gan Collyer ym 1812, ond rhoes sbectol yn y llaw wag ac annaturiol braidd a ychwanegwyd gan yr engrafwr, mewn dull tebyg i'r hyn a fabwysiadwyd yn yr engrafiad a gomisiynwyd gan Saunderson. Gwnaeth sawl copi hefyd o'i bortread ef ei hun o Christmas Evans, gweinidog gyda'r Bedyddwyr. Paentiwyd y gwreiddiol ganddo fel menter fasnachol pan oedd y ddau yn gymdogion yng Nghaernarfon ym 1835,

[20] LlGC, Llsgr. Cwrt Mawr 74C, f. 58, 'buaswn dri mis yn Llyndain yn llunio hefyd yn Woolwich a Dulwich, Greenwich yn lle olaf arhosais wythnos I lunio J. W. Thomas Arfon neu y Cymro Cadarn y Cymro enwog yma sydd yn bresenol yn Seryddwr ir Brenin yn y Royal Observatory y mae ei ddarlun gwedi ei grogi yn stafell y Cymreigyddion yn Llundain hefyd Gwrgant sef Wm Jones Yswn. a ddarlyniais gyda llawer eraill'.

[21] *Y Tyddynnwr*, 1, 4 (Mai, 1923), 310. Oherwydd y berthynas glòs rhwng yr arlunwyr hyn a beirdd megis Hugh Derfel, a'r tebygrwydd cymdeithasol a phroffesiynol rhyngddynt, fe'u galwyd yn 'arlunwyr gwlad', i gyfateb i 'beirdd gwlad'. Bathwyd yr enw gan Delyth Prys.

350. John Roberts,
Robert Williams, 'Robert ap Gwilym Ddu',
c.1840, Olew, 704 x 560

351. Anhysbys,
Robert Williams, 'Robert ap Gwilym Ddu',
c.1835, cyfrwng a maint yn ansicr

a bu'r engrafiad mesotint a wnaeth ohono yn hynod o lwyddiannus. Y mae'n amlwg fod Roos yn ymwybodol iawn y byddai'n gorfod cystadlu yn erbyn portread Hugh Hughes,[22] ac wrth geisio gwerthu un o'i gopïau, dywedodd: 'it is considered the most correct of any taken of him'.[23] Ar gefn un o'r copïau hyn ysgrifennodd Roos y geiriau 'To Christmas Evans. The most ideal preacher Wales ever produced. Robert Hall called him a world of ideals.' Cafodd y ddelwedd ei throsglwyddo i sawl ffurf arall, sy'n arwydd o statws uchel yr eisteddwr. Gwnaeth un arlunydd anhysbys gopi syml o'r engrafiad gan anwybyddu'r golofn glasurol a ychwanegwyd gan Roos i roi urddas i'w wrthrych, a dewisodd yn lle hynny greu ffrâm liwgar o amgylch y portread. Fe'i paentiwyd ar banel bychan a chylch pres wedi ei sgriwio ynddo fel y gellid ei grogi ar y wal, gan ddwyn i gof eiconau eglwysi Uniongred y dwyrain. I'r sawl a allai fforddio prynu eiconau Ymneilltuol parod, yr oedd ffatri grochenwaith yn swydd Stafford yn Lloegr yn cynhyrchu ffiguryn o briddwaith a oedd yn amlwg wedi ei seilio ar brint Roos. Fe'i cynhyrchwyd yn arbennig ar gyfer y farchnad yng Nghymru oherwydd ni wyddai'r cyhoedd yn Lloegr ddim am y gwrthrych, mwy nag y gwyddent am John Bryan a John Elias, gwŷr y gwnaed modelau ohonynt hwythau hefyd, a hynny yn yr un ffatri gellid tybied. Seiliwyd y ffiguryn o John Elias ar bortread a baentiwyd ym 1838 gan Hugh Jones o Fiwmares. Yr oedd Elias erbyn hynny yn arweinydd y Methodistiaid Calfinaidd ac ar binacl ei yrfa. Gellid hefyd brynu engrafiad o'r portread ohono a wnaed gan Jones ac a gyhoeddwyd yng Nghaer gan Edward Parry. Yr oedd gwahanol fersiynau ar gael i

[22] Comisiynwyd portread Hughes gan Daniel Jones, Lerpwl, a Chaledfryn, ac fe'i hatgynhyrchwyd mewn mesotint gan yr arlunydd fel wynebddarlun i gofiant Christmas Evans a gyhoeddwyd ym 1839. Dinistriwyd y portread gwreiddiol yn Llundain yn ystod yr Ail Ryfel Byd, ond y mae copi gan Ap Caledfryn wedi goroesi. Ceir disgrifiad manwl o'r comisiwn yn Lord, *Hugh Hughes, Arlunydd Gwlad*, tt. 231–3.

[23] LlGC Llsgr. 7165D, f. 288, llythyr at William Roberts (Nefydd), 1870: 'you must recollect Christmas at the said time – circumstances cause me to offer this Portrait for sale, should yourself, or any of your acquaintances want a correct as well [as] a good painting, of the great man, of ideas, and Eloquence, they can buy it for £2.0.0. It is half size, the face is 5 inches long.' Yr oedd Roos erbyn hyn yn byw mewn tlodi. Y mae o leiaf dri fersiwn o bortread Roos o Christmas Evans wedi goroesi, un ohonynt yn Amgueddfeydd ac Orielau Cenedlaethol Caerdydd, un yn Llyfrgell Genedlaethol Cymru ac un mewn casgliad preifat.

352. William Roos, *Christmas Evans*, c.1835, Olew, 394 x 332

353. William Roos, *Revd. Christmas Evans*, c.1835, Mesotint, 235 x 180

354. Anhysbys yn seiliedig ar William Roos, *Christmas Evans*, dyddiad yn ansicr, Olew, 220 x 180

blesio pob poced, gan gynnwys proflenni cyntaf wedi eu harwyddo gan y pregethwr am 7*s* 6*d*. Daethant yn boblogaidd dros ben, ac ysgogwyd Roos i wneud copïau engrafedig rhad ohonynt yn ogystal â chopïau paentiedig. Seiliwyd nifer o eitemau *kitsch* ar bortread Hugh Jones hefyd, gan gynnwys y sgarffiau sidan a gynhyrchid yn ystod ail hanner y bedwaredd ganrif ar bymtheg.

355. Hugh Jones, *John Elias*, 1838, Olew, 760 x 635

356. Yn seiliedig ar Hugh Jones, *John Elias*, c.1860, Sidan, 830 x 850

357. Yn seiliedig ar William Roos, *Christmas Evans*, ffigur crochenwaith swydd Stafford, *c.*1840, uchder 365

O bryd i'w gilydd llunnid portreadau o unigolion heblaw beirdd a gweinidogion. Er enghraifft, ymddiddorai William Roscoe (noddwr John Gibson), a oedd yn fanciwr yn Lerpwl, yn Richard Robert Jones (Dic Aberdaron), yr ieithydd crwydrol ecsentrig. Ym 1822 cyhoeddodd Roscoe astudiaeth o Dic Aberdaron a amlygai graffter seicolegol anghyffredin ynghyd ag engrafiad rhamantaidd a roddai gamargraff llwyr o'r ieithgi golygus ond carpiog.[24] Astudiaeth a phortread engrafedig Roscoe, yn ddi-os, a anogodd A. R. Burt o Gaer i gynhyrchu delwedd fwy credadwy y flwyddyn ganlynol ar gyfer marchnad dra gwahanol. Gellid prynu engrafiad plaen o *Richard Robert Jones, the wonderful Linguist* gan Burt am 1*s* ac engrafiad lliw am 1*s* 6*d*, a daeth hyn â Dic Aberdaron i sylw'r bobl.[25] Fe'i dilynwyd ym 1837 gan ddelwedd o Dic gyda'i gorn Ffrengig a'i lyfrgell deithiol a fu'n sail i sawl amrywiad diweddarach, yn enwedig ar ôl ei farwolaeth ym 1843 a chyhoeddi cofiant poblogaidd iddo gan Hugh Humphreys, Caernarfon. Yn ôl Humphreys, 'y mae amryw o'n prif ddarlunyddion wedi tynu darlun o Richard; ond y diweddaf a dynwyd, mae yn debygol, ydoedd gan Mr. Richard Williams, Llan St. Sior – tynodd ddau ddarlun ohono yn mis Awst diwethaf – gwnaeth *rafl* am un o honynt yn y *Bee Hotel*, Abergele, ychydig amser ar ôl ei farwolaeth, a daeth i feddiant Lady Gardner, Kinmel Park'.[26] Mewn gwirionedd, paentiwyd portread Kinmel gan William Roos, ac yr oedd yn un o'i luniau gorau.[27]

Ym 1850 cafodd copi mawr o'r portread ei arddangos yn Eisteddfod Rhuddlan. Un o'r hyrwyddwyr oedd y pensaer a'r bardd John Jones (Talhaiarn) a oedd yn prysur ddod i amlygrwydd ymhlith deallusion Cymreig Llundain. Ar y pryd, gweithiai fel cynorthwyydd i Syr Joseph Paxton a oedd wrthi'n adeiladu'r Palas Crisial. Talhaiarn a fu'n gyfrifol am gynllunio pafiliwn yr eisteddfod, ac y mae'n bosibl mai ei syniad ef hefyd oedd y copïau o bortreadau a grogai ar y waliau, ochr yn ochr ag arfbeisiau ac arwyddeiriau.[28] Yr un flwyddyn, paentiwyd portread o Dalhaiarn hefyd gan Roos, i ddathlu ei gyfraniad i'r eisteddfod y mae'n debyg. Yr oedd hwn nid yn unig yn un o'r portreadau gorau a wnaed yn ystod y bedwaredd ganrif ar bymtheg ond hefyd yn anarferol o gymhleth o ystyried mai gwaith arlunydd gwlad ydoedd. Ar gefn y llun ysgrifennodd Roos y geiriau

[24] Adwaenid Dic fel 'the learned pig' gan y boneddigesau Seisnig yr oedd Roscoe yn troi yn eu plith, gan nad oedd yn orhoff o ymolchi. Mewn engrafiad pren diweddarach, a'r un mor ffansïol ohono, gwelir ef mewn ystum Clasurol. Am y print hwn ac eiconograffeg Dic Aberdaron yng nghyd-destun ehangach y print poblogaidd, gw. Lord, *Words with Pictures*, tt. 113–15.

[25] Gwnaeth A. R. Burt nifer o destunau Cymreig mewn arddull debyg, gan gynnwys John Evans, glöwr a ddaeth i amlygrwydd oherwydd iddo gael ei gaethiwo o dan ddaear am ddeuddeng niwrnod mewn pwll ger Wrecsam. Gw. Lord, *Diwylliant Gweledol Cymru: Y Gymru Ddiwydiannol*, t. 141.

[26] H. Humphreys, *Hanes Bywyd Dic Aberdaron* (Caernarfon, 1844), t. 39. Ni lwyddwyd i olrhain hanes Richard Williams, ond yr oedd yn un o'r galarwyr yn angladd Dic Aberdaron. Ymhlith delweddau cyfoes eraill o Dic yr oedd portread pen ac ysgwydd ohono yn Sefydliad Peiriannegol Lerpwl, sydd bellach ar goll. Y mae'n bosibl ei fod yn un o ddau bortread o'r fath y cyfeiriwyd atynt yng nghofiant Humphreys. Un o'r arlunwyr pwysicaf i bortreadu Dic Aberdaron oedd John Orlando Parry, a wnaeth luniad ohono yn Eisteddfod Biwmares ym 1832. Gw. Lord, *Words with Pictures*, t. 115. Gwnaed nifer o bortreadau o Dic ar ôl ei farwolaeth hefyd, gan gynnwys dau gerfiad carreg naïf, a seiliwyd ar engrafiadau. Gw. Lord, *Gwenllian: Essays on Visual Culture*, t. 85, a'r adran liw, dim rhifau tudalen.

[27] Paentiodd Roos o leiaf ddau bortread arall o Dic Aberdaron.

[28] Ymhlith copïau eraill ceid portread Roos ei hun o *Dewi Wyn o Eifion*, portread William Jones o *David Thomas, 'Dafydd Ddu Eryri'*, a'r portread *Thomas Edwards, 'Twm o'r Nant'* a gomisiynwyd gan William Madocks. Y mae'r ffaith nad oedd y portreadau hyn wedi eu harwyddo yn awgrymu nad Roos ei hun oedd yr arlunydd. Ymddengys fod y gyfres yn waith dau arlunydd gwahanol. Y mae'n bosibl mai Thomas Jones (Taliesin o Eifion), arlunydd gwlad a bardd a arferai droi mewn cylchoedd eisteddfodol yn y gogledd-ddwyrain, oedd un o'r arlunwyr.

358. A. R. Burt, *Richard Robert Jones, the wonderful Linguist,* 1823, Ysgythriad a dyfrlliw, 275 x 200

359. William Roos, *Richard Jones of Aberdaron, the celebrated linguist,* c.1838, Olew, 736 x 609

'The Bard in Meditation', ac y mae'r dillad llac, y gwallt aflêr a'r farf yn amlwg yn nhraddodiad y darluniau o feirdd a gâi eu paentio gan arlunwyr academaidd yn y ddeunawfed ganrif. Er nad oedd yn adnabyddus iawn, y mae'n bosibl fod Roos wedi gweld engrafiad o ddarlun Thomas Jones, *The Last Bard*, ac yr oedd y fersiwn a wnaed gan Philippe de Loutherbourg yn gyfarwydd iawn.[29]

Dengys y copïau o bortreadau a gâi eu harddangos yn yr eisteddfod fod portreadau gan arlunwyr gwlad yn rhan o'r dreftadaeth genedlaethol erbyn canol y ganrif. Y mae *Talhaiarn, The Bard in Meditation* gan Roos yn awgrymu bod yr arlunwyr hwythau, er gwaethaf eu gwreiddiau gwerinol a'u tâl pitw, yn ymwybodol eu bod yn creu mytholeg genedlaethol.[30] Ambell waith, clodforid Roos ac arlunwyr eraill ar gân gan y beirdd yr ystyrient eu hunain yn gyfeillion iddynt. Ym 1850 lluniodd Ellis Owen, Cefnymeysydd, feddargraff yn Saesneg i Roos, er ei fod yn dal ym mlodau ei ddyddiau, gan ddynwared ffurf yr englyn:

[29] Yr oedd y ddelwedd Ramantaidd a grëwyd gan Roos ym 1850 yn wahanol iawn i'r ddelwedd o barchusrwydd dosbarth-canol a gynhyrchodd wrth wneud portread o'r un person flwyddyn yn ddiweddarach. Y mae portread cynharach o Talhaiarn gan Roos, sy'n dyddio o 1839, wedi mynd ar goll. W. Wilson Roberts, 'Talhaearn', *Cymru*, XXXI (1906), 250.

[30] Derbyniodd Hughes 25 gini am *Thomas Beynon as President of the Carmarthen Cymreigyddion* ym 1824, ond wedi hynny gostwng wnaeth ei brisiau. Ym 1845 cododd £5 yr un am bortreadau mawr o Ellen Lloyd ac Ann Williams o Lannor, a oedd ymhlith y goreuon o'i weithiau diweddarach. Ym 1870 cynigiodd William Roos werthu un o'i bortreadau o Christmas Evans am £2, a phum mlynedd yn ddiweddarach ceisiodd sefydlu clwb portreadau yng Nghaerfyrddin, lle y gofynnid i'r aelodau dalu £3. 18s, a oedd yn ostyngiad y mae'n debyg ar y ffi safonol o 4 gini.

[31] Ellis Owen, *Cell Meudwy sef Gweithiau a Bywgraphiad Ellis Owen, FSA Cefn-y-meusydd* (Tremadog, 1877), t. 48. Ysgrifennodd Ellis Owen gerdd hefyd i ddathlu gwaith yr arlunydd Ellis Owen Ellis, ibid., t. 52.

360. William Clements, *Richard Robert Jones*, Engrafiad wedi ei argraffu ar sidan, c.1843 yn seiliedig ar y gwreiddiol, dyddiedig 1837, 225 x 140

361. William Roos, *Talhaiarn, The Bard in Meditation*, 1850, Olew, 635 x 530

He painted life so well that Death
Envied his art; – withdrew his breath:
Although with mortals here he lies,
His Fame both Time and Death defies.[31]

Yr oedd Ellis Owen yn un o'r ychydig ddeallusion a baentiwyd gan Roos a Hugh Hughes fel ei gilydd. Er eu bod yn ddibynnol ar nawdd yr un cylch cyfyng dros gyfnod o ddeugain mlynedd a rhagor, nid oes unrhyw dystiolaeth ysgrifenedig i gysylltu'r ddau â'i gilydd, ond y mae'n rhaid eu bod wedi cyfarfod ar sawl achlysur. Dichon mai'r gagendor rhyngddynt o ran personoliaeth a deall sy'n gyfrifol am y diffyg tystiolaeth. Byddai Roos yn darlunio wynebau'r *élite* yn hynod gelfydd, ond ni fu erioed yn bwysig yn eu golwg hwy. Yr oedd Hughes, ar y llaw arall, fel meddyliwr ac arlunydd, yn ŵr dylanwadol yn eu plith.

ADDA ac EFA
Yn Ngardd Eden.

YR HWSMON DIOG AR CRISTION DIOFAL.

Cenir ar "God save the King." yr hen ffordd.

YN EDEN, fan odiaeth, y bu fy nhreftadaeth
A Nhad yno 'n benaeth yn byw;
Fe'i troed i boenydio yn ddinerth oddiyno,
Am iddo fo ddigio'r gwir Dduw;
A finau ddanfonen i drin y ddaearen,
Ar gwr yr Iorddonen, oer ddwr,
Gan beri i mi'n buredd lafurio 'n ddioferedd,
'Rol colli'r wlad sanctaidd yn siwr:
Cael tir mewn lle ffrwythlon, fel hen fynydd *Sion*,
Ynghanol glyn tirion glân têg,
Yn dyddyn dedwyddol,—gallaswn fyw'n llesol,
Yn *Hwsmon* da freiniol di frêg.

Yn lle cloddio ac arloesi, mi ymddygais i ddiogi;
O b'le daw fyth dd'ioni o'r fath ddyn?
Heb unwaith ofalu, am droi na braenaru,
Na gwneuthur ar lyfnu fawr lûn;
Hau mewn tir tenau, anialwch a chreigiau,
A gwaeth, mi wn droeau, mewn drain;
Yr adar a'i bwytty, y gwres sy'n ei grasu,
A thyfu wna i fynu'n o fain:
Yn lle gwenith i egino, yr ysgall afrosgo
A welir yn cuddio pob cefn,
O eisiau i mi arloesi y drain a'r mieri,
Drwy ddiogi daw drysni di drefn.

isiau bod ffosydd, drwy ganol y gweunydd,
ae nolydd yn gorsydd i gyd.
th a ddisgwylia', o achos fy 'sg'leusdra,
d *Gaua'* tyn laddfa tan lid:
Dylaswn ystyrio yn foran i lafurio,
Cyn i'r *Haf* basio'n rhy bell,
Mi â'n gwrwm di gariad, mewn ffair ac mewn (marcanad
Na b'sai fŷ nillad i'n well:
Daw angen, tlodi, fel ceisbwl i'm cospi,
Am i mi droi i ddiogi drwy ddydd.
Cewch weled yn sydyn, mai niwedd fydd newyn,
Nes dirwyn fy nghoryn ynghudd.

Fel hyn wrth naturiaeth, mae dyn mewn cyff'lyb- [iaeth,
I'r *Hwsmon* di dorraeth ar dir;
Yn llwyr anystyriol, o'i enaid anfarwol,
Mewn cyflwr anianol yn wir;
Pan ga'dd ei fedyddio, adduned oedd yno,
Am iddo filwrio'n ei le,
Un aelod ysprydol, o'r Eglwys Grist'nogol,
Ymrwymo'n ufuddol wnae 'fe;
'Fe addawodd ymwrthod, â satan a phechod,
A bod yn dra pharod drwy ffydd,
I ymladd yn wrol, dan faner Duw nefol,
Rhyfeddol mor foesol a fydd.

Pan elo'r gwr tyner, mewn oedran ac amser,
'Fe gymmer fwyn bleser mewn blâs;
Gán redeg yn ebrwydd, i ganlyn ynfydrwydd,
Heb ynddo fawr arwydd o ras:
Diystyru cynghorion, iaith rywiog athrawon,
Gan ddilyn ynfydion y fall,
Fel 'nifail gwar galed, heb synwyr i synied,
I ystyried na gweled y gwall:
Halogi'n resynol, y *Sabbath* sancteiddiol,
Trwy ffol anfucheddol ddewr chwant,
Ac enwi drwy 'sgafnder, Dduw nefol yn ofer,
Sydd arfer gwan bleser gan blant.

Bydd ynddo 'fe hefyd arferion dychrynllyd,
Aflendid ac erlid y gwir;
Mae chwant yn cynnyddu, i'w galon heb gelu,
Fel chwyn a fo'n tyfu mewn tir,
Pan elo fe'n daclus, oer oglyd i'r eglwys,
I wrando gwir dawnus gair Duw,
Er clywed â'i glustiau, na ddieng yn nydd angau,
Ni bydd ar ei fronnau fawr friw:
Pob cynghor a glywo, mae'n gollwng yn ango',
Wneiff dim a ddarlleno ddim lles,
Fel hâd a fo'n syrthio, ar graig lle mae'n gwywo,
Nes iddo lwyr grino mewn gwres.

Edrychwn yn mhellach, ei fuchedd afiachach,
Ni a'i gwelwn yn arwach yn wir:
Ei Dduw ydyw Mammon,--mae'n ofni'n ei galon,
Na cheiff ef mor digon o dir:
Rhyw chwantau cybyddlyd, a gofal a gyfyd,
Pan glywo 'fe agoryd y gair,
Gan edrych o'i ddeutu, myfyrio am y foru,
Pa fodd i fwyn ffynu mewn ffair;
Os hittia iddo feddwl, rhaid gadael y cwbl,
Ni phery ei fyr drwbl fawr dro,
Er clywed a'i glustiau, na ddieng yn nydd angau,
Cynnyddu yn ei feiau mae 'fo.
Edrychwn drachefen, ei drafael a'i drefen,
Ni a'i gwelwn a'i gefen yn gam;
Ei gorph yn fethedig, mewn henaint crynedig,
A'i enaid mewn peryg;—mi wn pa'm,
Ei bleser a'i hoffder fydd sôn am ei gryfder,
Fel byddai 'fe'n amser ei nwy',
Gan osod ei hyder, mewn hunan gyfiawnder,
Heb feddwl am fatter sydd fwy,
Hyfrydwch ei galon, fydd 'mofyn rhyw n'wyddion
Yn hen ddyn lled wirion llwyd wedd,
Ac angau dychrynllyd, yn barod bob munyd,
I'w symud o'r bywyd i'r bedd.

Mae'n oleu i ni weled, os darfu i ni 'styried,
Fel yr ydym ddieithriaid i Dduw;
Mae dyn pechadurus, mewn anian truenus,
A chyflwr enbydus yn byw;
Mae calon lygredig, dyn annychweledig,
Fel tir heb ei aredig erioed,
Neu bren wedi ei blanu, heb ffrwyth arno'n tyfu
Pwy fedr fyth garu'r fath goed?
Gadewch i ni 'mdrechu, cyn henaint gan hyny,
A pheidio rhyfygu'n rhy fawr,
Nid oes yn y beddrod, ddim gwaith na myfyrdod,--
Dyled bod yn barod bob awr.

JOHN THOMAS.

JOHN JONES, ARGRAFFYDD, LLANRWST.

Bu dylanwad Hugh Hughes ar ddatblygiad y ddelwedd brintiedig yn hynod o bwysig. Yn ystod y ddeunawfed ganrif darlunnid rhai llyfrau a baledi â blociau pren o Loegr ac ambell waith â lluniau a dorrwyd yn lleol, ond gweisg mewn trefi ar y ffin megis Amwythig a Chaer oedd y prif gyflenwyr ar gyfer deunydd darluniedig yn y Gymraeg. Gwnaeth Hughes lawer iawn i newid y sefyllfa hon, ac er na chyflawnai waith engrafu ar ôl symud i Gaernarfon ym 1834, gwelir ôl ei ddylanwad cynnar ar y cyhoeddwr John Jones o Drefriw yn y nifer helaeth o ddelweddau gweledol printiedig a gynhyrchwyd. Yr oedd Jones yn perthyn i linach o argraffwyr yn Nhrefriw ond, yn wahanol i'w dad a'i daid, nad oedd ganddynt ddim mwy o ddiddordeb mewn darluniau nag a feddai'r rhan fwyaf o argraffwyr yng Nghymru, torrodd dir newydd drwy gyhoeddi darluniau engrafedig. Dechreuodd argraffu engrafiadau ar ran Hughes yn gynnar yn y 1820au, a chynhwysodd engrafiad Hughes o *Brad y Cyllill Hirion* yn un o'i gyhoeddiadau ef ei hun, sef *Drych y Prif Oesoedd*, adargraffiad o glasur Theophilus Evans ar hanes cynnar Cymru. Symudodd y wasg o Drefriw i Lanrwst ym 1825, a dechreuwyd defnyddio amrywiaeth helaeth o flociau o wahanol ffynonellau, gan fanteisio hefyd ar waith newydd a wneid yn bennaf gan James Cope yng Nghaernarfon. Yr unig beth a wyddys am gefndir Cope yw iddo gael ei eni yn sir Gaernarfon ym 1805 neu 1806. Y mae dros ddeg ar hugain o'i dorluniau pren wedi goroesi, ac argraffwyd bron y cyfan ohonynt gan John Jones rhwng dechrau'r 1830au a 1842.[32] Testunau crefyddol oedd llawer ohonynt, ac fe'u hargraffwyd gyda chaneuon addas mewn taflenni baledi, ac y mae'n debyg mai baledwyr mewn ffeiriau a marchnadoedd a'u dosbarthai yn bennaf. Y mae'r delweddau Cymreig hyn yn rhan o draddodiad o dorluniau pren rhad ar draws Ewrop gyfan; fe'i trosglwyddwyd i Gymru drwy'r wasg boblogaidd yn Llundain, lle y cafodd y

gyferbyn:
362. James Cope,
Adda ac Efa, Torlun pren,
1832–42, 420 x 330

[32] Arwyddwyd deuddeg print gan Cope a phriodolwyd ugain arall iddo ar sail arddull. Gw. Lord, *Words with Pictures*, tt. 93–104. Yn rhyfeddol, y mae amryw o'r blociau a wnaed gan Cope a dau o waith Hugh Hughes wedi goroesi, ac i'w gweld yn Amgueddfa Werin Cymru. Y mae'r wasg y'u hargraffwyd arno, ac a wnaed gan John Jones ei hun, yn yr Amgueddfa Wyddoniaeth yn Llundain. Am Jones, gw. Gerald Morgan, *Y Dyn a Wnaeth Argraff: Bywyd a Gwaith yr Argraffydd Hynod, John Jones, Llanrwst* (Llanrwst, 1982).

363. Hugh Hughes,
Brad y Cyllill Hirion, 1822,
Engrafiad pren, 80 x 132

364. Ffotograffydd anhysbys,
John Jones o Drefriw,
c.1860–5

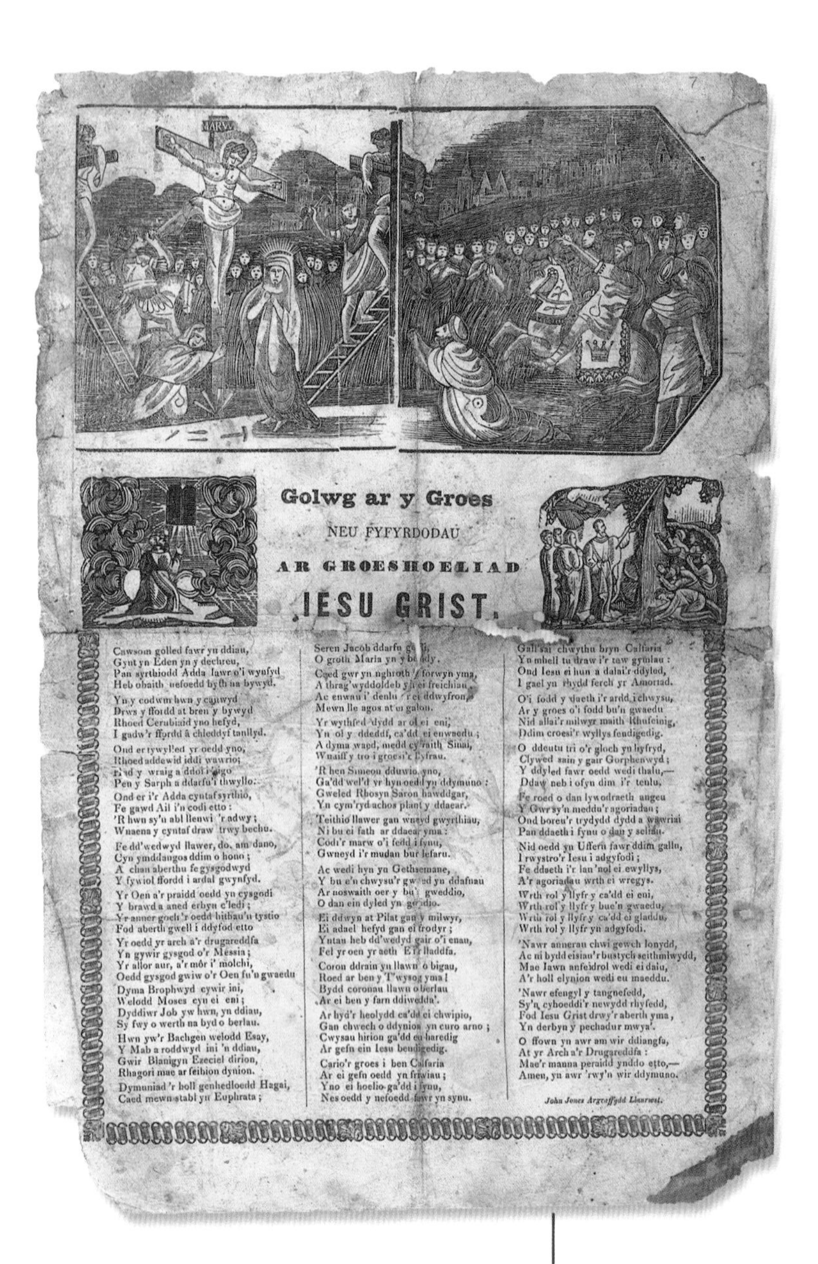

Golwg ar y Groes

NEU FYFYRDODAU

AR GROESHOELIAD

IESU GRIST.

John Jones Argraffydd Llanrwst.

365. James Cope,

Golwg ar y Groes, c.1832–4,

Torlun pren, 242 x 365

GWAHODDIAD

I ADFERIAD GWYLMABSANT BANGOR.

YR HWN A GYFHELIR

Gyda Races Mulod, Hela Moch, ac amrywiol Grist'nogol Gampau, o dan nodded Uchel Offeiriadau yn nyddiau Nadolig, Blwyddyn yr Arglwydd 1841.*

GWAHODDIAD.

GWYLMABSANT BANGOR.

L. E. JONES, ARGRAFFYDD, HEOL Y BONT, CAERNARFON.

366. James Cope,

Gwahoddiad i Adferiad

Gwylmabsant Bangor, 1841,

Torlun pren, 427 x 257

dechneg ei hadfywio gan y cyhoeddwyr John Pitts a James Catnach.[33] Yr oedd gweithiau mwyaf beiddgar James Cope yn darlunio testunau o'r Hen Destament megis *Adda ac Efa*, a luniwyd o chwe bloc gwahanol. Rhyfeddach o lawer yw'r ffaith ei fod hefyd yn darlunio testunau o'r Testament Newydd, megis *Golwg ar y Groes*, torlun o'r Croeshoeliad nad oes ond darn ohono wedi goroesi. Yr oedd gwasg Isaac Thomas yn Aberteifi hefyd yn cynhyrchu testunau ysgrythurol ar raddfa eang. Er gwaethaf ymdrechion dygn awduron crefyddol y bedwaredd ganrif ar bymtheg i greu delwedd o werin Gymreig Ymneilltuol a oedd wedi

[33] Y mae'n arwyddocaol, y mae'n debyg, o ystyried y cyd-ddigwyddiad rhwng dyfodiad Hugh Hughes i Gaernarfon a datblygiad torluniau James Cope, fod Hughes wedi gweithio fel engrafwr yn Llundain o 1814 ymlaen, yn agos i ganolfan argraffu printiau yn Seven Dials, ac y mae'n bosibl iddo gael ei gyflogi yno gan Catnach.

[34] John Harvey, *The Art of Piety: The Visual Culture of Welsh Nonconformity* (Cardiff, 1995), tt. 46–53.

367. Anhysbys, argraffwyd gan Isaac Thomas, *Lazarus y Cardottyn*, c.1835–53, Torlun pren a dyfrlliw, 484 × 350

ymwrthod â darluniau crefyddol 'eilunaddolgar', y mae'r dystiolaeth helaeth a gynigir gan y printiau torlun pren a'r diddordeb brwd mewn portreadau engrafedig o bregethwyr yn cynnig dehongliad gwahanol.[34] Yn wir, yr oedd yr argraffydd Isaac Thomas yn ffigur amlwg ymhlith Bedyddwyr Aberteifi.

Parhaodd gweisg John Jones ac Isaac Thomas yn brif gynhyrchwyr lluniau printiedig poblogaidd yn ystod ail ran y bedwaredd ganrif ar bymtheg. Yr oedd yr engrafwr anhysbys a dorrai flociau ar gyfer Thomas yn llawer mwy naïf na James Cope. Dibynnai ar ddatblygu delweddau o dorluniau gwreiddiol o Lundain ac, ar un achlysur o leiaf, o waith Cope.[35] Serch hynny, gwnaeth yr engrafwr o Aberteifi gymaint o newidiadau i'r modelau fel y gellir yn gwbl haeddiannol eu hystyried yn dorluniau gwreiddiol. Dim ond ar un achlysur y mae'r printiau sydd wedi goroesi yn awgrymu iddo wneud dyluniad hollol newydd. Stori feiblaidd foesol gan Dafydd William, wedi ei darlunio mewn gwisg fodern, yw *Lazarus y Cardottyn*. Dangosir gŵr blonegog anffortunus, sef y gŵr drwg yn y stori, yn cerdded o'i fila newydd foethus, gan fynd heibio i Lasarus heb roi unrhyw gardod iddo. Yr oedd dull Isaac Thomas o osod y lluniau a'r testun, gan ddefnyddio ymylon trwm a blociau cornel, yn fwy rhodresgar na dull John Jones. Cynhyrchai'r argraffydd o Aberteifi fwy o destunau Saesneg a dwyieithog na Jones, a hefyd fwy o faledi a ddisgrifiai lofruddiaethau a sgandalau. Darparai'r ddau ohonynt fel ei gilydd amrywiaeth helaeth o ddelweddau o natur angladdol a borthai'r galw sylweddol am fyfyrdodau prudd ar fyrhoedledd bywyd.

Prin oedd y gweithiau a chanddynt neges gymdeithasol neu wleidyddol a gyhoeddwyd gan Isaac Thomas,[36] ond torrodd James Cope amryw o flociau ysblennydd ar bynciau cyfoes. Diau fod hyn yn adlewyrchu'r awyrgylch deallusol dwysach a fodolai yng Nghaernarfon lle'r oedd Hugh Hughes, ar ôl cydweithredu â Chaledfryn ar y cylchgrawn *Y Seren Ogleddol*, wedi sefydlu'r papur newydd wythnosol cyntaf yn y Gymraeg ym 1836. Parhâi'r *Papyr Newydd Cymraeg*, a gâi

[35] *Adda ac Efa*. Ceir casgliad sylweddol o ddeunydd yn ymwneud ag Isaac Thomas yn Llyfrgell Genedlaethol Cymru, Adran Darluniau a Mapiau, Ffeil yr Argraffydd o Aberteifi. Y mae'n cynnwys y printiau o Lundain a Llanrwst a ddefnyddiodd yr engrafwr o Aberteifi i ddatblygu ei dorluniau.

[36] Baled gan Levi Gibson ar Derfysgoedd Beca yw'r unig brint darluniedig ar bwnc gwleidyddol sydd wedi goroesi. Eto i gyd, cafodd y blociau eu cymryd o'r stoc yn hytrach na'u torri'n arbennig. Am hyn a lluniau eraill yn ymwneud â Therfysgoedd Beca, gw. Lord, *Words with Pictures*, tt. 137–41.

Y TORIES

YN CAEL EU CYMERYD ADREF AT EU TEULU.

Hai ho, Beth sydd yna? ebe Lucifer;
Pymtheg o DORIES, ebe Belphegor.
Pa beth? ebe y Brenin, dim ond pymtheg, lle y byddent yn dyfod wrth y cannoedd.
Onid ydych chwi allan er's tridiau, Syre, ac heb ddwyn i mi ond pymtheg etto?

CERFIWYD GAN, AC ARGRAFEWYD TROS JAMES COPE, GAN JOHN JONES, LLANRWST.

gyferbyn:
368. James Cope,
Y Tories yn cael eu Cymeryd Adref at eu Teulu, c.1834–6,
Torlun pren, 400 x 315

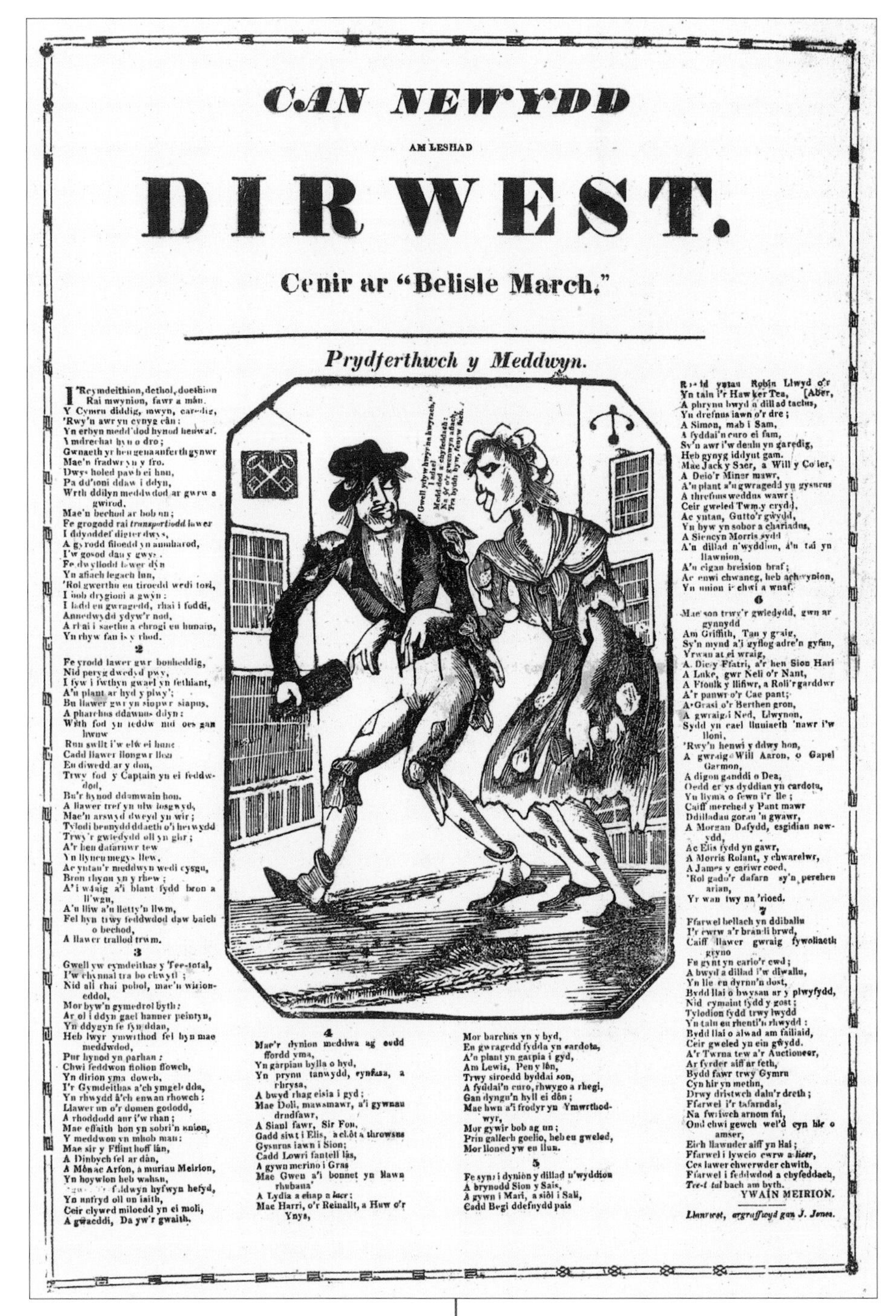

CAN NEWYDD
AM LESHAD
DIRWEST.
Cenir ar "Belisle March."

Prydferthwch y Meddwyn.

I'Rcymdeithion, dethol, doethion
Rai mwynion, fawr a mân.
Y Cymru diddig, mwyn, caredig,
'Rwy'n awr yn cynyg cân:
Yn erbyn medd'dod hynod henwaf.
Ymdrechai hyn o dro;
Gwnaeth yr hen genaanferth gynwr
Mae'n fradwr yn y fro.
Dwys holed pawb ei hun,
Pa dd'ioni ddaw i ddyn,
Wrth ddilyn meddwdod ar gwrw a
gwirod,
Mae'n bechod ar bob un;
Fe grogodd rai *transportiodd* lawer
I ddyoddef digter dwys,
A gyrodd filoedd yn annharod,
I'w gosod dan y gwys.
Fe dwyllodd lawer dyn
Yn afiach legach lun,
'Rol gwerthu eu tiroedd wedi tori,
I bob drygioni a gwyn:
I ladd eu gwragedd, rhai i foddi,
Annedwydd ydyw'r nod,
A rhai i saethu a chrogi eu hunain,
Yn rhyw fan is y rhod.

2

Fe yrodd lawer gwr bonheddig,
Nid peryg dwedyd pwy,
I fyw i fwthyn gwael yn fethiant,
A'u plant ar hyd y plwy';
Bu llawer gwr yn siopwr siapus,
A pharchus ddawnus ddyn:
Wrth fod yn feddw nid oes gan
hwnw
Run swllt i'w elw ei hun:
Cadd llawer llongwr llon
Eu diwedd ar y don,
Trwy fod y Captain yn ei feddw-
dod,
Bu'r hynod ddamwain hon.
A llawer tref yn ulw losgwyd,
Mae'n arswyd dweyd yn wir;
Tylodi beunydd ddaeth o'i herwydd
Trwy'r gwledydd oll yn gir;
A'r hen datarnwr tew
Yn llyncu megys llew,
Ac yntau'r meddwyn wedi cysgu,
Bron rhynu yn y rhew;
A'i wraig a'i blant fydd bron a
ll'wgu,
A'u lliw a'u lletty'n llwm,
Fel hyn trwy feddwdod daw baich
o bechod,
A llawer trallod trwm.

3

Gwell yw cymdeithas y Tee-total,
I'w chynnal tra bo chwyth;
Nid all rhai pobol, mae'n wirion-
eddol,
Mor byw'n gymedrol byth:
Ar ol i ddyn gael hanner peintyn,
Yn ddygyn fe fyn ddau,
Heb lwyr ymwrthod fel hyn mae
meddwdod,
Pur hynod yn parhau:
Chwi feddwon ffolion flowch,
Yn dirion yma dowch,
I'r Gymdeithas a'ch ymgeledda,
Yn rhwydd â'ch enwau rhowch:
Llawer un o'r domen gododd,
A rhoddodd aur i'w rhan;
Mae effaith hon yn sobri'n union,
Y meddwon yn mhob man:
Mae sir y Fflint hoff lân,
A Dinbych fel ar dân,
A Môn ac Arfon, a muriau Meirion,
Yn hoywion heb wahan,
feddwyn hyfwyn hefyd,
Yn unfryd oll un iaith,
Ceir clywed miloedd yn ei moli,
A gwaeddi, Da yw'r gwaith.

4

Mae'r dynion meddwa ag oedd
ffordd yma,
Yn garpiau bylla o hyd,
Yn prynu tanwydd, cynfasa, a
rhrysa,
A bwyd rhag eisia i gyd;
Mae Doli, mawsmawr, a'i gywnau
drudfawr,
A Sianl fawr, Sir Fon,
Gadd siwt i Elis, a clôt a throwsus
Gysurus iawn i Sion;
Cadd Lowri fantell lâs,
A gywn merino i Gras
Mae Gwen a'i bonnet yn llawn
rhubana'
A Lydia a chap a *lacr*;
Mae Harri, o'r Reinallt, a Huw o'r
Ynys,
Mor barchus yn y byd,
Eu gwragedd fydda yn cardota,
A'u plant yn garpia i gyd,
Am Lewis, Pen y lôn,
Trwy siroedd byddai son,
A fyddai'n curo, rhwygo a rhegi,
Gan dyngu'n hyll ei dôn;
Mae hwn a'i frodyr yn Ymwrthod-
wyr,
Mor gywir bob ag un;
Prin gallech goelio, heb eu gweled,
Mor lloned yw eu llun.

5

Fe synai i dynion y dillad n'wyddion
A brynodd Sion y Sais,
A gywn i Mari, a siôl i Sali,
Cadd Begi ddefnydd pais
Rhodd yntau Robin Llwyd o'r [Aber,
Yn tain i'r Hawker Tea,
A phrynu bwyd a dillad taclus,
Yn drefnus iawn o'r dre;
A Simon, mab i Sam,
A fyddai'n curo ei fam,
Sy'n awr i'w deulu yn garedig,
Heb gynyg iddynt gam.
Mae Jack y Saer, a Will y Colier,
A Deio'r Miner mawr,
A'u plant a'u gwragedd yn gysurus
A threfnus weddus wawr;
Ceir gweled Twm y crydd,
Ac yntau, Gutto'r gwydd,
Yn byw yn sobor a chariadus,
A Siencyn Morris sydd
A'u dillad n'wyddion, a'u tai yn
llawnion,
A'u cigau breision braf;
Ac enwi chwaneg, heb achwynion,
Yn union i chwi a wnaf.

6

Mae son trwy'r gwledydd, gwn ar
gynnydd
Am Griffith, Tan y graig,
Sy'n mynd a'i gyflog adre'n gyfan,
Yrwan at ei wraig,
A Dicy Ffatri, a'r hen Sion Hari
A Luke, gwr Neli o'r Nant,
A Ffoulk y lliftwr, a Roli'r garddwr
A'r panwr o'r Cae pant;
A Grasi o'r Berthen gron,
A gwraig i Ned, Llwynon,
Sydd yn cael lluniaeth 'nawr i'w
lloni,
'Rwy'n henwi y ddwy hon,
A gwraig Will Aaron, o Gapel
Garmon,
A digon ganddi o Dea,
Oedd er ys dyddiau yn cardota,
Yn llymа o fewn i'r lle;
Caiff merched y Pant mawr
Ddilladau goreu 'n gwawr,
A Morgan Dafydd, esgidiau new-
ydd,
Ac Elis fydd yn gawr,
A Morris Rolant, y chwarelwr,
A James y cariwr coed,
'Rol gado'r dafarn sy'n perchen
arian,
Yr wan twy na 'rioed.

7

Ffarwel bellach yn ddiballu
I'r cwrw a'r brandi brwd,
Caiff llawer gwraig fywoliaeth
gryno
Fu gynt yn cario'r cwd;
A bwyd a dillad i'w diwallu,
Yn lle eu dyrnu'n dost,
Bydd llai o bwysau ar y plwyfydd,
Nid cymaint fydd y gost;
Tylodion fydd trwy lwydd
Yn talu eu rhenti'n rhwydd:
Bydd llai o alwad am failiaid,
Ceir gweled yn ein gwydd.
A'r Twrna tew a'r Auctioneer,
Ar fyrder aiff ar feth,
Bydd fawr trwy Gymru
Cyn hir yn methu,
Drwy dristwch dalu'r dreth;
Ffarwel i'r tafarndai,
Na fwriwch arnom fai,
Ond chwi gewch wel'd cyn hir o
amser,
Eich llawnder aiff yn llai;
Ffarwel i lywcio cwrw a *licer*,
Ces lawer chwerwder chwith,
Ffarwel i feddwdod a chyfeddach,
Tee-t tal bach am byth.
YWAIN MEIRION.

Llanrwst, argraffwyd gan J. Jones.

369. James Cope,
Can Newydd am Leshad Dirwest, 1836–7,
Torlun pren, 338 x 225

ei olygu a'i argraffu gan Hughes, yn nhraddodiad radicalaidd *Y Cymro*, gan ymdrin â materion Prydeinig a Chymreig. Ni cheid torluniau pren yn y papur, ond deilliai hysbyslenni gwrth-Dorïaidd James Cope o'r un traddodiad radicalaidd. Yn fwy perthnasol i Gymru oedd yr hysbyslen a gyhoeddwyd gan L. E. Jones ym 1842, ac arni dorlun pren gan Cope, yn ymosod ar Esgob Bangor oherwydd iddo hyrwyddo gemau a chwaraeon wrth ddathlu bedydd Arthur, Dug Connacht. Daethai tro ar fyd wrth i'r deallusion Ymneilltuol ymosod ar anlladrwydd honedig yr Eglwys Sefydledig. Yn y ddeunawfed ganrif y Methodistiaid a oedd dan lach deallusion libertaraidd megis Evan Lloyd oherwydd eu Piwritaniaeth.[37] Serch hynny, nid oedd y deallusion Ymneilltuol bob amser yn gytûn ac, ambell waith, câi'r gwahaniaeth barn hwn ar faterion moesol ei fynegi ar ffurf dychan gweledol. Er enghraifft, daeth y drafodaeth ddirwestol rhwng y llwyrymwrthodwyr a'r rhai a oedd o blaid cymedroldeb yn bwysig yng nghanol y 1830au. Credai Hugh Hughes mewn cymedroldeb, ac argraffodd bamffled dadleuol ar y pwnc wedi ei ysgrifennu gan Galedfryn. Os oedd delweddau James Cope, a gyhoeddwyd gyda baledi gan Owen Griffith (Ywain Meirion) a William Edwards, yn gwir adlewyrchu ei ddaliadau (yn hytrach nag yn ymgais i fanteisio ar y farchnad), yna yr oedd yn llwyrymwrthodwr.

[37] Cyhoeddwyd cylchgrawn misol dychanol, Saesneg ei iaith, *Figaro in Wales*, ym Mangor ym 1835. Fe'i cafodd y papur ei hun yn y llys yn fuan iawn, yn destun achos enllib llwyddiannus, a chafodd L. E. Jones o Gaernarfon (a argraffodd yr ymosodiad ar Esgob Bangor) hefyd ddirwy o £100 am werthu'r cylchgrawn. Gw. Lord, *Words with Pictures*, tt. 128–9. Priodolwyd yr ymosodiad ar Esgob Bangor i James Cope ar sail arddull. Ni roes yr arlunydd nac awdur y penillion hynod enllibus eu henw wrth y gwaith.

370. M. Jenkins yn seiliedig ar Moses Harris, *The Steward*, 1787, Engrafiad a dyfrlliw, 337 x 263

371. L. Barree, *Conversation between the Bridewell and Town Hall, Swansea (set to music)*, 1828, Dyfrlliw, pen ac inc, 365 x 263

Gwaetha'r modd, ac eithrio gwaith James Cope, prin yw'r sylwebaeth gymdeithasol a gwleidyddol mewn delweddaeth weledol Gymreig yn ystod un o'r cyfnodau mwyaf cyffrous yn hanes y genedl. Ffenomen drefol, onid dinesig, oedd printiau gwleidyddol ledled Ewrop, a dim ond yn Abertawe, y dref fwyaf yng Nghymru ar un adeg, y cafwyd delweddau gweledol o natur wleidyddol. Eto i gyd, er pwysiced printiau Abertawe, at ei gilydd arwyddocâd lleol a oedd iddynt. Prin oedd y lluniau o ddigwyddiadau ehangach eu pwysigrwydd, megis terfysgoedd Merthyr ym 1816 a 1831, a gwrthryfel y Siartwyr yng Nghasnewydd ym 1839. Yr oedd cryn agendor, o safbwynt daearyddol a deallusol, rhwng y strwythur cyfyngedig a geid yng Nghaernarfon ac Aberteifi ar gyfer ysgogi a chyhoeddi printiau mawr ar raddfa eang, a chanolfannau diwydiannol y gwrthdystiadau hyn. Er bod Hugh Hughes a'r rhan fwyaf o'r deallusion Ymneilltuol o blaid democrateiddio, yr oeddynt yn erbyn trais ac, yn sicr, yn hollol wrthwynebus i wrthryfel. Credent y dylid codi ymwybyddiaeth pobl o faterion gwleidyddol a'u galluogi i gymryd rhan mewn trafodaeth resymegol, rhywbeth yr oedd ganddynt ffydd mawr ynddo. Yr oedd y syniad fod Duw wedi rhoi i ddyn y ddawn i ymresymu er mwyn ei godi uwchlaw'r anifail yn rhan hanfodol o'u credo, ac felly yr oedd protestio mewn dull treisiol nid yn unig yn afresymol ond hefyd yn anghrefyddol. At hynny, fel y dengys dosbarthiad daearyddol gwaith Hughes a Roos fel arlunwyr portreadau, nid oedd gan lawer o'u bath unrhyw gydymdeimlad â'r Gymru ddiwydiannol. Tybient fod trigolion yr ardaloedd diwydiannol yn dra gwahanol i'r werin wledig oleuedig y daethpwyd i'w delweddu fel sylfaen y genedl Gymreig. Ym 1848, wrth fyfyrio ar Derfysgoedd Beca a Gwrthryfel y Siartwyr yng Nghasnewydd, cytunai Hughes â'r sawl a gredai fel a ganlyn:

> Both originated with, and were conducted by men, not of the unenfranchised, and *unanglified* Welsh, but chiefly by Englishmen. The working classes of Wales were not the parties principally aggrieved by the *turnpike* impositions; and as to Chartism, the Welsh, unacquainted with the English language, had known nothing of its principles, but had lived entirely beyond the pale of its influence. Dissenters in particular, of every grade, were not only uncontaminated with English infidelity and insubordination, but they were the chief impediments in the way of the success of both the riotous movements alluded to.[38]

Cafodd condemniad Hughes o'r digwyddiadau hyn ei gyhoeddi ochr yn ochr â'r amddiffyniad cenedlgarol pwysicaf o Gymru trwy gyfrwng delweddau i'w gyhoeddi yn ystod rhan gyntaf y bedwaredd ganrif ar bymtheg. Cyfres o gartwnau, ynghyd â thestunau dwyieithog, oedd *Pictures for the Million of Wales*, ac fe'u lluniwyd mewn ymateb i adroddiadau'r comisiynwyr a anfonwyd o Lundain i ymchwilio i gyflwr addysg yng Nghymru ac a gyhoeddwyd ym 1847. Y farn gyffredinol oedd eu bod wedi sarhau cenedl y Cymry nid yn unig o safbwynt addysgol ond hefyd o safbwynt moesol. Ar un olwg, y mae'n eironig fod condemniad Hugh Hughes o Derfysgoedd Beca a Gwrthryfel y Siartwyr yn rhan o'i amddiffyniad gwladgarol o'r genedl yn sgil cyhoeddi'r Llyfrau Gleision, yn enwedig o ystyried y ddelwedd fodern o'r terfysgoedd fel rhan ganolog o dreftadaeth radicalaidd Cymru, ond y gwir yw fod Hughes yn gwbl gyson ei ddaliadau. Yr oedd ei ffydd fel Ymneilltuwr mewn dadl resymegol yn seiliedig ar dduwioldeb, dwy rinwedd y tybiai eu bod wrth fodd calon cenedl y Cymry yn fwy na dim arall, yn cael ei bygwth gan ymddygiad treisgar y terfysgwyr a hefyd gan agwedd drahaus y llywodraeth yn Lloegr.

Cyhoeddwyd lithograffau Hughes yn erbyn y Llyfrau Gleision gan bapur newydd *The Principality* yng Nghaerdydd, a hynny, yn ôl pob tebyg, yn ystod cyfnod byr Evan Jones (Ieuan Gwynedd) fel golygydd. Er eu bod mewn rhai ffyrdd yn nhraddodiad y dychan gwleidyddol a geid yn Lloegr yn y ddeunawfed ganrif, cynigient ymateb modern a soffistigedig, a daethant yn dra adnabyddus ymhlith y deallusion. Yr oedd drama R. J. Derfel, a ymddangosodd ym 1854 dan y teitl *Brad y Llyfrau Gleision*, teitl a roes i'r iaith Gymraeg un o'i hymadroddion mwyaf grymus ac arwyddocaol, yn glynu'n agos wrth y cartwnau o ran cynllun ac eiconograffeg. Y mae'n bosibl, serch hynny, na lwyddodd y cartwnau i gyrraedd cynulleidfa eang. Ni wyddys sut y cawsant eu dosbarthu ac yr oedd eu hymagwedd yn dra gwahanol i'r baledi a'r hysbyslenni poblogaidd a engrafwyd ar bren, ac a gynhyrchid yn helaeth o hyd yn Llanrwst ac Aberteifi.[39] Nid esgorodd y traddodiad poblogaidd hwn ar feirniadaeth gymdeithasol a gwleidyddol hyd fis Ionawr 1858 pan ymddangosodd *Y Punch Cymraeg*, a gyhoeddid yn fisol am geiniog. Ar y cychwyn, câi'r papur ei gynhyrchu yng Nghaergybi gan Lewis Jones ac Evan Jones, er ei bod yn bur debyg mai syniad Richard Evans, 'Y Twrch', ydoedd. Bu ef yn gyfrifol am gyfran helaeth o'r deunydd ysgrifenedig ac am ddylunio (er nad am dynnu) rhai o'r cartwnau. O fis Mawrth 1858 torluniau pren o waith Ellis Owen Ellis oedd y rhan fwyaf o'r lluniau yn y cylchgrawn.

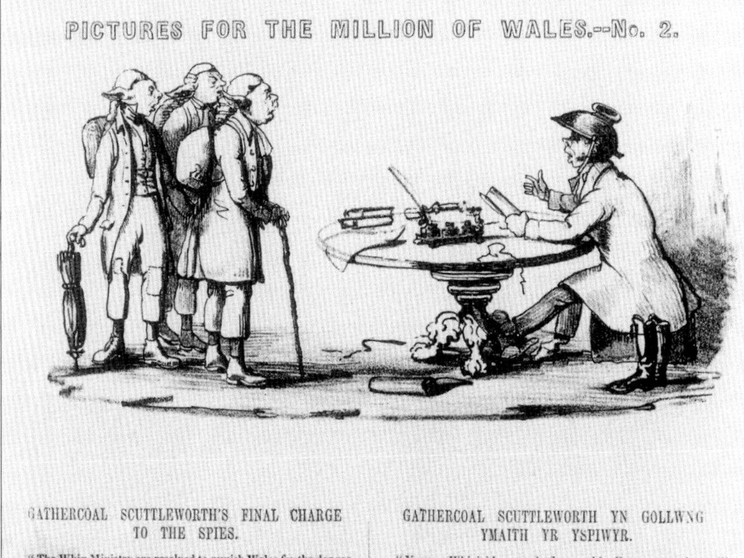

GATHERCOAL SCUTTLEWORTH'S FINAL CHARGE TO THE SPIES.

"The Whig Ministry are resolved to punish Wales for the dangerous example it gives, to the rest of the Empire, by its universal dissent from our Church! I now inform *you*, in confidence, that this is the real object of this espionage,—you are to help their lordships (of the Com. of Council) to make out a case against voluntary religion, by collecting such evidence of its connection with immorality, disloyalty, and barbarism, as will disgust the public mind of England, thereby preparing it to sanction the (despotic) scheme in contemplation for driving the Welsh back to the *true Church*. The use of the Welsh LANGUAGE being known to be favourable to the propagation of earnest personal religion, both the LANGUAGE and the NATIONALITY of the Welsh, as well as their religion, are to be destroyed! Your *professional*, with your personal *art*, will enable you to select such witnesses, and cull such evidence, as may secure our object without exciting suspicion. My lords have authorized me to assure you that you shall be made *gentlemen (!)* on your return."

GATHERCOAL SCUTTLEWORTH YN GOLLWNG YMAITH YR YSPIWYR.

"Y mae y Whigiaid yn penderfynu cosbi y Cymry am eu *hymneillduaeth*, yn yr hyn y rhoddant esiampl ddrygionus i'r deyrnas oll. Yr wyf fi am hyny yn dweyd wrthych chwi, *yn ddistaw*, mai gwir ddyben yr yspiaeth hon yw, *profi cysylltiad crefydd wirfoddol â barbariaeth, anfoesoldeb, a gwrthryfelgarwch, fel y ffieiddier y fath grefydd gan y Saison*, (anwybodus) *ac fel y delont yn foddlon i gymeradwyo y moddion* (gormesol) *a ddyfeisir, gan arglwyddi y Cyngor, i yru y Cymry yn eu hol i'r* "WIR EGLWYS." Ceir fod yr IAITH Gymreig yn wasanaethgar i daeniad crefydd bersonol: rhaid i chwi gasglu y fath dystiolaethau i'w herbyn, ac yn erbyn holl arferion cenedlaethol y bobl, fel y gellir dystrywio y rhai hyn GYDA'R GREFYDD. Cewch gan yr OFFEIRIADAU (gwrthodedig gan y bobl) y fath dystiolaethau ag sydd eisiau. Er mwyn cuddio ein dybenion ewch at *rai* o'r Ymneillduwyr, ond yn benaf at rai a enwir i chwi fel rhai *lled hanerog*. Rhoddwyd i mi awdurdod i addaw y gwneir chwi yn *foneddigion (!)* ar eich dychweliad."

Cardiff: Printed by D. Evans, at the "Principality Office."

372. Hugh Hughes, *Gathercoal Scuttleworth yn Gollwng Ymaith yr Yspiwyr*, rhif 2 allan o'r gyfres *Pictures for the Million of Wales*, c.1848, Lithograffau, 190 × 165

[38] Hugh Hughes, testun ar gyfer 'Dame Venedotia Sousing the Spies', *Pictures for the Million of Wales* (Cardiff, 1848). Ceir trafodaeth ar luniau protest o'r Gymru ddiwydiannol yn Lord, *Diwylliant Gweledol Cymru: Y Gymru Ddiwydiannol*, tt. 137–9.

[39] Ni ddarganfuwyd unrhyw weithiau gan James Cope wedi 1842, ac ni wyddys dim o'i hanes wedi hyn. Eto i gyd, defnyddiwyd ei flociau am flynyddoedd lawer gan y wasg yn Llanrwst.

373. Ellis Owen Ellis,
Ellis, Bryn Coch (hunanbortread
o'r arlunydd), 1860, Torlun pren,
160 x 112

Ganed Ellis Owen Ellis yn Aber-erch, sir Gaernarfon, ym 1813, ac y mae'n bosibl iddo dreulio peth amser yn Llundain yng nghanol y 1830au. Eto i gyd, ymddengys mai Lerpwl oedd canolbwynt ei weithgarwch proffesiynol. Gwyddys ei fod yno ym mis Medi 1855, yn dilyn hen draddodiad yr arlunydd gwlad, 'preparing Illustrations and Armorial Flags and Figures for the Liverpool Corporation, who are making great preparations to welcome the visit of His Royal Highness the Duke of Cambridge to the town of Liverpool on the 9th and 10th of October'.[40] Awgryma'r ychydig bortreadau o'i waith sydd wedi goroesi, megis y portread o Morris Hughes o Lanrwst, na chawsai hyfforddiant ffurfiol. Dim ond un o'i bortreadau a engrafwyd, sef *Y Bardd yn ei Wely*, ei bortread o'r bardd John Thomas (Siôn Wyn o Eifion), a ddefnyddiwyd fel wynebddarlun ar gyfer casgliad o waith y bardd, sy'n cynnwys moliant i Ellis:

> Lluniedydd dillyn ydyw,
> Carwn ei waith, cywrain yw.
> Gan Ellis ni gawn eilun,
> O un llaw ni chawn well llun.
> Pwy fydd hwyr i arwyrain,
> Ei luniau gwych ar lèn gain?[41]

[40] Llythyr gan Ellis Owen Ellis at Miss Davies, Penmaen Dyfi, Machynlleth, LlGC Llsgr. 1804E, Cyf. II, f. 59.

374. Ellis Owen Ellis, *Morris Hughes o Lanrwst*, c.1840–50, Dyfrlliw,
145 x 117

375. Ellis Owen Ellis,
Y Bardd yn ei Wely, 1861,
Lithograff, 78 x 144

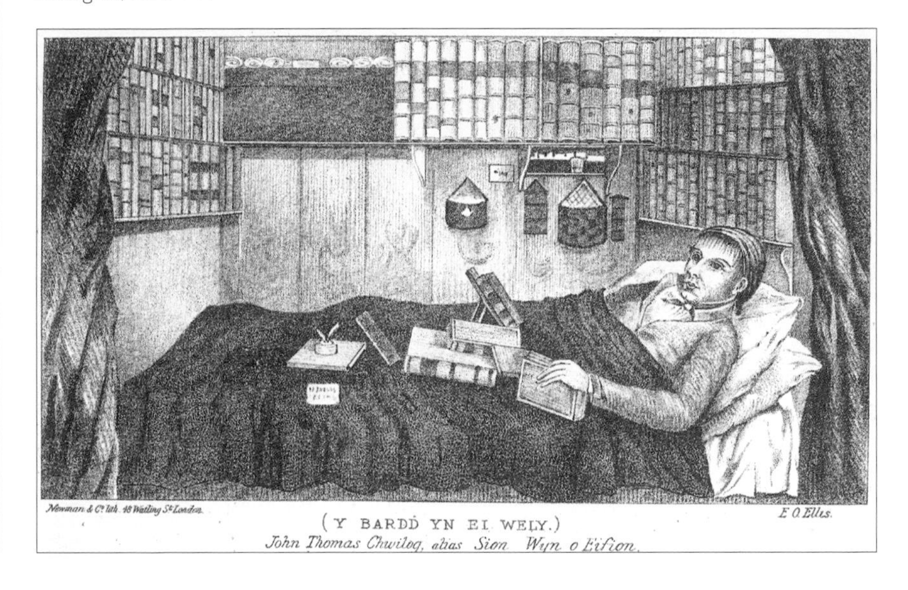

376. Ellis Owen Ellis, *The Funeral of Richard Jones at St Asaph*, allan o *The Illustrated Life of Richard Robert Jones of Aberdaron*, 1844, Pensil, 289 x 460

Nodwyd bod cartref Ellis yn fan cyfarfod i nifer o Gymry adnabyddus y cyfnod, yn eu plith John Ceiriog Hughes, Isaac Foulkes (Llyfrbryf), John Jones (Idris Fychan) a Robert Parry (Robyn Ddu Eryri).[42] Ymddangosodd amryw ohonynt yn *Oriel y Beirdd*, ei bortread grŵp hanesyddol o ffigurau amlycaf llenyddiaeth Cymru. Paentiwyd y darlun hwn ar gyfer engrafiad, y bwriedid ei gyhoeddi drwy danysgrifiad, ond cafodd ei arddangos yn Eisteddfod Llundain ym 1855. Copïwyd yr wynebau o bortreadau cynharach pan oedd hynny'n bosibl, megis llun Hugh Hughes o Gwallter Mechain, y cafodd Ellis ei fenthyg gan ferch y bardd. Er na chyhoeddwyd engrafiad o *Oriel y Beirdd*, cafodd gryn sylw oherwydd yr honiad iddo ffafrio beirdd y gogledd ar draul beirdd y de, ac ymddangosodd llythyrau dicllon gan y deheuwyr yn y wasg.[43]

Ar ddechrau ei yrfa, cyhoeddwyd torluniau pren o waith Ellis Owen Ellis gan John Jones i ddarlunio sgandalau, a chyhoeddodd yn ogystal gyfres o flociau ar gyfer *Hanes Turpin Leidr*, pamffled gan Jones. Y mae'n amlwg ei fod yn dyheu am ragor o gyhoeddiadau sylweddol cyffelyb ar destunau Cymreig. Goroesodd lluniadau a wnaethpwyd ganddo ar gyfer *The Illustrated Life of Richard Robert Jones of Aberdaron* a *Betti o Lansanffraid*, stori foesol ond anweddus gan Jac Glan-y-gors. Eto i gyd, drwy gyfrwng *Y Punch Cymraeg*, a hynny ym mlynyddoedd olaf ei oes, y gwnaeth Ellis ei gyfraniad mwyaf parhaol i'r diwylliant gweledol. Byddai'r *Punch Cymraeg* yn fwy na pharod i ymosod ar unigolion pan welai ragrith a safonau dwbl. Er enghraifft, adwaenid yn lleol ŵr o'r enw Evan Evans, a gâi glod yn y wasg barchus am ei gymorth ariannol i ysgolion newydd y Methodistiaid Wesleaidd ym Mangor,

[41] John Thomas, *Gwaith Barddonol Sion Wyn o Eifion yng Nghyd a Chofiant o Fywyd yr Awdwr* (Tremadog, 1861), t. 141. Awgryma arddull naïf Ellis nad oedd wedi derbyn unrhyw hyfforddiant academaidd, ond dywed Blackwell iddo gael ei gyflwyno i'r arlunydd Martin Archer Shee drwy ddylanwad Robert Vaughan, Nannau, ac iddo am gyfnod fynychu'r 'Government School of Design', LlGC Llsgr. 9256A, f. 297.

[42] 'Maldwyn', toriad papur newydd anhysbys, tua 1925, yn llyfr lloffion Samuel Maurice Jones, LlGC. Yr oedd Morris Hughes o Lanrwst, a baentiwyd gan Ellis, yn daid i'r arlunydd Samuel Maurice Jones.

[43] Gw. Lord, *Y Chwaer-Dduwies: Celf, Crefft a'r Eisteddfod* (Llandysul, 1992), t. 26.

377. Ellis Owen Ellis, *Oriel y Beirdd*, c.1855, cyfrwng a maint yn ansicr, adluniad mewn lliw

fel un tra chrintach a chwannog i godi ei fys bach. Portreadodd Ellis ef fel meddwyn tew a gâi ei seboni gan y Wesleaid dan arweiniad y Parchedig William Davies, y cyfeiriwyd ato fel Mr Cocklebeau (gan ei fod yn weinidog ym Miwmares). Ymosodwyd yn goeglyd iawn ar y gweinidog:

> O fel yr wyf yn crynu wrth son am y gwr a'n cyfarchodd nesaf! O bobl! tynwch eich hetiau – ymgrymwch yn foneddigaidd, ac ymostyngwch i'r llwch o'i flaen, canys y mae ei enw yn ardderchog – *Y Gwir Barchedig Mr. Cocklebeau!* – y gwr y crynodd y greadigaeth – y crochruodd tonau y dyfnder – y tywyllodd y ser – y gyrodd y nefoedd ei mellt, ac uchelderau y nefoedd ei tharanau allan.[44]

Gwyddai'r cylchgrawn yn dda am sgandalau yng ngogledd-orllewin Cymru a Lerpwl, ac ymosododd ar ragrith Methodistiaid Calfinaidd dinas Lerpwl ar ôl iddynt drefnu lotri i dalu'r ddyled yn sgil codi Capel Garston. Rhoddwyd y bai am y camwedd hwn ar arweinwyr dosbarth-canol y capel a geisiai efelychu popeth Seisnig ac a wyrai oddi wrth egwyddorion yr Ymneilltuwyr a'u gwrthwynebiad i hapchwarae. A hwythau mor awyddus i osod cywair moesol y genedl, pa ryfedd fod y Methodistiaid Calfinaidd yn sensitif iawn i ymosodiadau Mr Punch.

Er mai sgandalau o ogledd Cymru a gâi'r sylw pennaf, byddai'r cylchgrawn hefyd yn rhoi sylw manwl i enwogion y genedl ac i faterion a oedd o bwysigrwydd i Gymru gyfan. Yr oedd aelodau amlwg o'r deallusion yn dargedau cyson, yn enwedig Talhaiarn, gŵr yr oedd *Y Punch Cymraeg* yn elyniaethus iawn ato oherwydd ei dueddiadau Torïaidd a'r ffaith ei fod yn yfed yn drwm. Yr oedd unigolion hunandybus a gredai eu bod

378. Ellis Owen Ellis, *Te Parti Capel y Botel*, allan o'r *Punch Cymraeg*, 1859, Torlun pren, 140 x 95

379. Ellis Owen Ellis, *Ab Ithel*, allan o'r *Punch Cymraeg*, 1859, Torlun pren, 150 x 255

380. Ellis Owen Ellis, *Cyflawniad y Proffwydoliaethau*, allan o'r *Punch Cymraeg*, 1858, Torlun pren, 210 x 275

yn well beirdd hefyd yn dargedau hawdd. Yn un o'i ddarnau dychanol mwyaf soffistigedig, ymosododd Ellis ar John Williams (Ab Ithel), y ffigur amlycaf yn Eisteddfod Llangollen ym 1858, eisteddfod lle y gwelwyd ffantasïau derwyddol ar eu hamlycaf a lle y mynegwyd amheuon am briodoldeb y beirniadaethau. Portreadwyd Ab Ithel fel aderyn o rywogaeth anhysbys yn eistedd ar wy yr honnwyd iddo gael ei ddarganfod bedwar can mlynedd ynghynt mewn safle derwyddol yn Llandaf, ac a gâi ei arddangos yn yr eisteddfod yn crogi wrth wddf yr Archdderwydd. Gwelid amryfal dduwiau Celtaidd, anfad eu gwedd, yn deor dan blu Ab Ithel. Yr oedd Richard Williams Morgan (Môr Meirion), Celtegydd arall a ddychanwyd ym 1858, wedi ei bortreadu yn arwr yn gynharach yn un o'r cartwnau gorau a wnaed gan Ellis i ddathlu cyhoeddi ei bamffled yn erbyn penodi esgobion Seisnig i esgobaethau Cymreig, pwnc llosg ymhlith Ymneilltuwyr radicalaidd yr oes. Portreadwyd Môr Meirion a chwip a chenhinen yn ei law yn gyrru tri esgob ar ysgerbwd o farch, a oedd yn cynrychioli marwolaeth, i mewn i safn draig danllyd.

Yr oedd *Y Punch Cymraeg* yn arwydd o'r hunanhyder cynyddol ymhlith deallusion Cymreig y genhedlaeth ar ôl honno a oedd wedi dioddef amarch y Llyfrau Gleision. Yr oedd yr hyder newydd hwn yn galluogi'r cylchgrawn i ymosod nid yn unig ar agweddau Seisnig ond hefyd ar *élite* diwylliannol a chrefyddol Cymru. Y mae cartwnau Ellis Owen Ellis yn ystod tair blynedd gyntaf y cylchgrawn yn dyst i ffyniant hwyr ond grymus dychan gweledol. Ond bu Ellis farw ym 1861, ac ni ddaeth neb i gymryd ei le hyd nes y cafwyd technegau newydd o atgynhyrchu lluniadau a alluogai'r papurau dyddiol i sylwebu'n weledol ar faterion cyfoes.

[44] Anhysbys, 'Te Parti Capel y Botel', *Y Punch Cymraeg*, 2 Ebrill 1859, 6.

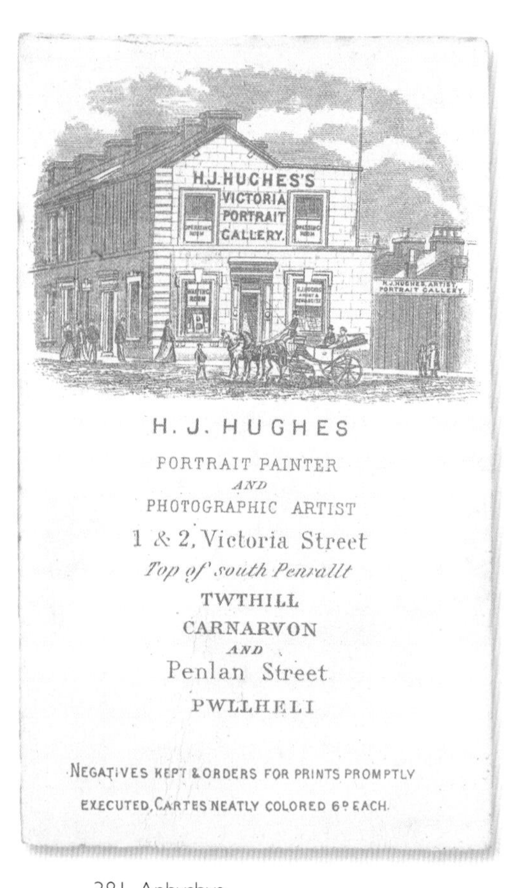

381. Anhysbys,
H. J. Hughes's Victoria Portrait Gallery, Caernarfon, c.1870, Engrafiad, 105 x 63

Bryntêg, Bridgend, May 19, 1849.

"THE ART ITSELF IS NATURE."

HELIOTYPE PORTRAITS,

An Improved Principle of Photography, taken Daily (for a few weeks only), from Nine till Dusk,

By Mr. SAXBY,

AT MR. PALMER'S, CARVER AND GILDER, WIND-STREET, SWANSEA,

Where Specimens may be seen.

THE advantage possessed by this improved process of Portraiture over the Daguerreotype is, that the whole process is done in the open daylight (Mr. SAXBY'S own invention), which gives the Pictures strength and durability, which others do not possess. The more light is given them the better, which is generally destructive to the Daguerreotype.

The Portraits are taken on Silver Plates, in a few seconds (from two to twenty), according to the light, and varying in price from 8s. to 25s., which depends on the size of plate, fittings, &c., &c.

Portraits paid for at or on delivery, but no extra charge for sitting again, if not approved of.

N.B.—The Art Taught on reasonable terms.

382. *Hysbyseb i'r ffotograffydd Richard Saxby*, allan o'r *Cambrian*, 1849

383. Anhysbys, *Huw Griffith, Bodwrda, a'i deulu*, 1848, Ffotograff modern yn seiliedig ar lun coll gwreiddiol, daguerreoteip yn ôl pob tebyg

384. Hugh Hughes, *Teulu Huw Griffith, Bodwrda*, 1813, Olew, 460 x 305

Yr oedd marwolaeth Ellis Owen Ellis hefyd yn nodi dechreuad diwedd y traddodiad ehangach y perthynai'n agos iddo, sef traddodiad yr arlunydd gwlad. Bu farw Hugh Hughes mewn dinodedd ym 1863 ac yr oedd gyrfa William Roos wedi dirywio'n enbyd o ganlyniad i gyfuniad o ddatblygiadau addysgol a thechnegol mewn diwylliant gweledol. Erbyn y 1860au yr oedd y dosbarth canol a roesai gynhaliaeth i Hughes a Roos fel arlunwyr portreadau at ei gilydd wedi trosglwyddo eu nawdd i stiwdios y ffotograffwyr a geid bellach ym mron pob tref yng Nghymru.[45] Yr oedd y ffotograff yn arwydd arall o gynnydd mewn cyfnod a roddai bris uchel ar y cysyniad hwnnw. Yr oedd yn rhan o dechnoleg newydd a allai gwrdd â'r angen a gyflenwid gan yr arlunwyr gwlad, sef darparu tebygrwydd o bryd a gwedd yr unigolyn, a hynny am bris rhesymol, yn gyflym a chyda chywirdeb gwyddonol. Yn ystod y 1840au yr oedd ffotograffau portread, a dynnid drwy

[45] Iwan Meical Jones, 'Datgelu'r Cymry: Portreadau Ffotograffig yn Oes Fictoria' yn Geraint H. Jenkins (gol.), *Cof Cenedl XIV: Ysgrifau ar Hanes Cymru* (Llandysul, 1999), tt. 133–62.

gyfrwng proses a ddatblygwyd gan Louis Daguerre yn Ffrainc, yn weddol ddrud. Yr oedd pob delwedd yn unigryw a, chan eu bod yn cael eu llunio ar blât gwydr, yr oeddynt yn fregus. O ganlyniad, effeithiwyd yn bennaf ar y farchnad am fân-ddarluniau ac, yn wir, troes amryw o fân-ddarlunwyr at ffotograffiaeth neu at y proses o arlliwio'r daguerreoteipiau, a oedd wrth gwrs yn unlliw. Ymhell i'r 1850au tybiai rhai arlunwyr a ffotograffwyr y byddai'r ddwy ffurf yn ategu ei gilydd:

> Some people imagine that the Artist and the Photographer must be natural enemies, seeing how closely Photography trenches upon the province of the former; but, to a great extent this is a mistaken notion, – they may, and ought to work together very amicably combining for mutual benefit. When the photographer has succeeded in obtaining a good likeness, it passes into the artist's hands, who, with skill and *colour*, gives to it a life-like and natural appearance ... By the judicious management of them [dyfrlliwiau], photographs can be made to assume the appearance of highly finished miniatures, possessing all their softness and brilliancy.[46]

Y mae'n debyg i'r ffotograffau portread cyntaf yng Nghymru gael eu tynnu o fewn tair blynedd i gyhoeddi proses Daguerre. Ym mis Mai 1842 ymddangosodd hysbyseb gan ŵr o'r enw Mr Langlois yn *The Cambrian* yn gofyn am danysgrifiadau o gini y pen cyn iddo sefydlu stiwdio ffotograffig yn Abertawe. Erbyn mis Medi yr oedd Langlois yn gweithio yn Sefydliad Brenhinol De Cymru.[47] Y mae'r lleoliad yn awgrymu bod y grŵp o ffotograffwyr arloesol a gynhwysai John Dillwyn Llewelyn a Richard Calvert Jones, a oedd yn byw yn yr ardal, hefyd yn gysylltiedig â'r fenter.[48] Erbyn 1849 yr oedd ffotograffwyr teithiol ar waith, yn efelychu arfer yr arlunwyr gwlad. Hysbysebai Richard Saxby yn Abertawe a Chaerfyrddin, gan honni iddo dynnu pum cant o bortreadau ar ymweliad blaenorol drwy ddefnyddio'r proses Heliotype.[49] Yr oedd y ffotograffwyr yn mentro i'r ardaloedd gwledig erbyn hyn hefyd. Ym 1813 yr oedd Hugh Hughes wedi paentio llun o Huw Griffith o Ben Llŷn gyda'i blant ifainc, ond ym 1848 tynnwyd llun y teulu gan ffotograffydd anhysbys. Oherwydd yr amser a gymerai i'r ddelwedd ymffurfio wrth dynnu'r llun, a than ddylanwad moes a defod y portread paentiedig, y mae ystum mab Griffith yr un yn union ag eiddo un o'r plant yn y portread a wnaed bymtheng mlynedd ar hugain ynghynt. Cynyddodd poblogrwydd ffotograffiaeth yn sgil datblygiad prosesau rhatach megis yr ambroteip. Yn Y Trallwng (yn ôl pob tebyg) ar ddechrau'r 1850au tynnwyd llun Edward ac Elizabeth Jones a'u merch Margaret yn yr awyr agored yng nghanol gaeaf drwy gyfrwng y proses newydd hwn. Erbyn diwedd y pumdegau yr oedd stiwdios tynnu lluniau parhaol i'w cael ym mhob tref ymron ac yr oedd oes ffotograffiaeth dorfol wedi cyrraedd. Er enghraifft, erbyn 1858 yr oedd Richard Saxby, y ffotograffydd teithiol, wedi sefydlu stiwdio yn Church Street, Tredegyr. Y datblygiad allweddol oedd dyfodiad y prosesau negatif-positif, gan ddechrau gyda'r colodion gwlyb ym 1851, proses a alluogai'r cwsmer i archebu hynny a fynnai o brintiau papur o'r un negydd.

385. Anhysbys,
Edward ac Elizabeth Jones a'u merch Margaret, c.1850–5,
Ambroteip, 67 x 50

[46] A. N. Rintoul, *A Guide to Painting Photographic Portraits* (London, 1856), tt. 11–12.

[47] *The Cambrian*, 7 Mai 1842, 3 Medi 1842. Byddai'r 'Patent Photographic Establishment' yn cau am y gaeaf, yn ôl trydedd hysbyseb, 1 Hydref 1842. Dechreuodd ailhysbysebu yn haf 1843. Yn Joyner, *Artists in Wales*, tt. 70–1, awgrymir mai Camille Langlois, a fu'n arddangos ei waith yn yr Academi Frenhinol rhwng 1835 a 1847, oedd y Langlois hwn.

[48] Gw. Lord, *Diwylliant Gweledol Cymru: Y Gymru Ddiwydiannol*, tt. 86–8.

[49] Ni wyddys yn union pa fath o broses oedd hwn. Efallai fod Saxby wedi bathu'r gair fel enw cyffredinol am ffotograff. Eto i gyd, gall fod mai proses ar gyfer cynhyrchu delweddau silwét ydoedd. Yr enw a roddwyd ar y ffotograffau cynharaf a dynnwyd gan Niepce, tua 1827, oedd 'heliographs'.

386. John Thomas, *Hysbyseb i Oriel Cambrian a detholiad o bortreadau John Thomas yn Narberth, Sir Benfro*, 1860–70

Daeth y *carte-de-visite* – sef portread ar ffurf ffotograff wedi ei lynu wrth gerdyn pedair modfedd wrth ddwy fodfedd a hanner, ac enw'r stiwdio ar y cefn, a oedd yn aml yn waith celf ynddo'i hun – yn hynod ffasiynol. Câi'r cardiau hyn eu rhoi mewn albwm a fyddai'n cynnwys nid yn unig bortreadau teuluol ond hefyd ffigurau cyhoeddus amlwg y cyfnod, gan ymdebygu, ar raddfa fechan, i dŷ bonedd o'r ddeunawfed ganrif ac ynddo gymysgedd o bortreadau teuluol a chopïau o bortreadau o aelodau'r teulu brenhinol yn crogi ar ei furiau. Cyfeiriwyd at y ffenomen hon ym 1869 yn y cylchgrawn *Good Words:*

> Now that every bookseller's window is converted into a portrait gallery, and the public demands some knowledge of the *personnel*, as well as of the deeds and speeches of men of eminence and notoriety, the carte de visite has become such a great institution that it is worthy of some special notice. These handy little records of old familiar faces stand in the same relation to the grand portraits that grace the National Gallery and the drawing-room that small change does to gold or paper money. They are the democracy of portraiture.[50]

387. Hugh Hughes, *John Elias*, Portread coll a ffotograffwyd gan John Thomas, c.1870

Daeth cynhyrchu *cartes-de-visite* o bwysigion yr oes ar raddfa helaeth yn fusnes llewyrchus ledled Ewrop. Buan y manteisiodd ffotograffwyr o Gymru ar y farchnad am luniau o feirdd, cerddorion a phregethwyr a arloeswyd gan arlunwyr gwlad ac engrafiadau o'u gwaith. Oddeutu 1860 sefydlodd William Griffith (Tydain) stiwdio yn Llundain, gan fanteisio ar nawdd nifer o unigolion pwysig ym myd celf a drigai yno i adeiladu ei Oriel Genedlaethol ei hun.

Ym 1863 prynodd John Thomas ei gamera cyntaf yn Lerpwl.[51] Yr oedd wedi gadael sir Aberteifi am y ddinas honno yn ystod y 1850au a chael hyd i waith yno yn gwerthu cyfres o bortreadau ffotograffig o'r enw 'Great Personalities of the World'. Ac yntau'n gyff gwawd ymhlith rhai o'i gwsmeriaid am mai'r unig Gymry yn eu plith oedd Esgob Llandaf a Syr Watkin Williams Wynn, penderfynodd unioni'r cam. 'I took the hint', meddai, 'and considered whether it would be possible to include Wales as part of the world. And I felt the blood of Glyn Dwr and Llywelyn rising in me since I was jealous for my country and my nation at that time when its tide was only just on the turn.' Erbyn 1867 yr oedd wedi sefydlu ei fusnes ei hun, gan gofnodi nid yn unig bobl ddosbarth-canol Lerpwl ond hefyd wŷr a gwragedd enwog y cyfnod. Teithiai drwy gefn gwlad Cymru, gan osod ei stiwdio mewn pentrefi er mwyn tynnu portreadau a gwerthu *cartes* o enwogion am 6*d* yr un neu am 5*s* y dwsin. Ychwanegodd at yr amrywiaeth o ddelweddau a gynigid ganddo drwy dynnu lluniau o bortreadau paentiedig o arweinwyr cenedlaethol y gorffennol, llawer ohonynt yn weithiau arlunwyr gwlad na chawsant eu cydnabod ganddo. Yn wir, ni fyddai nifer o bortreadau cynnar o waith Hugh Hughes, gan gynnwys y portread o John Elias, yn hysbys oni bai am y ffotograffau ohonynt a dynnwyd gan John Thomas ar gyfer ei gatalog. Ymhen hir a hwyr yr oedd ei Oriel Gymreig yn cynnwys 450 o bortreadau, a'r rhain i gyd, ac eithrio pedwar ar ddeg ar hugain ohonynt, yn lluniau o weinidogion, pregethwyr neu offeiriaid. Yn ogystal â phortreadau unigol, byddai Thomas a ffotograffwyr eraill yn creu portreadau grŵp cyfansawdd a ddaeth yn boblogaidd iawn pan oedd cwlt y pregethwr yn ei anterth, naill ai fel ffotograffau neu ar ffurf engrafiadau. Er enghraifft, ym 1877 cynhyrchodd E. Vandermees o Aberystwyth ddarlun cyfansawdd o gynifer â 288 o bortreadau o weinidogion Methodistaidd, a sicrhaodd eirda gan unigolion blaenllaw megis Thomas Charles Edwards, prifathro cyntaf Coleg Prifysgol Cymru, Aberystwyth, er mwyn hybu'r gwerthiant. Yn ôl tystiolaeth Edwards, yr oedd y llun 'in every respect excellent'.[52]

388. J. H. Lynch, *'Cenhadon Hedd', Trefnyddion Calfinaidd*, 1861, Lithograff, 675 x 465

Y mae'r casgliadau o *cartes-de-visite* a wnaed yn y 1860au yn cynnig darlun gwerthfawr o feddylfryd y dosbarth canol yn y cyfnod hwnnw. Un o'r rhai cyntaf i gael tynnu ei lun gan Tydain oedd Talhaiarn. Y mae ei albwm ef o *cartes* wedi goroesi a cheir ynddo ffotograffau o'r teulu brenhinol, gyda ffigurau amlwg o'r byd gwleidyddol a llenyddol yn Lloegr yn dilyn, ac yna nifer o ffotograffau o Gymry amlwg. Yr oedd Talhaiarn yn adnabod llawer o'r rhain, gan gynnwys cerddorion megis John Thomas (Pencerdd Gwalia) ac Edith Wynne (Eos Cymru), y cerflunydd William Davies (Mynorydd), a beirdd megis John Ceiriog Hughes. Gan mai Tori Anglicanaidd oedd Talhaiarn ni châi gweinidogion Ymneilltuol, a oedd mor amlwg mewn casgliadau eraill, fynediad i'w Oriel Genedlaethol ef, oni bai eu bod, megis Caledfryn, hefyd yn ffigurau llenyddol. Ond yr oedd ei fynegiant o falchder cenedlaethol y Cymry fel isadran o'r sefydliad Prydeinig, sy'n cael ei amlygu yn nhrefn yr eitemau yn ei albwm, yn nodweddiadol o'r cyfnod.

[50] *Good Words*, 1 Mawrth 1869, 57.

[51] Hillary Woollen ac Alistair Crawford, *John Thomas, 1838–1905, Photographer* (Llandysul, 1977).

[52] Hysbyseb ar gyfer '288 Portraits of Calvinistic Methodist Ministers' gan Vandermees, *Yr Arweinydd*, III, 28 (1878).

389. Ffotograffydd anhysbys, *John Jones, 'Talhaiarn'*, Daguerreoteip, c.1850–5, 60 x 40

Talhaiarn oedd un o'r enwogion cyntaf yng Nghymru i gael tynnu ei lun drwy gyfrwng y proses daguerreoteip. Digwyddodd hynny yn fuan wedi iddo eistedd i William Roos ym 1850 ac ym 1851. Yr oedd haul yr arlunydd gwlad yn machlud, a chafodd ffotograffiaeth effaith drychinebus ar yrfa William Roos yn enwedig. Ym 1873, mewn llythyr at Nicholas Bennett o Drefeglwys, y cyfeiriwyd ato eisoes, meddai Roos:

> I have taken to Animal & Landscape painting for the last few years, this is the only thing in art Photography cant do – I have painted a few Hunters & hounds for the sporting Gentry of this Country, and have given great satisfaction.
>
> If you happen to know of some Prize Cattle, or Hunters, the owners wanting to ... have the portraits ... you can safely recommend me to paint them.[53]

Yr oedd asesiad Roos o botensial ffotograffiaeth fel celfyddyd dirluniol yn gyfeiliornus. Mor gynnar â 1852 yr oedd y tirluniwr ifanc Clarence Whaite wedi cyfarfod â gŵr o'r enw Mr Field yn gweithio gyda'i gyfarpar Talboteip ym Metws-y-coed. Yn wahanol i Roos, yr oedd Whaite yn frwd o blaid cyfuno ffotograffiaeth a phaentio tirluniau. Nododd yn ei ddyddiadur fod gan Field 'a few pictures with him which are really wonderful and their usefulness to the Artist, I think, we cannot question'.[54] Yn wahanol i'r effaith a gafodd ar baentio portreadau, y mae'n debyg i ffotograffiaeth dirluniol gynyddu'r galw am dirluniau, o leiaf yn rhan isaf y farchnad. Fel y gwelwyd eisoes, llwyddodd Hugh Hughes i arallgyfeirio drwy gynhyrchu darluniau ar gyfer ymwelwyr, ac y mae amryw ohonynt wedi goroesi, ond gan mai prin iawn yw nifer y tirluniau o waith Roos sydd wedi goroesi, go brin iddo lwyddo yn y maes.[55]

Fel rhan o'i ymdrech i addasu i'r amgylchiadau newydd drwy arallgyfeirio, troes Roos at arlliwio ffotograffau. Gwaetha'r modd, arweiniodd hyn at achos llys sy'n dyst nid yn unig i'r berthynas rhwng ffotograffwyr ac arlunwyr y cyfnod ond hefyd i ddiniweidrwydd yr arlunydd. Cododd yr anghydfod ynglŷn â darlun maint llawn o'r Henadur Thomas o Gaerfyrddin, a baentiwyd gan Roos dros ffotograff a dynnwyd gan Henry Howell. Mynnai'r arlunydd a'r ffotograffydd fel ei gilydd mai ar gais y llall y gwnaed y llun er mwyn hysbysebu medrau'r ddau ohonynt. Gwrthododd Howell dalu'r pedair gini y gofynnai Roos amdano, ac anfonodd yr arlunydd hawlen derfynol ato ynghyd â 'a very good pencil sketch of Plaintiff's head surmounted by an ass'.[56] Daeth Roos ag achos yn erbyn Howell, ond mynnodd Howell yn y llys mai 'a photograph painted over and not an oil painting' oedd y darlun dan sylw:

[53] LlGC Llsgr. 584B, eitem 195. Yr oedd Roos yn ysgrifennu o Aberteifi, y 'country' y cyfeiriai ato.

[54] Dyddiadur Clarence Whaite, archif breifat. Defnyddiodd Whaite ddefnydd cyfeiriadol ffotograffig drwy gydol ei yrfa hir fel tirluniwr. Gw. Peter Lord, *Clarence Whaite and the Welsh Art World: The Betws-y-coed Artists' Colony 1844–1914* (Aberystwyth, 1998).

[55] Ar y llaw arall, y mae'n bosibl nad oedd Roos fel arfer yn arwyddo ei dirluniau, gan ei fod yn eu hystyried yn is eu statws na'i bortreadau.

[56] Cyhoeddwyd hanes yr achos yn *The Welshman*, 9 Gorffennaf 1875. Yr oedd Roos yn adnabyddus fel gwawdlunydd, a chafodd yr enw barddol 'Hogarth o Walia'. Ni ddaethpwyd o hyd i unrhyw wawdluniau o'i waith, ar wahân i'r hunanbortreadau a welir, gyda'i lofnod, ar gefn nifer o'i luniau.

[57] Ibid. Collodd Roos yr achos hwn ynghyd ag achos arall a gododd yn sgil anghydfod ynglŷn â chlwb portreadau y ceisiodd ei sefydlu yn y dref er mwyn hybu ei fusnes. Ceid gostyngiad ym mhris portread pe bai'r cwsmer yn talu am y gwaith fesul tipyn cyn iddo gael ei gwblhau.

390. William Roos,
Hereford Ox, 1844, Olew,
910 x 710

391. William Roos,
Hunanbortread a llythyr at Nicholas Bennett o Drefeglwys,
1873, Inc, 225 x 160

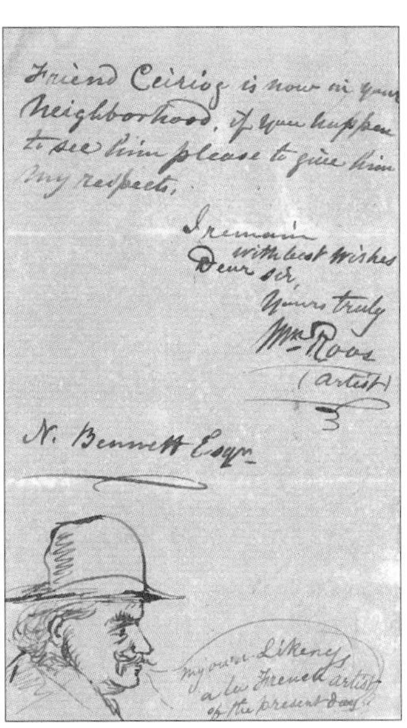

Friend Ceiriog is now in your neighborhood. If you happen to see him please to give him my respects.

I remain
with best wishes
Dear sir,
Yours truly
Wm Roos
(Artist)

N. Bennett Esqr

my own likeness
a la French artist
of the present day

I had a small photograph of Mr. Thomas in my studio, and plaintiff suggested that it would make a nice portrait if enlarged and coloured; and I had it enlarged for him on the understanding that he was to paint it for a guinea. He brought it back before it was finished and said he thought the price that had been agreed upon was too little for the amount of work. I said I did not wish to be hard with him, and that I would pay him something more, but I little thought I should be charged four times the amount ... I have never had a photograph painted before, but I can get them done for that price by sending them away.[57]

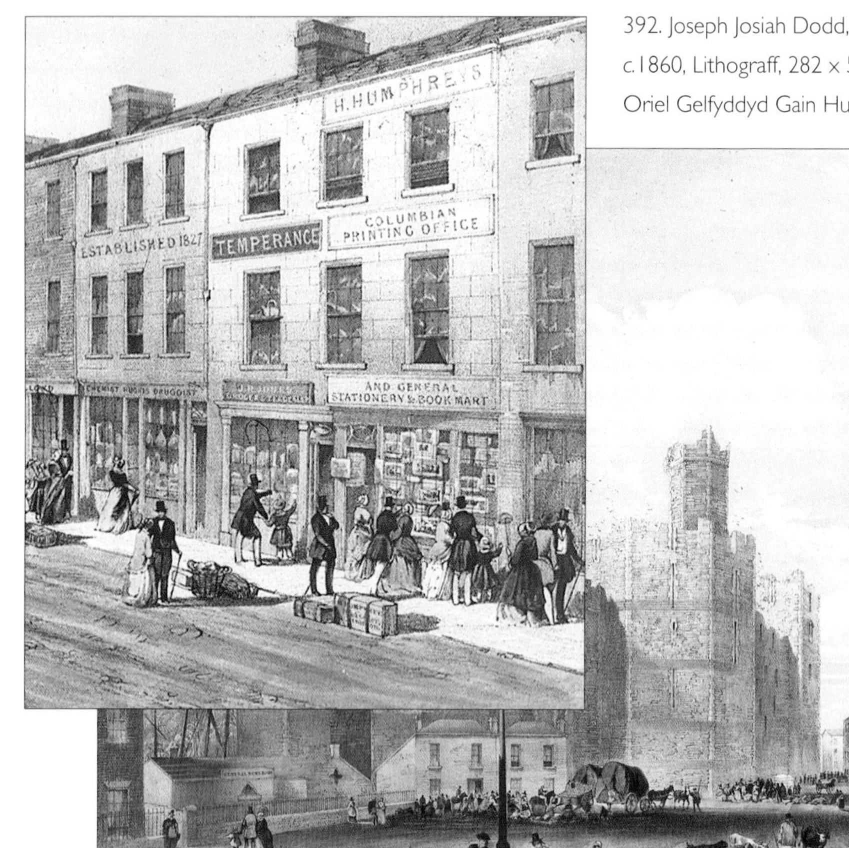

392. Joseph Josiah Dodd, *Y Maes, Caernarfon*, c.1860, Lithograff, 282 × 512, manylyn yn dangos Oriel Gelfyddyd Gain Hugh Humphreys

393. Hugh Humphreys, *John Roberts, 'Ieuan Gwyllt'*, c.1877

394. Evan Williams, *John Roberts, 'Ieuan Gwyllt'*, 1878, Olew, 880 × 680

395. Evan Williams, *Ebenezer Thomas, 'Eben Fardd'*, 1851, Olew, 1240 x 990

Ymhlith y bobl a baentiwyd gan William Roos mewn cyfnod cynharach a hapusach yn ei fywyd oedd gwraig Hugh Humphreys, yr argraffydd, y cyhoeddwr a'r llyfrwerthwr o Gaernarfon.[58] Yr oedd Humphreys yn un o nifer o fasnachwyr yn y busnes argraffu a arallgyfeiriodd o gynhyrchu a gwerthu portreadau engrafedig i ffotograffiaeth. Erbyn 1877 yr oedd ei Oriel Gelfyddyd Gain ar y Maes yn cynnwys stiwdio ffotograffiaeth. Cyflogai Humphreys hefyd o leiaf un arlunydd i gynhyrchu lluniau olew yn seiliedig ar ffotograffau ac engrafiadau. Mewn ymgais i gynyddu ei fusnes, crybwyllodd Humphreys yn gymwynasgar yn ei ddeunydd hysbysebu y gallai ffotograffau fod yn ddefnyddiol ar gyfer cynhyrchu portreadau o bobl a oedd wedi marw. Efallai mai'r enghraifft enwocaf o'r *genre* angladdol hwn oedd portread o'r cerddor John Roberts (Ieuan Gwyllt), a fu farw ym 1877. Cynnal yr Eisteddfod Genedlaethol yng Nghaernarfon y flwyddyn honno oedd achlysur posibl y comisiwn, ac fe'i rhoddwyd i Evan Williams,[59] a oedd eisoes wedi paentio'r portread gwreiddiol o John Jones, Tal-y-sarn, gweinidog adnabyddus gyda'r Methodistiaid Calfinaidd. Gwnaed engrafiad o'r portread hwn a gwyddys am sawl copi olew ohono, cynnyrch Oriel Gelfyddyd Gain Humphreys efallai. Megis ei wrthrych, yr oedd yr arlunydd Evan Williams, a aned yn sir Aberteifi ym 1816, hefyd yn weinidog gyda'r Methodistiaid Calfinaidd. Bu'n gweithio yn Llundain pan oedd yn ŵr ifanc, ond erbyn tua 1850 yr oedd wedi ymsefydlu yng Nghaernarfon, lle y paentiodd Ebenezer Thomas (Eben Fardd) yn fuan wedyn. Talwyd am y comisiwn drwy danysgrifiadau gan y cyhoedd ac fe'i cyflwynwyd i'r bardd yn Eisteddfod Madog ym 1851.[60] Yr oedd portreadau swyddogol o'r fath, a oedd yn gysylltiedig ag eisteddfodau, athrofeydd Ymneilltuol neu gapeli unigol, ymhlith yr ychydig ffynonellau nawdd ar gyfer arlunwyr gwlad yn sgil dyfodiad ffotograffiaeth rad. Comisiwn o'r math hwn oedd yr olaf i'w dderbyn gan Hugh Hughes, ym 1854 pan oedd yn byw yn Lerpwl, sef cais i baentio David Williams, Troedrhiwdalar, gweinidog gyda'r Annibynwyr. Yn ôl y Parchedig John Thomas:

[58] Ymddengys i bortread Roos gael ei gomisiynu i gyd-fynd â darlun cynharach o Humphreys ei hun. Awgryma'r arddull mai gwaith Hugh Jones ydoedd.

[59] Y mae'n bosibl fod gan Humphreys ran yn y comisiwn. Gwyddys iddo gyflogi Leo Turgeny [Tusgera?] Kieweci [Kiewicz?], arlunydd a aned yng Ngwlad Pwyl tua 1828. Ymhlith ei gopïau o bortreadau yr oedd un o Lewis Morris, a seiliwyd y mae'n debyg ar engrafiad yn hytrach nag ar y portread gwreiddiol. Gw. Helen Ramage, 'Wynebau Lewis Morris', *Y Casglwr*, 10 (1980), 8. Y mae portread o David Hughes, gweinidog gyda'r Bedyddwyr, wedi goroesi hefyd ac fe'i cedwir mewn casgliad preifat.

[60] Dyfed Evans, 'Darlun neu ddau heb ddod i'r fei', *Y Casglwr*, 21 (1983), 3.

396. Hugh Hughes,
David Williams, Troedrhiwdalar,
1854, Olew, 900 x 700

Ryw *hit or miss*, fel y dywedir, o arlunydd ydoedd. Yr oedd yn lliwydd rhagorol bob amser, ac ni ollyngau ddim o'i law heb fod y gelfyddydwaith yn dda, ac yn aml byddai y gwrthddrych a bortreadid yn fyw ganddo ar gynfas. Ond byddai brydiau eraill fel pe heb weled y gwrthddrych o ddarluniau o gwbl. Gwnaed llawer cynyg cyn ei gael i *position* boddhaol, a bum yn synnu lawer gwaith mor amyneddgar oedd yr hen arlunydd. Yr oedd yn nodedig am y gallu i gymeryd poen. Profedigaeth Mr Williams oedd myned yn rhy ddwys a phruddaidd yr olwg arno wrth fod yn hir yn yr un sefyllfa, a gwelais ef rai troion fel pe buasai mewn teimladau ingol a dirdynol; ac nid oedd dim *humour* yn Mr Hughes fel ag i'w gadw rhag mynd yn ormodol felly.[61]

Yn ddiweddarach, byddai unig ddisgybl Hugh Hughes, sef William Morgan Williams (Ap Caledfryn), a oedd yn fab i'w gyfaill Caledfryn, yn paentio nifer helaeth o bortreadau swyddogol o'r fath ar gyfer yr Annibynwyr, gan gynnwys enwogion megis y brodyr John a Samuel Roberts.[62] Cawsai Ap Caledfryn ei wersi arlunio cyntaf gan Hughes yng Nghaernarfon yng nghanol y 1830au. Ymhen blynyddoedd lawer, ac yntau ar ymweliad â Chaernarfon ar gyfer Eisteddfod Genedlaethol 1862, ysgrifennodd yr adroddiad llygad-dyst olaf ar Hughes wrth ei waith. Yr oedd Hughes yn dal i baentio, ac yntau'n ddeuddeg a thrigain oed, er mai tirluniau oedd ei destun bellach:

> I called and asked him did he recognise my features, he simply turned off to his picture (then painting the Menai Bridge, 20 x 14 or so) and said 'Should I be expected to know you?' to which I replied he had painted my portrait at

[61] *Y Tyst a'r Dydd*, 18 Rhagfyr 1874, 2–3.

[62] Paentiodd Ap Caledfryn hefyd bortread coll o Richard Evans, Twrch, sylfaenydd *Y Punch Cymraeg*, yn fuan wedi sefydlu'r cylchgrawn. Gw. LlGC Llsgr. 12029C, ff. 157–8.

397. William Morgan Williams (Ap Caledfryn), *John Roberts, Llanbrynmair*, c.1870–80, Olew, 740 x 620

398. Ffotograffydd anhysbys, *William Morgan Williams, 'Ap Caledfryn'*, c.1865

> Carnarvon when I was a boy of 6 or 7 but that my hair was then almost golden. He sharply turned round and said 'its black enough now'. I gave him another hint and asked did he remember Twthill, Rock Cottage he at once dropped his brush and stood erect and shook me most heartily by the hand and asked 'and are you William, son of the great Caledfryn?'[63]

Bu farw Hughes y flwyddyn ganlynol, ac yr oedd gyrfa William Roos hefyd ar drai oherwydd y lleihad dirfawr yn y galw am bortreadau yn sgil dyfodiad ffotograffiaeth. Er gwaethaf ei ddawn dechnegol ddiamheuol fel arlunydd portreadau, fe'i gwelwyd am y tro olaf yng Nghroesoswallt yn ceisio gwerthu ffotograffau o'r eglwys yr oedd wedi eu harlliwio er mwyn ychwanegu ychydig o sylltau at eu gwerth.[64] Bu farw mewn tlodi ym 1878, a chyda'i farwolaeth daeth oes yr arlunydd gwlad teithiol i ben. Adlewyrchwyd yr hen grefft gan y ffotograffydd John Thomas am ugain mlynedd arall wrth iddo deithio drwy gefn gwlad Cymru yn gosod ei stiwdio bortreadau mewn siopau ac ystafelloedd ar rent, ond yr oedd cyfleuster a phris isel y ffotograff fel cyfrwng yn dechrau creu iaith ddogfennol newydd. Er mai bach oedd y gwahaniaeth o ran confensiwn rhwng portreadau stiwdio Thomas o weinidogion a beirdd a'r portreadau a baentiwyd gan Roos, mewn gweithiau eraill megis *Elusendy Cerrigydrudion* câi wynebau nas gwelwyd o'r blaen eu cofnodi gyda nemor ddim dyfais artistig.

Yr oedd rhai canolfannau, lle y ceid busnesau a gyfunai baentio a ffotograffiaeth, yn parhau i gwrdd â'r galw prin gan noddwyr dosbarth-canol am bortreadau paentiedig. Yn Abertawe, er bod Henry Alfred Chapman yn paentio portreadau

[63] LIGC Llsgr. 6358B, heb rifau tudalen.

[64] *Bye-gones* (1880–1), 17.

399. John Thomas, *Elusendy Cerrigydrudion*, Sir Ddinbych, c.1865

400. Henry Alfred Chapman, *John Deffett Francis*, Pastel a sialc, c.1880–90

a darluniau testunol, yr oedd yn fwyaf adnabyddus fel ffotograffydd. Sefydlwyd y fenter hon, prif fusnes ffotograffiaeth y dref am dair cenhedlaeth, gan ei dad, a hanai o Loegr.[65] Yn Aberystwyth, ymsefydlodd Alfred Worthington fel arlunydd portreadau a ffotograffydd oddeutu 1870, ond ei brif waith hyd ei farwolaeth ym 1927 oedd paentio lluniau llongau. Byddai Hugh Jerman, a oedd â'i fusnes yn Llanidloes, yn paentio rhai portreadau, gan gynnwys y darlun grŵp nodedig *Helfa Glanyrafon* ym 1885. Gwnaed yr ymdrech fwyaf llwyddiannus i gyfuno'r

[65] Bu farw H. A. Chapman ym 1915, a gadawodd y busnes yn nwylo dau fab a dwy ferch. Yr oedd un ohonynt, Sam Chapman, yn arloeswr ym maes ffotograffiaeth ar gyfer y wasg, a gwnaeth y plât sinc cyntaf a atgynhyrchwyd mewn papur newydd yng Nghymru. Yr oedd ei chwaer Daisy hefyd yn ffotograffydd a chredir mai hi oedd y wraig gyntaf i dynnu ffotograffau o'r awyr. Atgynhyrchwyd ffotograffau gan deulu Chapman yn Lord, *Diwylliant Gweledol Cymru: Y Gymru Ddiwydiannol*, tt. 175, 183.

401. Alfred Worthington,
Harbwr Aberystwyth, c.1880,
Olew, 1000 x 1300

402. Hugh Jerman,
Helfa Glanyrafon, 1885,
Olew, 914 x 1219

ddau gyfrwng gan deulu Harris ym Merthyr, a ffynnai yn ystod tri degawd olaf y bedwaredd ganrif ar bymtheg. Serch hynny, byddai George Frederick Harris yn chwyddo'i incwm drwy baentio tirluniau a darluniau testunol yn ogystal â phortreadau, a daeth yn ysgrifennydd Cymdeithas Gelf De Cymru, un o'r sefydliadau hynny a ddynodai fod math newydd o fyd celfyddydol Cymreig wedi datblygu erbyn diwedd y bedwaredd ganrif ar bymtheg nad oedd yn seiliedig ar grefft yr arlunydd gwlad.[66] Yr oedd y byd yn hollol wahanol i'r hyn ydoedd gan mlynedd ynghynt pan ymddangosodd yr arlunydd gwlad a chreu, am orig fer, brif ffrwd o arlunwaith gynhenid yng Nghymru.

403. Ffotograffydd anhysbys,
Hugh Jerman, c.1865

[66] Trafodir teulu Harris yn ibid., tt. 113–14. Deuai arlunwyr proffesiynol o hyd i farchnadoedd arbenigol mewn rhai canolfannau. Er enghraifft, er 1828, pan ddaeth James Harris i Abertawe o Gaer-wysg, ffynnai traddodiad o baentio llongau yno. Gweithiai Harris mewn olew ac yr oedd ei waith o safon uchel, ond dilynai gonfensiwn yr arlunwyr academaidd yn hytrach nag arddull syml y gwir arlunydd gwlad. Fe'i dilynwyd gan ei fab, James Harris yr ieuengaf, a baentiai mewn dyfrlliwiau yn bennaf. Ceir disgrifiad manwl o'r traddodiad o baentio llongau yn Abertawe yn Roderick Howell, *Under Sail: Swansea Cutters, Tallships and Seascapes, 1830–1880* (Swansea, 1987). Atgynhyrchir *View of the Hafod Copper Works* gan James Harris yn Lord, *Diwylliant Gweledol Cymru: Y Gymru Ddiwydiannol*, t. 85.

pennod wyth

DIFFINIO CYMREICTOD

404. Mary Parry, *Wales*, Sampler, 1804, 270 x 220

405. P. Stampa, *An Emblem of Wales*, 1799, Mesotint, 305 x 241

I wledydd mawr Ewrop yr oedd y bedwaredd ganrif ar bymtheg yn gyfnod o adeiladu ymerodraethau yn yr Americas, Affrica a'r Dwyrain. Ar yr un pryd, yr oedd cenhedloedd bychain Ewrop a draflyncwyd gan yr hen ymerodraethau lluosogaethol, a llawer o grwpiau ethnig neu ieithyddol a wasgarwyd ymhlith dinas-wladwriaethau a thywysogaethau bychain, yn cael eu gyrru ymlaen gan yr un ysbryd ymwthgar i geisio hunanlywodraeth. Fel cam angenrheidiol ar y daith i ryddid, ymroes eu hawduron, eu cerddorion a'u harlunwyr i geisio diffinio eu hunaniaeth drwy goffáu eu mytholeg a'u hanes a thrwy greu delweddau a oedd, yn ôl dealltwriaeth y cyfnod o genedligrwydd, yn mynegi nodweddion diwylliannol y bobl. Nid oedd mynegiant gweledol o hunaniaeth y grŵp yn ffenomen newydd, wrth gwrs, a gwelsom eisoes fod symbolau a delweddau gwladgarol wedi eu cynhyrchu yng Nghymru ac mewn gwledydd bychain eraill yn ystod yr ail ganrif ar bymtheg a'r ddeunawfed ganrif. Ar ddechrau'r bedwaredd ganrif ar bymtheg daeth symbolau newydd megis plu Tywysog Cymru yn rhan o'r ddelweddaeth genedlaethol. Fe'u poblogeiddiwyd ar ffurf brintiedig, a dengys sampler a wnaed gan Mary Parry ym 1804 fod yr arwyddlun wedi treiddio'n gyflym ac yn ddwfn i'r ymwybyddiaeth

[1] J. Clarke, 'Art in Wales', *Young Wales*, I (1895), 205.

[2] Daeth Owain Myfyr unwaith eto yn destun ymgyrch goffáu gan y Gymdeithas. Yn sgil cynnig gan Richard Llwyd yng Nghaer, cafodd William Owen Pughe y syniad o godi cofeb, sef carnedd 'Gwyddfa Myfyr' ar fynydd uwchben Cerrigydrudion, ond nis gwireddwyd. Ceir lluniad o'r adeiladwaith arfaethedig gan John Orlando Parry yng nghofnodion Cymdeithas y Gwyneddigion, Llsgr. Ychwanegol y Llyfrgell Brydeinig 9850, f. 296.

[3] William Owen Pughe, *The Heroic Elegies and Other Pieces of Llywarç Hen* (London, 1792). Y mae copi personol Pughe sy'n cynnwys y darluniau yn LlGC a'i rif derbyn yw W.S. 1792.

gyhoeddus. Serch hynny, erbyn diwedd y bedwaredd ganrif ar bymtheg daethpwyd i gredu bod yn rhaid i bobloedd a ddyheai am statws gwladwriaeth feddu nid yn unig ar symbolau cenedlaethol ond hefyd ar gelfyddyd, cerddoriaeth a llenyddiaeth genedlaethol a rôi fynegiant i fytholeg, hanes a chymeriad y genedl. Ym 1895 mynegodd beirniad o Gymru y farn gyffredin pan ddywedodd: 'History furnishes no example of a nation great in commerce or renowned for its intellectual progress, and possessing no well-developed national art.'[1] At hynny, yr oedd gofyn i gelfyddyd o'r fath siarad ag un llais, gan fod y llwybr at y genedl-wladwriaeth unedig newydd yn arwain yn union rhwng hen ymerodraethau lluosogaethol Ewrop ar y naill law a'r dinas-wladwriaethau a'r tywysogaethau darniog ar y llaw arall. Yn y cyswllt hwn rhwystrid Cymru gan amharodrwydd ei deallusion ers tro byd i ddewis rhwng eu Cymreictod a'u Prydeindod. Eto i gyd, dylanwadodd y cenedlaetholdeb newydd a effeithiodd ar Ewrop gyfan o'r cenhedloedd Slafonaidd yn y dwyrain i wlad Groeg yn y de a'r Ffindir yn y gogledd ar Gymru hefyd yn ystod y bedwaredd ganrif ar bymtheg estynedig a ddaeth i ben gyda'r Rhyfel Byd Cyntaf.

Yng Nghymru, un gwahaniaeth sylfaenol rhwng agweddau gwladgarol at gelfyddyd yn y ddeunawfed ganrif a'r bedwaredd ganrif ar bymtheg oedd y teimlad y gallai paentio a cherflunwaith roi mynegiant nid yn unig i hen hanes ond hefyd i agwedd gyfoes at fywyd a barhâi i esblygu mewn ffordd arbennig. Tra syllai Richard Wilson a'r hynafiaethwyr yn ôl at Arcadia yn y gorffennol, ceisio adeiladu eu Harcadia eu hunain a wnâi deallusion radicalaidd Ymneilltuol y bedwaredd ganrif ar bymtheg. Byddai cenedl fodern yn cynhyrchu delweddaeth a sefydliadau arwahanol a fyddai'n cryfhau gallu'r genedl i werthfawrogi ac ymarfer celfyddyd. Drwy gydol y ganrif hybwyd y ddwy wedd hon yn sylweddol, er bod y ddelweddaeth yn parhau'n hanesyddol ei natur, ac eithrio pan ddethlid mawrion y drefn grefyddol newydd. Methodd deallusion y bedwaredd ganrif ar bymtheg â chydnabod posibiliadau ffenomen anhygoel y Gymru ddiwydiannol fel arwydd o arwahanrwydd, er gwaethaf y ffaith mai'r cynnydd economaidd a ddaeth yn ei sgil a oedd yn gyfrifol am y dadeni.

Dangosai cylch William Owen Pughe ymhlith cymdeithasau'r Cymry yn Llundain arwyddion cynnar o ymwybyddiaeth genedlaethol y bedwaredd ganrif ar bymtheg drwy ddathlu ffigurau modern pwysig mewn portreadau. Comisiynwyd Gauci gan Gymdeithas y Gwyneddigion i wneud engrafiad o'r portread o Owain Myfyr a oedd yn eiddo iddynt (yn ogystal ag o'u portread o Twm o'r Nant yn ddiweddarach) er mwyn lledaenu delwedd arweinwyr deallusol ac artistig y dydd ymhlith cynulleidfa ehangach. Comisiynodd y Gymdeithas gofeb gerfiedig i Twm o'r Nant yn ogystal, ynghyd â chofeb fawr i Goronwy Owen a luniwyd o farmor Môn a'i gosod yn Eglwys Gadeiriol Bangor.[2] Arlunydd *manqué* oedd Pughe a gâi wersi arlunio gan Eliza Jones ac a fyddai'n ymarfer ei ddawn gyfyng drwy baentio mân-ddarluniau a thestunau hanesyddol. Ar gyfer ei argraffiad o *The Heroic Elegies ... of Llywarç Hen* lluniodd wynebddarlun yn dangos y bardd mytholegol yn creu campwaith, yn ogystal â nifer o luniau o seremonïau Gorseddol a ddyfeisiwyd gan ei gyfaill Iolo Morganwg.[3] Cynhaliwyd y seremonïau cyntaf ar

406. William Owen Pughe, *Llywarç Hen*, 1792, Dyfrlliw, 130 x 105

407. Samuel Mitan, *The Bard*, wynebddalen W. Bingley, *Sixty of the Most Admired Welsh Airs*, 1803, Engrafiad, 320 x 240

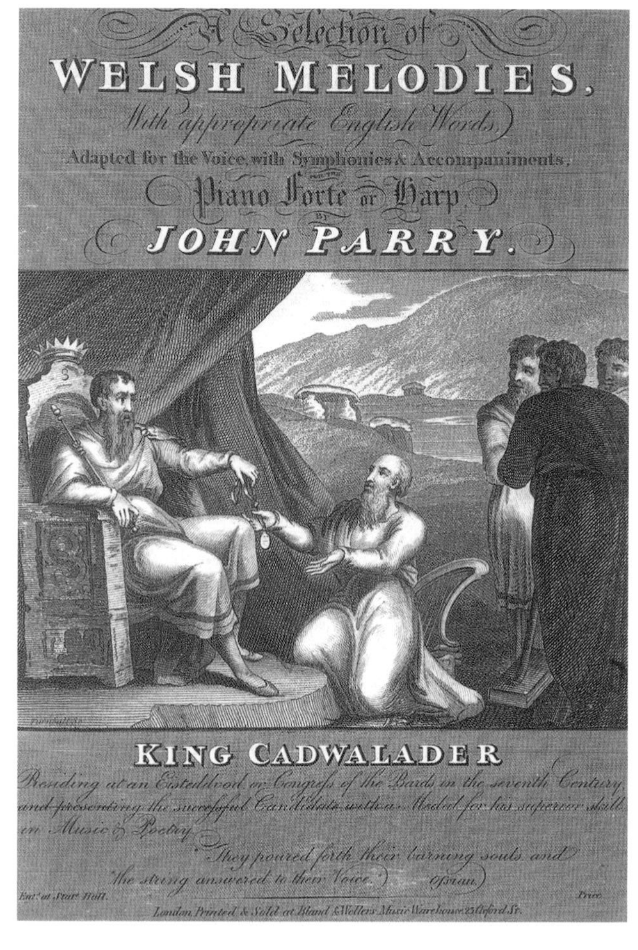

408. Abraham Raimbach, *Hu Gadarn*, Engrafiad, 1801, 91 x 96

uchod, ar y dde:
409. Turnbull yn seiliedig ar arlunydd anhysbys, *King Cadwalader Presiding at an Eisteddfod*, wynebddalen John Parry, *A Selection of Welsh Melodies*, 1821, Engrafiad, 295 x 205

Fryn y Briallu yn Llundain yn yr un flwyddyn ag yr argraffwyd y llyfr. Trefnodd Pughe hefyd fod un o ffantasïau rhyfeddaf Iolo, sef Hu Gadarn, sylfaenydd cenedl y Cymry, yn cael ei ddelweddu. Llwyddodd i berswadio Owain Myfyr i dalu Abraham Raimbach am ei bortreadu ac yntau, yn ôl Jac Glan-y-gors, yn neidio o'i gwrwgl ag aradr yn un llaw a phastwn yn y llall.[4] Cyhoeddwyd delwedd Raimbach am y tro cyntaf ym 1801 ac yr oedd Pughe yn dal i ymddiried ynddo ym 1822 pan gomisiynodd engrafiad pren ar gyfer ei gerdd faith am yr arwr newydd. Rhaid bod Pughe yn gyfarwydd â'r darlun o *Caractacus before Claudius* a grogai yn ystafelloedd Cymdeithas y Caradogion, ac y mae'n bosibl fod rhagor o ddarluniau hanesyddol neu chwedlonol yn nwylo'r cymdeithasau eraill.[5] Er gwaethaf naïfrwydd gweithgareddau Pughe, a oedd mor nodweddiadol ohono, amlygent ei ymwybyddiaeth o'r angen i boblogeiddio mythau am sylfaenwyr y genedl.

Deilliai amryw o ddelweddau printiedig a oedd yn gysylltiedig â'r diddordeb cynyddol mewn cerddoriaeth genedlaethol o'r un cylch yn Llundain. Fel y gwelwyd eisoes, dilynent yn ôl troed y darluniau ar gyfer *The Musical and Poetical Relicks of the Welsh Bards* gan Edward Jones, a gyhoeddwyd ym 1784, a *The Bardic Museum*, yr ail gyfrol mewn cyfres o dair a gyhoeddwyd ym 1802. Y flwyddyn ganlynol cyhoeddwyd *Sixty of the Most Admired Welsh Airs* gan y Parchedig William Bingley, ynghyd ag engrafiad cain o fardd â thirwedd Eryri yn gefndir iddo.[6] Yr oedd y

uchod:

410. Yn ôl pob tebyg William Jones, *The Last Bard*, 1819, Olew, 750 x 610

de uchod:

411. Anhysbys, *John Parry, 'Bardd Alaw'*, c.1820, Olew, 330 x 290

gyfrol yn cynnwys argraffnod Evan Williams, un o argraffwyr Cymraeg mwyaf blaenllaw Llundain yn y cyfnod hwnnw. Cyhoeddasai Williams nifer o weithiau gan Pughe,[7] y gwelir eu dylanwad yn *King Cadwalader Presiding at an Eisteddfod*, y mwyaf gwreiddiol o'r holl engrafiadau a oedd yn gysylltiedig â cherddoriaeth genedlaethol, a gyhoeddwyd ym 1821 fel wynebddarlun i *A Selection of Welsh Melodies* John Parry.[8] Yn y cyfamser, parhaodd y 'Bardd Olaf' yn boblogaidd ymhlith arlunwyr Cymreig: cafodd darlun pen ac ysgwydd cain o waith William Jones ei arddangos yn yr Academi Frenhinol ym 1819.

[4] Yr oedd y bardd Dafydd Ddu Eryri yr un mor sinigaidd am y myth yr oedd Iolo newydd ei ddatgelu, a gofynnodd gyda dicter ffug: 'Does the picture of Hu Gadarn accord with the rules of natural taste and good judgement? Was it a little coracle or a brewer's vat that brought Hu from the land of summer to the Island of Britain?' Defnyddiwyd delwedd Raimbach ar fedalau a roddid gan y gymdeithas o 1800 ymlaen. Y cyntaf i dderbyn un ohonynt oedd Gwallter Mechain. Ym 1803 ysgrifennodd Sharon Turner at y Gymdeithas i ddiolch am ei fedal: 'Nothing could give me more pleasure than your very elegant medal. The conception of the subject, the selection of Hy Gadarn as the hero, his coracle and plough – his attitude and the rising sun are extremely appropriate and as happily invented as they are tastefully executed.' Llsgr. Ychwanegol y Llyfrgell Brydeinig 9848, 3 Tachwedd 1803. Ymddengys i'r engrafiad gael ei gyhoeddi gyntaf fel wynebddarlun *Cyhoeddiadau Cymdeithas y Gwyneddigion, yn Llundain, am y flwyddyn 1800* (London, 1801). Sais yr hanai ei deulu o'r Swistir oedd yr engrafwr Raimbach, a daeth yn adnabyddus yn ddiweddarach am ei engrafiadau yn arddull David Wilkie. Ym 1820 yr oedd Pughe yn gyfrifol am roi comisiwn ar ran y Cymmrodorion i John Flaxman i lunio medal.

[5] Ceir cyfeiriad at *Caractacus before Claudius* yn Jenkins a Ramage, *A History of the Honourable Society of Cymmrodorion*, t. 128. Yr oedd Caractacus yn destun mor boblogaidd â Buddug ymhlith arlunwyr ac awduron Seisnig y ddeunawfed ganrif a'r bedwaredd ganrif ar bymtheg. Y mae'n bosibl mai dyna paham na wneid cymaint o ddefnydd o'r ddelwedd gan arlunwyr o Gymru.

[6] Yr oedd Castell Dolbadarn i'w weld yng nghefndir y delweddau a gyhoeddwyd yn *The Bardic Museum* ac yn *Welsh Airs*. Am drafodaeth ar ddelweddau o Ddolbadarn, gw. Paul Joyner (gol.), *Dolbadarn: Studies on a Theme* (Aberystwyth, 1990).

[7] Am Evan Williams, gw. Lord, *Hugh Hughes, Arlunydd Gwlad*, t. 47. Williams hefyd a gyhoeddodd *Cambria Depicta* Edward Pugh.

[8] Yr oedd Parry, a ddilynodd Edward Jones fel y ffigur amlycaf yng ngherddoriaeth Cymru, yn gyfaill agos i Pughe. Nid oes cydnabyddiaeth i unrhyw arlunydd ar yr engrafiad, ond y mae'n bosibl mai syniad Pughe ydoedd, a'i fod yn null Henry Corbould. Yr oedd ei dad ef, Richard Corbould, wedi dylunio wynebddarlun ar gyfer y *Cambrian Register* ym 1796. Yr oedd gan Henry Corbould ddiddordeb mawr mewn testunau Prydain Fore ac y mae ei dudalen deitl ar gyfer argraffiad 1812 o *History of England* Hume yn cynnig cynsail agos i ddarluniau *A Selection of Welsh Melodies* Parry. Bu'n gweithio yn yr Amgueddfa Brydeinig am ddeng mlynedd ar hugain yn lluniadu hynafiaethau. Yr oedd William Owen Pughe yn ddarllenydd adnabyddus yno a'r tebyg yw ei fod yn adnabod Corbould.

412. Anhysbys,
Maria Jane Williams, Aberpergwm, c.1822–5,
Olew, 2387 x 1447

Gan ei fod yn hoff o gomisiynu hunanbortreadau gan arlunwyr Cymreig, oddeutu 1802 arweiniwyd William Owen Pughe at Edward Pugh, a oedd newydd ddechrau gweithio ar ei *Cambria Depicta*. Ceir yn y gyfrol hon rai o'r cyfeiriadau cynharaf at yr angen am sefydliadau Cymreig yn y celfyddydau gweledol, arwydd clir arall o ddyfodiad math newydd o ymwybyddiaeth genedlaethol flaengar. Credai Pugh mai ychydig iawn o gasgliadau da o ddarluniau a oedd i'w cael yn nhai bonedd Cymru:

> Indeed, a general apathy and want of taste for the arts, and I may add for the sciences, are too observable among my wealthy countrymen; which may account why so few natives excel in them. Talents, in a latent sense, may exist among them; but while they are left to encounter all the discouragement of neglect, and no fostering hand appear to cherish and hold forth the means of pursuing the bent of genius, they are left like
>
> 'Many a flower, born to blush unseen,
> And waste its sweetness in the desert air.'
>
> The superfluous wealth of the country is fully competent to form and sustain a national work, or some institution that might be the means of thus cherishing the buds of native genius, and of giving energy to more matured talents, which may sometimes be found even among the wilds of Penmachno and the vales of Nantglyn.[9]

413. Charles Augustus Mornewicke, *Augusta Hall, Arglwyddes Llanofer*, 1862, Olew, 813 x 495

Gan ddefnyddio'r term 'sefydliad cenedlaethol' eto, cyfeiriodd Pugh at yr Alban fel enghraifft y dylai Cymru ei dilyn, ac awgrymodd yn glir fod angen Academi er mwyn dysgu ac arddangos gweithiau celf.[10] Byddai'r galwadau hyn gan lais newydd a democrataidd am gynnydd cenedlaethol yn cael eu hadleisio lawer gwaith drwy gydol y bedwaredd ganrif ar bymtheg, yn bennaf ar lwyfan yr Eisteddfod, a ddaeth yn ganolbwynt ar gyfer cynhyrchu delweddaeth genedlaethol ac ar gyfer trafodaeth ar ddatblygu sefydliad cenedlaethol.

Ym 1826 mynychodd Augusta Hall (a ddaeth yn Arglwyddes Llanofer ym 1859) yr eisteddfod ranbarthol yn Aberhonddu gyda rhai o bwysigion yr oes o'r blaen, yn eu plith William Owen Pughe ac Ifor Ceri. A hithau'n bedair ar hugain oed cafodd ei hysbrydoli gan sêl wladgarol Thomas Price, yr oedd ei enw barddol, Carnhuanawc, yn arwydd o'i gariad at ddiwylliant ac iaith Llydaw. Trigai Carnhuanawc, a oedd yn ficer Llanfihangel Cwm-du, yng Nghrucywel, heb fod ymhell o ystadau Augusta Hall. Yr oedd Carnhuanawc eisoes yn adnabyddus fel hynafiaethydd ac ymddiddorai hefyd mewn diwylliant gweledol, ac yntau'n ddrafftsmon medrus.[11] Ym 1833 bu'r ddau yn gysylltiedig â sefydlu Cymdeithas y Cymreigyddion yn Y Fenni. Bedair blynedd yn ddiweddarach cwblhawyd Neuadd

[9] Pugh, *Cambria Depicta*, t. 75. Yr oedd Pugh wedi cynorthwyo'r arlunydd William Jones pan oedd yn astudio yn Llundain ym 1808. Am ddadansoddiad o agweddau at ddatblygiad talent frodorol, gw. Lord, *The Aesthetics of Relevance*.

[10] Pugh, *Cambria Depicta*, tt. 76–7.

[11] Cyhoeddwyd rhai o'i luniadau yn Theophilus Jones, *A History of the County of Brecknock* (2 gyf., Brecknock, 1805–9), er mai Richard Colt Hoare a oedd yn gyfrifol am y mwyafrif o'r lluniau. Gwaith Edward Pugh oedd y darlun ar y dudalen deitl.

414. Augusta Hall, Arglwyddes Llanofer, *Welsh Girls in the costumes of Gower and Cardiganshire*, *c.*1830, Dyfrlliw, 255 × 165

415. Anhysbys, *Interior of the Cymreigyddion Hall, Abergavenny*, 1845, Engrafiad pren allan o *The Illustrated London News*, 180 × 240

Llanofer, tŷ newydd Arglwyddes Llanofer, a ddaeth yn fuan iawn yn ganolfan i gylch o ddeallusion ac arlunwyr gwlatgar a barhaodd hyd ail ran y bedwaredd ganrif ar bymtheg. Yr oedd y cylch yn cynnwys teuluoedd bonheddig cenedlgarol megis teulu Williams, Aberpergwm. Coffawyd un ohonynt, Maria Jane Williams, y casglydd caneuon gwerin, yn un o'r portreadau Rhamantaidd ceinaf a baentiwyd yn y cyfnod hwn.[12] Ceid yn ogystal unigolion o'r tu allan i Gymru, yn eu plith Charles Augustus Mornewicke, arlunydd o Sais di-sôn-amdano, a baentiodd nifer o bortreadau, gan gynnwys Arglwyddes Llanofer ei hun a Charnhuanawc.[13] Ym 1838 cynhaliodd Cymdeithas y Cymreigyddion ei chylchwyl neu ei heisteddfod deirblynyddol gyntaf, a gynigiai wobrau nid yn unig am weithiau llenyddol a cherddorol ond hefyd am wehyddu a chynhyrchu dillad megis menig neu hetiau. Yr oedd cydnabod pwysigrwydd crefftau traddodiadol yn adlewyrchu barn Arglwyddes Llanofer, a fynegwyd yn gyhoeddus ganddi yn ei thraethawd buddugol yn Eisteddfod Frenhinol Caerdydd ym 1834, dan y pennawd 'The Advantages resulting from the Preservation of the Welsh Language and National Costumes of Wales'. Cafodd y gwisgoedd hyn, a wnaed o'r defnyddiau gwlanen trwchus y parheid i'w gwisgo mewn sawl ardal, eu disgrifio a'u darlunio gan Arglwyddes Llanofer, a'u dosbarthu fesul sir. Y mae'r dosbarthiad hwn yn dweud mwy am ddiddordeb oes wyddonol a thechnolegol mewn trefniadaeth daclus nag am y gwisgoedd eu hunain, a seiliwyd ar ddehongliad detholus Arglwyddes Llanofer o weddillion gwisgoedd gwerin a oedd yn gyffredin i rannau

de:

416. Ffotograffydd anhysbys, *Merched mewn gwisg Gymreig*, Cerdyn post, *c.*1902, 140 × 190

[12] Yr oedd Maria Jane Williams yn noddwraig gynnar i Penry Williams. Gw. Lord, *Diwylliant Gweledol Cymru: Y Gymru Ddiwydiannol*, t. 60.

[13] Ni wyddys sut y daeth Augusta Hall i adnabod Mornewicke, arlunydd di-nod a weithiai yn nwyrain Lloegr. Un arall yng nghylch Llanofer a baentiwyd ganddo oedd y Parchedig John Evans. Y mae ei bortread yn awr yn yr Amgueddfa Genedlaethol yng Nghaerdydd.

helaeth o Ewrop yn yr oesoedd canol. Serch hynny, fel y nododd Ffrancis Payne, 'it can fairly be said that it was she who turned the farm servants' working clothes into a conscious, or rather self-conscious, national costume'.[14] Drwy ei gwisgo mewn eisteddfodau ac achlysuron seremonïol eraill, rhoes Arglwyddes Llanofer sêl bendith dosbarth uwch ar y wisg.[15] Ymatebodd arlunwyr, yn eu plith John Cambrian Rowland, i'r galw cynyddol am yr eicon pennaf o Gymreictod. Yr oedd Rowland eisoes wedi tynnu lluniau o wisgoedd gwerin a bywyd pob dydd yn ei lyfr brasluniau yn ystod 1849–50, a gwnaeth engrafiadau ohonynt, drwy'r cyhoeddwr Edward Parry o Gaer i gychwyn.[16] Gwerthwyd nifer sylweddol ohonynt, a chafodd testunau megis *The Welsh Wedding* eu hatgynhyrchu nid yn unig fel engrafiadau ond fel ceramigau *kitsch* a gâi eu cynhyrchu cyn belled i ffwrdd â'r Alban. Wedi iddo symud i Gaernarfon yn y 1850au, newidiodd Rowland y cefndir yn rhai o'i luniau o wisgoedd, a wnaed ganddo yn sir Aberteifi, gan y credai y byddai cefndir Eryri yn fwy tebygol o apelio at ymwelwyr. Ymatebodd y ffotograffwyr yn gyflym hefyd i'r galw cynyddol drwy lunio gwaith yn y stiwdio yn bennaf, er iddynt gynhyrchu rhai delweddau dogfennol yn ogystal. Cyrhaeddodd y fasnach ei hanterth ar ddechrau'r ugeinfed ganrif gyda dyfodiad y cerdyn post.[17] Disodlwyd Bardd arwrol y ddeunawfed ganrif gan ddelwedd fenywaidd anymwthiol a ddaeth yn rhan anhepgor o'r hunaniaeth genedlaethol i'r Cymro a'r Sais fel ei gilydd ac yn arwydd o gymathiad Cymru fel agwedd *picturesque* ar Brydeindod.

[14] F. G. Payne, *Welsh Peasant Costume* (Cardiff, 1964), t. 9. Yr oedd Carnhuanawc yn gyfarwydd â gwisgoedd Llydaw, ac efallai i hyn ddylanwadu ar Arglwyddes Llanofer a geisiai 'ddiogelu' gwisg genedlaethol Cymru.

[15] Yn wahanol i'r argraff a roddir mewn darn o draethawd y dyfynnir yn ddethol iawn ohono'n aml gan awduron wrth ysgrifennu am y wisg genedlaethol, nid oedd Arglwyddes Llanofer yn hybu'r wisg er budd arlunwyr ar ymweliad â Chymru. Yr oedd ei dadleuon yn seiliedig ar bryder ynghylch cyflwr economaidd a moesol y bobl gyffredin: 'We have not enlarged upon the loss Artists would experience by the destruction of the costumes of Wales, or on their value to the traveller, after the Picturesque, or on their forming one of the most characteristic and ornamental features of the principality. We feel that our arguments for their support are better founded on the firm basis of health and industry, which are the first steps to happiness and prosperity, and the best preventatives of poverty and immorality.' Gwenynen Gwent, *The Prize Essay on the Advantages Resulting from the Preservation of the Welsh Language and National Costumes of Wales* (London, 1836), tt. 12–13.

[16] Gan i blentyn cyntaf Rowland gael ei eni yng Nghaer ym 1855, y mae'n bosibl iddo fod yn byw yno am gyfnod byr. Ar y llaw arall, efallai i'r plentyn gael ei eni pan oedd Rowland ar ymweliad â Chaer gyda'i waith.

[17] Am ddelweddau o Gymreictod ar gardiau post, gw. E. G. Millward, *Cymry'r Cardiau Post* (Llandysul, 1996).

417. John Cambrian Rowland, *Welsh Peasantry Drawn from Living Characters in 1850*, c.1850–60, Lithograff, 240 x 375

418. Anhysbys yn seiliedig ar John Cambrian Rowland, *Plât crochenwaith swydd Stafford*, c.1855–60, 200 ar draws; Lockart ac Arthur (Glasgow), *Jwg crochenwaith*, 1855–64, uchder 100

Yn Eisteddfod Y Fenni 1845, a gynhaliwyd mewn neuadd newydd a adeiladwyd yn bwrpasol ar ei chyfer, cafodd celfyddyd academaidd le anrhydeddus ar y llwyfan ochr yn ochr â chrefftau a gwisgoedd cenedlaethol. Dathlwyd yr achlysur gan Garnhuanawc a chafwyd adroddiad arno yn yr *Illustrated London News*:

> But Ladies and Gentlemen, as well as publishing books,[18] we patronise the loom of the weaver, and endeavour to cultivate the taste for music; and in addition to this, we now have evidence before us that the fire of patriotism has even awakened the chisel of the sculptor. He has dared to gaze at the visions of glory which oppressed the aching sight of many an ardent Welshman; and has called even the great Taliesin from his grave (tremendous cheering) – and seems, moreover, to have breathed a soul to animate his noble form. I shall not trouble you, Ladies and Gentlemen, with any further observations. I merely wish to remind you how much we are indebted to the gentleman who has brought that rich specimen of sculpture to which I have been alluding 150 miles in order to place it among our decorations today. (Loud cheers).[19]

O'r diwedd, daethai annog celfyddyd weledol er ei mwyn ei hun yn nod gan yr Eisteddfod yn hytrach nag yn gyfrwng coffaol yn unig, fel yn achos portreadau Hugh Hughes o Ifor Ceri a'i gymdeithion. Y cerflunydd y cyfeiriodd Carnhuanawc ato yn ei araith oedd William Lorando Jones, yr hynaf o dri brawd a hyfforddwyd fel seiri meini coffaol ym Merthyr. Aethai William Lorando, gŵr a chanddo ddaliadau Undodaidd cryf nad oeddynt yn debygol o apelio at y sefydliad Anglicanaidd, i Lundain ar ddiwedd y 1830au, gan ennill ei fywoliaeth drwy wneud gwaith cerfio ar adeiladau cyhoeddus.[20] Datblygodd ei syniadau ei hun yn ei amser hamdden a dangoswyd *Caswallon*, y testun Cymreig cyntaf o'i eiddo, yn yr Academi Frenhinol ym 1843. Cawsai ei blastr o *Taliesin Penbeirdd* ei arddangos yn yr Academi hefyd cyn cael ei gludo i Eisteddfod Y Fenni.[21] Credai un beirniad brwd a ysgrifennai'n obeithiol braidd yn yr *Illustrated London News* y byddai'r cyhoedd yn ei weld mewn marmor ond, fel llawer proffwydoliaeth gyffelyb arall a wnaed tua chanol y bedwaredd ganrif ar bymtheg, nis gwireddwyd. Yr oedd yr Eisteddfod wedi cydnabod pwysigrwydd celfyddyd genedlaethol, a dichon i arddangosfa Neuadd Westminster ym 1844, lle y dangoswyd y cerfluniau a gynlluniwyd ar gyfer y Senedd newydd yn Llundain, ddylanwadu arni. Eto i gyd, nid oedd gan Gymru unrhyw adeilad o statws cenedlaethol, ac ychydig iawn o'i hadeiladau neu gofadeiliau cyhoeddus a oedd yn ddigon nodedig i gyfiawnhau cerfluniau. Yr unig gomisiwn sylweddol oedd y gofeb yng Nghaerfyrddin i'r Cadfridog Syr Thomas Picton

419. William Lorando Jones, *Taliesin Penbeirdd*, 1845, Engrafiad pren allan o *The Illustrated London News*, 130 × 70

[18] Yr oedd y Gymdeithas newydd gyhoeddi adysgrif o *Llyfr Llandav*.

[19] *The Illustrated London News*, 25 Hydref 1845, 256.

[20] Ymunodd Watkin D. Jones â'i frawd William Lorando Jones yn Llundain. Bu Undodiaeth William Lorando Jones yn rhwystr mawr iddo yn ddiweddarach yn ei yrfa. Ymfudodd i Awstralia ym 1855 neu 1856 ac mewn cyfarfod cyhoeddus ym Mharc Parramatta, Sydney, ym 1871 gwadodd ar goedd fod Iesu Grist yn fab Duw, a bod y Beibl yn Air Duw. Erlynwyd ef am gabledd a'i ddedfrydu i ddwy flynedd o garchar. Cafodd yr achos lawer iawn o sylw, a daeth Jones i gael ei adnabod fel 'the New South Wales martyr', a newidiwyd y ddedfryd gan y llywodraethwr. Ddwy flynedd yn ddiweddarach cyhoeddodd *The Origin of Theology or the Worshipping of the Sun* (Sydney, 1873), ond oherwydd y gweithgareddau hyn daeth yn amhosibl iddo gael comisiynau cyhoeddus. Ysgrifennodd ei wraig: 'The New South Wales martyr has to roam far from his dear family and home: / From day to day and week to week, a living for them joyfully does seek. / Photography and dissolving views, are his daily occupation; / He lectures on astronomy and the wonders of creation.' *The Stockwhip*, 13 Mawrth 1875, 50.

[21] Cafodd ail destun cenedlaethol, *The Infant Taliesin*, yn dangos darganfod Taliesin mewn cwrwgl ar afon Conwy, ei arddangos gan Jones yn yr Academi Frenhinol ym 1852.

[22] Gweithiai Nash gyda Bailey ar y Marble Arch yn Llundain yr un pryd. Gwaetha'r modd, yr oedd crefftwaith ac ansawdd y defnyddiau a ddefnyddiwyd yng Nghaerfyrddin yn llawer is eu safon a dymchwelwyd y cerflun. Y mae darnau o'r gwaith hynod hwn i'w gweld yn yr Amgueddfa yng Nghaerfyrddin.

[23] John Howells, 'Reminiscences of Merthyr Tydvil', *The Red Dragon*, II (1882), 342–3.

[24] Dangosodd John Evan blastr o *The Second Lord Londonderry*, a gerfiwyd mewn marmor yn ddiweddarach ac a osodwyd yn Abaty Westminster. Dangosodd William Meredyth *Prince Henry*, nad oes fersiwn ohono wedi goroesi.

[25] Yn fuan wedyn ychwanegwyd cystadleuaeth i ddylunio cartŵn ar y testun *Brân Fendigaid (the Blessed) introducing Christianity into Britain*. Gan nad oedd unrhyw adeilad ar gael ar gyfer ymgymryd â phrosiect o'r fath, nid yw'n syndod nad ymgeisiodd neb yn y gystadleuaeth arlunio.

[26] Fe'i castiwyd ym 1856, er na wyddys pwy a dalodd am y gwaith. Gwnaed dau gopi ohono.

a laddwyd ym mrwydr Waterloo, comisiwn a roddwyd gan ei dylunydd, John Nash, i'r cerflunydd Seisnig Edward Baily.[22] Wrth goffáu William Lorando Jones, gallai John Howells 'well remember the gleeful and enthusiastic manner of William, in describing a statuary group which he intended to make, but which, alas! never took any outward form. It was to be from Welsh history, and would represent a lady handing a bouquet of poisonous flowers to some famous Welsh Prince who had deceived her'. Fel y dywedodd Howells yn gwbl deg wrth drafod y brodyr: 'Theirs were cases in which a liberal patron would have been of paramount value ...', ond ni chawsant nawdd o'r fath gan unigolyn na chorff cyhoeddus.[23]

Eto i gyd, cyffrowyd Cymreigyddion Y Fenni gan botensial gwaith William Lorando Jones a hefyd yn ddiamau gan lwyddiant y brodyr John Evan a William Meredyth Thomas o Aberhonddu, a fu'n arddangos yn arddangosfa Neuadd Westminster.[24] O ganlyniad, aethant rhagddi i drefnu eu cystadleuaeth gerflunio eu hunain.[25] Disgwylid cwblhau pob gwaith erbyn yr eisteddfod nesaf ym 1848. Esgorodd y gystadleuaeth hon ar yr enghraifft fwyaf nodedig o gelfyddyd academaidd genedlaethol a welwyd yn rhan gyntaf y bedwaredd ganrif ar bymtheg, ac un o'r ychydig weithiau sydd wedi goroesi mewn efydd.[26] Y mae'n amheus a oedd y gystadleuaeth yn hollol deg gan fod y brodyr Thomas yn aelodau o gylch Neuadd Llanofer. At hynny, y beirniaid oedd Syr Benjamin Hall, gŵr Arglwyddes Llanofer, a William Williams, Aberpergwm, aelod brwdfrydig arall o'r cylch. Y mae agosrwydd y cysyniad i'r syniadau a fynegwyd gan Arglwyddes Llanofer yn ei thraethawd buddugol yn Eisteddfod Frenhinol Caerdydd ym 1834 yn cefnogi'r farn draddodiadol i'r cerflunwyr ymgynghori â hi ynglŷn â'r dyluniad.

421. John Williams, *Cofeb y Cadfridog Syr Thomas Picton*, 1860, Lithograff, 435 x 270 (cynlluniwyd y gofeb gan John Nash, 1824–7)

420. Edward Hodges Baily, *Gwaith cerfio cerfwedd isel ar Gofeb y Cadfridog Syr Thomas Picton*, 1827, Carreg Portland, 1560 x 5140

422. John Evan Thomas a William Meredyth Thomas, *The Death of Tewdrig*, 1848, Efydd, uchder 1670

Y testun oedd *The Death of Tewdrig*, sant a brenin Morgannwg (5ed–6ed ganrif), a fu farw yn sgil brwydr yn erbyn y Saeson, digwyddiad y cyfeirir ato yn Llyfr Llandaf. Y mae'r cerflun ar ffurf *pietà*, gyda Tewdrig yn gorwedd ym mreichiau ei ferch, Marchell. Yn goron ar y cyfan y mae bardd sydd wedi ei fodelu ar engrafiad de Loutherbourg. Y mae'r *pietà* yn fwy na dyfais ffurfiol: dan y stori wladgarol syml am frenin o Gymro a laddwyd ym Mathern wrth amddiffyn ei wlad, y mae is-destun cenedlaethol o bwys mawr yn llechu. Er mwyn pwysleisio arwyddocâd Cristnogol y gwaith, dangosir y brenin yn gafael mewn croes sydd wedi ei hanelu at y goresgynwyr paganaidd – arwydd o oruchafiaeth Cristnogaeth Gymreig dros Gristnogaeth y Saeson. Yr oedd y syniad hwn o gryn bwys i wladgarwyr y bedwaredd ganrif ar bymtheg, boed yn Ymneilltuwyr megis Hugh Hughes neu yn Anglicaniaid megis Arglwyddes Llanofer. Yn ei thraethawd arobryn ym 1834, rhoesai'r Arglwyddes bwyslais mawr ar yr etifeddiaeth Gristnogol gynnar wrth ddadlau dros ddiogelu'r iaith Gymraeg er mwyn sicrhau parhad duwioldeb y Cymry. Y mae'n eironig i'r cerflun a roddai fynegiant i'w syniadau ar y pwnc gael ei greu fel yr oedd yr anghydfod dros y Llyfrau Gleision, a fynegai farn hollol groes am dduwioldeb y werin-bobl, yn dod i'r brig.

Yr oedd *The Cambrian Quarterly Magazine* wedi sylwi ar dalent arbennig John Evan Thomas mor gynnar â 1832:

> The specimens Mr. Thomas, jun., has already produced exhibit a grandeur of composition, a grace in grouping, and a flow in his draperies, equal to any that has been seen in the Principality. At the present moment sculpture is experiencing more encouragement, and well it deserves it, for the impulse thereby given in favour of the fine arts has the effect of stimulating our native artists to extraordinary exertions.[27]

423. William Meredyth Thomas, *Thomas Price, 'Carnhuanawc'*, c.1848, Plastr

Byddai optimistiaeth y beirniad anhysbys hwn am yrfa Thomas yn cael ei gwireddu. Fe'i hyfforddwyd gan Francis Chantrey yn Llundain a derbyniodd nawdd gan wŷr bonheddig a diwydianwyr o Gymru yn gynnar yn ei yrfa. Lluniodd gerflun o'r Dug Wellington ar gyfer Joseph Bailey o Glanusk ym 1840, a dilynwyd hyn gan gerfluniau a chofebau i aelodau o deulu Morgan, Tŷ Tredegyr,[28] teulu Vivian, Abertawe, a theulu Clive, Castell Powis, ymhlith eraill. Bu blwyddyn ei fuddugoliaeth yn Eisteddfod Y Fenni yn flwyddyn hynod o lwyddiannus iddo gan iddo lunio cerfluniau ar gyfer Tŷ'r Arglwyddi yn ogystal. Yn fuan wedyn daeth yn un o warantwyr gwreiddiol Arddangosfa Fawr 1851, lle y dangoswyd ei gerflun o Ail Ardalydd Bute cyn iddo gael ei symud i Gaerdydd.[29] Derbyniodd nifer o gomisiynau coffadwriaethol cyffelyb yn ystod ei yrfa, a'i frawd ieuengaf a ddangosodd y diddordeb mwyaf mewn testunau cenedlaethol hanesyddol. Gwaetha'r modd, gan nad oedd gan unrhyw sefydliad y modd i ddiogelu modelau plastr William Meredyth Thomas mewn efydd neu farmor, nid yw testunau megis *Sabrina Rising from the Severn*, *The Welsh Harper*, a *The Lament of Llewellyn over his Dog Gelert* wedi goroesi. Rhydd *The Death of Tewdrig* ryw amcan o'r golled, gan y gwyddys mai William Meredyth Thomas a'i lluniodd, er i'w frawd hŷn ei arwyddo.

Traddododd Carnhuanawc ei anerchiad olaf yn Eisteddfod Y Fenni ym 1848, a bu farw ychydig wythnosau yn ddiweddarach. Bu'r brodyr Thomas yn dyst i'w araith olaf, ac o ganlyniad lluniodd William Meredyth un o bortreadau pen ac ysgwydd ceinaf y cyfnod. Disgrifiwyd yr olygfa gan ei frawd hŷn mewn geiriau sy'n nodweddiadol o ymdeimlad gwladgarol cylch Llanofer:

> In 1848, I attended the Abergavenny Eisteddfod, in company with my brother, and there met Carnhuanawc, who appeared much altered from illness. We were much struck with the poetic cast of his countenance as we sat listening to his eloquent address. The poetic fervour, the vivacity of his manner, and the brightness of his eye – 'In a fine frenzy rolling', and glistening with flashes of true genius, made a lasting impression upon our minds. There he stood on that platform for the last time, the object of admiration and the theme of applause ... My brother treasured up that noble countenance in his memory; and on our return to London, he employed his best efforts to embody those thoughts in sculpture; the result was the bust you saw at the Eisteddfod ... I trust that some day he will be rewarded by his countrymen, who may be patriotic enough to hand down to future generations the immortal Carnhuanawc in marble.[30]

[27] *The Cambrian Quarterly Magazine*, V (1832), 147–8.

[28] Atgynhyrchwyd cerflun Thomas o Arglwydd Tredegar yn Lord, *Diwylliant Gweledol Cymru: Y Gymru Ddiwydiannol*, t. 99.

[29] Gw. ibid., t. 97. Y gwaith mwyaf hynod a osodwyd ganddo ar dirwedd Cymru oedd y cerflun anferth o Prince Albert – 'Albert the Good' fel y'i disgrifir ar blinth y gofgolofn sy'n edrych i lawr ar Ddinbych-y-pysgod.

[30] Thomas Price, *The Literary Remains of the Rev. Thomas Price, Carnhuanawc* (2 gyf., Llanymddyfri, 1854–5), II, tt. 391–2. Gwnaed copi marmor ohono, yn ôl catalog arddangosfa celf a chrefft Eisteddfod Genedlaethol Caerfyrddin 1867, ond dim ond y plastr sydd wedi dod i'r fei.

424. Bernard Samuel Marks,
Joseph Edwards, c.1870,
Olew, 613 x 510

425. Joseph Severn,
John Gibson, 1828, Pen ac inc,
100 x 147

Y mae'r ddelwedd genedlaethol ramantaidd hon, sy'n portreadu ficer Llanfihangel Cwm-du fel Taliesin ei oes, wedi ei wisgo mewn gŵn o frethyn cartref, yn agos iawn o ran cysyniad i bortread William Roos, *Talhaiarn, The Bard in Meditation*, portread a baentiwyd ddwy flynedd yn ddiweddarach a hynny y mae'n debyg oherwydd cysylltiad y bardd â'r Eisteddfod fawr a gynhaliwyd yn Rhuddlan. Yr oedd Talhaiarn hefyd yn flaenllaw ymhlith symbylwyr y garreg filltir nesaf yn hanes datblygiad celfyddyd weledol yn y mudiad eisteddfodol, sef Eisteddfod Frenhinol Llundain 1855 a gynhaliwyd yn Neuadd Sant Martin. Yr oedd y cysylltiad â'r Fenni yn dal yn gryf gan fod Syr Benjamin Hall yn Llywydd yr Eisteddfod. Fe'i penodwyd yr un mis yn Gomisiynydd Gwaith yn y Senedd newydd, lle yr anfarwolwyd ei enw ar dŵr y cloc – 'Big Ben'. Am y tro cyntaf caniatawyd i arlunydd o Gymro gynnal arddangosfa un-dyn o'i waith gan ei gyd-wladwyr ac, er ei fod yn Llundain, yr oedd mewn lle canolog ar y llwyfan cenedlaethol. Rhoddwyd y lle blaenllaw yn y celfyddydau gweledol y tro hwn i Joseph Edwards, y cerflunydd o Ferthyr, yn hytrach nag i John Evan Thomas. Serch hynny, cafodd y ddau ffigur amlycaf yn y byd celf sefydledig yng Nghymru eu cyplysu yn y feirniadaeth ganlynol, sy'n dangos dyheadau'r gwladgarwyr blaengar i ddyrchafu gwerin-bobl gyffredin Cymru i statws a fyddai'n adlewyrchu'n well ar y genedl a ddifrïwyd mor ddiweddar yn y Llyfrau Gleision:

> This sculptor [Edwards], with the well known Mr. Evan Thomas, is a specimen of a self-educated Welsh artisan, who has ascended from the carpenter's bench to the chisel, and to the brush and pallet of the artist.[31]

Y mae sylwadau o'r fath yn frith drwy'r trafodaethau ar y celfyddydau gweledol yng Nghymru yng nghanol y bedwaredd ganrif ar bymtheg, a thystiant i'r ffaith fod teimladau gwladgarol yn ymrannu'n ddwy brif ffrwd. Ar y naill law, parhawyd i fynegi'r angen am greu delweddaeth genedlaethol benodol, ond – yn enwedig yn y cyfnod yn dilyn y Llyfrau Gleision – daeth yr angen hwn yn israddol i'r cwestiwn ehangach o gynnydd cenedlaethol yn y celfyddydau. Byddid yn gwella chwaeth y bobl gyffredin drwy eu haddysgu yn egwyddorion celfyddyd academaidd a'i mesur yn bennaf drwy gynhyrchu arlunwyr a gyrhaeddai statws uchel yn Lloegr. Cafodd llwyddiant John Gibson, a oedd wedi ennill parch y Saeson (ac a gomisiynwyd gan eu brenhines i gerfio ei phortread) ei ddyrchafu'n esiampl i'w hefelychu gan lawer o'r deallusion Cymreig.[32] Tybid ei fod yn ymgorfforiad o'r dyn cyffredin a oedd wedi llwyddo i'w wella ei hun. Fe'i ganed i rieni tlawd yn Y Gyffin ger Conwy ym 1790, a derbyniodd ei hyfforddiant cynnar yn Lerpwl. Aeth oddi yno i Rufain ym 1817, heb weithio mewn stiwdio yn Llundain o gwbl. Ambell waith byddai Gibson yn ei ddisgrifio'i hun fel Cymro, dro arall fel Sais, ond nid oedd mewn gwirionedd yn perthyn yn gyfan gwbl i'r naill wlad na'r llall, er bod y ddwy yr un mor barod i'w hawlio gan iddo ddod i gael ei ystyried gan lawer ym Mhrydain yn gerflunydd gorau'r byd. Yn y pen draw perthynai i'r llinach hir o arlunwyr alltud a ymsefydlodd yn Rhufain ac a ymuniaethai â'r traddodiad Clasurol. Yr oedd ei ymdeimlad o hunaniaeth bersonol yn seiliedig ar y syniad Rhamantaidd o'r artist a osodai gelfyddyd uwchlaw gofalon bywyd pob dydd. Yn ôl geiriau cofiadwy ei ddisgybl Hariet Hosmer, y cerflunydd Americanaidd, yr oedd Gibson yn dduw yn ei stiwdio 'but God help him when he is out of it'.[33]

Yr unig waith gan Gibson sy'n awgrymu bod ganddo unrhyw ddiddordeb yn nhraddodiadau diwylliannol Cymru yw llun o fardd a wnaed ganddo pan oedd yn ifanc iawn. Serch hynny, ym 1844, yn ystod ei ymweliad cyntaf â Llundain ers saith mlynedd ar hugain, ymdrafferthodd i alw i weld ei gyd-wladwr ifanc Joseph Edwards. Ceir cofnod o'r digwyddiad mawr yn nyddiadur Edwards:

> October 8th; had the unexpected pleasure of seeing Mr. Gibson the sculptor, and my talented townsman Penry Williams the painter, – both living at Rome. Took luncheon with them and Mrs. Huskisson at her house in Carlton Gardens. It was most gratifying to me, as I had never seen Mr. Gibson before. It was a strange coincidence that both these gentlemen should have called at my studio and left their cards on the very day that I visited Durham Cathedral ... and was looking at a statue by Gibson there. Their condescension in calling at my humble place inspired me with an earnest desire and a strong determination to strive and be worthy of the honour thus conferred upon me.[34]

426. John Gibson, *The Bard*, c.1810, Dyfrlliw, 27 x 143

[31] *Carnarvon and Denbigh Herald*, 28 Gorffennaf 1855. Yr oedd tad John Evan Thomas yn saer meini coffa yn Aberhonddu. Parhaodd ei fab i ddringo'r ysgol gymdeithasol nes cyrraedd y brig ym 1868 pan ddaeth yn uchel siryf sir Frycheiniog.

[32] Ganed Hugh Hughes a Gibson yn y flwyddyn 1790, ychydig filltiroedd oddi wrth ei gilydd, a derbyniodd y ddau eu haddysg yn Lerpwl. Fel y gwelwyd eisoes, cysegrodd Hughes ei fywyd i ddatblygiad diwylliant brodorol, ond prin fu ei ddylanwad yn Lloegr a bu farw yn ddi-nod.

[33] Lady Eastlake (gol.), *The Life of John Gibson* (London, 1870), t. 231. Am ymwybyddiaeth Gibson o hunaniaeth genedlaethol, gw. Peter Lord, 'John Gibson and Hugh Hughes – British Attitudes and Welsh Art' yn idem, *Gwenllian: Essays on Visual Culture*, tt. 18–19.

[34] Dyfynnwyd yn William Davies, 'Joseph Edwards, Sculptor', *Wales*, II (1895), 278. Y mae'n debyg mai Penry Williams, cyfaill agos i Gibson, a awgrymodd ei fod yn talu'r ymweliad, gan ei fod yntau, fel Edwards, yn frodor o Ferthyr. Yr oedd Edwards yn Durham er mwyn gosod ei waith, *The Last Dream*, cerflun a gafodd ddylanwad mawr ar William Davies a'i gwelsai yn cael ei greu yn Llundain y flwyddyn flaenorol: 'It was a revelation to me at the time, – the deep impression it made then has never been obliterated.' Ibid., 277.

427. John Gibson,
The Tinted Venus, c.1851–6,
Marmor wedi ei baentio,
uchder 1750

Yr oedd Joseph Edwards wedi symud i Lundain ym 1835, a dwy flynedd yn ddiweddarach, ar argymhelliad Francis Chantrey, aeth i Ysgolion yr Academi Frenhinol. Bu Gibson yn llawer mwy o ddylanwad ar Edwards na John Evan Thomas, a daethpwyd i'w ystyried yn brawf o gynnydd Cymru ym maes y celfyddydau ac yn olynydd teilwng i'r cerflunydd mawr. Serch hynny, ni fu ymdrechion cynnar Edwards i ddenu noddwyr o Gymru yn llwyddiannus iawn. Erbyn 1841 yr oedd Arglwyddes Llanofer yn gwybod amdano ac yr oedd yn llawn gobaith pan ysgrifennodd at Taliesin ab Iolo ym Merthyr: 'it is probable that her Ladyship may be induced to sit for me for her bust, or prevail on Sir Benjm to sit for his', ond ni chytunodd y naill na'r llall i wneud hynny.[35] Ymddengys i'r cerflunwyr Seisnig y bu'n gweithio iddynt, yn enwedig Matthew Noble, gymryd mantais arno, a lluniodd Edwards restr hir o weithiau a briodolid i'r Sais yr oedd ef ei hun wedi eu dylunio a'u modelu. O safbwynt Cymreig, y mwyaf nodedig o'r rhain oedd y cerflun o Ardalydd Môn, a gwblhawyd ym 1861 ac sy'n sefyll ar ben y golofn ym Mhlas Newydd a godwyd ym 1810. Yr unig waith cyhoeddus mawr yng Nghymru a briodolwyd iddo yw *Religion* a godwyd ym mynwent Cefncoedycymer ger Merthyr Tudful. Fel Gibson, bu Edwards fyw ei fywyd mewn breuddwyd o gelfyddyd ac athroniaeth a'i rhoddai ar drugaredd y byd celf gwancus yn Llundain. Mynegodd ei syniadau mewn cyfres o gerfweddau bas cain ar themâu esoterig. Yn wahanol i Gibson, serch hynny, datblygodd cyfriniaeth Joseph Edwards agwedd Gymreig gref:

> he began to conceive the idea that Wales was to be the home of that transcendentalism which had possessed his soul, and which, he fondly believed, was destined to mould and transform the religion and philosophy of the world. The Welsh race had been entrusted with the secret of poesy, and the order of bards, if once infused with the spirit of modern thought, would become the agent of a higher and more spiritual civilization, which would supersede the superstitions of the churches, and emancipate the human mind from every law, except that of the good and beautiful.[36]

Yma ceir adlais o chwilio diwyro Gibson am harddwch drwy gelfyddyd ac o Undodiaeth William Lorando Jones, a fu'n gweithio yn stiwdio Edwards am gyfnod. Ym 1843 ymunodd dau gerflunydd arall o Ferthyr â Joseph Edwards yn Llundain,

428. Joseph Edwards
(ond fe'i priodolwyd i Matthew Noble),
Ardalydd Cyntaf Môn, 1861, Efydd

429. Joseph Edwards,
Crefydd, Marmor,
1872

[35] LlGC Llsgr. 21272E, f. 161, Joseph Edwards at Taliesin ab Iolo, 24 Mai 1841. Y mae papurau Joseph Edwards, gan gynnwys ei ddyddiadur a rhestrau hir o'r bobl a fu'n eistedd iddo, ym Mhrifysgol Cymru, Bangor, Llsgrau. 6095–134.

[36] *Wales*, III (1896), 25–6.

430. Ffotograffydd anhysbys, *Joseph Edwards yn ei stiwdio*, c.1870

sef William Davies, a'i frawd David yn ddiweddarach. Yr oedd y brodyr Davies yn gerddorion yn ogystal ag yn gerflunwyr, a daethant ill dau yn bileri'r grŵp newydd o arlunwyr a deallusion Cymreig a geisiai arwain dadeni yn y bywyd Cymreig a oedd yn parhau dan gysgod gwarth y Llyfrau Gleision a than ddylanwad mwy cadarnhaol datblygiadau o fewn y byd Seisnig yr oeddynt yn gymaint rhan ohono. Un o ffigurau amlycaf y cylch hwn oedd y telynor John Thomas, y diweddaraf mewn llinach o gerddorion ar ôl Edward Jones (Bardd y Brenin) a John Parry (Bardd Alaw) a fu'n llwyddiannus o fewn y sefydliad Seisnig ond a ymuniaethai â cherddoriaeth genedlaethol Cymru. Yr oedd Thomas, a fynychodd y Coleg Cerdd Brenhinol ac

431. Joseph Edwards, *Gobaith*, 1848–54, Plastr yn seiliedig ar Gofeb i William Hawkins, Alresford Hall, Colchester, 680 x 355

432. Joseph Edwards, *Lluniad ar gyfer cerflun*, c.1850–60, Pensil, 322 x 262

a gâi ei alw'n ddiweddarach yn Bencerdd Gwalia, yn cydoesi â William Davies, a fu'n astudio yr un pryd yn stiwdio William Behnes. Dychwelodd John Thomas i'r Coleg Cerdd fel athro a phenodwyd ef maes o law yn delynor i'r Frenhines Victoria, ac aeth William Davies ymlaen i arddangos ei waith yn rheolaidd yn yr Academi Frenhinol. O'u safle dyrchafedig yn Llundain, cymerodd y ddau ohonynt ddiddordeb brwd mewn datblygiadau cenedlaethol yng Nghymru ar y cyd ag arweinydd y grŵp, yr addysgwr Hugh Owen.[37] Erbyn canol y ganrif yr oedd statws Owen o fewn y sefydliad Cymreig mor uchel fel y credai William Davies fod Joseph Edwards wedi meithrin perthynas ag ef 'which verged on the superstitious'.[38]

433. William Griffith (Tydain), *William Davies, 'Mynorydd'*, c.1864

434. William Griffith (Tydain), *John Thomas, 'Pencerdd Gwalia'*, 1864

Cafodd datblygiadau yn Lloegr ddylanwad mawr ar ddyheadau cenedlaethol y grŵp ym maes diwylliant gweledol, yn enwedig Arddangosfa Fawr 1851. Ysgogodd yr Arddangosfa ddatblygiadau pwysig ym maes addysg. Ym 1853 ceisiodd y Llywodraeth, drwy gyfrwng yr Adran Gwyddoniaeth a Chelfyddyd newydd, ehangu'r gyfundrefn addysg gelf a oedd eisoes yn cynnwys ysgol ganolog yn Llundain ac amryw o ysgolion rhanbarthol yn Lloegr yn ogystal ag ysgolion yn yr Alban ac Iwerddon. Nid oedd ysgol o'r fath yng Nghymru, ond yn sgil cyhoeddi'r *Report of the Committee of Council on Education* daeth cyfle pellach i ehangu a

[37] Aeth Hugh Owen i Lundain yn y 1820au, lle yr ymunodd â Chymdeithas y Cymreigyddion, er bod Hugh Hughes wedi gadael erbyn hynny. Aeth at y Cymmrodorion yn ddiweddarach. Dechreuodd ei waith ym myd addysg Gymreig ym 1843, a phenllanw ei yrfa oedd y rhan ganolog a chwaraeodd yn y gwaith o sefydlu Coleg Prifysgol Cymru, Aberystwyth.

[38] *Wales*, III (1896), 25.

rheoleiddio'r safonau yn yr ysgolion, ac yn sgil y symbyliad hwn cynigiodd bwrdd ysgol Caernarfon y dylid sefydlu 'An industrial school for girls, and drawing classes for the boys'.[39] Mabwysiadodd Abertawe bolisi cyffelyb yr un flwyddyn. Ysgolion syml iawn oeddynt, yn cynnwys fawr ddim mwy nag ystafell briodol[40] a hyd at ugain disgybl. Daeth John Cambrian Rowlands yn brifathro'r ysgol yng Nghaernarfon, ac y mae'r arddull a ddefnyddiwyd ganddo yn ei hunanbortread yn hollol wahanol i ddull yr arlunydd gwlad teithiol ddeng mlynedd ar hugain ynghynt.[41] Er gwaethaf datblygiad yr ysgolion hyn, yr oedd arolygwr y llywodraeth, y Parchedig H. Longueville Jones, yn dal yn besimistaidd iawn ynghylch dyfodol addysg gelf, a rhwystrwyd ei gynllun i baratoi darpariaeth arbennig ar gyfer Cymru er mwyn cyflwyno plant i gelfyddyd uchel:

> A late circular from the Committee of Council on Education led to the supposition that it was considered desirable to promote the formation of Drawing Classes and Schools of Art in Wales. But it was not sufficiently taken into account that, from the historical, geographical, and religious peculiarities of the inhabitants of the Principality, the spirit of art was dormant in the most favourable localities, and could hardly be expected to exist throughout the greatest portion of the district. It was especially necessary to sow some portion of seed, however small, over a broader rather than a narrower space, if any practical result, within the future experience of men now living, were to be looked for. It has been therefore a subject of deep regret to myself, that the simple and cheap experiment of distributing gratuitously a few good engravings, or other objects of art, among the schools of Wales ... was immediately declined ... I feel perfectly convinced that the efforts, whether of the friends of art in Wales, '... rari, nantes in gurgite vasto', or of myself as Inspector, to promote the objects of the circular in question, are almost hopeless ... I have no hope of a feeling for art being generated in Wales, without a generous and widely conceived application of public funds for that special purpose.[42]

Credai Longueville Jones mai dim ond celfyddyd academaidd a oedd yn bwysig. Yn wir, aeth allan o'i ffordd i feirniadu cynnyrch arlunwyr gwlad, gwneuthurwyr printiau poblogaidd a chrefftwyr, gan ddweud 'they will never send pupils to the classes at Marlborough House', sef lle y cynhelid y Metropolitan School of Design. Ac eithrio yn yr ychydig amgueddfeydd a geid yng Nghymru, megis Sefydliad Brenhinol De Cymru yn Abertawe ac Amgueddfa Powisland yn Y Trallwng, ychydig iawn o gyfle a gâi'r cyhoedd i weld celfyddyd academaidd. Yr oedd aelodau o'r dosbarth canol ac ambell un o'r dosbarth gweithiol a fuasai'n ddigon ffodus i fynd ar wibdaith a drefnwyd ar eu cyfer, wedi teithio i Lundain i'r Arddangosfa Fawr,[43] a chawsai trigolion y gogledd gyfle i weld yr Arddangosfa Trysorau Celf a gynhaliwyd ym Manceinion ym 1857. Ond yng Nghymru, yn sgil yr ŵyl olaf i'w chynnal yn Y Fenni ym 1854, dim ond ambell eisteddfod a roddai gyfle i'r cyhoedd i weld lluniau a cherfluniau. Cafwyd yr ymdrech fwyaf nodedig yn Llangollen ym

[39] *Minutes of the Committee of Council on Education, 1853–4* (London, 1854), t. 996. Y mae cofnodion 1852–3 yn diffinio'r system ar ei newydd wedd, tt. 29–54. Byddai'r system yn cael ei datblygu gan fyrddau ysgol lleol, ond byddai'r llywodraeth yn cynnig cymorth ymarferol ac ariannol ar gyfer darparu deunyddiau, gan gynnwys printiau a chastiau i'w hastudio. Sefydlwyd yr Ysgol Ddylunio gyntaf yn Llundain ym 1837, ac estynnwyd y fframwaith deddfwriaethol ar gyfer y ddarpariaeth gan Ddeddfau Seneddol ym 1845, 1850 a 1854. Oherwydd lleoliad yr Adran Gwyddoniaeth a Chelfyddyd, arferid cyfeirio at yr ysgolion fel ysgolion South Kensington, ac arweiniodd hyn at beth ansicrwydd ym meddyliau rhai sylwebyddion ynglŷn â lle y cafodd arlunwyr megis Ellis Owen Ellis eu hyfforddi.

[40] Ibid., 1852–3, t. 31.

[41] Nid yw'n eglur ai ei astudiaethau personol ynteu hyfforddiant ffurfiol hwyr a fu'n gyfrifol am y trawsnewid hwn. Dengys llyfr brasluniau 1849–50 arwyddion cynnar o astudiaeth ffurfiol yn ei syniadau ar gyfer testunau Shakespearaidd a'i astudiaethau academaidd o bennau a ffigurau noeth.

[42] *Minutes of the Committee of Council on Education, 1854–5*, t. 591. Yr wyf yn ddiolchgar i'm cyd-weithiwr Dr Marion Löffler am y cyfeiriad hwn.

[43] Trefnodd y Foneddiges Charlotte Guest daith ar gyfer gweithwyr Dowlais; gw. Lord, *Diwylliant Gweledol Cymru: Y Gymru Ddiwydiannol*, t. 116.

[44] Dyfarnwyd William Roos yn ail yn y gystadleuaeth, gyda Jones yn gyntaf. Y mae'r holl ddarluniau wedi diflannu ac nid yw'r adroddiadau ysgrifenedig yn gytûn ynghylch faint o luniau a gyfrannodd Roos i'r gystadleuaeth, un ynteu dau. Eto i gyd, y mae'n weddol amlwg mai 'The Parting of Owen Glyndŵr and Sir Lawrence Berkerolles' oedd y llun a ddyfarnwyd yn ail. Trafodir W. E. Jones yn Lord, *Diwylliant Gweledol Cymru: Y Gymru Ddiwydiannol*, tt. 112–13.

[45] Evan Williams, 'Y Gelfyddyd o Arlunio', *Y Traethodydd* (1848), 423–4.

1858, achlysur a ddychanwyd gan Ellis Owen Ellis yn *Y Punch Cymraeg* oherwydd ei dueddiadau Celtegaidd gwallgof. Serch hynny, esgorodd y gystadleuaeth baentio ar un darn o gelfyddyd genedlaethol nodedig, sef *The Last Bard* gan William Edward Jones.[44]

Ochr yn ochr â'r prinder arddangosfeydd yr oedd diffyg trafodaeth ar gelfyddyd academaidd yn y wasg gyfnodol Gymreig ac ychydig iawn o drafodaeth ar faterion perthnasol i gelfyddyd Gymreig a welid yn y wasg Seisnig. Ym 1829 yr oedd *The Cambrian Quarterly Magazine* wedi mentro'n betrus i'r maes, gan feirniadu'r testunau Cymreig yn arddangosfa Cymdeithas y Paentwyr Dyfrlliw a'r Academi Frenhinol. Ddwy flynedd yn ddiweddarach cyflwynodd fywgraffiad o Richard Wilson ac adolygiadau ar yr engrafiadau diweddaraf, ond ysbeidiol iawn oedd yr ymdrechion hyn. Yn y Gymraeg, mewn ymateb uniongyrchol i'r Llyfrau Gleision, arloesodd yr arlunydd Evan Williams drwy gyhoeddi erthygl am gelfyddyd yn *Y Traethodydd* ym 1848, dan y teitl 'Y Gelfyddyd o Arlunio'. Ac yntau heb ddarllen odid ddim am arlunio yn yr iaith Gymraeg, cyflwynodd ei sylwadau hynod athronyddol fel a ganlyn:

436. Anhysbys yn seiliedig ar William Edward Jones, *The Last Bard*, 1858, Engrafiad pren allan o *The Illustrated London News*, 196 x 137

chwith uchod:
435. John Cambrian Rowland, *Hunanbortread*, c.1870, Olew, 762 x 635

> Os gwell hwyr na hwyrach ynte, gadewch i ni gychwyn gyda rhyw wersi hawdd a syml yn y celfyddydau hyny nad yw yn gyfarwydd eto i'r Cymro yn ei iaith ei hun. Ac nid oes ammheuaeth ond i ni fyned ymlaen gyda hyn fel pethau eraill, na byddwn ar ogyfuwch tir ag unrhyw genedl arall yn fuan gyda'r cangenau hyn o wybodaeth fuddiol. Y mae rhai yn y dyddiau hyn, fel y gwyddys, yn ceisio drwg-liwio ein cymeriad fel cenedl, a'n cyhuddo o fod ymhell ar ôl cenedloedd eraill yn mhob ystyr; ond gwyddom mai anwiredd mawr yw hyny, a'n bod, trwy drugaredd, lawer yn uwch mewn crefydd a moesau na'n cymydogion, os nad ydym felly mewn gwybodaeth gyffredinol.[45]

Yn ystod yr ugain mlynedd ganlynol cyfrannodd Williams gyfres o ysgrifau sylweddol a phwysig ar gelfyddyd weledol i'r un cylchgrawn, gan gynnwys adolygiad o'r Arddangosfa Trysorau Celf a gynhaliwyd ym Manceinion ym 1857. Er bod diffyg geirfa dechnegol yn y Gymraeg yn ei luddias, llwyddodd serch hynny i roi disgrifiad bywiog o'r olygfa gyffredinol ynghyd â disgrifiad lled ragfarnllyd o'r gwrthrychau.

437. Ffotograffydd anhysbys, *John Gibson gyda'i noddwyr Mr a Mrs Preston yn Arddangosfa Llundain 1862;* Pafiliwn gyda cherflun gan Gibson, gan gynnwys *The Tinted Venus*, wedi ei gynllunio gan Owen Jones

438. William Davies, *The Bard*, c.1862, Plastr, maint yn anhysbys

Fel aelodau eraill o'r dosbarth canol, gallai Evan Williams yn hawdd deithio ar y trên i Fanceinion i weld yr arddangosfa, ond yr oedd hyn yn amhosibl i drwch y boblogaeth. Yr oedd y grŵp o ddeallusion yr oedd Hugh Owen yn aelod ohono yn ymwybodol o'r angen i ddod ag arddangosfeydd o gelfyddyd a chynnyrch diwydiannol, ynghyd â thrafodaeth ar faterion gwyddonol, economaidd a chymdeithasol o fewn cyrraedd y werin-bobl, a phenderfynwyd dwyn y maen i'r wal drwy gyfrwng yr unig sefydliad a fodolai yng Nghymru, sef yr Eisteddfod. Ym 1862 cychwynnwyd ar raglen o'r enw 'The Social Science Section'.[46] Ym maes y celfyddydau, yr aelodau mwyaf dylanwadol o'r mudiad newydd oedd William Davies (Mynorydd) a John Thomas (Pencerdd Gwalia). Adeg Eisteddfod Caernarfon ym 1862 yr oedd Mynorydd yn gweithio ar benddelw o'r telynor, y comisiwn diweddaraf mewn cyfres hir o ddelweddau o Gymry amlwg, y mwyafrif ohonynt yn gysylltiedig

[46] Am ddatblygiad y Social Science Section, gw. Hywel Teifi Edwards, *Gŵyl Gwalia: Yr Eisteddfod Genedlaethol yn Oes Aur Victoria 1858–1868* (Llandysul, 1980), tt. 53–112.

[47] Byddai Mynorydd yn gwneud portreadau pen ac ysgwydd a medaliynau, a gwerthai gopïau ohonynt i gwrdd â'r gost o adeiladu capeli. Am restr gynhwysfawr o'r testunau, gw. *Y Drysorfa*, 28 (1958), 211–12.

â bywyd crefyddol y genedl.[47] Yr oedd y naill a'r llall ar drothwy'r cyfnod mwyaf llwyddiannus yn eu gyrfa – yr oedd Pencerdd Gwalia yn prysur ddod i amlygrwydd yn sgil ei gyngherddau o gerddoriaeth genedlaethol ac, ychydig cyn yr Eisteddfod, yr oedd Mynorydd wedi cael y fraint (fel Joseph Edwards o'i flaen) o groesawu John Gibson i'w stiwdio. Daethai'r cerflunydd mawr 'principally to inspect his large ideal bust of a bard, which had been prominently exhibited at the grand concert of Welsh National Music held at St. James's Hall and the Crystal Palace, where it was much admired'.[48]

Pan sefydlwyd y Social Science Section yng Nghaernarfon dangosodd Mynorydd 'six graceful statuary models'[49] ym mhafiliwn yr Eisteddfod, datblygiad a ddathlwyd mewn araith gan Thomas Jones (Glan Alun), awdur a gweinidog gyda'r Methodistiaid. Yr oedd yn amlwg fod mantell John Gibson wedi ei throsglwyddo o Joseph Edwards i Mynorydd:

> I also rejoice to see these beautiful busts, showing another very desirable new feature in our Eisteddfod. We have now a sculptor who stands very nearly at the head of his profession in the person Mr. Gibson (cheers), and we have another upon this platform who is following quickly in his steps, our friend Mr. Davies, (Mynorydd), (cheers). Those nations which in ancient times attained to the highest refinement of civilisation had left their countries chequered with the monuments of their taste. We must confess that Wales is very deficient in any beautiful relics of that kind. I am very glad to see a move in that direction. A symmetrical building, a beautiful monument or painting, arrests the attention of the passer by; awakes within him a perception of the beautiful, and thus elevates and refines his mind irrespective of his will, and without any effort of his own. Other nations might also in such works see and enjoy our productions.[50]

439. Anhysbys, *The Pavilion of the National Eisteddfod at Caernarfon*, 1862, Engrafiad pren allan o *The Illustrated London News*, 235 x 340

Ehangodd y Social Science Section fesul cam, a daethpwyd i gynnwys agweddau eraill ar y celfyddydau gweledol. Yn Eisteddfod Caernarfon cynhaliwyd cystadleuaeth bensaernïol i ddylunio adeilad cyhoeddus. Y flwyddyn ganlynol, yn Abertawe, gwelwyd cerflunwaith Mynorydd unwaith yn rhagor, ond y tro hwn ymhlith casgliad o luniau gan William Williams (Ap Caledfryn), a enillodd fedal iddo. Yn Llandudno ym 1864 dangoswyd ffotograffiaeth am y tro cyntaf, unwaith eto o ganlyniad i ddylanwad y cylch o Lundain, a gwaith William Griffith (Tydain) a ddenodd sylw'r beirniaid:

[48] *Carnarvon and Denbigh Herald*, 23 Awst 1862. Cynlluniwyd y pafiliwn lle yr arddangoswyd gwaith Gibson gan Owen Jones, mab Owain Myfyr a noddwr William Owen Pughe a Iolo Morganwg. Fel Gibson, yr oedd Jones wedi cael ei dynnu i mewn i'r anghydfod a oedd yn mynd â bryd gwŷr celf y cyfnod ynghylch lliwio cerfluniau. Am Owen Jones, gw. isod, t. 319.

[49] Ibid., 30 Awst 1862.

[50] Ibid.

440. William Griffith (Tydain), *Hunanbortread*, *c.*1860

441. William Griffith (Tydain), *Portreadau o enwogion o Gymru. Sarah Edith Wynne, 'Eos Cymru', John Jones, 'Talhaiarn', a Henry Brinley Richards*, cartes-de-visite, *c.*1860–5

> Tydain's collection of Welsh celebrities was, as might naturally be expected at such a national gathering as the present, a great attraction ... and we should be glad to hear that the Council of the Eisteddfod had taken steps to secure a copy of each, a collection which might be increased from year to year, and thus give to the Principality the nucleus of a national portrait gallery.[51]

Ni wnaed dim ynglŷn â hyn, ond y mae'r ffaith i'r awgrym gael ei wneud yn arwydd clir o'r dyhead cynyddol i greu sefydliadau celfyddyd a ymgorfforai'r cysyniad o genedl fodern.

Cymerwyd cam sylweddol ymlaen yn Aberystwyth ym 1865 pan drefnwyd 'Exhibition of the Art, Industry, and Products of Wales', y gyntaf o'i bath. Er ei bod yn gysylltiedig â'r Eisteddfod fe'i cynhaliwyd mewn dau adeilad ar wahân. Mynegodd y trefnwyr eu dyheadau yn gwbl amlwg i'r cyhoedd:

> When it is considered that the Eisteddfod is, and has been for many centuries, the only NATIONAL RECREATION in which the people take an interest and a part, it is not too much to aver that the essentially instructive character of this ancient Institution is thus preserved and fostered in a direction wholly in keeping with the spirit of the times, and may be highly conducive to the Institution and to the CIVILIZATION AND THE HAPPINESS OF THE PEOPLE.[52]

[51] Ibid., 27 Awst 1864.

[52] *The National Eisteddfod, For the Year 1865, Aberystwyth* (Aberystwyth, 1865), tt. 6–7.

[53] *Carnarvon and Denbigh Herald*, 23 Medi 1865.

[54] Yr oedd William Jones, a baentiodd David Thomas, 'Dafydd Ddu Eryri' ym 1821, y llun a oedd wedi gosod patrwm ar gyfer portreadau barddol, hefyd yn arddangos ei waith. Yr oedd yn 75 oed erbyn hynny, a dangosodd ei waith eto yn Eisteddfod Genedlaethol Caer y flwyddyn ddilynol. Cofiai Ap Caledfryn ei weld yno: 'I met Jones of Chester in 1866 at the Eisteddfod exhibition when I took the first prize and silver medal. There were 17 competitors and amongst them this old gent – quite the old fashioned gentleman dressed in good black cloth, his hair was as white as snow.' LlGC Llsgr. 6358B, dim rhifau tudalen.

Dangosodd 52 o arddangoswyr enghreifftiau o ddefnyddiau crai megis plwm a mwyn aur, cynhyrchion megis tecstilau a nwyddau llechi wedi eu henamlo, ynghyd â rhai hynafiaethau, darluniau a cherfluniau. Er ei bod ar raddfa fechan iawn, dilynai'r arddangosfa yr un egwyddor â'r arddangosfeydd mawr a arloeswyd yn Llundain ym 1851. Daeth tyrfaoedd mawr i weld y gwaith a chafodd ganmoliaeth uchel gan y papurau newydd. Cafodd y gwaith llechen wedi ei enamlo, a gynhyrchid yn ardaloedd Aberystwyth a Chorris, sylw arbennig gan feirniad y *Carnarvon and Denbigh Herald*: '"Life is short, art is long"... and the beautiful will at all times appeal with effect to the refined mind; even the general public appreciated these works of native art by crowding around the several stands on which they were displayed.'[53] Yn yr arddangosfa hon, fel mewn nifer o arddangosfeydd diweddarach, cafodd y dosbarth gweithiol, er eu bod wedi eu hannog i ddod i'w gweld, eu cadw ar wahân i'r rhai mwy ffodus a allai fforddio talu'r tâl mynediad uwch a godid ar adegau arbennig.

442. Anhysbys, *Wrn o lechen wedi ei enamlo*, c.1865, 270 x 330

Ap Caledfryn a Thomas Brigstocke, yr arlunydd portreadau, a dderbyniodd y ganmoliaeth uchaf ym maes celfyddyd gain yn Aberystwyth. Yr oedd Brigstocke yn enghraifft arall o arlunydd o Gymro a oedd wedi codi, os nad o dlodi, o gefndir masnachol yn sicr, gan ddod yn berchen ar fusnes llwyddiannus a gynhelid gan nawdd y bonedd.[54] Yr oedd gan ei dad, David Brigstocke, fusnes paentio ac addurno yng Nghaerfyrddin a oedd yn ddigon

443. Thomas Brigstocke,
Y Cadfridog Syr William Nott,
c.1845, Olew, 2500 x 1600

llewyrchus iddo allu talu am hyfforddiant i'w fab yn stiwdio Henry Sass yn Llundain ac yn Ysgolion yr Academi Frenhinol ym 1825–6. Ym 1833 gadawodd Lundain am y Cyfandir, a llythyr cyflwyno yn ei boced i'w roi i John Gibson a Penry Williams yn Rhufain. Manteisiodd yn llawn ar y cysylltiad hwn,[55] ac ni ddychwelodd i Gymru hyd 1841. Dechreuodd y comisiynau am bortreadau lifo i mewn, gan gychwyn gyda

[55] Nododd Brigstocke: 'Gibson's genuine sincerity and simplicity of manners, which won for him the esteem of all who knew him. His strong Welsh accent was much more marked than that of Penry Williams, so much so that in Rome (the late) E. M. Ward, RA, used sometimes to try and imitate Gibson's pronunciation, much to the amusement of his audience.' Dyfynnwyd y llythyr yn T. H. Thomas, 'Life and Work of Thomas Brigstocke', *Carmarthen Journal*, 8 Mehefin 1888. Paentiodd Brigstocke bortread o Ward, a oedd yn aelod blaenllaw o gylch yr arlunwyr alltud yn Rhufain. Daeth cyfnod Thomas Brigstocke ar y Cyfandir i ben yn drychinebus gyda marwolaeth ei wraig a'i blentyn ym Mharis pan oeddynt ar y ffordd yn ôl i Gymru.

[56] Y mae sôn i Brigstocke gael perthynas â Maria Conway Griffiths, y Foneddiges Reade yn ddiweddarach, a baentiwyd ganddo gyntaf pan oedd hi'n ddwy ar bymtheg oed. Yr oedd y comisiwn i baentio'r Cadfridog Syr William Nott (1782–1845) yn fawr ei fri ar y pryd, gan fod Nott yn enwog am ei fuddugoliaeth yn Chuznee ym 1842 yn ystod rhyfel Affganistan.

[57] Fel yn achos Mynorydd, yr oedd ei ddiddordeb mewn cerddoriaeth yn ogystal ag mewn celfyddyd yn cysylltu Brigstocke â'r deallusion Cymreig yn Llundain. Ym 1873 cafodd drama Brigstocke, *Eustace de St Pierre*, gyda cherddoriaeth achlysurol o'i waith ei hun, ei pherfformio gan Edith Wynne (Eos Cymru) a John Thomas (Pencerdd Gwalia). Treuliodd Brigstocke flynyddoedd olaf ei oes yn Cavendish Square gyda Phencerdd Gwalia a W. Cave Thomas, arlunydd arall a chanddo gysylltiadau Cymreig.

[58] *The National Eisteddfod*, 1865, t. 7.

444. Thomas Brigstocke, *Emma Mary Carpenter, Mrs Tregarn Griffith*, c.1850, Olew, 740 x 620

phortread o'r Cadfridog Syr William Nott a oedd, fel yr arlunydd ei hun, yn frodor o Gaerfyrddin. Yn Llundain daeth yn aelod o gylch Mynorydd a Phencerdd Gwalia ac aeth ei fusnes o nerth i nerth. Derbyniai ran helaeth o'i nawdd gan deuluoedd bonheddig sir Gaerfyrddin, ac ychydig iawn o gomisiynau a gâi gan foneddigion o rannau eraill o Gymru, ac eithrio gan deulu Griffiths, Carreg-lwyd ym Môn.[56] Ym 1847 fe'i comisiynwyd i fynd i'r Aifft i baentio llun yr arweinydd, Mohammed Ali. Dyma ei waith enwocaf a chynhwyswyd engrafiad ohono ymhlith y lluniau o'i eiddo a gafodd eu harddangos yn Aberystwyth. Paentiodd Brigstocke rai darluniau testunol hefyd, ond ni wyddys am unrhyw luniau o'i waith a chanddynt neges wladgarol. Ei lwyddiant fel arlunydd portreadau'r bonedd ac fel arlunydd anifeiliaid, y dangosid ei waith yn rheolaidd yn yr Academi Frenhinol, a apeliai at flaengarwyr yr Eisteddfod Genedlaethol newydd. Tybient hwy ei fod yn esiampl i'r genedl.[57] Crynhowyd eu hagwedd gan sylwadau'r Canghellor Williams, un o drefnwyr mwyaf blaenllaw Eisteddfod Aberystwyth, sy'n nodweddiadol o ddyheadau a dulliau'r blaengarwyr mewn perthynas â'r celfyddydau gweledol yng nghanol y bedwaredd ganrif ar bymtheg:

> Wales has contributed works of Art, such as those of Wilson and Gibson, that may well be held up to stimulate the artistic talent that may yet lie dormant in our secluded vallies [*sic*], and to correct the taste of our aspirants; and it is hoped that those who possess these gems of art, will kindly send them for such a noble purpose. Other works of native Artists that have engaged the admiration of thousands in the Exhibition of the Royal Academy, have already been promised to give effect to this our first attempt.[58]

445. Thomas Brigstocke, *Hunanbortread*, c.1830–5, Olew, 730 x 620

446. Lafayette,
William Cornwallis West,
c.1908

Yn Eisteddfod Genedlaethol Caerfyrddin ym 1867 ailafaelwyd yn y cynllun i gyflwyno gwerin-bobl Cymru i luniau tebyg i'r rhai o waith Brigstocke a oedd i'w gweld yn yr Academi Frenhinol. Rhwystrwyd y bwriad i godi oriel gelf arbennig oherwydd anawsterau pensaernïol, ond am y tro cyntaf yn hanes yr Eisteddfod dangoswyd casgliad benthyg dan gynllun benthyca Amgueddfa De Kensington, casgliad a gafodd gryn sylw gan y beirniaid. At hynny, yr oedd cymorth proffesiynol lleol wrth law gan fod ysgol gelf wedi ei sefydlu yn y dref erbyn hynny a'r Pennaeth, F. F. Hosford, yn un o brif drefnwyr yr Eisteddfod.

447. Ffotograffydd anhysbys,
Oddi mewn i Gastell Rhuthun, c.1880

Serch hynny, yn Eisteddfod Rhuthun y flwyddyn ganlynol y gwelwyd am y tro cyntaf yng Nghymru arddangosfa fenthyg y gellid ei chymharu ag arddangosfeydd mewn gwledydd eraill. Menter ar y cyd ydoedd rhwng yr Eisteddfod a William Cornwallis West o Gastell Rhuthun, *connoisseur* ac arlunydd amatur. Ar ei gost ef ei hun yn bennaf, trefnodd Cornwallis West dros fil o arddangosion yn yr Ystafelloedd Ymgynnull a geid yn adeilad newydd Neuadd y Dref yn Rhuthun. Benthyciwyd gweithiau gan foneddigion megis Syr Watkin Williams Wynn, a ddangosodd y tri darlun enwog o'r teulu gan Reynolds. Cafodd y cyhoedd gyfle am y tro cyntaf erioed i weld nifer o luniau cyffelyb o gasgliadau preifat, yn enwedig y portreadau cynnar o deulu Goodman.[59] Ymhlith y cyfraniadau mwyaf arbennig yn yr adran Celfyddyd Addurniadol, ar ffurf gweithiau ceramig ac efydd yn bennaf, yr oedd casgliadau *connoisseur* megis casgliad W. Chaffers, 'prif arolygydd' yr arddangosfa.[60] Yr oedd gan Cornwallis West ddigon o gysylltiadau i allu dwyn perswâd ar arlunwyr megis Leighton a Watts i ddangos gweithiau mawr o'u stiwdios. Rhoes Adran Gwyddoniaeth a Chelfyddyd Amgueddfa De Kensington gasgliad cymysg sylweddol ar fenthyg i'r arddangosfa.

Er bod yr agoriad yn ddigwyddiad cymdeithasol uchel-ael,[61] nid hyrwyddo celfyddyd ymhlith y gymdeithas ffasiynol oedd bwriad Cornwallis West. Credai y gallai celfyddyd ddiwyllio'r bobl gyffredin, ac yr oedd yn awyddus, am resymau gwladgarol, i'w dyrchafu o'u hanwybodaeth honedig. Gwnaeth y *Carnarvon and Denbigh Herald*, gyda chymorth datganiadau mynych i'r wasg o Gastell Rhuthun, ymdrech lew i hyrwyddo'r agwedd hon ar yr arddangosfa:

> It is well known – all history tells us, how great has been the beneficent effect of pictures and works of art upon the population of a country. Their contemplation elevates the taste, they refine the mind, and lead the human soul to all that is pure, great, and good. We trust, therefore, that the people of Wales, the intelligent and ingenious artisans, the large portion of the population employed as colliers, miners, and slate quarrymen, in this the sister and neighbouring counties of North Wales, will be enabled to visit this exhibition before it closes. We hope it will not be necessary to complain of a neglect of duty of employers of labour to send men to this exhibition ... We would also suppose that it would be well worthy of the attention of the clergy and school managers. They must have many youths of good abilities, and to whose conceptions a view of the great works of which we are writing would be an invaluable impulse.[62]

[59] Y mae catalog yr arddangosfa yn ddogfen hynod o bwysig gan ei fod yn cyfeirio at gasgliadau sydd bellach wedi gwasgaru, a chan fod nifer o luniau wedi mynd ar goll. Dichon mai un o'r pwysicaf o'r rheini oedd *Prince Arthur and Catherine of Aragon*, a oedd yn eiddo i W. F. Wolley. Ceid yr arysgrif ganlynol arno: 'This picture came from Gwaenynog, near Denbigh, the seat of John Myddelton, Esq., and had never been out of Wales, from the time of the Prince's death at Ludlow until 1788, when it was given by Col. J. Myddelton to Horace Walpole.'

[60] *Carnarvon and Denbigh Herald*, 8 Awst 1868.

[61] Lord, *Diwylliant Gweledol Cymru: Y Gymru Ddiwydiannol*, t. 115.

[62] *Carnarvon and Denbigh Herald*, 8 Awst 1868. Yr oedd Cornwallis West yn byw ei broffes ei hun. Dechreuodd William Roberts, porthor yng Nghastell Rhuthun, gynhyrchu lluniau o dai bonedd ac eglwysi, a chafodd nifer o'r rhain, oherwydd dawn marchnata ei gyflogwr y mae'n debyg, eu cynnwys mewn casgliadau megis rhai Castell Y Waun.

448. Ffotograffydd anhysbys, *Arddangosfa Celfyddyd Gain a Diwydiant Caerdydd*, 1870

449. John Evan Thomas, *Science Unveiling Ignorance*, c.1851, Plastr wedi ei baentio

Methodd mudiad newydd yr Eisteddfod Genedlaethol wedi Eisteddfod Rhuthun ym 1868, ac er i arddangosfa gelfyddyd a ysbrydolwyd gan esiampl Cornwallis West gael ei chynnal ym Mangor ym 1869, yr oedd ar raddfa lawer llai. Yn y cyfamser trosglwyddwyd yr her i dde diwydiannol y wlad, a threfnwyd Arddangosfa Celfyddyd Gain a Diwydiant yng Nghaerdydd ym 1870. Gyda'i phwyslais cyfartal ar gelfyddyd gain a dylunio diwydiannol, cyflawnai yr hyn yr oedd yr Arddangosfa yn Eisteddfod Aberystwyth ym 1865 wedi dyheu amdano. Un o'r arddangosion pwysicaf oedd cerflun cerfwedd, *Science Unveiling Ignorance*, gan John Evan Thomas, a oedd, yn ôl un beirniad, 'in some sense an allegorical representation of what the Exhibition is designed to effect for benighted minds in the Principality'.[63]

Serch hynny, yr oedd hefyd ymdeimlad cryf o falchder yng nghyflawniadau economaidd Caerdydd a'r de diwydiannol yn neilltuol, yn hytrach na Chymru gyfan. Parhaodd methiant yr Eisteddfod, unig sefydliad cenedlaethol Cymru,

[63] *The Fine Art and Industrial Exhibition, Official Catalogue* (Cardiff, 1870), t. 13.

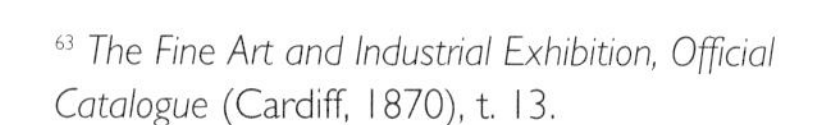

[64] 'I wish I could have suggested that out of an overflowing balance the nucleus of a permanent institution could have been formed ... It has been fated otherwise.' Araith Cornwallis West yn seremoni gloi'r arddangosfa, a ddyfynnwyd yn *Bye-Gones*, Tachwedd 1876, 163.

[65] Araith gan Cornwallis West yn agoriad Arddangosfa Trysorau Celf Wrecsam, *Carnarvon and Denbigh Herald*, 23 Awst 1876.

450. Anhysbys, *The Opening of the Wrexham Art Treasures Exhibition,* 1876, Engrafiad pren allan o *The Illustrated London News,* 165 x 220

i gyflawni ei chyfrifoldebau yn y maes ar ôl 1868 i beri siom i ddeallusion gwladgarol. Ym 1876 gwnaeth Cornwallis West ymdrech arall i ddangos y ffordd, y tro hwn i gydredeg ag Eisteddfod Wrecsam. Yr oedd ei arddangosfa o gelfyddyd gain, celfyddyd addurniadol a chynhyrchion diwydiannol yn fwy hyd yn oed nag arddangosfa Caerdydd, a chodwyd adeilad arbennig ar ei chyfer fel rhan o gynllun uchelgeisiol, yn briodol iawn, yn Hope Street. Yr oedd y brif oriel yn unig yn 147 troedfedd o hyd, a châi'r to ei gynnal gan un ar bymtheg o golofnau, a oedd yn las golau yn y gwaelod a choch tywyll yn uwch i fyny, gyda phennau blodeuol. Costiodd yr adeilad £3,000 i hyrwyddwyr yr arddangosfa a hwn i bob pwrpas oedd Oriel Genedlaethol gyntaf Cymru. Yn wir, gobeithiai Cornwallis West y byddai'n datblygu i fod yn sefydliad parhaol.[64] Gwaetha'r modd, bu'r arddangosfa, er iddi ennill clod y beirniaid, yn fethiant ariannol llwyr.

Fel yn Rhuthun, yr athroniaeth sylfaenol oedd ffydd yng ngallu celfyddyd i ddyrchafu a gwareiddio gwerin-bobl Cymru:

> I believe that an immense deal of humanising good can be done to every single man in Wales if he can only find time to visit the exhibition to see the wonderful produce of industry and mental power which is to be seen there.[65]

451. *Medal Arddangosfa Trysorau Celf Wrecsam,* 1876, Efydd, 48 ar draws.

A'r arddangosfa wedi methu denu'r tyrfaoedd fel y disgwyliasai, yr oedd Cornwallis West yn llai hyderus am ei gwerth tymor-hir yn ei araith yn y seremoni gloi:

> Whether it will lead to any definite and permanent result in the mind of any single individual who visited it, who can say? Let us hope it will. Let us hope that this practical attempt to interest the people in art may have more results than lecturing them seems to have. We have addresses and Social Science congresses; but preaching high art is no good. What we want is that the people of this country should, as the people of other countries, have an opportunity of seeing the beautiful in form, and colour, and design. Such an exhibition as this is a practical attempt to do so.[66]

452. William Edward Jones, *Hywel Dda codifying the Welsh Law*, 1876, Olew, 1200 x 920

[66] *Bye-Gones*, Tachwedd 1876, 163. Ymwelodd 76,901 o bobl â'r arddangosfa dros gyfnod o bedwar mis.

453. David Davies, *Elaine*, 1864, Plastr, maint yn anhysbys

Er i'r cwestiwn o greu delweddaeth genedlaethol newydd gael ei wthio o'r neilltu gan raglenni addysgol y radicaliaid yn y 1860au a'r 1870au, ni ddiflannodd oddi ar yr agenda yn llwyr. Cynigid gwobrau am luniau neu gerfluniau ar destunau cenedlaethol yn amryw o'r Eisteddfodau Cenedlaethol, a byddai'r cystadlaethau yn cydredeg â'r arddangosfeydd o fenthyciadau. Eto i gyd, o'r holl weithiau cystadleuol a wnaed yn y cyfnod, dim ond un sydd wedi dod i'r fei, sef *Hywel Dda codifying the Welsh Law*, darlun a baentiwyd gan W. E. Jones. Cynigiwyd y darlun yn yr adran Hanes Cymru yn Eisteddfod Wrecsam ym 1876, ond bu'n aflwyddiannus er iddo gael ei ddisgrifio fel 'an exceedingly well painted portrait in oil, the expression of the features being remarkably natural and life like'.[67] Nid oes yr un cerflun o'r cyfnod wedi goroesi, er bod gennym gofnod ffotograffig o *Elaine* gan David Davies, a luniwyd ym 1864, wedi ei seilio ar thema o *Idylls of the King* gan Tennyson. Y mae'n bosibl iddo gael ei ddangos yn un o arddangosfeydd eisteddfodol y cyfnod.[68] Efallai mai un rheswm am ddiflaniad y lluniau hyn yw mai gwaith amaturiaid oeddynt, a'u bod o safon isel yn nhyb y beirniaid. Serch hynny, er gwaethaf ei gyfyngiadau cysyniadol, ni ellir amau safon dechnegol *Hywel Dda* gan W. E. Jones, ac y mae'n sicr y ceid sawl darlun arall o ansawdd uchel, o gofio bod gwŷr medrus fel William Jones o Gaer, William Roos ac Ap Caledfryn yn arfer cystadlu yn ystod y 1860au a'r 1870au. Y tebyg yw mai'r hyn sy'n gyfrifol am y ffaith fod cyn lleied o'r lluniau hyn wedi goroesi yw prinder sefydliadau addas i gynnig cartref priodol iddynt yng Nghymru.

Yr oedd y sefyllfa ynglŷn â noddi cerfluniau mewn mannau cyhoeddus yr un mor ddigalon. Fel hyn y disgrifiwyd yr apêl a wnaethpwyd gan John Francis (Mesuronydd) yn Eisteddfod Dinbych ym 1860 yn y *Carnarvon and Denbigh Herald*:

> It was an evidence of decay when nations or peoples forget the great men whom God had risen up to be their protectors and deliverers, and it was the best possible proof of the strength and vitality of a people when it could be seen that they revered, and honoured the memory of their noble dead (applause). Numbers of such monuments recently had been seen by him in France and Belgium – many of them often repeated – to those who had brought honour

[67] Toriad papur newydd anhysbys, LlGC XAS (36), 1876. Paentiwyd *The Death of Llywelyn*, y darlun buddugol yn Wrecsam, gan arlunydd o'r enw Mrs Richard Williams. Ni lwyddwyd i ddarganfod unrhyw fanylion amdani.

[68] Y mae'n anodd iawn darganfod pwy a baentiodd y darluniau hyn gan fod y cystadleuwyr yn defnyddio ffugenwau.

454. William Davies (Mynorydd), *Thomas Charles o'r Bala*, 1872, Marmor

and fame to their country. How were we on this point? We ought to have monuments to Caractacus, to Boadicea, to Arthur, to Cadwalladr, to Llewelyn (cheers), and to Owen Glyndwr (loud applause), as well as to other worthies; Lewis Morris, Goronwy Owen, Charles of Bala, Twm o'r Nant, and many more than he could think to enumerate (loud applause).[69]

Cofadail i Lywelyn ap Gruffudd oedd y cynllun a gynigid amlaf, ond hwn hefyd a achosai fwyaf o gynnen oherwydd yr agweddau cymhleth at genedligrwydd Cymreig a Phrydeinig yn y cyfnod. Yn ei anerchiad yn Ninbych, honnodd Mesuronydd y byddai codi cerfluniau coffa yn cyffroi ymdeimlad cenedlaethol dyrchafedig fel y byddai i'r 'old British element obtain a due expansion and relative weight in that united people which all races of the British Isles are gradually becoming'. Ar ôl ymweld ag Abaty Cwm-hir ym 1865, dechreuodd y cerflunydd Edward Griffith feddwl am lunio cofeb, ond ni chafodd ei harddangos hyd 1878 ac ni dderbyniodd unrhyw nawdd i'w alluogi i droi'r cerflun plastr yn waith marmor neu efydd.[70] Dim ond ei gerflun bach aml-liwiog o Lywelyn yng Nghonwy a'i gofeb i Daniel Rowland yn Llangeitho sy'n tystio i'w ddyheadau gwladgarol dros gelfyddyd. Er i'r cynllun i gomisiynu cofeb i Daniel Rowland gael ei gychwyn ym 1864, ni ddadorchuddiwyd y cerflun hyd 1883. Yr unig gynllun cyhoeddus i godi cofeb ac iddi arwyddocâd cenedlaethol a gynigiwyd ac a gwblhawyd yn llwyddiannus gan radicaliaid y 1860au oedd y cerflun o Thomas Charles yn Y Bala. Fe'i cerfiwyd gan Mynorydd a'i ddadorchuddio y tu allan i gapel arweinydd mawr y Methodistiaid Calfinaidd ym 1872. Cenhedlaeth arall a fyddai'n gwireddu dyheadau Mesuronydd a'i gyfoeswyr yng nghanol y ganrif, a gweddus ydoedd mai Hugh Owen, a fu'n ffigur mor ddylanwadol, oedd un o'r rhai cyntaf i'w goffáu.

[69] *Carnarvon and Denbigh Herald*, 11 Awst 1860.

[70] 'During 1878 I had been steadily modelling my historical figure of Llewelyn ... This work was undertaken with a view to introducing it to the Principality of Wales, feeling I was laying down the foundation of a work which would eventually stir up the Loyal people of North and South Wales to action toward a permanent Royal Memorial.' LIGC Llsgr. 21233C, f. 15. Cafodd y cerflun ei arddangos yn Lerpwl y flwyddyn honno a thair blynedd yn ddiweddarach fe'i hanfonwyd i Arddangosfa Celfyddyd Gain a Diwydiant Caerdydd, ond ni chafodd ei arddangos. Cafodd ei ddifrodi yno, ac nid oedd modd ei drwsio. Am yr ymgyrchoedd i adeiladu cofeb i Lywelyn ap Gruffudd, gw. Hywel Teifi Edwards, 'Coffáu Llywelyn' yn idem, *Codi'r Hen Wlad yn ei Hôl* (Llandysul, 1989), tt. 187–237.

455. Edward Griffith, *Llywelyn ap Gruffudd*, diwedd y 19eg ganrif, Carreg wedi ei baentio

pennod naw

ADEILADU BYD CELF

456. Thomas Hearne,
Syr George Beaumont a Joseph Farington yn Braslunio Rhaeadr, c.1777, Dyfrlliw, 410 x 285

Byddai'r rhan fwyaf o'r artistiaid a'r esthetwyr a deithiai drwy Gymru er dyddiau Syr Watkin Williams Wynn a Thomas Pennant yn y 1770au yn ymweld â dyffryn afon Conwy, ynghyd â chymoedd afonydd Lledr a Llugwy sy'n ymuno ag afon Conwy ym Metws-y-coed. Ym 1799, sef y flwyddyn y gwnaeth Turner ei daith olaf yng Nghymru, daeth yr arlunydd a'r *connoisseur* Syr George Beaumont i ardal Conwy, gan rentu tŷ o'r enw Benarth am y tymor. Dychwelai yn rheolaidd hyd 1806, ambell waith yng nghwmni ei hen gyfaill Joseph Farington a oedd wedi astudio gyda Thomas Jones yn stiwdio Richard Wilson ddeugain mlynedd ynghynt. Daeth Benarth yn ganolfan ar gyfer cenhedlaeth newydd o arlunwyr teithiol a oedd yn awyddus i ymweld ag Eryri, yn eu plith Girtin a Cotman.[1] Ym 1804 daeth golygfeydd yr ardal i sylw cynulleidfa ehangach nag erioed o'r blaen wedi i amryw o'r dyfrlliw-wyr Seisnig ifainc hyn ymuno â'i gilydd i arddangos eu gwaith yn Llundain fel Cymdeithas y Paentwyr Dyfrlliw.[2] Bu arlunwyr ac awduron Cymreig y cyfnod hefyd yn canu clodydd dyffryn Conwy. Ymwelodd Edward Pugh â'r ardal ar sawl achlysur tra oedd yn ymchwilio ar gyfer *Cambria Depicta*, ac yr oedd yr olygfa o *The Miners' Bridge*, ychydig i'r gorllewin o Fetws-y-coed, yn un o'r lluniau cyntaf i'w arddangos gan Hugh Hughes yng Nghymdeithas Frenhinol Arlunwyr Prydain ym 1827.[3] Yr oedd Hughes, wrth gwrs, yn hanu o ddyffryn Conwy. Yn ogystal â bod yn safle *picturesque* ar gyfer tirluniau, yr oedd gwasg John Jones wedi ei lleoli yn Nhrefriw ac yn prysur ehangu ei busnes drwy gynhyrchu mwy a mwy o ddelweddau printiedig.

457. Ffotograffydd anhysbys,
David Cox, c.1855

Ym 1836 cyhoeddodd Thomas Roscoe, mab William Roscoe, noddwr John Gibson, yr argraffiad cyntaf o'i dywyslyfr, *Wanderings and Excursions in North Wales*. Fe'i darluniwyd gan amryw o arlunwyr Seisnig blaenllaw, gan gynnwys Thomas Creswick, ond yr enwocaf ohonynt oedd David Cox. Er bod Cox wedi

gyferbyn:
458. William Radclyffe yn seiliedig ar Thomas Creswick, *Betws-y-coed*, allan o Thomas Roscoe, *Wanderings and Excursions in North Wales*, 1836, Engrafiad, 95 × 142

gweithio yng Nghymru er 1805, awgryma y gweithiau a arddangoswyd ganddo mai dyma pryd y datblygodd ei ddiddordeb arbennig yn yr ardal o gwmpas Betws-y-coed, a hynny, efallai, o ganlyniad i'r comisiwn a dderbyniodd i ddarlunio llyfr Roscoe. Byddai'r goblygiadau i gelfyddyd weledol yng Nghymru yn sylweddol. Ar y cychwyn, nid oedd unrhyw gysylltiad rhwng y datblygiadau ym Metws-y-coed ac ymdrechion yr Eisteddfod i hybu celfyddyd yng Nghymru. O ddiwedd y 1860au ymlaen, fodd bynnag, unwyd y datblygiadau hyn yn un ffrwd o ddatblygiad cenedlaethol mewn celfyddyd weledol. Yr oedd y paentio tirluniol newydd yn ganolog i hanesyddiaeth Gymreig ac i'r mynegiant o gredoau Ymneilltuol drwy gelfyddyd weledol.

Dyfnhaodd cariad David Cox a Thomas Roscoe at Fetws-y-coed ar ôl eu hymweliad cyntaf â'r ardal. Erbyn yr ail argraffiad o *Wanderings and Excursions in North Wales*, a gyhoeddwyd ym 1844, yr oedd pennod gyfan yn canu clodydd y pentref, o gymharu â pharagraff canmoliaethus yn unig yn yr argraffiad cyntaf. Yr haf hwnnw treuliodd Cox gyfnod hir ym Metws-y-coed, a pharhaodd i wneud hynny yn bur gyson hyd 1856. Casglodd o'i gwmpas yn nhafarn fach y Royal Oak gyfeillion a dilynwyr megis William Hall, y gŵr a fu'n gyfrifol am lunio ei gofiant yn ddiweddarach. Daeth eu lluniau a'u hysgrifau ag enwogrwydd i'r pentref a datblygodd Betws-y-coed yn gyrchfan i artistiaid, y gyntaf ym Mhrydain i hawlio'r enw 'artists' colony' (daeth yn hysbys i'r Cymry fel 'Yr Arlunfa Gymreig'). Yr oedd yn Feca ar gyfer arlunwyr proffesiynol ac amatur fel ei gilydd, ac yn ddiweddarach heidiai ymwelwyr yno yn ogystal. Pentref syml ac annatblygedig oedd Betws-y-coed pan ddaeth Cox yno i aros am y tro cyntaf, er bod ffordd bost Telford, a gwblhawyd yn sgil agor pont fodernaidd Waterloo ym 1816, wedi hwyluso'r daith o Loegr: 'it could boast of only one small shop – a mere cottage, with a little window, in which a few useful articles were exposed for sale ... Much Welsh, and a little English was spoken.'[4] Eto i gyd, yn ôl Hall, ceid prysurdeb mawr yno mor gynnar â 1846: 'During the sketching season, Bettws, as it became better known, was often filled to overflowing with amateurs and artists.

459. David Cox, *Tafarn y Royal Oak, Betws-y-coed*, c.1850, Pensil, 168 × 271

[1] Daeth presenoldeb arlunwyr yn olygfa gyffredin yn yr ardal, ac nid oedd ymddygiad pob un ohonynt i'w gymeradwyo. Ym 1819 nododd 'Richard Bull': 'On the Road towards the Falls we passed a Pedestrian, dressed in a Straw Hat of large Dimensions, Blue Great Coat, White Waistcoat, dark blue Cravat, light Trowsers, and thick Shoes with a Knapsack on his back and a Staff in his hand, on his way to the Falls; he was within half a mile of the first, and being about to take a wrong Road, a Person, whose cottage he had just passed, civilly directed him, and was desired by this Oxonian (for so he turned out to be) "to mind his own Business".' Am ddatblygiad dyffryn Conwy a Betws-y-coed fel canolfannau arlunwyr, gw. Lord, *Clarence Whaite and the Welsh Art World*.

[2] Yn arddangosfa gyntaf Cymdeithas y Paentwyr Dyfrlliw cafwyd 52 o olygfeydd o Gymru o'u cymharu â 10 o'r Alban, 19 o swydd Efrog ac un o Ardal y Llynnoedd. Y mae'r ffaith mai golygfeydd o Eryri oedd y mwyafrif helaeth o'r lluniau o Gymru yn dangos mor bwysig oedd yr ardal yn natblygiad dyfrlliwio Seisnig yn y cyfnod hwn.

[3] Ymddengys mai'r olygfa hon o'r bont a ddaeth yn ddiweddarach yn atynfa i ymwelwyr oedd y gynharaf i gael ei harddangos. Y mae'r llun hwn bellach ar goll. Adeg yr arddangosfa yr oedd Hughes yn engrafu ar gyfer John Glover, un o ddyfrlliw-wyr enwocaf y cyfnod yn Lloegr. Ef oedd Trysorydd Cymdeithas Frenhinol Arlunwyr Prydain ac y mae'n bosibl iddo annog Hughes i arddangos ei waith.

[4] William Hall, *A Biography of David Cox* (London, 1881), t. 91.

[5] Ibid., t. 85.

[6] N. Neal Solly, *Memoir of the Life of David Cox* (London, 1873), t. 172.

[7] LIGC DV17. Ganed Wightwick (1802–72) ger Yr Wyddgrug. Derbyniodd ei addysg yn Lloegr a phrentisiwyd ef i bensaer o Lundain. Yn ddiweddarach, sefydlodd ei fusnes ei hun yn Plymouth cyn ymddeol i Clifton, lle y bu farw.

Their white tents and umbrellas, to be seen in whichever direction the eye turned, suggested to the visitor the encampment of an invading army.'[5]

Er bod Cox yn hoff o olygfeydd mynyddig pell, yr oedd hefyd yn berson cymdeithasol a fwynhâi ei swyddogaeth fel ffigur tadol ac athro i genhedlaeth ifanc o arlunwyr. Ceir disgrifiad o'r cwmni a arferai ymgynnull yn y Royal Oak gan yr arlunydd George Popkin:

> In the evening he sat on the sofa in the parlour of the Royal Oak inn, which in those days was an artist's club *pur et simple*. Here he took his cigar (he smoked no pipe) and his pint of ale, with one or two cronies by his side, willing to listen and willing to teach. There was no racket, no shouting, no fastness or slang; it was an intelligent, rational, pleasant evening's amusement, and I have heard French, German, Hungarian, English, and Welsh flowing on like a polyglot stream at the same time in that same dingy parlour.[6]

Yr oedd Popkin yn un o nifer o arlunwyr a oedd wedi symud i fyw ym Metws-y-coed drwy gydol y flwyddyn ychydig cyn i Cox dreulio ei gyfnod estynedig cyntaf yn y pentref ym 1844. Un o dras fonheddig (a Chymreig) ydoedd, a chanddo'r modd i adeiladu tŷ sylweddol i'r dwyrain o'r pentref. Daeth y tŷ alpaidd yr olwg,

460. David Cox,
Capel Curig, Caernarvonshire,
c.1845, Dyfrlliw,
318 x 527

a'i do goleddf serth a bargodion dwfn, yn batrwm i dai eraill yn yr ardal. Trigai ei gyd-arlunydd, Richard Bond, mewn tŷ tipyn mwy traddodiadol y canwyd ei glodydd gan y pensaer George Wightwick:

> 'Love in a cottage' is a proverbial sentiment; and I trust it is here a practical fact. Here lives the ... 'Landscape Painter', with the finest woman I ever saw in Wales for a wife, and three children, 'beautiful exceedingly'. The lady brought me out a chair, wheron to sit and take these views. The gentleman fed me with oat-meal cakes, rendered delectable by butter, and facilitated by Whiskey. The Lady is of the blood of Glendower, 'serene, imperial'. The gentleman is an Englishman, blessed in his wife at all events; though I opine, rather content with his fate, than favoured by Fortune, in respect of what *should* be the monied estimate of his skill and feeling as an artist.[7]

461. George Wightwick, *View of an Artist's House* (Wern Fawr, Betws-y-coed), 1856, Pen a golchiad, 110 x 170

Bu Bond yn byw yn Wern Fawr am weddill ei oes, gan ennill bywoliaeth resymol fel arlunydd. Eto i gyd, yr arlunydd mwyaf dawnus ymhlith y trigolion cynnar hyn oedd William Evans, a aned ym Mryste i deulu Cymreig. Daeth i Gymru ym 1842 gyda William Muller, arlunydd arall o Fryste, gan ymsefydlu'n fuan wedi hynny yn Nhy'n-y-cae, hofel o le a llygod mawr yn bla yno a safai rhwng cartref Bond a Ffos Anoddun (Fairy Glen), un o'r mannau a apeliai fwyaf at arlunwyr. Dichon i'r blynyddoedd a dreuliodd yn y tŷ 'Cyclopean' llaith ac aflan hwn gyflymu'r dicáu a'i lladdodd ym 1858, ond dyma'r cyfnod pryd y cynhyrchodd rai o ddyfrlliwiau mwyaf telynegol y cyfnod. O'r holl arlunwyr cynnar a drigai ym Metws-y-coed, ei ddawn ef a werthfawrogid fwyaf. Yr oedd yn 'felicitous in grappling with the true characteristics of the torrents that stir the gloom of these dreary regions', a hefyd yn ei bortread o fywyd y werin-bobl:

462. William Evans, *Bwthyn ger Betws-y-coed*, c.1844, Dyfrlliw, 177 x 254

463. William Evans,
Castell Caernarfon, c.1842–52,
Dyfrlliw, 403 × 308

464. Joshua Cristall,
Menyw Ifanc yn Codi Dŵr,
1842, Dyfrlliw, 511 × 340

> Nothing can be imagined much finer than his occasional treatment of the cottage scenery of the same district; and not limited to the exteriors, but frequently furnished by the views of their interiors, which rival, in force, colour, and light and shade, some of the finest works by the great Dutch masters.[8]

Apeliai Betws-y-coed a'r ardal at Roscoe, Cox a'r arlunwyr cynnar a drigai yno am nifer o resymau. Cynigiai ddewis helaeth o dirweddau i'w paentio, yn amrywio o'r uwchdiroedd â'u golygfeydd eang o'r Wyddfa a Moel Siabod i'r dyffrynnoedd dwfn a'r rhaeadrau. I goroni'r cyfan, yr oedd safle honedig cyflafan y beirdd drwy orchymyn Edward I a man geni tybiedig Llywelyn ap Iorwerth yn Nolwyddelan yn rhoi i'r ardal gysylltiadau mytholegol a hanesyddol. At hynny, yr oedd y bobl leol yn destunau da i Cox a'i gyfoeswyr. Erbyn y 1830au yr oedd agwedd arlunwyr at y Cymry gryn dipyn yn wahanol i'r hyn ydoedd ar ddiwedd y ddeunawfed ganrif, pan rôi ymwelwyr ddelwedd baganaidd gyntefig iddynt a oedd yn cydweddu â'u cenhadaeth i ddarganfod yr aruchel yn y tirwedd. Yn erbyn cefndir o gynnwrf cymdeithasol, yr oedd delweddau o werinwyr teyrngar a duwiol, megis y rhai a ddaethai ag enwogrwydd i George Moreland, yn gwerthu'n dda yn Lloegr. Yr oedd i ddelweddau ac iddynt gyd-destun Cymreig neu Wyddelig atyniad ychwanegol gan eu bod yn cyflwyno nodweddion cenedlaethol i gynulleidfa a chanddi ddiddordeb cynyddol yn y syniad o ethnigrwydd, a amlygid yng Nghymru yng ngwisg genedlaethol Arglwyddes Llanofer a diddordeb Carnhuanawc yn y diwylliant Llydewig. Bu paentio portreadau o werin Cymru yn gymorth i gynnal gyrfa nifer o ymwelwyr rheolaidd â Betws-y-coed, megis Alfred D. Fripp a Frank Topham, a fyddai weithiau'n teithio i Iwerddon drwy borthladd Caergybi i baentio testunau cyffelyb. Yr oedd portreadau o werin-bobl Cymru, yn enwedig merched ifainc prydweddol, yn frith yn arddangosfeydd y cyfnod.

[8] Anhysbys, 'Mr. William Evans', *The Art Journal*, 11 (1859), 136.

465. David Cox,
The Welsh Funeral, 1848,
Olew, 464 x 711

Eto i gyd, yr oedd cydymdeimlad dwfn David Cox â'r bobl gyffredin yn anarferol. Deuai o gefndir masnachol rhanbarthol dosbarth-canol ac yr oedd yn ŵr diymhongar wrth natur. Yr oedd hefyd yn Ymneilltuwr pybyr. Edrychai ar y werin fel pobl a oedd mewn cysylltiad agos â natur, â chreadigaeth lle y ceid trefn a chytgord yn hytrach nag anhrefn. Credai fod duwioldeb y bobl, boed Anglicaniaid neu Ymneilltuwyr, yn deillio o'r cytgord hwnnw, ac amlygai ei gydymdeimlad â'r werin drwy ei agwedd ddiymhongar at yr unigolion y deuai i gysylltiad â hwy. Ym 1848 paentiodd y fersiwn cyntaf o *The Welsh Funeral*, darlun a gyfleai agwedd bietistaidd ei weledigaeth ac a ddaeth i amlygrwydd mawr pan wnaed engrafiad ohono ym 1862. Y paradocs yw i'r darlun hwn, a wnaeth gymaint i ledaenu delwedd gadarnhaol o werin-bobl Cymru ymhlith y Saeson, gael ei baentio yn y cyfnod pan oedd y Llyfrau Gleision wedi cyflwyno delwedd dra gwahanol o Gymru.

466. Henry Clarence Whaite,
Glaw, Tyddyn Cynal, 1872,
Dyfrlliw, 182 x 269

467. Ffotograffydd anhysbys,
Henry Clarence Whaite, 1863

468. Henry Clarence Whaite,
Hauling Driftwood, 1853, Olew, maint yn anhysbys

Un o'r arlunwyr ifainc Seisnig a ddenwyd i Fetws-y-coed gan Cox a'i gylch oedd Henry Clarence Whaite, mab i berchennog busnes paentio baneri a fframio lluniau llwyddiannus ym Manceinion. Y tebyg yw iddo ddod i Gymru am y tro cyntaf ym 1849, ac iddo ddychwelyd ddwy flynedd yn ddiweddarach, pan nododd yn ei ddyddiadur fod deg arlunydd, gan gynnwys Cox, yn gweithio ym Metws-y-coed. Ym 1852 mynegodd ei gyffro o fod ar dir mynyddig Cymru unwaith eto. 'How its grandeur overpowers me', meddai yn ei ddyddiadur, 'if I could paint the extent of my feelings.' Yn fuan wedyn cyfarfu â Cox, a alwodd i weld ei luniau 'and expressed his delight'.[9] Byddai'r cyfarfod hwn yn profi'n dyngedfennol iawn. O'r cannoedd o arlunwyr a ddaethai i Gymru yn ystod y ganrif flaenorol i baentio golygfeydd mynyddig, ychydig a oedd wedi ymgartrefu yma,[10] ond yr oedd Clarence Whaite, er na wyddai hynny ym 1852, wedi dod i aros. O blith y genhedlaeth o arlunwyr teithiol y byddai eu presenoldeb yn cael dylanwad pellgyrhaeddol ar ddiwylliant gweledol Cymru, ef fyddai'r ffigur amlycaf. Yr oedd y cyfarfyddiad rhwng Cox a Whaite yn arwydd o newid arloesol.

469. Henry Clarence Whaite,
Tudalennau o lyfr brasluniau,
1870, Dyfrlliw a phensil,
84 x 127

Er y byddai Whaite yn teithio i Loegr, yr Alban a'r Eidal i weithio, yr oedd ei galon yng Nghymru. Yn y 1850au dechreuodd gynhyrchu lluniau dyfrlliw bychain ac egnïol a gyfleai naws yr ucheldir gyda throad y tymhorau a'r tywydd. Yr oedd ei dechneg lefn yn peri iddynt ymddangos fel delweddau cyffredinol, sy'n hollol gamarweiniol gan eu bod mewn gwirionedd yn cofnodi eiliadau arbennig mewn byd naturiol a newidiai'n barhaus. Yn yr un modd, cofnodai mewn arddull a âi'n fwy a mwy brasluniol weithgareddau amrywiol y cymunedau gwledig – mewn ffair a marchnad, ar ddiwrnod cynhaeaf a diwrnod cneifio, ac yn casglu pysgod cregyn – gan fod gweithgareddau o'r fath hefyd yn dymhorol. Lluniau unigol oedd y mwyafrif ohonynt, ond gwnaed rhai ar gyfer darluniau mawr i'w harddangos megis *Hauling Driftwood*, a baentiwyd ym 1853. Cafodd y rhain eu harddangos yn rheolaidd yn yr Academi Frenhinol yn Llundain, ac yno ym 1859 y daeth gwaith Whaite i sylw John Ruskin, beirniad celf mwyaf y cyfnod. Gan gyfeirio at *The Barley Harvest*, meddai Ruskin:

470. Hans Fredrik Gude, *Mynydd-dir Cymru*, 1862–4, Olew, 335 x 460

> Very exquisite in nearly every respect; perhaps, take it all in all, the most covetable bit of landscape of this year, and showing good promise, it seems to me, if the painter does not overwork himself needlessly. The execution of the whole by minute and similar touches is a mistake ... Nothing finished can be done without labour; but a picture can hardly be more injured than by the quantity of labour in it which is lost. Uncontributive toil is one of the forms of ruin.[11]

Y mae sylwadau Ruskin ar dechneg Whaite yn rhan o ddadl bwysig a oedd yn mynd rhagddi mewn cylchoedd beirniadol yn Lloegr yr adeg honno. Byrdwn y ddadl oedd a ddylid portreadu natur gyda manylder eithriadol a'r gorffeniad cywiraf, hyd yn oed mewn darluniau mawr, ynteu a oedd datganiadau cyffredinol yn fwy priodol. Yr oedd y mudiad Cyn-Raffaëlaidd o blaid dilyn natur yn ffyddlon ac at ei gilydd cytunai Whaite â'r farn honno. Ym 1860 daeth yn aelod o Glwb Hogarth, a sefydlwyd ddwy flynedd ynghynt gan Dante Gabriel Rossetti, Ford Madox Brown a William Morris. Ymunodd G. F. Watts, y gŵr y teimlai Whaite agosaf ato y mae'n debyg, â hwy yn fuan wedyn. Ym 1859 bu farw David Cox. Yr oedd ef wedi dadlau, yn enwedig yn ystod ei flynyddoedd olaf, o blaid ymarfer techneg fwy agored ac, er gwaethaf rhybuddion Ruskin yn erbyn manylder eithafol, daeth yr agwedd hon i dra-arglwyddiaethu mewn arddangosfeydd yn Llundain a rhanbarthau Lloegr.

Daeth bron y cyfan o'r genhedlaeth newydd o dirlunwyr i Fetws-y-coed i weithio yn yr awyr agored; daethant nid yn unig o Loegr ond hefyd o'r Cyfandir. Ym 1862 daeth yr arlunydd Hans Fredrik Gude a'i wraig a'i bum plentyn o Norwy i Fetws-y-coed, gan aros am ddwy flynedd. Yno, gallai weithio yn yr awyr agored drwy gydol y flwyddyn, gan ddatblygu ei syniadau ar ffyddlondeb i natur.[12] Yr arlunydd

[9] Dyddiadur Clarence Whaite, archif breifat. Yn y *North Wales Weekly News*, 7 a 14 Mehefin 1912 y ceir yr wybodaeth fod Whaite wedi ymweld â Chymru ym 1849, ddwy flynedd ynghynt na'r dyddiad a awgrymwyd yn Lord, *Clarence Whaite and the Welsh Art World*, t. 12.

[10] Bu ymgais Cox i brynu tŷ yn nyffryn Conwy ym 1845 yn aflwyddiannus. Gw. ibid., t. 47.

[11] John Ruskin, 'Academy Notes, 1859', *The Works of John Ruskin*, gol. E. T. Cook ac Alexander Wedderburn (39 cyf., London, 1903–12), XIV, tt. 229–30.

[12] Henry Holiday, *Reminiscences of My Life* (London, 1914), t. 87. Ni chafodd gwaith Gude ei arddangos yn yr Academi Frenhinol ac aeth i Karlsruhe yn Athro Tirlunio. Ef a gâi ei gyfrif yn arlunydd Norwyaidd pwysicaf ei oes.

471. Benjamin Williams Leader, *A Quiet Valley amongst the Welsh Hills*, 1860, Olew, 710 x 1085

a gysylltir yn fwyaf arbennig â Betws-y-coed o blith y tirlunwyr Seisnig o'r un genhedlaeth â Gude oedd Benjamin Williams Leader, gŵr o dras Gymreig a fedyddiwyd yn Benjamin Williams. Arhosodd yn y Royal Oak am y tro cyntaf ym 1859. Megis Gude a Whaite, gweithiai yn yr awyr agored, ac ym Metws-y-coed darganfu elfennau'r arddull fanwl a goleuol a fyddai maes o law yn ennill iddo le blaenllaw ym myd celfyddyd oes Victoria. Paentiodd y darlun *A Quiet Valley amongst the Welsh Hills*, a ddangoswyd ym 1860, o'r hen ffordd a redai o Fetws-y-coed i Gapel Curig, lle poblogaidd gan arlunwyr. Buasai Whaite yn paentio yn y cyffiniau ers peth amser, a'r flwyddyn honno gwnaeth ymgais arall fwy egnïol fyth i fod yn ffyddlon i natur drwy godi stiwdio dros dro uwchben yr hen ffordd, ond ychydig yn nes i Fetws-y-coed. Cymerodd ddau dymor i gwblhau'r darlun anferth *The Rainbow*. Yn ystod yr ail flwyddyn nododd Whaite yn ei ddyddiadur iddo aros 'all winter there to set the detail for the spring foliage'.[13] Ymhlith y rhai a ymwelodd ag ef yn ei stiwdio fynyddig yr oedd Leader, a gyfeiriodd yn ei ddyddiadur yntau am y flwyddyn 1865, yn yr un ysbryd o lynu wrth natur, at ei rwystredigaeth oherwydd na allai baentio 'elm trees from Nature' ar gyfer ei *Autumn's Last Gleam* oherwydd y tywydd garw.[14] Serch hynny, yr oedd dulliau Whaite yn llawer mwy radicalaidd nag eiddo Leader. Yr oedd wedi darllen *The Laws of Contrast of Colour: And Their Application to the Arts* gan M. E. Chevreul, llyfr a gyhoeddwyd yn Saesneg ym 1860 ac a gâi gryn ddylanwad ar arlunio yn Ffrainc. Y mae ei ddylanwad i'w weld yn glir ar waith Whaite yn ei ddull o greu effaith gyffredinol o ddarnau bach o liw pur, gan ragflaenu gwaith Seurat.

[13] LlGC, Archif Whaite, llythyr at G. H. Walker, 23 Mawrth 1894.

[14] Ruth Wood, *Benjamin Williams Leader RA 1831–1923: His Life and Paintings* (Suffolk, 1998), t. 37. Y mae'r ynys yn afon Llugwy i'w gweld yn y ddau lun, ond bod Whaite yn edrych fwy i'r gorllewin, gan anwybyddu ffurf anferth Moel Siabod, a oedd yn ganolbwynt i ddarlun Leader.

[15] Cafodd *A Leaf from the Book of Nature* ei baentio tua 1860, a hynny y mae'n debyg yn yr un ardal â *The Rainbow* a *A Quiet Valley amongst the Welsh Hills* gan Leader.

472. Henry Clarence Whaite, *The Rainbow*, 1862, Olew, 1394 x 2146

Yr oedd brwdfrydedd Whaite dros gofnodi manylion byd natur, ynghyd â'r gweithgareddau dynol a oedd mewn cytgord ag ef, yn gysylltiedig â'i Brotestaniaeth. Y mae teitl un o'i weithiau diflanedig, *A Leaf from the Book of Nature*, yn awgrym o'i agwedd.[15] Nid paentio topograffig a wnâi, na phaentio yn ôl athrawiaeth y *Picturesque*, ac yr oedd yn bellach fyth o fod yn fynegiant o ing yr aruchel. Y wers a geid yn y *Book of Nature* oedd yr hyn a ddysgasai Cox am resymoledd a threfn creadigaeth Duw. Yr oedd meddwl am natur, o fawredd ei hehangder hyd at y manylyn lleiaf, yn dod â'r arlunydd yn nes at Dduw. Felly, yr oedd ymwadu â natur, neu beidio â rhoi sylw digon manwl iddi, yn anfoesol. Yn *The Rainbow* cyflwynodd Whaite ddwy elfen ychwanegol at y tirwedd a

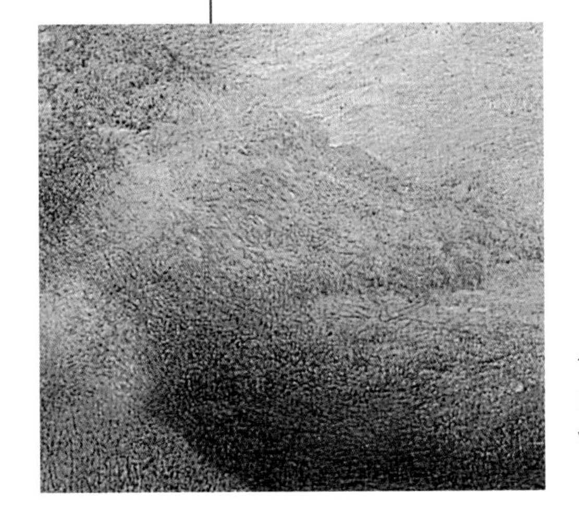

473. Henry Clarence Whaite, *The Rainbow*, 1862, Olew, manylyn

474. Benjamin Williams Leader, *A Welsh Churchyard*, 1863, Olew, 815 x 1475

ddarluniwyd ganddo â'r fath gywirdeb, sef yr enfys ei hun, yn seiliedig ar arsylwadau manwl a gofnodwyd mewn lluniau bach, ynghyd â chriw o blant gyda'u mam ac oen. Yr oedd y rhain yn hollol gredadwy o safbwynt naturiolaidd ac nid oeddynt felly yn ymwadu â'r gwirionedd, er bod yr awgrym alegorïaidd yn amlwg yn mynd y tu hwnt i arsylwi syml. Yn wahanol i Leader, tueddai Whaite i ychwanegu at gynnwys moesol y tirwedd. Tua'r un adeg ag yr oedd wrthi'n paentio *The Rainbow*, dechreuodd ddatblygu ei syniadau ar gyfer gwaith arall, *The Penitent's Vision*, lle'r aeth â'r elfennau alegorïaidd gam ymhellach at gyfriniaeth Gristnogol agored.[16] Yr oedd y darlun yn cyfuno efelychu gwirionedd natur â delwedd o brofiad cyfriniol y Cristion edifeiriol. Digiwyd rhai beirniaid gan y cynnwys moesol hwn; honnent ei fod 'in somewhat questionable taste' oherwydd 'Now-a-days, most people prefer landscape pure and simple'.[17]

[16] Y mae datblygiad *The Penitent's Vision* yn gymhleth. Dywed Whaite yn ei ddyddiadur mai'r 'old ballads' a awgrymodd y thema wreiddiol, ond ar ôl rhoi'r llun o'r neilltu am sawl blwyddyn aeth ati i'w ailwampio ar sail thema o *Taith y Pererin*. Y mae hanes diweddarach y llun yr un mor gymhleth. Fe'i gwrthodwyd gan yr Academi Frenhinol ym 1865, ac fe'i torrwyd yn bedwar llun llai. Cafodd y ddau fwyaf, a ailenwyd yn *The Awakening of Christian* a *The Shepherd's Dream* (lle yr ychwanegwyd llun o fugail) eu derbyn gan yr Academi a'u harddangos ym 1884.

[17] *Manchester Examiner and Times*, 3 Ebrill 1865.

[18] J. Daffome, 'British Artists: Their Style and Character with Engraved Illustrations. No. XCVII, Benjamin Williams Leader', *The Art Journal*, 33 (1871), 46. Y mae *The Church at Bettws y Coed* gan Creswick yn dangos yr eglwys newydd a godwyd i gwrdd ag anghenion yr ymwelwyr Seisnig.

[19] Yn ôl y fytholeg a dyfodd o'i gwmpas, hunanbortread o'r arlunydd oedd yr hen ŵr yn y llun. Daeth *The Welsh Funeral* gan Cox yn eicon am gyfnod, ond fe'i disodlwyd yn ddiweddarach gan *Salem* o waith Curnow Vosper, llun a wnaeth ddefnydd o themâu cysylltiedig.

[20] *The Courier*, 1 Ebrill 1865.

Serch hynny, yr oedd neges Gristnogol amlwg yn perthyn i nifer o'r gweithiau celf a ddeilliai o Gymru yn y cyfnod hwn. Yn sgil atgynhyrchu *The Welsh Funeral* gan Cox ar ffurf engrafiad, ymddangosodd *genre* o luniau angladdol eu naws. Cafodd *The Church at Bettws y Coed* gan Thomas Creswick, fel delwedd Cox, ei ddosbarthu'n eang ar ôl iddo gael ei atgynhyrchu ar ffurf engrafiad yn *The Art Journal* ar gyfer 1870. Cafwyd cyfraniadau gan genhedlaeth iau o arlunwyr ar ôl i Leader gwblhau *A Welsh Churchyard*, a arddangoswyd ym 1863, lle'r oedd y coed duon yn sefyll 'like mourners watching over the tombs'.[18] Cafodd y darlun hwn sêl bendith y sefydliad pan brynwyd ef gan W. E. Gladstone, Canghellor y Trysorlys. Ni fu gan Clarence Whaite erioed ddiddordeb mawr ym mhentref Betws-y-coed fel testun, a chwiliai am destunau newydd mewn mannau eraill, gan gychwyn ym 1865 gyda fersiynau bach a mawr o *God's Acre*. Yn y llun gwelir hen wraig yn dod allan o fynwent Llanrhychwyn ym mraich merch ifanc, a'r yw a muriau cerrig yr eglwys yn y cefndir – alegori gyffredin o fyrhoedledd bywyd. Yr oedd y darlun yn debyg o ran cysyniad i *The Welsh Funeral* gan Cox, lle y ceir cyferbyniad rhwng yr yw hynafol yn y fynwent a marwolaeth merch ifanc y gwelir hen ŵr yn cerdded y tu ôl i'w harch.[19] Y mae *To the Cold Earth*, darlun arall a baentiwyd gan Whaite ym 1865, yn gosod cysyniad Cox mewn tirwedd mynyddig, ac yn fuan wedyn daethpwyd i arfer y teitl 'Welsh Funeral' i'w ddisgrifio, gan danlinellu'r cysylltiad rhwng duwioldeb a Chymreictod a oedd yn elfen gref o syniadaeth gyhoeddus yn oes Victoria:

> The subject is a Welsh funeral. The grim messenger knocks at the cottage of the lithe and hardy Cambrian mountaineer, as surely though less frequently perhaps, as at the cellar of the pale denizens of the courts and alleys of crowded cities. When a funeral occurs among these primitive people the scattered villagers for miles around assemble to pay their last token of respect to the departed. Mr. Whaite has depicted the funeral procession passing over the windings of the snow-clad mountains to the village churchyard. The idea is exceedingly poetical as is well worked out, the mist and snow of the mountain tops being well executed.[20]

475.
Henry Clarence Whaite,
God's Acre (fersiwn bychan),
1865, Olew, 197 x 324

476. Henry Clarence Whaite,
To the Cold Earth, 1865,
Olew, 463 x 832

477.
Henry Clarence Whaite,
The Penitent's Vision, 1865,
Olew, 1000 x 1470

478. Ffotograffydd anhysbys, *Evan Williams*, c.1875

Y mae'n ddigon posibl y byddai gan Whaite deimladau cymysg ynglŷn â'r fath ddehongliad eithafol o'i ddarlun gan rywun o'r tu allan i'r gymuned, o gofio ei fod bellach wedi treulio'r rhan helaethaf o bymtheng mlynedd mewn cyswllt agos â'r Cymry. Serch hynny, ni wyddys faint o gyfathrach a oedd rhyngddo ac arlunwyr a deallusion Cymreig. Ymddengys mai prin oedd y cysylltiad rhwng arlunwyr Betws-y-coed a'r deallusion Cymreig yn Llundain a ymdrechai i greu byd celf drwy gyfrwng yr Eisteddfod. Yr unig arlunydd o Gymro y gwyddys iddo ddod i gysylltiad â chylch Betws-y-coed oedd Ap Caledfryn, a welsai Cox wrth ei waith ar ddechrau'r 1850au ac a hyfforddwyd yn y pentref yn ddiweddarach dan Richard Bond. Eto i gyd, ym 1867 cyhoeddodd Evan Williams draethawd ar 'Natur a Chelfyddyd', sy'n cynnwys cyfeiriad diddorol at y ffaith iddo dreulio 'ychydig amser yn nghwmpeini un o arlunwyr mwyaf athrylithfawr Lloegr (fel arlunydd golygfëydd), rhwng mynyddoedd Cymru, lle bydd yn aros bob tymmor haf er ys blynyddoedd'.[21] Gwaetha'r modd, nid enwodd yr arlunydd, ond y mae'r dadleuon a gyflwynir ganddo yn ei draethawd yn cyd-fynd yn gyffredinol â syniadau Clarence Whaite. Credai Williams mai prif swyddogaeth y celfyddydau cain oedd 'y mwynhâd rhesymol a roddant i'r meddwl, a'u dylanwad i'w ddyrchafu a'i ddysgu trwy wirioneddau a phrydferthion natur'.[22] Deuai'r arlunydd 'yn raddol i fod yn arweinydd cymhwys i bob un a fyno gael ei gyflwyno i bresennoldeb natur yn ei holl ffurfiau a'i heffeithiau gogoneddus, y rhai a fwriadwyd yn ddïau i ychwanegu at fwynhâd bywyd, a dyrchafu y meddwl at ei Grëawdwr'.[23]

Serch hynny, er nad yw'n hawdd amgyffred y goblygiadau ymarferol bob amser, gwahaniaethai Williams rhwng yr angen i gofnodi natur yn ffyddlon a chopïo'n slafaidd, gan ddadlau bod copïo yn amddifadu gwir gelfyddyd o ysbryd barddol. Yr oedd effeithiau natur – y cyfuniad o olau ac awyrgylch a esgorai ar deimladau dynol – yr un mor bwysig â chywirdeb ffurf a strwythur. Yr oedd creu teimlad drwy dirwedd yn hollbwysig i Williams gan ei fod yn credu bod hynny'n berthnasol i Gymru mewn ffordd arbennig. Daeth y syniad fod ysbryd barddol yn nodwedd gynhenid a berthynai i'r Cymry, a amlygid yn y traddodiad barddol ac a ddeilliai o'r cwlwm rhwng hil a mamwlad, yn gyffredin erbyn diwedd y ganrif:

> This quick sensibility accounts for the susceptibility of the Celtic temperament to its natural environment. The scenery of our land has played a large share in our sympathetic development as a race ... But we love to do our thinking by means of concrete symbols rather than in abstractions and cannot go far without the aid of illustrations. Thus we love Nature rather than pictures; and so we have a few great artists, and those we have are mainly landscape artists.[24]

[21] Evan Williams, 'Natur a Chelfyddyd', *Y Traethodydd*, XXII (1867), 37.

[22] Idem, 'Sefyllfa Celfyddyd yn Mhrydain', *Y Traethodydd*, XX (1865), 426.

[23] Idem, 'Natur a Chelfyddyd', 39.

[24] E. Griffith Jones, 'The Celtic Genius', *The Welsh Review*, I (1906), 30.

479. Anhysbys,
The Gallery of Modern Painters.
Art Treasures Exhibition, Manchester,
1857, Engrafiad pren allan o
The Illustrated London News,
210 x 340

Ceisiodd Evan Williams a beirniaid diweddarach gysylltu'r berthynas arbennig rhwng y cymeriad cenedlaethol a'r estheteg dirweddol newydd â'r nodwedd amlwg arall o Gymreictod yn y bedwaredd ganrif ar bymtheg, sef Ymneilltuaeth. Gwaith hawdd oedd gwneud y cysylltiad hwn gan fod yr egwyddor o fod yn farddol ac yn rhesymegol yn adleisio union nodweddion ei gredoau crefyddol. Yr oedd y Fethodistiaeth a goleddai Williams yn pleidio rhesymoldeb er gwaethaf y ffaith ei bod wedi ei gwreiddio mewn datguddiad dwyfol a drosgynnai'r meddwl. Gellid dadlau, felly, fod tirlunio, pryd bynnag yr amlygai'r cyfuniad hwn o'r rhesymegol a'r barddol, yn gynhenid Gymreig. Yr oedd modd dehongli bod gwaith Richard Wilson yn ategu estheteg Williams, gan danlinellu agwedd wladgarol y ddadl. Ni ddylid cysylltu'r gwir ysbryd barddol â Rhamantiaeth ddilyffethair y Sais Turner a oedd, yn nhyb Williams, yn afresymol a hunanol yn hytrach nag yn rhesymegol ac felly yn Dduw-ganolog. Ceid yng ngwaith Wilson, ar y llaw arall, fynegiant rhesymegol dan ddylanwad teimlad ysbrydol dwfn. Yn ei adolygiad o'r Arddangosfa Trysorau Celf ym Manceinion ym 1857, dywedodd Williams, wrth drafod y tirlunwyr, mai Wilson oedd y 'goreu o honynt yn ddiau ymhob oes a thrwy bob parth o'r byd'.[25] Yr oedd hwn yn sylw hynod o wladgarol, o ystyried bod y mwyafrif o feirniaid Seisnig y cyfnod yn mynnu mai Turner, a oedd wedi marw'n gymharol ddiweddar, oedd yr arlunydd gorau yn y byd, gan roi iddo statws mytholegol bron.

Ar yr wyneb, o leiaf, anghytunai Williams â Whaite ar un peth. Edmygai Whaite y Cyn-Raffaëliaid, ond yr oedd y Cymro yn feirniadol iawn ohonynt, nid yn gymaint am eu bod yn atgynhyrchu manylion byd natur mewn ffordd fecanistig ond oherwydd eu bod yn ymserchu yn yr oesoedd canol. Credai Williams fod eu canoloesoldeb yn eu cysylltu â Christnogaeth y cyfnod cyn y Diwygiad Protestannaidd ac â'i adfywiad modern ar ffurf y mudiad Eingl-Gatholig. Mynnai fod 'dull Mr. Hunt a'i gyfaill Mr. Maddox Brown yn hollol a sylfaenol gyfeiliornus, ynghyd a'r rhai oll sydd yn eu dilyn', a'u bod 'rhywbeth yn debyg i'r ysgogiad Puseyaidd gyda chrefydd yn Lloegr'.[26] Yr oedd rhesymau gwladgarol cadarn dros y ddadl hon hefyd, gan fod yr ymdeimlad gwrth-Babyddol a oedd wedi ei wreiddio'n ddwfn yn y mwyafrif o Ymneilltuwyr Cymru yn cael ei gyplysu ganddynt â hanfod y genedl. Yr oedd Evan Williams, a'i estheteg Brotestannaidd o ysbrydolrwydd trefnedig yn seiliedig ar waith llaw Duw mewn natur, yn symud tuag at athroniaeth gelf a oedd yn hanfodol Gymreig, a gyfatebai i ddiwinyddiaeth Ymneilltuol ar sawl lefel, ac a osodai seiliau ar gyfer beirniadaeth genedlgarol dechrau'r ugeinfed ganrif.

[25] Evan Williams, 'Arddangosiad Trysorau Celfyddyd', *Y Traethodydd*, XIII (1857), 336.

[26] Idem, 'Sefyllfa Celfyddyd yn Mhrydain', 429–30. Ceir awgrym o deimladau gwrth-Babyddol Williams yn ei sylwadau ar Arddangosfa Trysorau Celf Manceinion. Yr oedd yn wrthwynebus i unrhyw beth ac iddo arlliw o Babyddiaeth a chanmolai i'r entrychion y gweithiau hynny y credai eu bod yn addas ar gyfer yr ymwelydd o Gymro: 'Dyma Etholydd Sacsony, Luther, a'r diwygwyr, gan Lucas Cranach, darlun o gryn ddyddordeb, i ni fodd bynag.' Williams, 'Arddangosiad Trysorau Celfyddyd', 334.

Yn ystod y 1860au lledodd enwogrwydd Betws-y-coed ac, o ganlyniad, newidiodd golwg y lle a natur trefedigaeth yr arlunwyr yn ddramatig. Wfftiai'r hen edmygwyr, a gofiai amdano yn nyddiau David Cox, o weld yr holl adeiladau newydd, a oedd yn cynnwys tai, gwestai, eglwys newydd ar gyfer yr ymwelwyr o Loegr, ynghyd â chapel mawr ar gyfer y boblogaeth leol gynyddol. Ym 1861 ailadeiladwyd y Royal Oak am y tro cyntaf, ac ym 1868 daeth y rheilffordd i Fetws-y-coed:

> at the back of the old church, near the side of the 'sweet-flowing' river Conway, the visitor may behold in all its ugliness an unsightly gasometer, placed there for the very desirable purpose of lighting 'dear old Bettws' with gas! The railway station with its shrieking engines and multitudinous noises, almost abuts upon the wall of the old churchyard ... and a wide thoroughfare now conducts the traveller to the railway platform, near the very spot, and almost over the very ground, where of old might have been seen, on a Sabbath morning, groups of pious villagers wending their way, in twos and threes, to that sacred fabric where for generations their forefathers had assembled to offer up their prayers.[27]

480. *Ffridd Castle, Betws-y-coed,* cartref *James Whittaker*

Denodd y bywyd cymdeithasol byrlymus (ac afreolus ar brydiau) a ffynnai bellach drwy gydol y flwyddyn nifer cynyddol o arlunwyr i'r Royal Oak ac, yn ôl Henry Holiday, y Cyn-Raffaëliad parchus, nid oedd pob un ohonynt yn 'attractive specimens'.[28] Trôi'r cylch o gwmpas arlunwyr preswyl ifainc megis James Whittaker, a oedd yn ddigon cefnog i allu ailadeiladu'r bwthyn Castell Pwt dan yr enw newydd 'Ffridd Castle', gyda'i dŵr rhodresgar a meindwr ar ei ben. Cawsai Whittaker, a aned ym Manceinion, ei annog gan Frank Topham, a daeth yn aelod cyswllt o Gymdeithas y Paentwyr Dyfrlliw ym 1862. Yr oedd Clarence Whaite yn ei adnabod yn dda, ac yn ei lythyrau datgelodd fod gan Whittaker – erbyn dechrau'r 1860au – broblem yfed ddifrifol a fyddai'n ei ladd yn y pen draw.[29] Yr oedd Whittaker yn ffigur canolog ym mywyd cymdeithasol y Royal Oak newydd, lle y byddai aelodau clwb yfed y Loyal Incorporation of Artists yn cyfarfod yn rheolaidd ac yn croesawu ymwelwyr, gan gynnwys gwŷr amlwg megis Benjamin Williams Leader a John Syer. Byddent yn ysgrifennu cerddi cocos gwrth-dwristaidd yn y llyfr ymwelwyr:

481. James Whittaker, *Mountain Stream, North Wales,* 1873, Dyfrlliw, 355 x 650

God save thee British tourist
From Leader, Talfourd, Leche
Should you again to Bettws come
Within their vengeful reach.

Cyfeiriai'r arlunydd Thomas Collier yn ddiraddiol at yr ymwelwyr fel 'BTs' ('British Tourists'). Yr oedd llwyddiant yr arlunwyr wedi troi'n felltith, a dechreuodd rhai o'r ffyddloniaid, gan gynnwys Collier (a fuasai'n rhan o gylch Cox) gadw draw. O blith yr arlunwyr preswyl, arhosodd Richard Bond yn Wern Fawr, a thrigai George Harrison, a ddaethai i Fetws-y-coed yn rhamantydd ifanc o Gaint a phriodi merch y gof lleol, yn Nhŷ Gwyn ger Pont Waterloo. Trigai grŵp o arlunwyr, Edwin Alfred Pettit yn eu plith, mewn rhes o dai i'r dwyrain o'r afon, a oedd yn edrych dros y pentref a chwm Llugwy. Serch hynny, symudwyd canolbwynt yr arlunfa i'r gogledd o Drefriw, ar ochr orllewinol yr afon. Nid oedd y rheilffordd wedi cyrraedd y fan honno, a gellid teithio ar hyd y ffordd neu ar y rhodlong o'r cei yng Nghonwy. Fel Harrison, yr oedd Clarence Whaite wedi priodi merch leol, ac oddeutu 1870 ymgartrefodd yn Nhyddyn Cynal, rhwng Trefriw a Chonwy.

[27] Hall, *A Biography of David Cox*, t. 92..Dyfynnu geiriau Cox a wna Hall gyda'i 'dear old Bettws', a'r bwriad, wrth gwrs, yw i'r cyfeiriad at yr eglwys ddwyn *The Welsh Funeral* i gof. Er bod anobaith Hall o weld yr adeilad newydd ym Metws-y-coed yn ddealladwy, o safbwynt hanesyddol yr oedd yr eglwys Seisnig, a luniwyd i adlewyrchu'r golygfeydd mynyddig, ymhlith yr adeiladau gorau o'i fath yng Nghymru. Fel llawer o'r eglwysi Anglicanaidd eraill a godwyd yng Nghymru yn yr un cyfnod (yn bennaf mewn ymgais i atal llif Ymneilltuaeth), yr oedd ei haddurniadau hefyd o ansawdd da. Ym Metws-y-coed cynlluniwyd y gwaith gwydr gan Edward Coley Burne-Jones (1833–98), gŵr y tybiai llawer o genedlaetholwyr y cyfnod ei fod yn Gymro. Ganed Burne-Jones yn Birmingham, yn fab i gerfiwr ac eurwr o dras Gymreig.

[28] Holiday, *Reminiscences of My Life*, t. 79. Y mae Holiday yn cyfeirio yma at ei brofiadau yn y Royal Oak ym 1861.

[29] Daethpwyd o hyd i gorff Whittaker yn afon Llugwy ym 1876. Credir iddo gwympo i'r afon yn ei ddiod.

482. George Harrison,
Fisherman at Betws-y-coed,
1869, Dyfrlliw, 240 x 332

483. Ffotograffydd anhysbys,
George a Catrin Harrison yn y stiwdio yn Nhŷ Gwyn, c.1865

484. Edwin Alfred Pettit,
Llyn Idwal, North Wales, 1876,
Olew, 762 x 1016

Dechreuodd aelodau yr arlunfa newydd hon ddod i gysylltiad â deallusion ac arlunwyr Cymreig. Yn arddangosfa gelf Bangor ym 1869 – ymdrech olaf diwygwyr eisteddfodol y 1860au – dangoswyd gweithiau arlunwyr Seisnig megis George Wells a Joseph Charles Reed ochr yn ochr â gweithiau William Roos, John Cambrian Rowland ac Evan Williams. Ddwy flynedd yn ddiweddarach cofnododd yr arlunydd Charles Mansel Lewis o Gastell Strade, Llanelli, yn ei ddyddiadur iddo dreulio diwrnod yn gwneud brasluniau yng nghwmni Wells ac iddo weld lluniau Whittaker. Ym 1872, wrth hysbysebu'r eisteddfod leol yn Nant Conwy, cyfeiriodd y papur newydd at Fetws-y-coed fel 'the Artist's home and the paradise of Wales', a nododd mai Randal Leche, aelod blaenllaw o'r Loyal Incorporation of Artists, a oedd yn beirniadu'r gystadleuaeth arlunio. Y buddugol oedd William Dean Barker, arlunydd a oedd yn byw yn Nhrefriw, ac o ganlyniad i'w lwyddiant fe'i derbyniwyd yn aelod o'r Orsedd dan yr enw

Arlunydd Glan Conwy. Er mai methiant yn aml iawn oedd y cystadlaethau celf yn Eisteddfodau Cenedlaethol y 1870au, gwelwyd yr un math o ryngweithio. Enillodd yr arlunydd William Laurence Banks wobr yn Eisteddfod Bangor ym 1874, ac erbyn 1877 yr oedd ef ei hun yn beirniadu yng Nghaernarfon. Dyfarnodd y wobr am y dyfrlliw gorau i Samuel Maurice Jones, cynnyrch cyntaf cyfundrefn addysg gelf y wladwriaeth yng Nghymru, a gychwynnodd ei hyfforddiant dan John Cambrian Rowland yn ysgol Caernarfon.[30] Clarence Whaite oedd y beirniad yn Eisteddfod Genedlaethol Conwy ym 1879, a bu'n beirniadu sawl gwaith wedi hynny. Dair blynedd yn ddiweddarach, yn Ninbych, y beirniad oedd Hubert Herkomer, yr arlunydd o'r Almaen a oedd yn prysur ennill enwogrwydd

486. Ffotograffydd anhysbys, *William Dean Barker*, c.1880

485. William Dean Barker, *A Lake in North Wales*, 1875, Dyfrlliw, 134 x 219

yn y byd celf yn Lloegr. Y tebyg yw mai Cornwallis West, a oedd yn dal i ymdrechu i godi'r safon mewn eisteddfodau, a oedd yn gyfrifol am wahodd Herkomer i Ddinbych. Yr oedd ail a thrydedd wraig Herkomer yn hanu o Ruthun ac y mae'n bosibl i hyn ddylanwadu ar ei benderfyniad i dderbyn y gwahoddiad. Charles Mansel Lewis a fu'n gyfrifol am gyflwyno Herkomer i Gymru, a'r arlunydd o Lanelli oedd ei noddwr cyntaf ym Mhrydain. Daeth y ddau yn gyfeillion agos, a buont ar sawl taith arlunio gyda'i gilydd, rhai ohonynt i Fetws-y-coed.

Yn cyd-feirniadu â Herkomer yn Ninbych ym 1882 yr oedd arlunydd preswyl o Sais o'r enw Edwin Arthur Norbury. Rai misoedd cyn yr Eisteddfod, ar 12 Tachwedd 1881, galwasai Norbury gyfarfod o arlunwyr yng Ngwesty Cyffordd Llandudno, gyda'r bwriad o sefydlu Academi. Yr oedd hyn, yn anad dim arall, yn arwydd clir fod y mewnfudwyr yn ymuniaethu nid yn unig â'i gilydd ond â

[30] Ganed Banks (1822–93) yn Kington, ar ochr Lloegr i'r ffin. Yn Eisteddfod Caernarfon 'he regretted that a greater number of pictures had not been sent in for competition, and greater merit shown than had been. The best was by Mr Samuel M. Jones, son of the Rev. John Jones, Rhosllanerchrugog, late of Carnarvon.' *Carnarvon and Denbigh Herald*, 25 Awst 1877.

487. A. Ford Smith, *Aelodau'r Academi Frenhinol Gymreig*, c.1882 (Clarence Whaite yw'r trydydd o'r chwith yn y rhes ganol.)

488. Francis Frith, *Stryd Mostyn, Llandudno*, c.1870

Chymru. Nid oedd yr un o'r saith a ddaeth at ei gilydd ym 1881 wedi eu geni yng Nghymru, er bod W. L. Banks yn ei ystyried ei hun yn Gymro. Yr oedd tri o'r lleill wedi ymsefydlu yng Nghymru a'r tri arall yn arfer teithio i Gymru yn rheolaidd o Fanceinion.[31] O blith y rhain, yr oedd George Hayes yn un o sefydlwyr Academi Manceinion (gyda Clarence Whaite), a chanddo felly brofiad o feithrin sefydliad o'r fath. Eto i gyd, ni fwriedid iddo fod yn grŵp rhanbarthol. Dengys eu prosbectws ar gyfer Academi Gymreig fod ganddynt weledigaeth genedlaethol:

> The Royal Academy and other institutions of a similar character have long been established in England, the Royal Hibernian Academy in Ireland, the Scottish Academy in Scotland, but Wales has hitherto felt the want of a kindred society of its own.
>
> It has therefore been resolved to establish 'The Cambrian Academy of Art' in the hope that such an Institution will give an impetus to the further development of Art in connection with the Principality.[32]

Ni chafwyd unrhyw drafferth i ddenu aelodau er bod disgwyl iddynt fod yn 'artists resident in or who have studied in Wales'.[33] Ymhlith y sefydlwyr yr oedd rhai o ffigurau amlycaf dyffryn Conwy, gwŷr megis Arlunydd Glan Conwy a George Harrison, a ddilynwyd ym mis Chwefror 1882 gan Clarence Whaite. Gwnaed

[31] Y saith oedd Norbury, Banks, John Johnson o Drefriw, Charles Potter o Dal-y-bont, a William Meredith, Joshua Anderson Hague a George Hayes o Fanceinion.

[32] LIGC, Cofnodion Celf yr Academi Frenhinol Gymreig, Llyfrau Cofnodion (Llyfr 1), 26 Tachwedd 1881, t. 3.

[33] Ibid., t. 5.

Samuel Maurice Jones yn aelod cyswllt, ac ef oedd y Cymro cyntaf i ddod yn aelod o'r Academi. Ni chaniateid i ferched ymuno, serch hynny, er bod amryw o wragedd a oedd yn arlunwyr proffesiynol yn byw yn nyffryn Conwy. Cafodd y sefydliad newydd ganiatâd y Frenhines Victoria i'w alw ei hun yn Academi Frenhinol, a hynny, y mae'n debyg, oherwydd dylanwad Gladstone, y Prif Weinidog. Ym mis Mehefin 1882 agorwyd yr arddangosfa flynyddol gyntaf, gyda phymtheg ar hugain o arlunwyr yn dangos eu gwaith. Penderfynwyd cynnal yr arddangosfa yn Llandudno gan fod yno orielau masnachol a fuasai'n ganolfan ar gyfer gwerthu gweithiau celf yn y gogledd ers rhai blynyddoedd. Gwawdiwyd yr arddangosfa gan rai beirniaid celf ym mhapurau Lerpwl a Manceinion, a hynny'n bennaf oherwydd diffygion oriel y ffotograffydd J. M. Young. Yr oedd gan y dinasoedd Seisnig hyn, wrth gwrs, orielau dinesig pwrpasol erbyn hynny. Bu cryn edliw yn sgil y feirniadaeth hon, ac o ganlyniad rhoddwyd mwy o sylw i wir bwrpas yr Academi, gan ysgogi'r rheini a chanddynt ddyheadau gwladgarol i gipio'r awenau. Ym mis Gorffennaf 1882 galwodd Arlunydd Glan Conwy am undod er mwyn Cymru:

> if the members of the Royal Cambrian Academy of Art will work honourably, consistently, and energetically, not selfishly, but with unity and for each other's good and for the welfare of Wales, a grand and noble institution will be eventually formed for the development of art in the Principality.[34]

Wythnos yn ddiweddarach ymddangosodd y sylwadau cyntaf ar yr Academi yn y wasg Gymraeg, gan ddangos bod rhai arlunwyr a beirniaid yn benderfynol o fanteisio i'r eithaf ar y ffaith fod criw o Saeson wedi creu sefydliad y buont hwy'n ei drafod ers dros hanner can mlynedd. Rhoes O. E. Hughes (Crafnant), a oedd yn gymydog i Arlunydd Glan Conwy yn Nhrefriw, y sefyllfa mewn cyd-destun hanesyddol. Gwyddai Crafnant lawer am gelfyddyd ac yr oedd wedi ymweld ag Arddangosfa Trysorau Celf Cornwallis West yn Wrecsam ym 1876, lle y dangoswyd yn gyhoeddus am y tro cyntaf nifer helaeth o weithiau celf yn perthyn i gasgliadau Cymreig. Megis Evan Williams, gwelai Crafnant y dilyniant o Wilson i Cox, ac awgrymodd y gellid datblygu traddodiad brodorol drwy estyn y proses hyd at Clarence Whaite a Joseph Knight, un o'r arlunwyr olaf i ymuno â'r arlunfa ac ymsefydlu ym Metws-y-coed yn hytrach nag yn Nhrefriw. Nododd Crafnant fod y ddau hyn, y naill wedi ymgartrefu yn rhan uchaf dyffryn Conwy a'r llall yn y rhan isaf, yn cael eu hystyried ymhlith y dosbarth uchaf o arlunwyr yn eu dydd.[35] Ategwyd ei sylwadau gan Samuel Maurice Jones, a ddatgelodd ar goedd am y tro cyntaf ei bod yn fwriad gan yr Academi newydd nid yn unig i sefydlu ysgolion ond i wneud hynny yn ne Cymru. Erbyn dechrau 1883, a chyda chefnogaeth Clarence Whaite erbyn hynny, yr oedd Cyngor yr Academi wedi cychwyn trafodaethau gyda maer Caerdydd a maer Abertawe. Yn ôl cofnodion y cyfarfod a gynhaliwyd ar 21 Ebrill:

[34] *Carnarvon and Denbigh Herald*, 1 Gorffennaf 1882.

[35] Cyhoeddwyd dadansoddiad Crafnant mewn dwy ran yn *Y Genedl Gymreig*, 5, 12 Gorffennaf 1882.

489. Joseph Knight, *Conwy*, 1883, Dyfrlliw, 532 x 450

> The Council of the R.C.A. agrees to Cardiff becoming the head quarters of the Academy and that the permanent gallery and schools be established and the annual exhibition held there.[36]

Sefydliadau dinesig yw academïau yn eu hanfod, ac fe'u crëir pan fo nifer sylweddol o arlunwyr a noddwyr yn crynhoi mewn un lle. Nid oedd sefyllfa unigryw Cymru, gwlad a'i hunig gymuned o arlunwyr mewn ardal wledig, wedi rhwystro'r sylfaenwyr rhag gweld y gwirionedd hwn.

[36] LlGC, Cofnodion Celf yr Academi Frenhinol Gymreig, Llyfrau Cofnodion (Llyfr 1), 21 Ebrill 1883.

Yn ystod ail hanner y bedwaredd ganrif ar bymtheg datblygodd Caerdydd i fod y dref fwyaf a mwyaf dynamig yng Nghymru, a thueddai gwladgarwyr o bob cwr o'r wlad i'w hystyried yn ganolbwynt i'w dyheadau. Gwaetha'r modd, plwyfol iawn oedd agwedd y trigolion eu hunain, ac ychydig iawn ohonynt, ac eithrio grwpiau bychain o ddeallusion, a ymuniaethai â Chymru y tu hwnt i faes glo'r de-ddwyrain. O tua 1870 ymlaen daeth un o'r grwpiau hyn, a chanddo ddyheadau uchelgeisiol a gwladgarol, ynghyd â diddordeb arbennig mewn diwylliant gweledol, i'r amlwg. Arddangosfa Celfyddyd Gain a Diwydiant 1870 oedd y fenter gyhoeddus fawr gyntaf yn y maes i'w chynnal yng Nghaerdydd. Gwyntyllwyd y syniad o gael darpariaeth amgueddfaol ar gyfer y dref mor gynnar â 1858, a thair blynedd yn ddiweddarach lluniwyd rhestr danysgrifio a arweiniodd at agor amgueddfa mewn ystafelloedd dros dro. Dilynwyd hyn gan nifer o gymynroddion, a'r bwysicaf ohonynt ym maes y celfyddydau gweledol oedd y cerfluniau a roddwyd i'r amgueddfa gan Milo ap Griffith ar ôl arddangosfa 1870. Yr oedd y gweithiau o Gymru yn yr arddangosfa yn cynnwys mwy o gerfluniau nag o ddarluniau, ac yn eu plith ceid gwaith y brodyr Thomas o Aberhonddu. Dangosodd Ap Caledfryn rai o'i bortreadau, gan gynnwys un o Henry Richard.

isod, ar y chwith:
490. Milo ap Griffith,
Llywelyn Fawr, c.1865,
Marmor, 411 x 320

491. Ffotograffydd anhysbys,
T. H. Thomas, c.1890

Dair blynedd cyn yr arddangosfa cawsai Cymdeithas Naturiaethwyr Caerdydd ei ffurfio. Darparai lwyfan ar gyfer trafodaeth ddeallusol ar amrywiaeth tipyn ehangach o bynciau nag y mae ei henw yn ei awgrymu, gan gynnwys diwylliant gweledol a hynafiaethau. Dros gyfnod maith bu'n gymdeithas lewyrchus, a bu T. H. Thomas ac Edwin Seward, ill dau yn aelodau blaenllaw o gymuned artistig y dref, yn llywyddion arni. Ganed Thomas ym Mhont-y-pŵl ym 1839, yn fab i Brifathro Coleg Diwinyddol y Bedyddwyr, a mynychodd Ysgol Gelf Bryste ac Ysgolion yr Academi Frenhinol. Ym 1863 a 1864 teithiodd i Baris a Rhufain i astudio, ac yno cyfarfu â John Gibson a Penry Williams. Dychwelodd i Lundain, lle yr ymgartrefodd am yr ugain mlynedd nesaf tra oedd yn datblygu ei yrfa fel darlunydd a darlithydd, ond parhaodd ei gysylltiad agos â Chymru. Dangosodd ei waith yn arddangosfa 1870 a dychwelodd i Gymru yn aml yn ystod y saithdegau i dynnu lluniau ac i baentio. Ymddeolodd ei dad i dŷ yn The Walk yng Nghaerdydd ym 1877, tŷ a etifeddwyd gan yr arlunydd ar farwolaeth ei dad dair blynedd yn ddiweddarach ac a ddaeth yn ganolbwynt ar gyfer gweithgarwch deallusol.[37] Ganed Edwin Seward yng Ngwlad yr Haf a daeth i Gaerdydd ym 1870 pan oedd yn un ar bymtheg oed. Bu'n astudio yn yr Ysgol Gelf cyn dechrau dilyn gyrfa hynod o lwyddiannus fel pensaer yn swyddfa G. E. Robinson.[38] Yr oedd yn ŵr egnïol a chymwynasgar a ymuniaethai'n llwyr â dyheadau cenedlaethol Cymru. Tua'r

[37] Yr oedd Thomas wedi priodi Ellen Sully ym 1866 ond bu hi farw yn ddi-blant. Wedi hynny bu'n byw yn The Walk gyda'i gyfnither, Miss David. Ceir sawl cyfeiriad ati mewn llythyrau at yr arlunydd ac oddi wrtho, ond ni wyddys fawr ddim o'i hanes. Ymhlith y lluniau a gafodd eu dangos gan Thomas yn arddangosfa 1870 yr oedd *Girls Leaving Work*. Y mae'n bosibl mai'r llun a adwaenir bellach fel *'Sackcloth and Ashes', Tip Girls Leaving Work, South Wales Coal District* oedd hwn. Ceir trafodaeth arno yn Lord, *Diwylliant Gweledol Cymru: Y Gymru Ddiwydiannol*, tt. 119, 155, 158.

[38] Ym 1875 aeth Seward i bartneriaeth â W. P. James a George Thomas. Mewn ysgrif goffa yn y *Western Mail*, 24 Mehefin 1924, ceir manylion am rai o'i adeiladau pwysicaf. Am Ysgol Gelf Caerdydd, gw. isod, t. 308, nodyn 53.

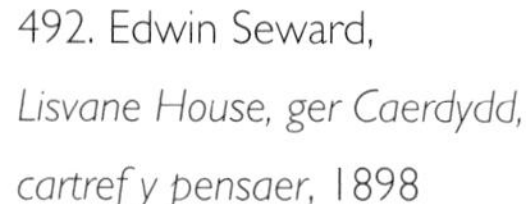

492. Edwin Seward, *Lisvane House, ger Caerdydd, cartref y pensaer*, 1898

493. Ffotograffydd anhysbys, *Llyfrgell Rydd Caerdydd cyn yr agoriad, gyda'r cerfluniau* Darllen *a* Rhethreg *gan W. W. Taylor*, 1882 (Y mae Edwin Seward yn sefyll ar y chwith yn y prif grŵp.)

494. Ffotograffydd anhysbys, *Arddangosfa Celfyddyd Gain a Diwydiant, Caerdydd*, 1881

un adeg ag y dychwelodd T. H. Thomas i Gymru, daeth Seward i amlygrwydd drwy ennill y gystadleuaeth i gynllunio'r hirddisgwyliedig Lyfrgell, Amgueddfa ac Oriel Gelf Rydd, a datblygodd cyfeillgarwch clòs rhyngddo a'r arlunydd. Cynhaliwyd ail Arddangosfa Celfyddyd Gain a Diwydiant yn y Drill Hall ym 1881 i godi arian i dalu am ddodrefnu ac addurno'r Llyfrgell Rydd, a bu Seward yn gadeirydd y pwyllgor trefnu. Ymhlith aelodau eraill y pwyllgor yr oedd B. S. Marks a Richard Short, arlunwyr o Gaerdydd, ynghyd â T. H. Thomas a Frederick Wedmore, beirniad celf y *London Standard*. Cafwyd rhoddion pellach at gasgliad Caerdydd, a chredid mai rhodd E. J. Reed, sef *Noon in the Surrey Hills* gan Vicat Cole, oedd y fwyaf nodedig ar y pryd,[39] er i'w phwysigrwydd fel rhodd unigol gael ei ddisodli'n fuan gan gymynrodd William Menelaus o weithiau celf ar ei farwolaeth ym 1882.[40]

Yr oedd y grŵp a fu'n gyfrifol am drefnu adran gelfyddyd arddangosfa 1881 wrth eu gwaith unwaith yn rhagor pan ddaeth yr Eisteddfod Genedlaethol i Gaerdydd ym 1883. T. H. Thomas oedd yr ysbrydoliaeth y tu ôl i'r arddangosfa gystadleuol gelf a chrefft fwyaf erioed i'w threfnu yng Nghymru, arddangosfa a gynhaliwyd mewn lle tra annisgwyl, sef sied drenau Rheilffordd Dyffryn Taf. Y beirniaid oedd Lawrence Alma-Tadema a Wedmore, a'r buddugol, nid yn annisgwyl efallai o gofio ei berthynas â'r trefnydd ac un o'r beirniaid, oedd Milo ap Griffith. Gŵr arall a ddaeth i amlygrwydd yn ystod yr arddangosfa oedd Edgar Thomas, arlunydd ifanc a wnaeth gymaint o argraff ar y beirniaid fel y llwyddwyd i berswadio Ardalydd Bute i dalu am ragor o addysg gelf iddo. Aeth i Lundain i weithio gydag Alma-Tadema cyn mynd ymlaen i astudio yn Antwerp a Pharis.

[39] Yr oedd Vicat Cole, y tirluniwr, yn gyfaill ac yn gystadleuydd i Benjamin Williams Leader.

[40] Am Menelaus, gw. Lord, *Diwylliant Gweledol Cymru: Y Gymru Ddiwydiannol*, tt. 84, 96, 117, 144.

[41] Ym 1886, gan fod cymorth i'w gael gan y llywodraeth i brosiectau i ddathlu Jiwbilî Victoria y flwyddyn ganlynol, yr oedd Seward wedi cynnig y dylai Caerdydd noddi Sefydliad Cenedlaethol i gartrefu nifer o sefydliadau, gan gynnwys yr Academi Frenhinol Gymreig a Chymdeithas Naturiaethwyr Caerdydd. Er gwaethaf cefnogaeth leol gan Thomas, Short a Pyke Thompson, yn ogystal â chan Milo ap Griffith a Charles Jones yn Llundain, aeth y prosiect i'r gwellt oherwydd agwedd blwyfol gwŷr megis Charles Vachell yng Nghaerdydd. Yr oedd Vachell, aelod mwyaf croch teulu lleol amlwg, yn dra gelyniaethus at ogledd Cymru, ac arweiniodd hyn at ddadl gyhoeddus â Seward a gafodd gryn sylw yn y wasg leol. Gw. Lord, *Clarence Whaite and the Welsh Art World*, tt. 133–7.

[42] Yr oedd y rhaglen am y flwyddyn gyntaf yn cynnwys darlithoedd gan Seward, Thomas, Marks a Charles Jones. Bu Thomas a Seward, dau sylfaenydd mwyaf brwd y gymdeithas, yn hynod o egnïol ym maes diwylliant gweledol yr adeg honno. Ym mis Chwefror 1888, er enghraifft, gyda Thomas yn y gadair, rhoes Seward ddarlith i Gymdeithas Dechnegol a Chelf Crefftwyr Caerdydd ar y pwnc 'Art Culture amongst Local Artizans'.

495. George Frederic Watts, *The Daughter of Herodias*, c.1870–80, Olew, 1092 x 838

Y mae'n bosibl i'r hyder a amlygwyd gan y grŵp a fu'n gyfrifol am drefnu arddangosfeydd Caerdydd ym 1881 a 1883 gryfhau awydd gwreiddiol yr Academi Frenhinol Gymreig i gael oriel aeaf yng Nghaerdydd er mwyn sefydlu pencadlys parhaol yno. Yr oedd Seward a Thomas, yn sicr, yn ymwybodol iawn o hynny ymlaen o'r galw cenedlaethol am sefydliadau celf yng Nghaerdydd. Trefnwyd arddangosfeydd sylweddol ym 1884 a 1885 er mwyn codi arian ar gyfer adeiladu pencadlys i'r Academi newydd. Yr oedd yr ail arddangosfa yn enwedig, a gynhaliwyd yng Ngholeg Prifysgol De Cymru, yn ddigwyddiad o bwys. Cymerwyd rhan gan y mwyafrif o aelodau'r Academi, a chafwyd cefnogaeth arlunwyr adnabyddus o Loegr megis G. F. Watts, a ddangosodd *The Daughter of Herodias*. Yr oedd yr Academi yn ddigon hyderus i benodi darlithwyr mygedol ar gyfer yr ysgolion newydd, yn eu plith James Pyke Thompson, casglwr lluniau cyfoethog a fyddai'n cael dylanwad cynyddol ar y datblygiadau yng Nghaerdydd.

Er iddi dderbyn canmoliaeth y beirniaid, bu arddangosfa 1885, megis arddangosfa 1884 o'i blaen, yn fethiant ariannol a arweiniodd at anghydfod annymunol â Choleg y Brifysgol. O ganlyniad, penderfynodd yr Academi roi'r gorau i'r frwydr am y tro, er ei bod yn glynu wrth yr egwyddor o gael pencadlys yng Nghaerdydd. Yn hytrach, ymsefydlodd ym Mhlas Mawr yng Nghonwy, lle y bu am ganrif a rhagor. Parhaodd Seward i geisio sefydlu corff cenedlaethol yng Nghaerdydd hyd 1888, ond erbyn hynny rhoddwyd y gorau i'r syniad o ddefnyddio'r Academi fel sylfaen ar gyfer prosiect o'r fath.[41] O ganlyniad i hyn, efallai, daeth Seward, Thomas, Pyke Thompson, J. A. Sant, Parker Hagarty ac eraill at ei gilydd yr un flwyddyn i ffurfio Cymdeithas Gelf De Cymru. Ymhlith ei gweithgareddau cynhelid arddangosfa flynyddol, clwb braslunio a rhaglen o ddarlithoedd.[42] O bryd i'w gilydd ceisiai rhai gynhyrfu'r dyfroedd drwy awgrymu bod y grŵp newydd a'r Academi yn cystadlu yn erbyn ei gilydd, ond y gwir yw fod rhywfaint o gydweithredu rhyngddynt a fawr ddim

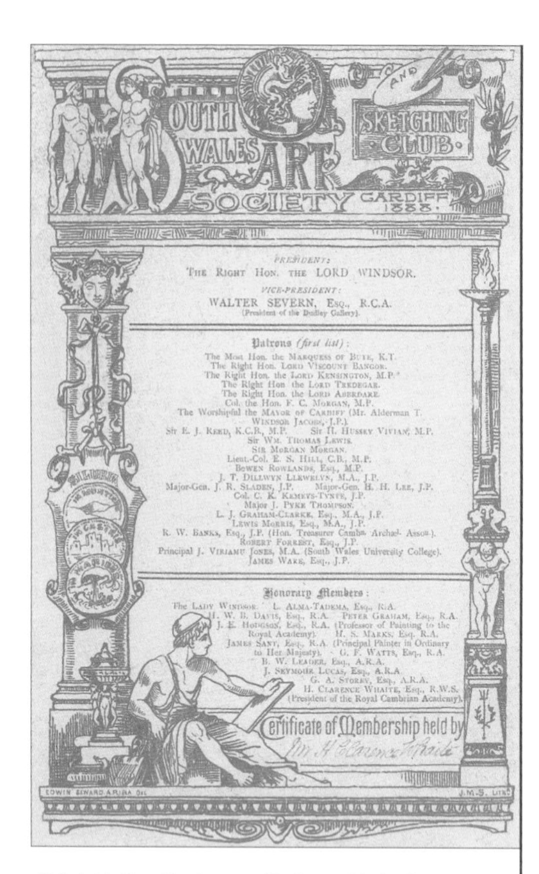

496. J. M. Staniforth yn seiliedig ar Edwin Seward, *Membership Certificate for South Wales Art Society belonging to H. Clarence Whaite*, 1888, Lithograff, 247 x 167

497. Ffotograffydd anhysbys, *Cymdeithas Gelf De Cymru*, c.1890

498. Edwin Seward, *Pafiliwn yr Arddangosfa Celfyddyd Gain a Diwydiant, Caerdydd*, 1896

gelyniaeth. Yr oedd amryw o aelodau'r Academi a oedd yn byw yn y gogledd, gan gynnwys George Harrison a Leonard Hughes, yn sylfaenwyr y gymdeithas, a gwnâi Clarence Whaite, yn enwedig, bob ymdrech i arddangos ei waith yn gyson gyda'r grŵp.

Ar ôl gwrthod cynigion yr Academi Frenhinol Gymreig troes Caerdydd ei sylw unwaith yn rhagor at ddarparu oriel gelf ac amgueddfa leol fwy o faint. Chwaraeodd Charles Vachell, gwthwynebydd pennaf prosiect yr Academi, ran flaenllaw yn rhinwedd ei swydd fel aelod o gyngor y dref. Gwnaed pethau'n haws gan Ddeddf Seneddol 1891, a ganiatâi godi treth leol at ddibenion o'r fath, a phenderfynwyd symud ymlaen â'r cynllun. Serch hynny, yr oedd sefyllfa economaidd gref Caerdydd yn golygu y byddai amryw o'r cychwyn cyntaf o'r farn y dylai'r adeilad newydd fod yn gartref i gasgliad cenedlaethol.[43] Cafwyd hwb i'r ymdrech i ddatblygu'r cynllun lleol yn gynllun cenedlaethol yn Eisteddfod Genedlaethol Pontypridd ym 1893, lle y rhoddwyd llwyfan cyhoeddus i drafodaethau preifat ar y posibilrwydd o ddatblygu cynnig Caerdydd yn Amgueddfa Genedlaethol. Gyda Seward yn cadeirio, darllenodd Vincent Evans, cyfaill agos i T. H. Thomas, bapur o waith Brynmor Jones gerbron Adran y Cymmrodorion. Hyrwyddent y cysyniad o Amgueddfa Genedlaethol (ynghyd â Llyfrgell Genedlaethol ar y pryd) er mwyn ehangu gorwelion y bobl gyffredin ac er mwyn creu sefydliad a fyddai'n cyfrannu'n symbolaidd ac ysbrydol at hunaniaeth y Cymry. Credai Jones y dylai pobl Cymru gael yr un cyfleoedd â Saeson ac Albanwyr:

> We should thereby advance another step in that forward movement which had for its objective the conversion of Wales from a mere aggregate of counties into a province of the British Empire, having an active and conscious national unity of its own.[44]

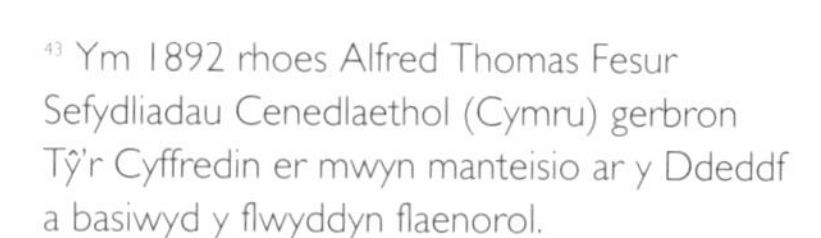

[43] Ym 1892 rhoes Alfred Thomas Fesur Sefydliadau Cenedlaethol (Cymru) gerbron Tŷ'r Cyffredin er mwyn manteisio ar y Ddeddf a basiwyd y flwyddyn flaenorol.

[44] *Western Mail*, 1 Awst 1893. Yr oedd Pencerdd Gwalia hefyd yn bresennol yn y cyfarfod, gan greu cysylltiad uniongyrchol ag ymgyrchwyr eisteddfodol y 1860au. Mewn perthynas ag arddangos y celfyddydau gweledol, yr oedd Brynmor Jones o blaid cynllun a gyflwynai gelfyddyd gynhenid Gymreig ochr yn ochr ag enghreifftiau o weithiau celf mawr o wledydd eraill.

Yr oedd athroniaeth Brynmor Jones yn unol â phrif ffrwd syniadaeth genedlgarol mudiad Cymru Fydd a oedd yn ei anterth y pryd hwnnw; yr oedd yn Seisgarol yn ei dathliad o'r Ymerodraeth Brydeinig ac yn genedlgarol Gymreig yn ei dyhead am ymreolaeth o fewn y fframwaith hwnnw. Cefnogwyd cynnig Jones, a dderbyniodd sylw mawr yn y wasg, gan T. H. Thomas a lansiwyd y mudiad i bob pwrpas.

Yn y cyfamser yr oedd corfforaeth Caerdydd wedi prynu darn o dir yn Park Place ar gyfer ei hamgueddfa ei hun, ac wedi comisiynu Seward, a oedd ar anterth ei yrfa, i'w hadeiladu. Ym 1896 yr oedd yn gweithio ar ddatblygiadau celf pellach yn y dref, yn cynllunio'r pafiliwn ac yn tirlunio ar gyfer trydedd Arddangosfa Celfyddyd Gain a Diwydiant. Gweithiai hefyd yn wirfoddol fel aelod o'r pwyllgor Celfyddyd Gain a Hynafiaethau ar y cyd â Thomas, Short, Parker Hagarty a J. M. Staniforth, cartwnydd y *Western Mail*. Llwyddasant i grynhoi casgliad helaeth, gan gynnwys nifer o weithiau gan Charles Jones a fu farw ychydig cyn yr arddangosfa, lluniau pwysig gan Whaite a Leader, ynghyd â chyfraniadau gan arlunwyr llai adnabyddus megis S. Curnow Vosper. Dangosodd Seward ei hun luniadau o'r oriel yr oedd wedi ei hadeiladu dros Pyke Thompson ym Mhenarth ym 1887.

500. Ffotograffydd anhysbys, *Charles Jones*, c.1880

499. Charles Jones, *Repose*, 1879, Olew, 905 x 145

Ym 1897, a'r gwaith yn Park Place heb gychwyn, daeth Parc Cathays ar gael ar gyfer adeiladau dinesig newydd, gan greu cymhlethdodau pellach i'r Gorfforaeth, a throdd deallusion celf Caerdydd eu sylw at y safle hwn. Bellach nid oedd modd gwrthsefyll y momentwm dros sefydlu amgueddfa genedlaethol, ond ni chytunwyd ar Gaerdydd fel safle priodol hyd 1905. Cafwyd cynigion o rannau eraill o'r wlad a chymhlethwyd yr holl fater gan y cwestiwn o leoliad y Llyfrgell Genedlaethol, nad oedd bellach yn rhan o gynllun hollgynhwysfawr Brynmor Jones. Yr oedd Clarence Whaite ac eraill o blaid dau safle, y naill yn y gogledd a'r llall yn y de, ond yr oedd yr oedi a achosid gan gynigion o'r fath yn dân ar groen gwŷr megis T. H. Thomas a fuasai'n ymgyrchu am sefydliad cenedlaethol ers ugain mlynedd. Yn y *Western Mail* ym 1901 dywedodd Thomas: 'Probably no Welshman would disagree with the statement that the present position of the question of a national museum for Wales is a disgrace to our country ... Nothing prevents Wales obtaining a national museum within a very measurable period except Wales herself.'[45] Y flwyddyn ganlynol, ailadroddodd yr un neges mewn cywair gwladgarol yn y cylchgrawn *Young Wales*:

> Besides the enormous educational advantage a National Museum would afford ... we have also an opportunity which, in this direction, can never again occur, of proclaiming that the Cymry are a nation, and of building another mole to strengthen our boundary against which forever beat waves of influence, both mighty and insidious.[46]

Penderfynwyd o blaid Caerdydd ym 1905, a dwy flynedd yn ddiweddarach derbyniodd yr Amgueddfa Genedlaethol siarter frenhinol. Gwaetha'r modd, yr un a ddioddefodd fwyaf yn sgil y proses hir hwn oedd Edwin Seward, gŵr yr oedd ei egni a'i weledigaeth wedi braenaru'r tir ar gyfer sefydlu'r amgueddfa. Ym mis Ionawr 1909 meddai wrth Clarence Whaite:

> We have been trying to make a move at last with the National Museum. You will remember our discussing the possibility of such an institution when you paid us a visit on the R.C.A. opening their Exhibition here at the College [in 1885]. It has taken a long time to get on. Personally the whole scheme was due to my pegging away at it year in and year out – sometimes with encouragement, but more often with much disappointment. Now, however, the inevitable happens. It has been launched and is getting into the hands of a new body (the Council of the National Museum of Wales,) – a few of whom immediately want to wipe me out, and see me anywhere.[47]

Gwrthodwyd cynlluniau Seward ar gyfer yr adeilad gan Gyngor yr Amgueddfa Genedlaethol, er iddynt gael eu defnyddio yn y cais swyddogol i'r Trysorlys am grant y llywodraeth. Ymgyrchodd y pensaer am iawndal ariannol, ond yr oedd wedi colli'r cyfle i goroni ei yrfa drwy gynllunio adeilad cenedlaethol cyntaf Cymru.

[45] *Western Mail*, 20 Awst 1901. Fe'i hailargraffwyd yn John Ward, *Our Museum. What Might Be IF* – ([Cardiff], 1901), t. 29. Mewn tair erthygl (a gyhoeddwyd gyntaf yn y *Western Mail*, a oedd yn ymgyrchu'n gryf dros Gaerdydd), dadleuodd John Ward o safbwynt athronyddol ac ymarferol dros sefydlu amgueddfa genedlaethol yn y dref.

[46] T. H. Thomas ('Arlunydd Penygarn'), 'A National Museum for Wales', *Young Wales*, VIII (1902), 147.

[47] LlGC, Archif Whaite, Seward at Whaite, 14 Ionawr 1909. Yn y llythyr hwn cyfaddefodd Seward y byddai wedi hoffi bod yn arlunydd: 'It is often a regret to me that years ago I found the pressing exigencies of bread and cheese work, – otherwise my profession, – must cut me away from my inclinations towards your profession.'

[48] Pan oedd yn ŵr ifanc yr oedd Thomas Matthews (1874–1916) wedi teithio'n eang i astudio diwylliant gweledol a llenyddiaeth cyn dod yn athro yn Ysgol Lewis, Pengam. Gw. R. W. Jones, 'Thomas Matthews', *Cymru*, LII (1917), 59–63, ac Anhysbys, 'The late T. Matthews', *The Welsh Outlook*, III (1916), 309.

[49] Y mae'n bosibl fod diddordeb T. H. Thomas yng ngwaith Hugh Hughes yn tarddu o'i ymweliadau â chartref Whaite, sef Tyddyn Cynal, a saif ar lannau gorllewinol afon Conwy, bron gyferbyn â chartref teulu Hugh Hughes, Y Meddiant, lle y gwnaed nifer o'r blociau ar gyfer *The Beauties of Cambria*.

[50] Y ffynhonnell ar gyfer honiad T. Mardy Rees fod Watts yn Gymro oedd y cofiant pwysig o'r arlunydd gan Julia Ady, a ddywedodd: 'Like Sir Edward Burne-Jones, the other great imaginative artist of our day, Mr. Watts is of Welsh origins and inherits the mystic poetry of his Celtic ancestors.' Julia Ady, *G. F. Watts, Royal Academician: His Life & Work* (London, 1896). Cafodd Ady ei dyfynnu ar y pwnc mewn ffynhonnell Gymreig boblogaidd, Iona Williams, 'Welsh Art', *The Welsh Review*, I (1906), 98. Yr oedd y mwyafrif o ddeallusion y byd celf yng Nghymru yn derbyn diffiniad T. Mardy Rees o Gymreictod drwy dras. Arweiniodd hyn at ymgais gan yr Amgueddfa Genedlaethol ym 1913 i gyflwyno arddangosfa awdurdodol dan y teitl 'Modern Artists of Welsh Birth or Extraction'. Am sylwadau beirniadol, gw 'Art and National Life', *The Welsh Outlook*, I (1914), 25–7, ac 'Exhibition of Welsh Art', ibid, 7–8. Yr oedd rhai beirniaid Seisnig yn fwy hamddenol ac ymarferol eu hagwedd at genedligrwydd. Yn *British Water-colour Art as illustrated by drawings presented to King Edward VII by the Royal Society of Painters in Watercolours* (London, 1904), t. 190, nododd Adam a Charles Black: 'Although Mr. Hughes may claim that by birth he is the only Welshman amongst those whose biographies find a place here, I am sure that he will cede the honour of being the most thoroughly Welsh artist to Mr. Whaite.'

[51] Gw. Lord, *Clarence Whaite and the Welsh Art World*, tt. 117–18.

501. Ffotograffydd anhysbys, *Thomas Matthews*, c.1910

502. G. A. Humphreys, *Oriel Gelf Mostyn, Llandudno*, c.1902

Erbyn 1910, er gwaethaf yr holl drafferthion, yr oedd y cydweithrediad rhwng arlunwyr dyffryn Conwy a grŵp Caerdydd, gyda chefnogaeth y Cymry yn Llundain, o'r diwedd wedi creu byd celf Cymreig proffesiynol. Er i'r Academi Frenhinol Gymreig gael ei gwthio i'r cyrion gan agwedd blwyfol rhai o henaduriaid dinesig Caerdydd, ac er nad oedd yr Amgueddfa Genedlaethol yn fawr mwy nag enw, gellid dadlau i sefydliadau celf datblygol a oedd yn cymharu â'r rheini yng ngwledydd bychain eraill Ewrop gael eu creu. Yn y byd celf newydd cafwyd ymdrechion i greu beirniadaeth genedlaethol, dan arweiniad gwaith nodedig gan Thomas Matthews o Landybïe a gyhoeddid yn bennaf yng nghylchgronau O. M. Edwards, *Cymru* a *Wales*. Yn ogystal ag ysgrifennu am gelfyddyd gyfoes, cyfrannodd Matthews hefyd at y diddordeb newydd yn hanes Cymru drwy gyhoeddi bywgraffiad o John Gibson, ynghyd ag astudiaethau byrrach ar amrywiaeth eang o bynciau, yn enwedig llawysgrifau Cristnogol-Geltaidd Llanbadarn.[48] Yr oedd T. C. Evans (Cadrawd) a'i gyfaill T. H. Thomas wedi dechrau casglu a chyhoeddi gwybodaeth am arlunwyr Cymreig anghofiedig megis Hugh Hughes,[49] ac ym 1912 cyhoeddwyd llawer o'r gwaith hwn gan y Parchedig T. Mardy Rees yn ei gyfrol *Welsh Painters, Engravers, Sculptors (1527–1911)*, gwaith a oedd yn llawn brychau ac a lynai wrth arfer confensiynol y cyfnod o ddiffinio arlunwyr Cymreig yn ôl eu tras yn hytrach nag yn ôl eu cyfraniad i ddiwylliant Cymru. O ganlyniad, nid ymdriniwyd ag arlunwyr allweddol megis Clarence Whaite ond neilltuwyd deuddeg tudalen i G. F. Watts oherwydd iddo honni ei fod 'of Welsh extraction'. Serch hynny, cyfrol T. Mardy Rees oedd yr unig waith yn y maes am yn agos i hanner canrif.[50]

Ychydig iawn o orielau masnachol a geid o hyd, er bod Llandudno yn ganolfan ar gyfer gwerthu lluniau yn y gogledd, gyda nifer o fasnachwyr yn hysbysebu eu Hemporia Celfyddyd Gain, a arbenigai yng ngwaith arlunwyr Betws-y-coed.[51] Cafwyd gwell darpariaeth ym 1902 pan agorwyd Oriel Mostyn yn y dref er mwyn rhoi cyfle i'r nifer sylweddol o arlunwragedd yn yr ardal arddangos eu gwaith.

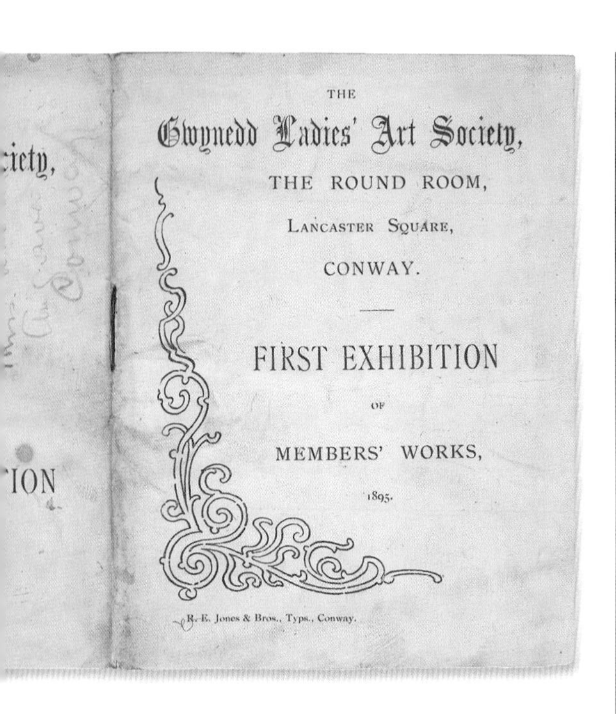

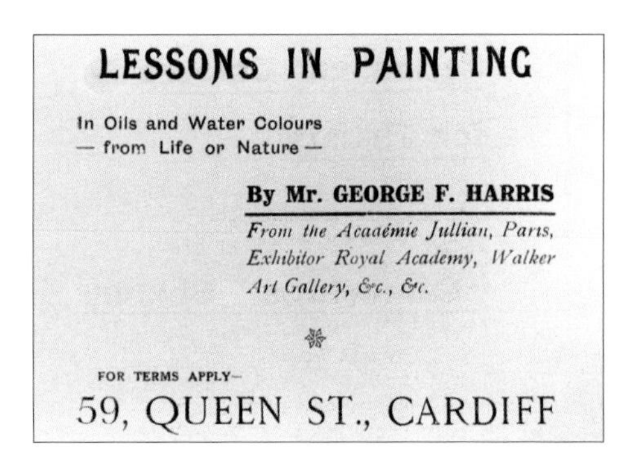

504. *Hysbyseb ar gyfer dosbarthiadau celf yng Nghaerdydd* allan o *Gatalog Arddangosfa Cymdeithas Gelf De Cymru*, 1906, 80 x 100

503. *Gwynedd Ladies' Art Society, Catalog yr Arddangosfa Flynyddol Gyntaf*, 1895, 138 x 108

Ni chaniateid iddynt ddod yn aelodau o'r Academi Frenhinol Gymreig ac felly ym 1895 daethant ynghyd i ffurfio'r 'Gwynedd Ladies' Art Society' dan lywyddiaeth y Fonesig Augusta Mostyn. Diolch iddi hi, daeth Mostyn yn un o'r orielau celf cyntaf yn Ewrop i arddangos gwaith merched yn benodol.[52]

Yr oedd y gyfundrefn o ysgolion celf, er mor sylfaenol oeddynt, wedi meithrin nifer o arlunwyr proffesiynol, yn eu plith William Goscombe John.[53] Ceid hefyd gymdeithasau celf mewn amryw o drefi, yn enwedig yn Abertawe lle y ffurfiwyd y grŵp cyntaf ym 1886, grŵp a ddarparai ganolbwynt lleol ar gyfer arlunwyr amatur a phroffesiynol.[54] Yn y catalog ar gyfer arddangosfa Cymdeithas Gelf De Cymru ym 1906, er enghraifft, hysbysebai Parker Hagarty, G. F. Harris ac Edgar Thomas eu gwasanaeth fel arlunwyr ac athrawon, ochr yn ochr ag Alfred Freke, y prif gyflenwr defnyddiau arbenigol yng Nghaerdydd. Llwyddodd Parker Hagarty, a aned yn Awstralia, i ennill sawl comisiwn i wneud portreadau gan nifer o gyrff cyhoeddus, a byddai hefyd yn gwerthu tirluniau yn yr Arddangosfeydd Celf a Diwydiant, yn arddangosfeydd blynyddol y Gymdeithas, ac yn yr Eisteddfod pan gynhelid hi yn y de. Cafodd G. F. Harris ei ddenu i Gaerdydd o Ferthyr, lle'r oedd busnes arlunio a ffotograffiaeth y teulu yn nwylo'r ail genhedlaeth.[55] Wedi iddo ddychwelyd o'i gyfnod o hyfforddiant yn Llundain ac Antwerp torrodd Edgar Thomas gŵys fwy digyfaddawd drwy ymroi i baentio lluniau testunol a thirluniau cyfriniol a ddenai lawer o ddiddordeb gan y beirniaid ond fawr ddim gwerthiant. Pan gafodd *The Birth of Light* ei wobrwyo gan Alma-Tadema a Goscombe John yn Eisteddfod Caerdydd ym 1899 cwynodd beirniad celf y *Western Mail* fel a ganlyn:

> this talented artist is no prophet in his own land, so that it needs foreigners to come to Wales to tell her that she is, unknowingly, nursing a genius. For the art of Edgar Herbert Thomas is not understood in Wales, and the Paris comedy of Rodin and his bust of Balzac is being also performed in connection with Mr Thomas's painting ... His art is for art's sake, and neither love of gain nor hope of praise will make any difference to it ... Some day it will be as great an honour to Wales as Turner is to England.[56]

[52] Ibid., tt. 141–3. Byrhoedlog fu oes yr oriel fel man cyfarfod ar gyfer merched, ac ychydig o waith yr arlunwyr hyn sydd wedi dod i'r fei. Tirlunwraig fwyaf adnabyddus y cyfnod oedd Buddug Anwylini Pughe (1857–1939), er nad ymddengys ei bod yn gysylltiedig â'r Gwynedd Ladies' Art Society. Fe'i ganed yn Aberdyfi ac astudiodd yn Lerpwl cyn dychwelyd i fyw yn ei thref enedigol. Teithiodd yn eang, gan baentio dyfrlliwiau yn bennaf, a dangoswyd ei gwaith yn Lerpwl ac yn yr Academi Frenhinol yn Llundain.

[53] Aeth John i Ysgol Gelf Caerdydd, a sefydlwyd ym 1865, pan oedd yn ddeg oed. Meddai: 'The school was then in limited quarters in the Old Arcade and the modelling class was held in the cellars of the old Free Library in St. Mary-street ... I was fortunate in those early days to have the late Mr. James Philpotts as my tutor for anatomy, a most interesting self-taught man, a painter in the employ of the Taff Vale Railway Company, who had acquired an intimate knowledge of the anatomy of the human figure, a very necessary foundation for artistic studies. Night after night I studied under his guidance in a small room in Hill's-terrace, on the canal bank.' *Western Mail*, 4 Rhagfyr 1931. Thomas John, tad y cerflunydd, oedd un o'r myfyrwyr cyntaf yn ysgol Caerdydd yng nghanol y 1860au.

[54] Am gymdeithas Abertawe, gw. Roy Knight, *A History of the Swansea Arts Society 1886–1986* (Swansea, 1987).

[55] Bu'n rhaid i Harris adael Caerdydd am Awstralia yn ddisymwth oherwydd ei briodas ddwywreigiog. Am fusnes teuluol Harris, gw. Lord, *Diwylliant Gweledol Cymru: Y Gymru Ddiwydiannol*, tt. 113–14.

[56] *Western Mail*, 17 Gorffennaf 1899.

[57] Thomas Matthews, 'Oriel Cymdeithas Celf y De', *Cymru*, XLV (1913), 62.

505. Edgar Thomas,
The Birth of Light, 1899,
Pensil a dyfrlliw,
622 x 471

506. Ffotograffydd anhysbys,
Edgar Thomas (ar y chwith), Henry Walter Shellard (yn y canol) ac Arthur Carter, c.1905

507. Henry Walter Shellard,
Edgar Thomas, c.1905,
Olew, 609 x 457

Denodd Thomas grŵp o edmygwyr y cyfeiriwyd atynt gan Thomas Matthews ym 1913 fel 'Ysgol Arluniaeth Caerdydd'.[57] H. W. Shellard a'i ferch, Doris M. Shellard, oedd ei ddilynwyr pennaf, ac yn ôl Matthews yr oedd J. M. Staniforth hefyd yn aelod o'r grŵp. Bu Staniforth a Matthews yn frwd eu cefnogaeth i Edgar Thomas ac ym 1913 rhoddwyd cyfle iddo arddangos ei waith yn Orielau Doré yn New

508. Edgar Thomas, *Remorse*, c.1910, Pensil, 435 x 315

510. Edgar Thomas, *Intellectual blindness following old thoughts*, c.1913, Olew, maint yn anhysbys

509. Edgar Thomas, *Glamorgan Canal*, c.1913, Olew, 300 x 453

Bond Street yn Llundain. Eto i gyd, methwyd â denu noddwyr iddo, ac ychydig iawn o'i brif weithiau sydd wedi goroesi.[58] Ym 1913 rhoddwyd iddo le hefyd mewn arddangosfa o weithiau gan rai arlunwyr modern a aned yng Nghymru neu a oedd o dras Gymreig (*Exhibition of Works by Certain Modern Artists of Welsh Birth or Extraction*), sef ymgais gyntaf yr Amgueddfa Genedlaethol newydd i adolygu cyflwr Celfyddyd Gymreig. Yn ôl beirniad celf *The Welsh Outlook*: 'in an age when we put a premium on inanity and penalise the man with a strong individuality, it is not surprising, however deplorable, that such an intensely earnest and powerful work as "Intellectual Blindness" should appear in the catalogue over the words "Lent by Artist"'.[59] Er cynnwys gwaith Thomas yn yr arddangosfa, fe'i gwthiwyd i'r cyrion yn y byd celf cenedlaethol newydd oherwydd ei natur idiosyncratig ac, yn enwedig, ei ddiffyg diddordeb yn y testunau gwladgarol a ysbrydolai ei gyfoeswyr mwy llwyddiannus.

[58] Am yrfa'r arlunydd hyd at y Rhyfel Mawr, gw. Thomas Matthews, *Arluniaeth Edgar H. Thomas* (Caernarfon, 1914). Credir i *The Birth of Light*, ei lun enwocaf, gael ei losgi wedi marwolaeth y perthynas a'i hetifeddodd.

[59] 'Exhibition of Welsh Art', *The Welsh Outlook*, I (1914), 7. Gw. hefyd yr adolygiad llawnach dan y teitl 'Art and National Life' yn yr un rhifyn o'r cylchgrawn, ibid., 25–7.

pennod
deg

ADFYWIAD CENEDLAETHOL

Yn erbyn cefndir o fyd celf a oedd yn datblygu a thwf cyffredinol y mudiad cenedlaethol mewn gwleidyddiaeth a'r celfyddydau eraill, daeth y syniad o arlunio a cherflunio cenedlaethol Cymreig yn bwysicach nag erioed o'r blaen. Fel yn achos cenhedloedd bychain eraill yn y cyfnod hwn, yr oedd paentio testunau hanesyddol a mytholegol yn debygol o ateb, yn rhannol, y cwestiwn pa fath o gelfyddyd a oedd yn perthyn i'r Cymry ac a oedd yn rhan o'i hanes ac yn hanfodol i'w theithi.[1] Yn y Ffindir dechreuodd y mythau cenedlaethol a gofnodwyd yn y Kalevala ysbrydoli arlunwyr megis Gallen-Kallela, fel y byddai'r Mabinogion a chwedlau eraill yn ysbrydoli arlunwyr yng Nghymru.[2] Eto i gyd, yr oedd delweddaeth fytholegol a hanesyddol yn parhau'n bwnc cymhleth yng Nghymru. Yr oedd y defnydd parhaus a wneid o destunau Prydain Fore gan arlunwyr Seisnig mewn ymgais i greu delweddaeth genedlaethol i Loegr yn cymhlethu pethau i arlunwyr Cymreig, er bod rhai cenedlaetholwyr o'r diwedd yn ceisio ateb i broblem ganolog y pedwar can mlynedd blaenorol. Ym 1906 dywedodd Iona Williams: 'Our attitude to the idea of a national art will be largely determined by the side we take in the controversy between nationalism and Imperialism.'[3] Cafwyd toreth o ddelweddau Prydain Fore yn Lloegr yng nghanol y bedwaredd ganrif ar bymtheg, a'r enwocaf ohonynt oedd *Caractacus led in Triumph through Rome*, sef cartŵn G. F. Watts ar gyfer y Senedd wedi iddi gael ei hailadeiladu. Nid oedd statws uchel Watts yn ail hanner y ganrif ynghyd â'i honiad ei fod o dras Gymreig yn gymorth i ddatrys y dryswch.

511. John Linnell yn seiliedig ar G. F. Watts, *Caractacus led in Triumph through Rome*, 1847, Lithograff, 419 x 571

Un o'r arlunwyr Cymreig a oedd yn edmygu Watts yn fawr oedd Clarence Whaite, a ddangosodd *Ancient Britons surprised by Romans* yn yr Academi Frenhinol ym 1854. Pan ymwelodd Whaite â Ruskin ym 1865 fe'i cynghorwyd ganddo i ddewis rhwng paentio tirluniau a ffigurau, ac er iddo ganolbwyntio ar dirluniau o hynny ymlaen ac na fu paentio testunau hanesyddol neu fytholegol erioed yn brif faes iddo, cafwyd ganddo ambell ddarlun mawr ar themâu Celtaidd, yn eu plith *The Finding of Taliesin*. Y mae i'r darlun hwn arwyddocâd pwysig gan iddo gael ei baentio ym 1875, bum mlynedd wedi i Whaite ymgartrefu yng Nghymru a dechrau chwarae rhan ym mywyd deallusol y genedl. Yn wahanol i'r themâu Prydain Fore ac Arthuraidd mwy amwys eu natur a geid yn ei waith blaenorol, yr oedd hwn yn destun hanfodol Gymreig, a gysylltid ag afon Conwy, yr afon yr oedd bellach yn byw ar ei glannau. Yn unol â'i gred y dylid atgynhyrchu natur yn ffyddlon, y mae'r tirwedd lle y darganfuwyd Taliesin a lle y gosodwyd y ffigurau wedi

[1] Iona Williams, 'Welsh Art', *The Welsh Review*, I (1906), 97. Yn yr erthygl hon gofynnodd Iona Williams 'Is a national art possible?' Yr oedd ei hateb yn gadarnhaol ac, at hynny, credai fod celfyddyd genedlaethol yn hanfodol 'if the national life is to attain its fulness and completeness'.

[2] Astudiodd Akseli Gallen-Kallela (1865–1931) yn Helsinki ac yna yn yr Académie Julian ym Mharis. Dechreuodd ymddiddori yn yr epig genedlaethol, y Kalevala, pan oedd ym Mharis, a phaentiodd *Aino* ym 1889. Ar y cychwyn ceisiai gyflwyno testunau'r Kalevala mewn ffordd naturiolaidd, ond troes at symboliaeth yn ddiweddarach ar gyfer ei weithiau pwysicaf a baentiwyd yng nghanol y 1890au.

[3] Williams, 'Welsh Art', 97.

512. Henry Clarence Whaite, *Arthur in the Gruesome Glen*, c.1890, Olew, 1060 x 1562

ei seilio ar ddarn o dir a choeden neilltuol ychydig gannoedd o lathenni o'i gartref. Yn ystod y 1890au rhoes Whaite gynnig arall ar gyflwyno testun Arthuraidd gydag *Arthur in the Gruesome Glen*, ond dychwelodd at themâu mwy Cymreig eu naws gyda'r darlun derwyddol *The Archdruid: A Throne in a Grove* a baentiwyd ym 1898. Dechreuodd nifer o gyd-weithwyr Whaite yn nyffryn Conwy ddangos diddordeb mewn testunau cenedlaethol tua'r un adeg,[4] ond y mae'r holl weithiau o'u heiddo sydd wedi goroesi – ac eithrio *Myfanwy* gan Leonard Hughes, y dyfarnwyd iddo'r wobr gyntaf gan Whaite yn Eisteddfod Genedlaethol Bangor ym 1890 – yn rhoi mwy o bwyslais ar dirwedd a theimlad nag ar fanylion storïol.[5] Y mae'r rhain, felly, yn perthyn i draddodiad *Dolbadern Castle* gan Turner ac yn y pen draw i driniaeth Richard Wilson o themâu Clasurol megis *The Destruction of the Children of Niobe* yn hytrach nag i draddodiad Neo-glasurol Jacques-Louis David, a ddilynwyd yn Lloegr gan Arglwydd Leighton ac Alma-Tadema, athro Edgar Thomas. Yn yr un modd, amlygwyd diddordeb cynyddol Hubert Herkomer yng Nghymru yn y 1880au mewn darluniau testunol a oedd yn eu hanfod yn dirluniau teimladol gyda'r awgrym lleiaf o hanes Prydain Fore. Dim ond teitl y llun *The Gloom of Idwal* sy'n cyflwyno syniad mytholegol neu hanesyddol, er bod

[4] Paentiodd Henry Meacham ddarlun o frwydr olaf Llywelyn ap Gruffudd, oddeutu 1882, yn fwy na thebyg, a thua'r un adeg paentiodd E. A. Norbury ddau lun mwy cyffredinol Geltaidd, *Caractacus Leaving Britain a Prisoner* a *King Arthur and his Diamond Crown*.

[5] Yn ôl adroddiad papur newydd o'r cyfnod, bwriadai Hughes i'r llun hwn fod y cyntaf mewn cyfres o destunau hanesyddol Cymreig, ond ni lwyddwyd i olrhain yr un ohonynt. *Carnarvon and Denbigh Herald*, 12 Medi 1890.

513. Henry Clarence Whaite, *The Archdruid: A Throne in a Grove*, 1898, Olew, 1260 x 1000

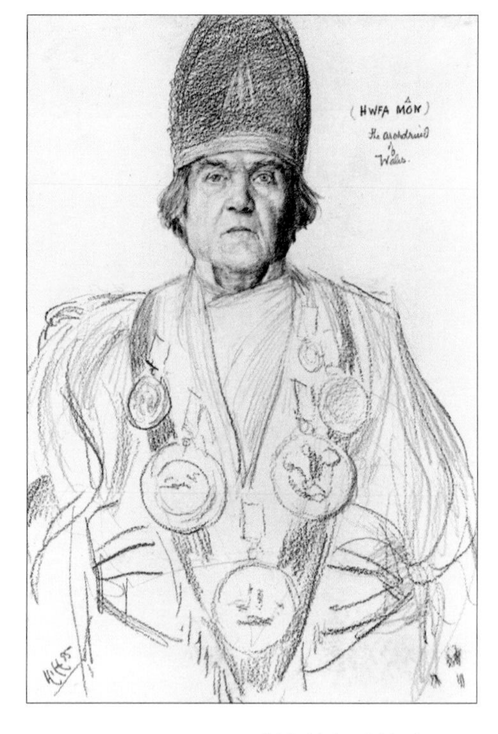

514. Hubert Herkomer, *Hwfa Môn*, 1895, Lluniad pensil, 504 x 340

Found yn ddarlun testunol wedi ei seilio ar thema Prydain Fore ac wedi ei leoli yn Eryri. Datblygwyd y ddau lun yn ystod ymweliadau Herkomer â Betws-y-coed yng nghwmni Charles Mansel Lewis o Gastell y Strade yn y 1880au.

Wrth draddodi dwy feirniadaeth eisteddfodol, y naill yn Llanelli ym 1895 a'r llall yn Llandudno y flwyddyn wedyn, achubodd Herkomer y cyfle i feirniadu cyflwr diwylliant gweledol Cymru. Ac yntau'n cael ei gyfrif yn gryn awdurdod yn Lloegr, achosodd ei sylwadau diflewyn-ar-dafod gryn anesmwythder.[6] Eto i gyd, cafodd ei ysbrydoli yn yr eisteddfodau hyn gan seremonïau'r Orsedd ac, fel sawl un arall, gan bresenoldeb grymus yr Archdderwydd, Rowland Williams (Hwfa Môn).[7] Yn Eisteddfod Llanelli tynnodd Herkomer lun yr Archdderwydd a'i gyd-dderwyddon ar gyfer *The Graphic* ac ymgymerodd â'r dasg o ailddylunio gwisg a regalia'r dyn mawr. Y flwyddyn wedyn, ym 1896, ymddangosodd Herkomer yng ngwisg werdd yr Urdd Ofydd, gyda Hwfa Môn yn ysblander ei wisg wen newydd, 'Breast Plate ... and Tiara with oak leaves – all (with the exception of the oak leaves) of pure solid gold'. Yn fuan wedyn, gwnaeth yr arlunydd ddarlun ohono yn ei wisg newydd yn sefyll o flaen cromlech.[8] Braidd yn amddiffynnol oedd yr adroddiad yn *Baner ac Amserau Cymru* am y mynegiant newydd hwn o Geltegaeth Ramantaidd blynyddoedd cynnar y bedwaredd ganrif ar bymtheg:

[6] Yn ôl Herkomer, yr oedd yr Eisteddfod wedi defnyddio celfyddyd 'merely as an appendage, as a mere necessary [*sic*], to be attended to after they were tired of hearing the same song. They must make the art section as important as they had made music, and then they would do a great work, not only for Wales, but for England as well'. *Carnarvon and Denbigh Herald*, 2 Awst 1895. Trafodir sylwadau Herkomer a'r ymateb iddynt yn Lord, *Y Chwaer-Dduwies*, tt. 59–62.

[7] Fe'i disgrifiwyd gan Morien fel 'awful majesty' yn ôl Hywel Teifi Edwards, *Codi'r Hen Wlad yn ei Hôl 1850–1914* (Llandysul, 1989), t. 242.

[8] LlGC Llsgr. 17345C, f. 19. Y mae'n bosibl mai'r portread hwn a gyflwynwyd i'r Barwn Castletown, Llywydd Cymdeithas Geltaidd Caeredin, ym 1907. Gw. *Celtia*, VII, rhif 4 (1907), 49.

515. Hubert Herkomer, *Found*, 1884, Olew, 1372 x 2305

516. Leonard Hughes, *Myfanwy*, 1890, Olew, 2000 x 3000

Barn pawb oedd fod golwg ryfedd ar y beirdd yn eu gwisgoedd ... ond nid oedd pob Sais felly, o blegid yr oedd Mr HERKOMER yn eu cymmeradwyo – a dïau fod llawer tebyg iddo. Os ydynt yn dymuno ymwisgo fel y gwelwyd uchod, y mae ganddynt hawl i wneud felly.[9]

Yr oedd gan y papur newydd ei amheuon, ond yr oedd nifer o ddeallusion yr oes yn gefnogol i Herkomer. Buasai T. H. Thomas yn gweithio ar syniad tebyg ar gyfer regalia newydd, ond yr oedd Herkomer wedi achub y blaen arno. Serch hynny, Thomas a gynlluniodd faner newydd yr Orsedd, ac ef hefyd a argymhellodd y dylid cael cleddyf a Chorn Hirlas fel rhan o'r regalia, a chynhyrchodd frasluniau ar eu cyfer. Llwyddodd i berswadio Arglwydd Tredegar i noddi'r ychwanegiadau hyn, a chomisiynwyd Herkomer i ddylunio'r cleddyf a Goscombe John y Corn Hirlas.[10] Byddai John yn ddiweddarach yn ymateb yn chwyrn i'r awgrym na wnaethai ddim mwy na dilyn dyluniad Thomas.

Drwy gyfrwng nawdd yr Eisteddfod, a chylch E. Vincent Evans yn Llundain yn arbennig, daeth Goscombe John i ymwneud fwyfwy â materion Cymreig.[11] Ym 1896 fe'i comisiynwyd i ddylunio medal ar gyfer Cymdeithas yr Eisteddfod Genedlaethol, a chyfunodd gyfeiriadaeth gref at ddelweddaeth Prydain Fore y ddeunawfed ganrif â'r Ddraig Goch a oedd yn dod yn fwyfwy poblogaidd. Y mae cyfeiriad Goscombe John at Thomas Jones a de Loutherbourg yn amlwg, er bod y 'Bardd Olaf' wedi cael ei drawsffurfio yn Daliesin Penbeirdd, y bardd cyntaf, yn erbyn cefndir cromlech a'r haul yn codi. Symbol oedd hyn o aileni Cymru mewn oes newydd. Dyluniodd T. H. Thomas fedal Eisteddfod Genedlaethol Casnewydd y flwyddyn ganlynol mewn arddull hanesyddolaidd hefyd, er iddo fabwysiadu arddull fwy pedantaidd a dysgedig ar gyfer pen y Brenin Arthur na John, a oedd yn prysur wneud enw iddo'i hun fel dylunydd medalau o fri. Yn wir, gwnaeth John gyfraniad sylweddol at

517. William Goscombe John, *Myrddin ac Arthur*, Efydd, 1902, uchder 577

518. Ffotograffydd anhysbys, *Y Gyngres Ban-Geltaidd Gyntaf, o flaen Plas y Maer yn Nulyn, 1901*. T. H. Thomas (ar y dde), Hwfa Môn (y trydydd o'r chwith, yn eistedd) a Gwyneth Vaughan (yn y canol, mewn gwyn), wrth ymyl Corn Hirlas William Goscombe John

[9] *Baner ac Amserau Cymru*, 8 Gorffennaf 1896.

[10] Aeth Thomas i gryn drafferth i sicrhau bod y faner yn cael ei gwneud yng Nghymru, a bu'n chwilio 'for a long time for a thoroughly good worker accustomed to the highest class of work and at last found one here in Miss Evans teacher of art needlework at the technical school'. LlGC, Papurau'r Cymmrodorion heb eu catalogio, T. H. Thomas at E. Vincent Evans, 25 Tachwedd 1895. Y mae lluniadau gan Herkomer yn yr Yale Center for British Art yn dangos iddo hefyd arbrofi gyda dyluniadau ar gyfer cadeiriau eisteddfodol.

[11] Cafodd E. Vincent Evans, a oedd yn ysgrifennydd Cymdeithas yr Eisteddfod Genedlaethol a Chymdeithas Anrhydeddus y Cymmrodorion, ddylanwad mawr ar faterion Cymreig yn y deng mlynedd ar hugain cyn y Rhyfel Mawr.

ailboblogeiddio'r fedal fel ffurf gerfluniol ym Mhrydain ar droad y ganrif. Ym *Medal Llywelyn ap Gruffydd* dangosodd y tywysog ar yr wyneb blaen mewn arddull ganoloesol gonfensiynol gyda dyfyniad o farwnad Gruffudd ab yr Ynad Coch, ond ar gefn y fedal ceir eos mewn coeden griafol yn erbyn cefndir Yr Wyddfa, sy'n gyfeiriad mwy anarferol ac anuniongyrchol. Ym 1918 datblygodd John y ddelwedd hon ar gefn medal a roddwyd am deilyngdod mewn modelu yn Ysgol Gelf Caerdydd, ond y tro hwn dangosodd yr aderyn yn hedfan dros y mynydd.[12] Y mae'n ddiau mai ei wladgarwch a'i synnwyr busnes a ysgogodd John i ddefnyddio delweddaeth Geltegaidd, ond manteisiodd lai arni na rhai o'i gyfoeswyr. Y mae'n bosibl mai ei fenter bwysicaf yn y maes oedd *Myrddin ac Arthur*, darn efydd bychan a gafodd ei arddangos yn yr Academi Frenhinol ym 1902. Yma, y mae Myrddin yn adlewyrchu'r ffigurau barddol yn *Solitude* Wilson. Yr oedd John yn edmygu Wilson yn fawr, a blynyddoedd yn ddiweddarach, yn Eisteddfod Genedlaethol Yr Wyddgrug ym 1923, cymerodd ran flaenllaw yn y seremoni i osod torch o flodau ar fedd yr arlunydd. Yn Eisteddfod Genedlaethol Bangor ym 1902, yr un flwyddyn ag y cwblhawyd *Myrddin ac Arthur*, dyfarnwyd y gadair i T. Gwynn Jones am ei awdl ar thema gyffelyb, sef 'Ymadawiad Arthur'. Defnyddiodd Jones fytholeg Geltaidd a ffurf lenyddol hynafol yn sail i fath newydd o gerdd yn y Gymraeg a oedd yn berthnasol i'r oes fodern. Yr oedd Goscombe John yntau yn fodernydd, ac yn gyfrannwr pwysig i'r Mudiad Cerflunio Newydd ym Mhrydain, er gwaethaf y defnydd a wneid ganddo o themâu hanesyddol a mytholegol yn rhai o'i weithiau Cymreig.[13]

o frig y tudalen i'r gwaelod:

520. William Goscombe John, *Medal ar gyfer Cymdeithas yr Eisteddfod Genedlaethol*, Efydd, 1898, 76 ar draws

521. William Goscombe John, *Medal Llywelyn ap Gruffydd*, Efydd, c.1900, 76 ar draws

522. T. H. Thomas, *Medal ar gyfer Eisteddfod Genedlaethol Casnewydd*, Arian, 1897, 58 ar draws

519. Ffotograffydd anhysbys, *William Goscombe John (yn y canol) gydag Isaac Williams (chwith, blaen) a Carey Morris y tu ôl iddo yn cerdded at fedd Richard Wilson*, 1923

[12] Cafodd y wobr am deilyngdod mewn modelu ei noddi gan Goscombe John ei hun. Am fedalau eraill gan yr arlunydd, gw. David Pickup, 'Sir William Goscombe John. "Imbued with the Artistic Spirit"', *The Medal*, 31 (1997), 68–72. Yn gysylltiedig â ffurf y fedal yr oedd yn gymaint o feistr arni, yr oedd y dyluniad cerfwedd crwn ar gyfer sêl yr Amgueddfa Genedlaethol, a gafodd ei cherfio hefyd ar raddfa fawr mewn carreg a'i gosod ym mur adeilad newydd yr Amgueddfa.

[13] Yr oedd Goscombe John yn un o'r cerflunwyr a gafodd anogaeth gan Edmund Gosse, prif hyrwyddwr y mudiad yn y 1890au, a chomisiynwyd ef i lunio penddelw o'r beirniad celf i ddathlu ei ben blwydd yn ddeg a thrigain oed ym 1919.

523. J. M. Staniforth,
Poster ar gyfer y *National Pageant of Wales*,
1909, Lithograff, 2020 × 3000

524. Ffotograffydd anhysbys, *Llyfrgellydd Caerdydd wedi ei wisgo fel Myrddin*, 1909

Bu'r gwaith a gyflawnwyd gan John Rhŷs, Athro Celteg ym Mhrifysgol Rhydychen er sefydlu'r gadair honno ym 1877, yn fodd i feithrin hyder newydd mewn gwreiddiau Celtaidd a'u perthnasedd i ddyheadau modern. Yr oedd dadansoddiad Rhŷs o lenyddiaeth gynnar wedi rhoi bywyd newydd i astudiaethau yn y maes a ddioddefasai yn sgil ffantasi a thwyll cenhedlaeth William Owen Pughe a Iolo Morganwg. Llithrodd hynafiaetheg i'r cefndir fwy fyth yn sgil Brad y Llyfrau Gleision, a phrin oedd y parch a roddid iddi gan flaengarwyr diwylliannol y 1850au a'r 1860au. Anwybyddwyd Eisteddfod Llangollen, lle y bu'r hen Geltegwyr dan arweiniad Ab Ithel yn rheoli am y tro olaf, gan Arglwyddes Llanofer a'i dilynwyr a gynhaliodd gyfarfod arall i ddangos eu gwrthwynebiad. Serch hynny, yn ystod y 1880au ymddangosai ei bod yn bosibl unwaith eto i fod yn flaengar drwy gyflwyno celfyddyd, technoleg,

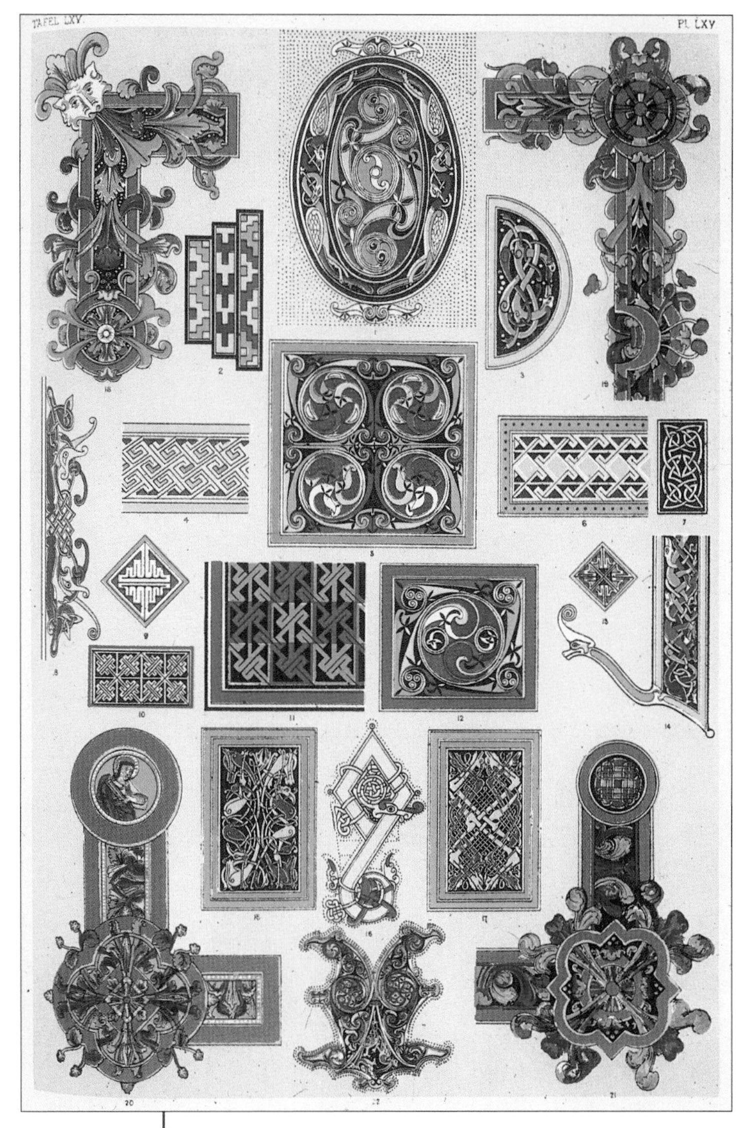

525. *Celtic Ornament* allan o Owen Jones, *The Grammar of Ornament*, 1856, 296 x 201

gwyddoniaeth a materion cymdeithasol yng Nghymru drwy'r mudiad Eisteddfodol (a nifer o sefydliadau newydd eraill) a chynnal y dreftadaeth Geltaidd yr un pryd. Cafodd Rhŷs ddylanwad, nid yn unig drwy ei gyhoeddiadau ond hefyd drwy yr argraff a wnaethai ar griw bychan o fyfyrwyr a oedd yn prysur ddod yn ffigurau pwysig yng Nghymru. Yr oedd John Morris-Jones, Tom Ellis, O. M. Edwards ac eraill wedi cyfeillachu â'i gilydd yng Nghymdeithas Dafydd ap Gwilym yn Rhydychen, ac yr oedd Ellis ac Edwards, yn enwedig, wedi sylweddoli potensial celfyddyd weledol, yn ogystal â llenyddiaeth a gweithredu gwleidyddol, i hyrwyddo gwerthoedd cenedlaethol. Bu'r ddau yn mynychu darlithoedd Ruskin pan oedd yn Athro Celf Slade, a chymaint oedd ei ddylanwad arnynt fel y byddai Ellis yn cyfeirio ato fel 'Y Meistr'.

Eto i gyd, yr oedd Celtegaeth Ramantaidd o bryd i'w gilydd yn tueddu i danseilio'r astudiaeth 'wyddonol' newydd o'r pwnc. Gwelwyd un o'r enghreifftiau mwyaf nodedig o'r duedd adweithiol hon yn y Pasiant Cenedlaethol a gynhaliwyd yng Nghaerdydd ym 1909. Er bod T. H. Thomas yn aelod o'r pwyllgor trefnu, Robert Scourfield Mills (Owen Rhoscomyl), yr anturiwr a'r nofelydd, a oedd yn bennaf cyfrifol am y gweithgareddau.[14] Un o elfennau mwy anarferol y pasiant oedd i nifer o aelodau'r sefydliad gymryd rhan ynddo fel actorion. Ymddangosodd maer Caerdydd fel Hywel Dda, chwaraeai llyfrgellydd y dref ran Myrddin fel petai'n ŵr gwallgof, a dewiswyd neb llai nag Arglwydd Tredegar i chwarae rhan Owain Glyndŵr. Yn yr un modd ag yr oedd Ellis Owen Ellis wedi gwneud hwyl am ben Ab Ithel a'i gyfoedion yn Eisteddfod Llangollen ym 1858, felly y manteisiodd J. M. Staniforth, un o ddychanwyr gweledol pwysicaf y genhedlaeth newydd, ar ei gyfle i lunio poster ardderchog a awgrymai nad oedd pob gwladgarwr yn cymryd y digwyddiad o ddifrif.

Ochr yn ochr ag astudiaeth ddadansoddiadol Rhŷs o lenyddiaeth Gymraeg gynnar, ceid diddordeb o'r newydd mewn diwylliant Celtaidd gweledol, yn enwedig mewn llawysgrifau goliwiedig a cherfiadau Celtaidd-Gristnogol. Un o'r arloeswyr yn y maes oedd y pensaer Owen Jones, mab Owain Myfyr, noddwr Iolo Morganwg a William Owen Pughe. Yr oedd campwaith dylanwadol Jones, *The Grammar of Ornament*, a gyhoeddwyd ym 1856, yn cynnwys adran ar ddylunio Celtaidd, ac yn ei osod ochr yn ochr â chelfyddyd yr India a Phersia, y Groegwyr a'r Rhufeiniaid, a thrwy hynny'n gymorth i gywiro'r camsyniad mai diwylliant barbaraidd ydoedd.[15] Yn ddiweddarach ysgogwyd y diddordeb mewn diwylliant Celtaidd gweledol ymhellach gan y deunyddiau Gwyddeleg a ddaeth i olau dydd yn sgil yr adfywiad cenedlaethol yn Iwerddon ac, yn enwedig, gan y ffacsimili o Dlws Tara, a ddangoswyd yn Llundain ym 1851. Daeth *Archaeologia Cambrensis*, cylchgrawn Cymdeithas Archaeolegol Cambria, a sefydlwyd

[14] Yn ôl nith Owen Rhoscomyl, 'all his life was spent as a mixture of fighting and writing'. Dyfynnwyd yn Edwards, 'Pasiant Cenedlaethol Caerdydd 1909', *Codi'r Hen Wlad yn ei Hôl*, t. 248.

[15] Ganed Owen Jones (1809–74) yn Llundain ond byddai'n troi mewn cylchoedd Cymreig. Cyhoeddodd yr astudiaeth systematig gyntaf o gelfyddyd Sbaen-Arabaidd, a daeth i sylw cynulleidfa ehangach pan roddwyd iddo ofal dros yr addurno yn y Palas Crisial yn Arddangosfa Fawr 1851. Cymro arall a gyfrannodd at astudiaethau hanes celf oedd John Griffiths (1837–1918), brodor o Lanfair Caereinion, sir Drefaldwyn. Daeth yn Brifathro y School of Arts yn Bombay, a chyhoeddodd *The Paintings in the Buddhist cave-temples of Ajantâ* mewn dwy gyfrol ysblennydd ym 1896. Arddangoswyd paentiadau a cherfluniau o'i waith yn yr Academi Frenhinol yn Llundain. Am ei yrfa, gw. C. H. Humphreys, 'Notes on John Griffiths, Artist', *Montgomeryshire Collections*, LI (1949–50), 70–1.

ym 1846, yn ganolbwynt ar gyfer trafodaeth fanwl ar ddeunyddiau Cymreig, gan gyflwyno mwy a mwy o'r deunyddiau hyn i artistiaid yn ystod y 1880au a'r 1890au. Yn yr achos hwn, fel mewn llawer un arall, prif hyrwyddwr yr hyn y cyfeiriai ati fel 'yr unig gelfyddyd gynhenid Gymreig' oedd T. H. Thomas. Ym 1891 bu'n annerch Cymdeithas y Cymmrodorion ar yr angen i ddiogelu henebion Cristnogol Celtaidd, a dwy flynedd yn ddiweddarach gallai adrodd bod ymagwedd newydd yn ymddangos. Fel enghraifft, cyfeiriodd at y casgliad o groesau a ddygwyd ynghyd ym Margam gan Miss Talbot.[16] Gwelid yr un patrwm mewn mannau eraill, a bu'r gwaith o dynnu ffotograffau o gerrig a gwneud castiau ohonynt ar gyfer Amgueddfa Caerdydd ar anogaeth Thomas yn gymorth i'w diogelu ac i ehangu'r diddordeb ynddynt. Yr oedd diddordeb Thomas yn y deunydd hwn, ac yn y proses trosiannol o ail-greu celfyddyd Geltaidd ynysaidd mewn cyd-destun Cristnogol, yn adlewyrchu lle canolog y traddodiad Cristnogol yn ei genedlaetholdeb a'r cysyniad o'r seintiau Celtaidd fel sylfaenwyr y genedl. Er gwaethaf y llwyddiant a gâi mewn cylchoedd hynafiaethol, teimlai Thomas yn rhwystredig oherwydd diffyg diddordeb Ysgolion Celf Cymru yn y deunydd: 'None has examples of Celtic Art to place before its pupils. This state of things would be largely remedied could such schools as those contemplated by Prof. Hubert Herkomer be established', meddai mewn ôl-nodyn i'w anerchiad i'r Cymmrodorion, a gyhoeddwyd ym 1897.[17] Dim ond wedi penodiad William Grant Murray yn Brifathro Ysgol Gelf Abertawe ym 1909 y cafodd syniadau newydd ym myd addysg gelf fynegiant grymus yng Nghymru am y tro cyntaf. Tua'r un adeg penodwyd y cerflunydd a'r gemydd ifanc Harry Hall yn aelod o'r staff, gan roi cychwyn i addysg mewn dylunio Celtaidd.

Yr oedd defnydd T. H. Thomas o ddelweddaeth Geltaidd yn ei gynnyrch celfyddydol ef ei hun wedi ei gyfyngu yn bennaf i waith graffig, megis ag a gafwyd ganddo ar glawr *Trysorfa y Plant*, cylchgrawn y Methodistiaid ar gyfer plant. Cynhyrchodd ddarluniau goliwiedig ar gyfer testun *The Lady of Shalott* wedi ei arysgrifio gan ei gyfaill agos Charles Conway, ond poblogeiddio

[16] T. H. Thomas, 'Celtic Art, with a suggestion of a scheme for the better preservation and freer study of the monuments of the Early Christian Church in Wales', *Y Cymmrodor*, XII (1897), 87–111. Cofnododd Thomas ateb Miss Talbot yn y *Western Mail*, 1 Awst 1893. Ymhlith gweithiau arloesol eraill Thomas ar ddeunydd Cymreig cynnar y mae 'Inscribed Stones', *Transactions of the Cardiff Naturalists' Society*, XXV, rhan I (1892–3), 34–46, a 'Notes upon the Psalter of Ricemarch', ibid., XXXIII (1900–01), 47–52.

[17] Thomas, 'Celtic Art', 110. Pan agorwyd adeilad newydd yr Amgueddfa Genedlaethol ym 1927, cafodd y castiau eu harddangos yn y fynedfa, gan ddangos yn glir fod yr Amgueddfa yn ymdrin â diwylliant cenedl Geltaidd.

526. Frank Culliford, *Symud Croes Uchel Llanbadarn i mewn i'r eglwys*, 1916

527. Ffotograffydd anhysbys, *Harry Hall yn gweithio ar gasged Adelina Patti*, 1912

528. Harry Hall, *Casged Lloyd George, Abertawe*, cyfryngau cymysg, c.1918

delweddaeth Geltaidd oedd ei gyfraniad pennaf. Er gwaethaf amharodrwydd ysgolion celf yng Nghymru (yn wahanol i Iwerddon) i ddysgu'r pwnc, erbyn troad y ganrif yr oedd ffurfiau Celtaidd yn ymddangos yn gyson yng ngwaith dylunwyr Cymreig ac mewn gwaith a gomisiynwyd gan noddwyr o Gymru. Yn Eisteddfod Genedlaethol Bangor ym 1902, eisteddfod a gysylltir yn bennaf ag awdl fuddugol T. Gwynn Jones 'Ymadawiad Arthur', yr oedd pryddest arobryn R. Silyn Roberts hefyd ar thema Geltaidd. Gwobrwywyd 'Trystan ac Esyllt' â choron 'formed of eight panels joined together, and filled with Celtic interlaced ornament' a ddyluniwyd gan Harold Rathbone o Lerpwl.[18] Byddai'r Eisteddfod Genedlaethol yn parhau'n ganolbwynt pwysig ar gyfer y defnydd o elfennau Celtaidd mewn dylunio, tuedd a gyrhaeddodd ei phenllanw gyda chyfres o gadeiriau cyfoethog eu cerflunwaith ym 1917, 1919 a 1920.[19] Cafodd cadair 1917, y mae gennym y dystiolaeth helaethaf amdani, ei dylunio gan Eugeen Vanfleteren, alltud o Wlad Belg, ar y thema 'Y Cymro cyfoes yn anrhydeddu'r hen gelfyddyd Geltaidd'.

Yn ne Cymru un o'r mentrau cyhoeddus cyntaf i ddangos dylanwad y dylunio Celtaidd newydd oedd ffynnon a gomisiynwyd ar gyfer Pontypridd gan Alfred Thomas, Aelod Seneddol Dwyrain Morgannwg, ym 1895. Yn sgil cystadleuaeth, rhoddwyd y comisiwn i Charles B. Fowler, ac adroddwyd yn y wasg leol, gyda chryn falchder ac yn unol ag ysbryd yr oes, 'there is absolutely nothing English about it':

> The general outline is of early form, filled in with ancient British ornament, such as may be found at Llantwit, Margam, Llandaff and other places in Glamorganshire ... The rampant dragon immediately beneath the lamp is of bronze, so are the water-jets, which take the conventional form of leeks. The four faces of the fountain will vary in their ornament, and the basins will be lined with lead. The water will be carried off the roof by means of goats heads at each angle, and these, together with the dragon, leeks, and ancient Celtic ornament, will give the structure a purely Welsh character.[20]

[18] *North Wales Observer and Express*, 12 Medi 1902. Yr oedd Rathbone (fl.1858–1921) yn fab i Philip Henry Rathbone, y noddwr dylanwadol o Lerpwl. Yr oedd yn arlunydd ac yn ddylunydd, ac ym 1894 sefydlodd grochenwaith Della Robbia ym Mhenbedw. Yr oedd mewn cysylltiad â nifer o arlunwyr Betws-y-coed.

[19] Menter nodedig arall oedd creu copi maint llawn o Darian Battersea fel gwobr ym 1922.

[20] *Pontypridd Chronicle*, 29 Mawrth 1895. Un o adeiladau eraill Fowler oedd tŵr eglwys y Santes Catherine yng Nghaerdydd. Gwnaed y ffynnon gan y Meistri Martyn o Cheltenham.

531. Charles B. Fowler, *Ffynnon Bistyll, Pontypridd*, 1895, Carreg ac efydd

529. T. H. Thomas a Charles Conway, *The Lady of Shalott*, c.1874–84, Dyfrlliw ac inc, 134 x 112

530. Eugeen Vanfleteren, *Cadair Eisteddfod Genedlaethol Penbedw*, 1917

532. Edwin Seward, *The Celtic Corridor*, Caerdydd, 1905

Yr oedd gan Fowler, fel Edwin Seward, fusnes pensaer yng Nghaerdydd. Ddeng mlynedd wedi comisiwn Pontypridd, dechreuodd Seward yntau ddefnyddio themâu Celtaidd ar gyfer adeiladu arcêd o siopau, a adwaenid fel y Coridor Celtaidd, yn Newport Road, Caerdydd. Yr oedd y cynllun yn cynnwys paneli copr wedi eu bwrw a ffenestri lliw wedi eu seilio ar hynafiaethau yn Iwerddon, yr Alban a Llydaw, yn ogystal â Chymru. Meddai Seward, wrth wahodd T. H. Thomas i agor y Coridor Celtaidd, 'The launching of anything whatever, – whether abstract or realized in Wales, which touches the Celt and his contact with art, is altogether incomplete without you.'[21] Parhaodd dylanwad dylunio Celtaidd ac, ambell waith, destunau Celtaidd, yn enwedig ymhlith crefftwyr, ymhell i'r 1920au. Câi gwydr lliw, megis y ffenestr a luniwyd i goffáu Syr William Thomas Lewis, Barwn cyntaf Merthyr a Senghennydd, yn Eglwys Gadeiriol Llandaf, ei ystyried yn gyfrwng hynod o addas, a chomisiynwyd croesau Celtaidd eu harddull gan rai o'r pwyllgorau a sefydlwyd i godi cofgolofnau rhyfel.[22] Daeth croesau Celtaidd yn boblogaidd ar gyfer cofebion preifat; cafodd Owen Rhoscomyl a Percival Graves o Harlech, ffigur amlwg yn y Cynghrair Celtaidd, eu coffáu yn y modd hwn.[23]

533. J. Kelt Edwards, *Eisteddfod Gadeiriol Gwŷr Ieuainc Gwrecsam*, 1898, Torlun pren, 109 x 141

534. J. Kelt Edwards, *Plât Llyfr ar gyfer Llyfrgell Syr John Rhŷs*, 1917, Argraffwyd mewn gwahanol feintiau

O blith y genhedlaeth iau o arlunwyr Cymreig ar ddiwedd y bedwaredd ganrif ar bymtheg, John Edwards a ymddiddorai fwyaf yn y Geltegaeth newydd. Yn wir, mabwysiadodd yr enw 'Kelt' (ac fel 'Kelt' y'i hadwaenid gan bawb), ond cafodd ei yrfa ei llesteirio gan ei deulu dosbarth-canol ym Mlaenau Ffestiniog, ac ni lwyddodd fyth i dorri'n rhydd oddi wrthynt. Difethwyd ei fywyd gan y ddiod gadarn a threuliodd flynyddoedd olaf ei oes fel meudwy yng Ngheinewydd, Maentwrog, lle y bu farw ym 1934.[24] Cofiai ei gyfaill agos, T. Gwynn Jones, 'mor hyderus fyddai K. pan ddaeth ef a minnau'n gyfeillion gynt':

> Gwybu ysblander gobaith, ond pylwyd
> Y pelydr o'i lygaid;
> Cyfaill neu ddau sy'n cofio
> Y gamp a ddiffoddwyd gynt.[25]

Yn y 1890au dechreuodd J. Kelt Edwards ddefnyddio motiffau Celtaidd a motiffau cenedlaethol eraill mewn deunyddiau printiedig megis rhaglenni eisteddfodol a, chan ddangos yr hyder y cyfeiriodd T. Gwynn Jones ato, cwynai wrth O. M. Edwards am safon dylunio gwael ei gylchgronau. Ym mis Chwefror 1898, gan ddatgan braidd yn theatraidd ei fod yn hwylio i Rufain ar y dydd Iau i astudio, gofynnodd:

[21] Amgueddfa Werin Cymru, Archif T. H. Thomas, 2435/188. Gwnaeth dau bensaer arall yn niwedd y bedwaredd ganrif ar bymtheg a dechrau'r ugeinfed ganrif, sef John Coates Carter a Herbert North, ddefnydd nodedig o gyfeiriadaeth hanesyddol Geltaidd a Chymreig yn eu gwaith.

[22] Gw., e.e., Angela Gaffney, *Aftermath: Remembering the Great War in Wales* (Cardiff, 1998). Eto i gyd, yr enghraifft gynharaf o gofeb gyhoeddus mewn arddull Geltaidd oedd Cofadail Rhyfel y Boer yn Hwlffordd, a oedd yn gopi o'r groes Geltaidd yn Llandochau, sir Forgannwg.

> How is it that you can so highly appreciate Art (as it is very evident you do ...) and yet offer your readers the *very gems* of Welsh poetry or literature served up as it were in a bucket instead of in a decent casket as other more worthless jewels are kept?[26]

Cynigiodd yr arlunydd weithio i O. M. Edwards am y nesaf peth i ddim neu 'for nothing at all save the satisfaction that I shall be helping Art in Wales. This in the most patriotic spirit that ever moved an artist or a poet'.[27] Sylweddolai amryw o arlunwyr o'r un genhedlaeth â J. Kelt Edwards y gallai O. M. Edwards fod yn allweddol i'w gyrfa drwy roi cyhoeddusrwydd i'w gwaith drwy gyfrwng ei gylchgronau a thrwy gomisiynau i lunio portreadau a lluniau eraill. Serch hynny, yr oedd beirniadaeth J. Kelt Edwards yn anffodus gan fod O. M. Edwards, er gwaethaf diffygion ei gylchgronau o ran dylunio, yn rhoi llawer mwy o sylw i ddiwylliant gweledol nag a wnâi golygyddion eraill.

Yn gwmni i J. Kelt Edwards yn yr Eidal yr oedd Timothy Evans, arlunydd ifanc o ddyffryn Conwy, ac un arall a geisiodd gefnogaeth golygydd *Cymru*. Yn wahanol i Edwards, hanai Evans o deulu tlawd, ac ym mis Ionawr 1899 anfonodd dri llun bychan at O. M. Edwards, gan bwysleisio ei Gymreictod wrth ofyn am ei gymorth:

> Buaswn yn wir ddiolchgar os buasech chwi yn garedig yn cael *cwsmer* i brynu *darlun* neu *ddau gennyf*. Ai tybed y bydd yn rhaid i mi – *Gymro* – roddi i fyny yr ymdrech i ddod yn arlunydd o ddiffyg cefnogaeth? Credaf fod digon o foneddwyr o Gymru a roddai help i mi pe gallwn ddod i'w adnabod.[28]

Cafwyd ymateb cadarnhaol gan O. M. Edwards, a chyhoeddwyd *Unigedd* yn *Cymru'r Plant* yn ddiweddarach yn y flwyddyn.[29]

Heblaw am ei deithiau i'r Cyfandir, gweithiai J. Kelt Edwards yn Llundain yn bennaf hyd 1914, er iddo gadw mewn cysylltiad agos â Chymru. Byddai'n cystadlu mewn eisteddfodau a gwnaeth nifer o bortreadau comisiwn. Cafodd ei ddiddordeb mewn dylunio Celtaidd ei fynegi'n gain mewn eitemau bychain megis labeli perchenogaeth ar gyfer llyfrgelloedd E. T. John a Syr John Rhŷs. Bu'n gyfrifol am ddylunio yr ail yn y gyfres o gadeiriau eisteddfodol Celtaidd, a gyflwynwyd yng Nghorwen ym 1919, ac a gerfiwyd gan ei gefnder Elias Davies. Ymhlith ei destunau Celtaidd yr oedd *Fantaisie Celtique*, a wnaed ym Mharis, a chyfres o weithiau bychain mewn arddull gyffelyb ar themâu o'r Mabinogion. Yr oedd un o'r rhain, *Rhiannon*, yn un o'r ychydig weithiau a atgynhyrchwyd mewn lliw gan O. M. Edwards, ond nid oedd hoffter yr arlunydd o giarosgwros trwm, a gynhyrchid drwy weithio mewn sercol, yn addas ar gyfer y technegau atgynhyrchu a oedd ar gael i gylchgrawn rhad, a siomedig iawn at ei gilydd oedd y canlyniadau.

535. Ffotograffydd anhysbys, *J. Kelt Edwards ac Elias Davies gyda Chadair Eisteddfod Genedlaethol Corwen*, 1919

[23] Yr oedd Percival Graves yn dad i'r bardd a'r nofelydd Robert Graves.

[24] Yn ôl Beriah Gwynfe Evans, mabwysiadodd Edwards yr enw Kelt tra oedd yn teithio ar y Cyfandir. B. G. Evans, 'Dynion i'r Oes – XVI. Mr. J. Kelt Edwards', *Ysbryd yr Oes*, III (1906), 101–4. Y mae stori dra phoblogaidd yn mynnu mai Arglwyddes Llanofer a roes yr enw arno.

[25] LIGC, Papurau J. W. Jones, 277/19.

[26] LIGC, Papurau O. M. Edwards, Dosbarth A, gohebiaeth gyffredinol.

[27] Ibid.

[28] Ibid.

[29] Am gefnogaeth Edwards i arlunwyr ifainc drwy gyfrwng ei gylchgronau, gw. Peter Lord, 'Cofeb Daniel Owen: Artistiaid a Noddwyr y Deffroad Cenedlaethol', *Barn*, 395/6 (1995–6), 36–41.

536. John Wickens, *François Jaffrennou (Taldir), Marquis de l'Estourbeillon, Madame Mosher, Francis Even a J. Kelt Edwards yn y Gyngres Geltaidd yng Nghaernarfon*, 1904

538. John Wickens, *Théodore Botrel, Lena Botrel, Gwyneth Vaughan, Hwfa Môn (y pedwar cyntaf ar y chwith), Samuel Maurice Jones (y pedwerydd o'r dde, yn yr ail res) a Christopher Williams (ar y dde eithaf) yn y Gyngres Geltaidd yng Nghaernarfon*, 1904

537. J. Kelt Edwards,
'Enor d'ar re a zoug bepred Gwiskamanchou ar Vretoned',
darlun allan o François Jaffrennou (Taldir), *An Delen Dir*, 1900, 70 x 52

O ganlyniad i'w brofiad o fywyd ar y Cyfandir yr oedd J. Kelt Edwards yn gefnogol iawn i ban-Geltegaeth ryngwladol y cyfnod. Tra oedd yn Llydaw, daeth yn gyfeillgar iawn â François Jaffrennou (Taldir), cenedlaetholwr Llydewig pwysicaf y cyfnod, ac un o hyrwyddwyr y mudiad Pan-Geltaidd. Yng Nghymru cyrhaeddodd y mudiad ei anterth gyda'r Gyngres Geltaidd a gynhaliwyd yng Nghaernarfon ym 1904. Yr oedd Edwards yn ffigur blaenllaw yno, ac fe'i darluniwyd yng nghwmni'r Llydawyr a chynrychiolwyr o'r gwledydd Celtaidd eraill, yn odidog yn eu gwisgoedd cenedlaethol, mewn cyfres gain o ddelweddau gan John Wickens, y ffotograffydd o Fangor. Yr amlycaf yn eu plith oedd ffigur carismatig Hwfa Môn yn ei wisg farddol. Yno hefyd yr oedd Gwyneth Vaughan, mewn gwisg wych yr honnid ei bod yn seiliedig ar wisg gwragedd bonheddig yr oesoedd canol yn hytrach nag ar y wisg werinol a oedd wedi ysbrydoli Arglwyddes Llanofer. Gofalodd Vaughan ei bod yn cael lle amlwg yn lluniau Wickens, ac fe'i gwelir yn aml yn syndod o agos at yr Archdderwydd. Denwyd nid yn unig J. Kelt Edwards ond arlunwyr eraill megis T. H. Thomas, Samuel Maurice Jones a Christopher Williams gan yr arddangosfa hon o 'Geltiaid gwallgof' fel y'u disgrifiwyd gan Wickens.[30]

539. William Morgan Williams (Ap Caledfryn), *Rhydd-freiniad y Ddynes*, 1898, llun allan o Beriah Gwynfe Evans, *Dafydd Dafis, sef Hunangofiant Ymgeisydd Seneddol*, 182 × 250

540. William Morgan Williams (Ap Caledfryn), *The Dafydd Dafis Company*, o'r chwith: Tudor Hughes, Dyer Davies, T. H. Thomas, E. Tennyson Reed, Beriah Gwynfe Evans, Ap Caledfryn, Will Morgan, A. E. Elias, 1898, llun allan o Beriah Gwynfe Evans, *Dafydd Dafis, sef Hunangofiant Ymgeisydd Seneddol*, 120 × 170

Yr oedd O. M. Edwards yr un mor gymwynasgar wrth arlunwyr a darlunwyr ifainc eraill ag y bu wrth J. Kelt Edwards a Timothy Evans. Ysgrifennodd A. E. Elias a D. J. Davies ato i ofyn am gymorth, a gwnaeth ei orau i sicrhau comisiynau iddynt. Eto i gyd, nid yn aml y llwyddai i roi cyfle iddynt i arddangos eu doniau graffig gan ei fod yn ceisio osgoi pynciau gwleidyddol yn ei gylchgronau. Serch hynny, daeth doniau Elias a Davies, ynghyd ag arlunydd ifanc arall o'r enw William Morgan, i sylw Beriah Gwynfe Evans, gohebydd gwleidyddol ac ysgrifennydd Cymru Fydd, a rhoes gyfle iddynt ddarlunio ei lyfr *Dafydd Dafis, sef Hunangofiant Ymgeisydd Seneddol* (1898), a gyflwynwyd ar ffurf casgliad o ysgrifau dychanol ar wleidyddiaeth Cymru yn y 1890au. Yn ei 'Air o Eglurhad', dywedodd Evans, 'teimla'r awdur yn falch i feddwl ei fod wedi llwyddo i ddangos i'r byd fod Cymru yn gallu cynyrchu talent arlunyddol o'r radd flaenaf, bod i'r dalent hono faes cyfreithlawn yn llenyddiaeth gartrefol y genedl, ac y medr Cyhoeddwyr Cymru wneud cyfiawnder â chynyrch Celf Cymru'.[31] Manteisiodd Evans hefyd ar ddoniau cydnabyddedig T. H. Thomas ac Ap Caledfryn, a fu'n darlunio, ymhlith pethau eraill, y 'Celtiaid gwallgof'. Yn nhraddodiad Ellis Owen Ellis a'r *Punch Cymraeg*, tanseiliodd Ap Caledfryn ddelwedd urddasol Hwfa Môn yn ei gartŵn o'r rhuthr

[30] Am Wickens a'r Gyngres, gw. Marion Löffler, *'A Book of Mad Celts': John Wickens and the Celtic Congress of Caernarfon 1904 / John Wickens a Chyngres Geltaidd Caernarfon* (Llandysul, 2000).

[31] Beriah Gwynfe Evans, *Dafydd Dafis, sef Hunangofiant Ymgeisydd Seneddol* (Gwrecsam, 1898), t. vi.

uchod: 542. Willy Pogany, *The Lady of the Lake*, llun allan o W. Jenkyn Thomas, *The Welsh Fairy Book*, 1907, 156 x 102

y llun uchaf: 541. Thomas Prytherch, *Death of Llywelyn*, llun allan o Owen Rhoscomyl, *Flamebearers of Welsh History*, 1905, 38 x 102

543. Sidney Herbert Sime, *Bronwen*, llun clawr ar gyfer sgôr yr opera gan Josef Holbrooke a T. E. Scott-Ellis (Howard de Walden), 1922, 350 x 250

diurddas a arweiniodd at ei ddyrchafu'n Archdderwydd ym 1894. Dinistriwyd delwedd aristocrataidd Gwyneth Vaughan, edmygydd mawr Hwfa Môn, drwy ddisgrifio ei breichiau cyhyrog mewn cartŵn ar bleidlais i ferched. Byddai Ap Caledfryn, Will Morgan, D. J. Davies ac A. E. Elias yn gweithio mewn arddull ddarluniadol, hyd yn oed wrth ymdrin â thestunau y byddai cartwnwyr megis J. M. Staniforth, a weithiai i'r papurau dyddiol, yn eu cyflwyno mewn darluniau

544. George Sheringham, *The Quest for the Holy Grail*, c.1914, cyfrwng a maint yn ansicr

llinell. Defnyddiodd Elias arddull y darlun academaidd alegorïol i gyflwyno ei sylwadau ar yr anghydfod a arweiniodd at streic fawr Chwarel y Penrhyn.[32]

Yr oedd y cyhoeddwyr Hughes a'i Fab yn nodedig am ddefnyddio doniau Cymreig i greu darluniau ar gyfer eu llyfrau, a chomisiynwyd, er enghraifft, Walter W. Goddard, arlunydd ifanc o Abertawe, i gynhyrchu gwaith du a gwyn. Prin oedd y cyfleoedd ar gyfer gwaith mewn lliw, ac eithrio *Flamebearers of Welsh History* gan Owen Rhoscomyl, a gyhoeddwyd ym 1905, ac a ddaeth yn fuan yn un o'r llyfrau mwyaf dylanwadol ar hanes y genedl, gan roi enw da i Thomas Prytherch o Ferthyr, a wnaethai'r lluniau ar ei gyfer.[33] Eto i gyd, cafodd llawer o'r testunau Cymreig a oedd â'r lluniau gorau eu cynhyrchu y tu allan i Gymru. Cafodd *British Goblins*, cyfrol arloesol Wirt Sikes ar lên gwerin Cymru, a ddarluniwyd gan ei gyfaill T. H. Thomas, ei chyhoeddi yn Boston ym 1881, a chyhoeddwyd *The Welsh Fairy Book*, y gwaith gorau o lawer yn y maes, gan Fisher Unwin yn Lloegr ym 1907. Ysgrifennwyd y storïau gan W. Jenkyn Thomas, ond gwnaed y darluniau, un ohonynt mewn lliw llawn a'r gweddill mewn coch a du dramatig, gan Willy Pogany.[34] Fel ar ddiwedd y ddeunawfed ganrif, yr oedd cyhoeddi cerddoriaeth Gymreig yn gyfle i arlunwyr graffig roi mynegiant i destunau Cymreig. Ysgrifennodd y *connoisseur* yr Arglwydd Howard de Walden, tenant Castell Y Waun, libretos ar gyfer cyfres o dair opera wedi eu seilio ar y Mabinogion, gyda cherddoriaeth gan Josef Holbrooke. Gwnaed cloriau gwych ar gyfer y fersiynau argraffedig o *Dylan* a *Bronwen* gan yr arlunydd Seisnig Sidney Herbert Sime, ac fe'u dyluniwyd gyda'r un rhwysg canoloesol â'r Gyngres Geltaidd neu Basiant Cenedlaethol Caerdydd, er i'r dylunydd anhysbys a luniodd y clawr ar gyfer *Don* weithio yn nhraddodiad tywyllach testunau 'Bardd Olaf' y ddeunawfed ganrif.[35] Yn ddiweddarach daeth de Walden yn berchen ar gyfres bwysig o furluniau wedi eu seilio ar y Mabinogion. Oddeutu 1914 yr oedd y Barnwr William Evans wedi comisiynu o leiaf un panel ar ddeg i addurno ei gartref, Ilmington Manor yn Shipston-on-Stour. Cawsant eu paentio gan George Sheringham, un o furlunwyr ac addurnwyr mwyaf nodedig Lloegr yn y cyfnod ac ymddengys iddynt ddod i feddiant de Walden oherwydd i'r noddwr farw cyn iddynt gael eu gosod yn eu lle.[36]

[32] Prin oedd y cyfleoedd i gartwnwyr a gwawdlunwyr gwleidyddol arbenigol i gyhoeddi eu gwaith, ond gwnaed cyfraniad pwysig yn y wasg Gymreig gan J. R. Hughes, a oedd yn gweithio i *Papur Pawb* ac, yn y Saesneg gan 'Kodak', a weithiai i *Figaro* yng Nghaerdydd. Yn Aberystwyth cyhoeddodd H. L. Roberts, a adwaenid fel Ap Rhobert, *The Aberdons* ym 1910, casgliad o wawdluniau o academyddion prifysgol. Ceir nodyn diddorol yn y *South Wales Daily News*, 18 Mai 1911: '"The Cambrian" (Utica, NY) chronicles the death of the brilliant Welsh cartoonist, John S. Pughe, of "Puck", New York. Mr Pughe was a native of Dolgellan [*sic*], Meirionethshire, and was only 41 years of age.'

[33] Ganed Thomas Prytherch yn Nowlais ym 1865 a dechreuodd weithio yn swyddfa luniadu Cwmni Haearn Dowlais. Daeth i sylw yr AS lleol, W. Pritchard Morgan, a drefnodd iddo gael ei hyfforddi yn y Slade yn Llundain. Paentiodd dirluniau a thestunau hanesyddol a darluniodd nifer o gyfrolau, gan gynnwys yr argraffiad Saesneg o *Gweledigaetheu y Bardd Cwsc* gan Ellis Wynne, sef *The Visions of the Sleeping Bard*, ym 1909. Bu farw ym 1926. Ysgrif goffa, *Merthyr Express*, 17 Ebrill 1926.

[34] Cyhoeddwyd peth gwaith Cymreig heb unrhyw gymorth gan noddwyr, awduron nac arlunwyr brodorol. Er enghraifft, comisiynodd Macmillan lun Albert Herter o *Pryderi and Rhiannon* ar gyfer *Enchanted Islands of the Atlantic* ym 1898.

[35] Yr oedd Arglwydd Howard de Walden (T. E. Scott-Ellis, 1880–1946) o dras Gymreig ac ymgartrefodd yn Y Waun ym 1912. Yr oedd ganddo ddiddordeb rhamantaidd brwd mewn hanes. Ym 1912 mwynhâi Augustus John hela ceirw gyda bwa a saeth yn ei gwmni. Ychwanegodd: 'Lord Howard goes in for falconry also and now and then dons a suit of steel armour.' Dyfynnwyd gan Michael Holroyd yn *Augustus John: The New Biography* (London, 1996), t. 393.

[36] Ganed William Evans (1847–c.1916) ym Merthyr a chafodd yrfa lwyddiannus yn y gyfraith. Cyhoeddodd nifer o draethodau, ynghyd â chyfrol o faledi o Gymru. Dangoswyd y paneli yn yr Arddangosfa o Luniau Modern a gynhaliwyd yn Llyfrgell Genedlaethol Cymru ym 1921, a cheir disgrifiad llawn ohonynt yn y catalog, tt. 12–16.

545. Margaret Lindsay Williams, *Rhiain Llyn y Fan*, c.1915, llun allan o John Morris-Jones a W. Lewis Jones (goln.), *Gwlad fy Nhadau*, 1915, 187 x 135

isod: 546. Margaret Lindsay Williams, *The City of Refuge*, 1911, Olew, 1020 x 1270

Gyda chyhoeddi *The Welsh Outlook* ym 1914 cafwyd gwelliant dramatig yn y modd y dyluniwyd cylchgronau Cymreig, sef yr hyn y bu J. Kelt Edwards yn cwyno amdano. Cymerai'r cylchgrawn hwn ddiddordeb brwd mewn diwylliant gweledol,[37] ac er ei fod yn fodernaidd ei agwedd, cyhoeddwyd rhai darluniau da ar themâu mytholegol. Ymhlith yr enghreifftiau mwyaf nodedig oedd un o ddarluniau Margaret Lindsay Williams ar Chwedl Llyn y Fan, a gynhyrchwyd yn sgil menter anghyffredin wedi ei noddi gan gwmni bwyd Cymreig Keenora, a weithredai o Lerpwl a Manceinion. Cyhoeddwyd darlun lliw llawn cyntaf Williams o'r chwedl werin ym 1915 yn *Gwlad Fy Nhadau*,

548. Margaret Lindsay Williams, *Silence*, c.1910, Pensil, 2100 x 1100

547. Margaret Lindsay Williams, *Portrait of a Young Woman in White*, 1909, Olew, 600 x 500

cyfrol yn cynnwys detholiadau o lenyddiaeth Gymraeg ynghyd â lluniau a ffotograffau o gerflunwaith gan nifer o arlunwyr Cymreig, J. Kelt Edwards a Goscombe John yn eu plith. Bwriad y cynllun gwladgarol ac uchelgeisiol hwn, a olygwyd gan John Morris-Jones a W. Lewis Jones, oedd codi arian ar gyfer milwyr o Gymru a oedd yn ymladd yn y Rhyfel Mawr.[38] Cyhoeddwyd cyfieithiad Morris-Jones o *Chwedl Llyn y Fan* ar ffurf llyfryn, y disgwylid iddo fod y cyntaf o gyfres, a chafodd ei ddarlunio â naw darlun pellach gan Margaret Lindsay Williams.[39] Yr oedd Williams yn ferch i berchennog llongau cyfoethog o'r Barri, a bu'n astudio yng Nghaerdydd cyn mynd ymlaen i'r Academi Frenhinol. Bu'n llwyddiannus iawn yn gynnar yn ei gyrfa, a dilynwyd ei hynt yn ofalus gan y wasg yng Nghaerdydd a oedd, mor gynnar â 1910, wedi cyhoeddi ffotograff o grŵp o bortreadau yr oedd hi wedi eu harddangos yn lleol. Y flwyddyn ganlynol gadawodd yr Academi ar nodyn uchel drwy ennill y Fedal Aur am ei darlun *The City of Refuge*. Yn un o'i ysgrifau olaf ar ddiwylliant gweledol Cymru, da y nododd Thomas Matthews: 'Diameu fod gan gyfriniaeth apêl gref at Miss Williams.'[40] Rhagwelai ar ei chyfer ran allweddol yn y gwaith o addurno'r adeiladau cenedlaethol y dychmygai y caent eu hadeiladu yn y Gymru newydd: 'Heb fod yn faith iawn daw'r nifer yn gyflawn pan fydd i ni Senedd-dy Cymreig. Yna dylid eu haddurno â murddarluniau. Dywedir na feddwn arlunwyr a'r gallu i wneud hyn. A dyma un arall at nifer y Cymry fedrant yr arlunwaith hwn.'[41] Eto i gyd, yr oedd amgyffred Matthews o'r elfen gyfriniol yng ngwaith Margaret Lindsay Williams, a atgyfnerthwyd gan luniau mawr megis *Silence*, yn anghywir os tybiai y byddai hynny yn ei harwain i ymdrin yn bennaf â thestunau Cymreig. Eithriad oedd *Rhiain Llyn y Fan*, ac y mae'n bosibl i'r testun ei denu oherwydd y rhan ganolog a roddwyd i'r ferch yn y stori. Y mae llawer o weithiau diweddarach Williams, gan gynnwys *The Devil's Daughter* a *The Triumph*, testunau alegorïol sylweddol a ddenodd gryn sylw yn arddangosfeydd yr Academi Frenhinol a Salon Paris ym 1917 a 1918, yn ymdrin â merched.[42]

[37] Am y cylchgrawn a'i gyfraniad i ddatblygiad diwylliant gweledol, gw. Lord, *Diwylliant Gweledol Cymru: Y Gymru Ddiwydiannol*, tt. 173–222.

[38] John Morris-Jones a W. Lewis Jones (goln.), *Gwlad fy Nhadau: Rhodd Cymru i'w Byddin* (Llundain, 1915).

[39] Yr oedd John Morris-Jones, fel Tom Ellis ac O. M. Edwards, ei gyd-fyfyrwyr yn Rhydychen, yn amlwg yn ymddiddori yn y diwylliant gweledol. Yr oedd *Caniadau*, a gyhoeddwyd gan Fox, Jones a'i Gwmni yn Rhydychen ym 1907, yn cynnwys tudalen deitl gain wedi ei darlunio mewn arddull ganoloesol.

[40] Thomas Matthews, 'Celf Miss Margaret Lindsay Williams', *Cymru*, XLVII (1914), 217.

[41] Ibid.

[42] Ni lwyddwyd i olrhain y lluniau hyn, a oedd ddiwethaf ym meddiant Urdd Gobaith Cymru. Am eu hanes diweddarach, gw. R. E. Griffith, *Urdd Gobaith Cymru, Cyfrol 2, 1946–1960* (Aberystwyth, 1972), t. 11. Dadansoddir gyrfa Margaret Lindsay Williams yn Angela Gaffney, *'Wedded to her Art': Margaret Lindsay Williams 1888–1960* (Aberystwyth, 1999).

Er gwaethaf y diddordeb yn hanes, mytholeg a llên gwerin Cymru a ysgogwyd gan yr awyrgylch cyffredinol o ddeffroad cenedlaethol ar ddiwedd y bedwaredd ganrif ar bymtheg, nid oedd fawr o gydlyniad yn perthyn i ymdrechion y nifer mawr o arlunwyr ifainc a ddaeth i'r amlwg yn y cyfnod hwn i ddelweddu'r myth cenedlaethol. Ymddengys mai Christopher Williams oedd yr unig un yn eu plith a feddai ar y weledigaeth a'r gallu technegol i gyflawni hynny, er na fyddai yntau ychwaith yn llwyddo i fanteisio'n llawn ar y posibiliadau a grëwyd gan ysbryd yr oes.[43] Ganed Williams ym Maesteg ym 1873 a dangosodd ddiddordeb cynnar mewn celfyddyd pan aed ag ef, yn blentyn, i weld y darluniau yn Amgueddfa Caerdydd. Yn ôl ei gyfaddefiad ef ei hun, serch hynny, gweld *Perseus and Andromeda* gan Arglwydd Leighton yn Oriel Gelf Walker yn Lerpwl ym 1892 a'i hysgogodd i ddilyn gyrfa mewn celfyddyd. Derbyniodd ei hyfforddiant cychwynnol gan y dyfrlliwiwr F. J. Kerr yn Sefydliad Technegol Castell-nedd, ond y flwyddyn ganlynol enillodd ysgoloriaeth i'r Coleg Celf Brenhinol. Ni throes ei gefn ar Gymru, serch hynny, ac erbyn 1896 yr oedd mewn cysylltiad â Clarence Whaite.[44] Bu'n astudio wedi hynny yn yr Academi Frenhinol hyd 1901. Er bod dylanwad Leighton yn dal yn gryf arno, ysbrydolid Williams fwyfwy gan G. F. Watts, y daethai i gysylltiad ag ef ychydig cyn ei farwolaeth, er na allai erioed feddwl amdano fel hen ŵr:

> he always was to me his youthful self – Love in Love Triumphant. Even when I saw him in his bed such a short time ago I could not look upon him as an old man. His hair was white, his hands like those of Cardinal Manning, but his soul – and spirit – oh so young ... I felt at one with Watts. I felt as if I had known him all my life. I had so absorbed his work that I seem to have been part author of his ideas myself.[45]

Fel y gwelwyd eisoes, yr oedd gwladgarwch Celtegaidd yn rhannol gyfrifol am edmygedd yr arlunwyr Cymreig o Watts gan fod yr arlunydd Seisnig enwog wedi arddel ei dras Geltaidd. Eto i gyd, i ddiwylliant deallusol â'i sylfeini mewn Celtegaeth ac Ymneilltuaeth fel ei gilydd, y cysyniad o Watts fel Celt a moesolwr a sicrhaodd iddo safle mor ddyrchafedig yn y pantheon hwn. Yr oedd Christopher Williams, felly, nid yn unig yn edmygu 'natur Geltaidd' Watts, ond yn credu yn ogystal nad oedd yn 'advocate of art for art's sake' gan mai 'the highest form of art is that which portrays the deep problems and aspirations of human life and sets people thinking'.[46] Y mae'r sylw hwn yn gosod paentio testunol Christopher Williams (megis Margaret Lindsay Williams) mewn cyferbyniad llwyr i waith Augustus John a oedd yn datblygu yn yr un cyfnod yn union ond i gyfeiriad hollol wahanol. Serch hynny, os yw celfyddyd Williams yn ymddangos yn geidwadol o'i chymharu â gwaith John, yr oedd hyn nid oherwydd bod yr arlunydd yn dianc i'r gorffennol ond oherwydd nad oedd ef, fel ei gyfoeswr yn Ysgol Gelf y Slade, wedi ymwrthod â difrifoldeb dwfn ei gefndir diwylliannol Ymneilltuol. Megis Cox a Whaite o'i flaen, yr oedd Ymneilltuaeth yn sylfaen gref i'w estheteg. Yr oedd Williams yn ymwybodol iawn o beryglon rhagfarnau Ymneilltuol a chenedlgarol,[47] ond y cyfuniad o'i ffydd Gristnogol, gwladgarwch a safbwyntiau cymdeithasol radicalaidd a'i harweiniodd, fel Watts, i baentio testunau moesol. Y mae'n bosibl

[43] Cafodd gwaith arlunwyr Gwyddelig fwy o sylw yn yr hinsawdd cyffelyb o adfywiad cenedlaethol a oedd yn cyniwair drwy Iwerddon yn yr un cyfnod. Gw. James Christen Steward (gol.), *When Time Began to Rant and Rage: Figurative Painting from Twentieth-Century Ireland* (London, 1999).

[44] LlGC, Archif Whaite. Ysgrifennodd Williams at Whaite ynglŷn â'r dryswch a allai godi pe bai Ysgol South Kensington yn newid ei henw i'r 'Royal College of Art'. Byddai ganddi wedyn yr un blaenlythrennau â'r 'Royal Cambrian Academy'.

[45] Jeremiah Williams (gol.), *Christopher Williams, R.B.A. An account of his life and appreciations of his work* (Caernarfon, d.d.), tt. 46–7. Y mae Williams yn dyfynnu'n helaeth o hunangofiant yr arlunydd ei hun, dogfen sydd wedi diflannu erbyn hyn.

[46] Atgofion gan Williams, bellach ar goll, a ddyfynnwyd gan A. D. Fraser Jenkins yn ei gyflwyniad i'r catalog *Christopher Williams Centenary 1873–1973* (Cardiff, 1973), t. 5.

[47] Gw. e.e., 'The Moss Gatherer', atgofion Williams o'i brofiad o ragfarn Ymneilltuol mewn pentref, a gyhoeddwyd yn Williams (gol.), *Christopher Williams*, tt. 54–7.

[48] Ibid., t. 94.

[49] Cafodd y fersiwn cyntaf o'r portread, nad oedd wedi ei gomisiynu, ei wrthod gan yr Academi Frenhinol. Y mae'n amheus a wyddai Williams am bortread Herkomer, er bod y ddau yn troi yn yr un cylchoedd artistig yn Llundain.

549. J. F. Lloyd,
Christopher Williams (yn y canol) gyda Mrs Emily Williams a B. A. Lewis, c.1905

550. Christopher Williams,
Hwfa Môn, 1904, Olew,
1350 × 1080

ei fod wedi dechrau ymddiddori mewn deunydd Celtaidd cyn 1904, ond y cysylltiad a grëwyd rhyngddo a chylch deallusol yr Eisteddfod Genedlaethol a'r mudiad Pan-Geltaidd yn ystod y flwyddyn honno a roes hwb iddo i weithredu. Ysgogwyd ef gan ei brofiadau yn y Gyngres Geltaidd yng Nghaernarfon a'r Eisteddfod Genedlaethol yn Y Rhyl i baentio'r cyntaf o ddau bortread o Hwfa Môn.[48] Yr oedd yr Archdderwydd yn gwisgo regalia Herkomer, a dilynodd Williams eiconograffeg portread Herkomer ei hun, gan osod ei wrthrych o flaen cromlech.[49] Y flwyddyn ganlynol, ac yntau ym Mangor yn paentio portread wedi ei gomisiynu o John Morris-Jones, ysgrifennodd Williams at ei wraig Emily:

> So here I have been with two really great men, Celts among Celts, and I have been steeped in Celtic ideals, flooded with early Welsh history and pre-Arthurian tales and mythology. The Mabinogion has been in constant use, so also has Lady Charlotte Guest's Red Book and the Black Book of Carmarthen. I have plenty of subjects for painting, three of which I shall soon tackle. It is a gold mine untouched and full of Welsh fire and imagination.[50]

Aeth sawl blwyddyn heibio cyn i Williams droi ei frwdfrydedd yn lluniau ac y mae'n bosibl yn y cyfamser i waith ei gyfoeswyr gryfhau'r bwriad hwnnw. Y mae'n rhaid ei fod wedi gweld darlun Whaite, *The Archdruid: A Throne in a Grove*, yn Eisteddfod Genedlaethol Caernarfon ym 1906, ac y mae'n amlwg iddo ddarllen y casgliad o ysgrifau a olygwyd gan Thomas Stephens, *Cymru: Heddyw ac Yforu*, a gyhoeddwyd ym 1908. Mewn erthygl dan y teitl 'Celf yng Nghymru', cyfeiriodd T. H. Thomas at bosibiliadau gweledol deunydd mytholegol: 'Yn ychwanegol at y rhai hyn, dyna faes enfawr rhamant a thraddodiad Cymru sydd hyd yma heb ei gyffwrdd, cymeriadau a gweithredoedd dieithr y Mabinogion hynaf a *chivalry* y chwedlau diweddarach.'[51]

Yn yr un cyhoeddiad cydnabuwyd Augustus John am y tro cyntaf gan y sefydliad Cymreig pan y'i gwahoddwyd i gyfrannu ei syniadau, ac yntau ym Mharis ar y pryd, ochr yn ochr â rhai Thomas. Gwrthryfelai John yn erbyn popeth bron, gan gynnwys gwendidau gweledol ei gyd-wladwyr: 'Y mae'r synwyr Ceinder a esgeulusant yn tarthu ymaith mewn ffitiau o ddylyfu gên ar ol ymosodiadau cyfnodol o anghysgadrwydd ysbrydol – y mae'r synwyr adeiladu yn cael ei flino i farwolaeth ynddynt mewn ymgais i godi y Gaersalem Newydd – y mae'r synwyr cynllun ynddynt oddeutu digon i beri iddynt ddeall cyfundrefn y Cread: – tra y mae Ffurf a Lliw yn awgrymu drychfeddyliau sydd yn hollol anheilwng o sylw neu yn anelwig ddrygionus.'[52] Troes John ei sylw wedi hyn at addysg gelf yng Nghymru. Gyda pheth ysbryd gwladgarol, beiodd '*bunkum* Seisnig' am ddiffygion y gyfundrefn, er iddo fynnu hefyd fod 'anwybodaeth a gwaseidd-dra Cymreig'[53] i'w beio am ei derbyn yn ddiwrthwynebiad. Rhoes sylwadau rhwysgfawr John hyder i Christopher Williams yntau ymosod yn ddeifiol ar y pwnc mewn anerchiad i'r Cymmrodorion yn Eisteddfod Genedlaethol Llangollen ym 1908. Gan ddilyn T. H. Thomas, a oedd wedi traethu ar gelfyddyd Gymreig yn y gorffennol, ymosododd yn hallt ar yr agweddau cyfoes at gelfyddyd yng Nghymru: 'There seems, somehow, to be no conception among the Welsh people of what Art really is ... Ninety-nine out of every hundred treat it with an indifference which suggests that they think it means only painting pretty pictures.'[54] Yr oedd y ddarpariaeth yn yr ysgolion celf yn sâl a'r amgylchedd adeiledig yn milwrio yn erbyn gwerthfawrogiad o harddwch gan i gymoedd diwydiannol y de gael eu difwyno gan 'investors and company promoters and landlords'. Eto i gyd, er ei ddyled amlwg i Augustus John, awgrymodd ffordd ymlaen a oedd yn seiliedig nid ar y Foderniaeth a oedd yn dechrau ymddangos yng ngwaith John ond ar gyflawniadau G. F. Watts, a oedd wedi dangos 'to what heights an artist of our race can go, if only given the needed opportunities'.[55]

[50] Dyfynnwyd yn Jenkins, *Christopher Williams Centenary*, t. 7. Y mae'n bosibl mai Thomas Shankland, Llyfrgellydd Coleg Prifysgol Gogledd Cymru, Bangor, oedd y gŵr mawr arall. Arferai Williams aros gydag ef yn ddiweddarach pan fyddai'n ymweld â'r gogledd.

[51] T. H. Thomas, 'Celf yng Nghymru' yn T. Stephens (gol.), *Cymru: Heddyw ac Yforu. 80 o Ysgrifenwyr. 80 o Ddarluniau* (Caerdydd, 1908), t. 362. Ychwanegodd Thomas: 'Y mae'n wir fod ychydig wedi ei wneuthur yn y cyfeiriad hwn, megis cyfres Tom Prytherch o "Wroniaid Cymreig", ond erys cyfoeth y croniclau Celtaidd heb ei gyffwrdd.' Ni lwyddwyd i olrhain y gyfres.

[52] Augustus E. John, 'Celf yng Nghymru' yn ibid., t. 355.

[53] Ibid., t. 356.

[54] Williams, *Christopher Williams*, t. 128.

[55] Ibid., t. 132.

[56] Ibid., t. 63.

551. Ffotograffydd anhysbys, *Christopher Williams, yn sefyll gyda'i ddarlun o Arwisgiad Tywysog Cymru yng Nghastell Caernarfon, c.*1911

552. Christopher Williams, *Ceridwen*, 1910, Olew, 1585 x 1035

Ac eithrio'r portread o Hwfa Môn, ni ddechreuodd Williams arwain drwy esiampl hyd 1910, pan ddangoswyd *Ceridwen*, y cyntaf o dri llun a seiliwyd ar y Mabinogion, ond yr oedd y flwyddyn ganlynol yn llawer mwy cynhyrchiol a hefyd yn fwy cynrychioliadol o agweddau cenedlaethol yr oes. Yn haf 1911 arwisgwyd Edward, mab hynaf Siôr V, yn Dywysog Cymru mewn seremoni yng Nghastell Caernarfon. Er na chafodd groeso gan bawb, credai'r mwyafrif o'r deallusion fod y digwyddiad yn cadarnhau cenedlaetholdeb Cymreig yn hytrach na'i wanhau. Cytunai Christopher Williams â hwy, ac ar ôl hysbysu'r Arglwydd Plymouth ei fod yn awyddus i baentio'r seremoni, cafodd fynediad i'r arwisgo ac wedi hynny gyfle i wneud astudiaethau unigol o'r teulu brenhinol. Esgorodd hyn ar ddarlun boddhaol, os ystrydebol braidd, o'r seremoni, lle y mae mwynhad argraffiadol yr arlunydd o liwiau llachar y gwisgoedd yn yr heulwen yn cael blaenoriaeth dros ddifrifoldeb y foment o osod y goron ar ben y Tywysog, moment a groesawyd gan y dorf deyrngar, fel y cofiai Williams, gyda 'a hush and a sigh'.[56] Tra oedd yn gweithio ar y portread grŵp swyddogol hwn, dechreuodd Williams feithrin syniadau ar gyfer darlun alegorïol y bwriedid iddo fod yn fynegiant o'r oes Gymreig newydd a gawsai, yn ôl ei chefnogwyr, ei chadarnhau gan yr arwisgo. Gwnaeth *Deffroad Cymru* ddefnydd o'r myth fod swyn wedi ei roi ar Gwenllian, merch Llywelyn ap Gruffudd, adeg ei bedydd a fyddai'n peri iddi gysgu am byth.

554. Christopher Williams, *Gwenllian*, lluniad ar gyfer *Deffroad Cymru*, Golosg a sialc, c.1911, 290 x 230

gyferbyn:
553. Christopher Williams, *Deffroad Cymru*, 1911, Olew, 3000 x 2000

> Hunodd anianawd genedlaethol Cymru, ond ar ol saith canrif, dan ddylanwad y goleuni newydd, sef goleuni addysg, deffrodd ... Erbyn hyn nid ydyw Cymru Fydd yn ei babandod, ond gwelir rhian deg ei phryd a gwedd yn deffro i'r wawr wen oleu. Y mae yn hŷn na Lloegr; ond gan iddi gysgu cyhyd ieuanc yw, a gwel obeithion newydd, – newydd a diderfyn uchel – ym mroydd cân a chelf.[57]

Yn ei ddadansoddiad manwl o'r llun, a ysgrifennwyd mewn ymgynghoriad â'r arlunydd, ategodd Thomas Matthews y farn fod angen gwneud llawer iawn eto i hybu celfyddyd o fewn y diwylliant. Ystyriai Williams yn arweinydd y diwygiad disgwyliedig: 'Gobeithiaf y caf weled ei ddyfodol yn ddisglair, oherwydd mai ei amcan pennaf ydyw nid "Celf er mwyn Celf", ond "Celf i ddyrchafu bywyd".'[58]

Er iddo gwblhau'r triawd o luniau o'r Mabinogion pan baentiodd *Branwen* a *Blodeuwedd*, ni wireddodd Christopher Williams ddisgwyliadau Matthews ar ei gyfer, sef y byddai'n chwarae rhan allweddol mewn creu celfyddyd genedlaethol.[59] Yn y cyfnod wedi'r Rhyfel Mawr bu'n dilyn gyrfa fel arlunydd portreadau yn bennaf, a lluniodd bortreadau o nifer o Gymry amlwg mewn bywyd cyhoeddus, megis yr athronydd Syr Henry Jones. Paentiodd Jones ar dri achlysur yn ystod ei yrfa yn y cyfnod yn arwain at ei ddyrchafu'n Athro Athroniaeth ym Mhrifysgol Glasgow, ac ymddengys eu bod yn gyfeillion agos. A hwythau'n Ymneilltuwyr radicalaidd, yr oeddynt yn rhannu barn gyffelyb ar addysg a materion cymdeithasol, ac y mae'n bosibl fod Williams yn ystyried Henry Jones yn enghraifft fyw o'r hyn y gallai cenedl

[57] Thomas Matthews, 'Celf yng Nghymru', *Cymru*, XL (1911), 19.

[58] Ibid., 22.

[59] Ni phaentiwyd *Blodeuwedd* hyd tua 1925–30, ac yr oedd ar raddfa lawer llai na'r ddau lun arall. Y mae'n bosibl i Williams gael ei ysbrydoli i ddychwelyd at y testunau cenedlaethol, a roddwyd o'r neilltu ganddo ar ôl y Rhyfel Mawr, pan gyhoeddwyd dwy act gyntaf *Blodeuwedd* Saunders Lewis. Yr wyf yn ddiolchgar i Ceri Sherlock am yr awgrym hwn.

555. Christopher Williams, *Blodeuwedd*, c.1925–30, Olew, 1105 x 510

556. Murray Urquhart,
Murluniau Owain Glyndŵr, 1912–14,
Olew, y panel ar y chwith (Panel 2)
2692 × 1524, y panel ar y dde
(Panel 3) 2692 × 1498

ei gyflawni ar ôl cael ei rhyddhau gan addysg, cysyniad a baentiwyd ganddo ar ffurf alegorïol yn *Deffroad Cymru*. Y mae'r ffaith mai prin yw'r testunau cenedlaethol a baentiwyd gan Williams yn awgrymu efallai fod ganddo beth amheuaeth ynglŷn â'r *genre*, ond y prif reswm am hynny, yn ôl pob tebyg, oedd diffyg cyfleoedd mewn gwlad nad oedd ganddi, er gwaethaf yr holl sôn am adfywiad, ond ychydig o adeiladau cyhoeddus y gellid comisiynu lluniau o'r fath ar eu cyfer.[60] Yr unig furlun mawr ar destun cenedlaethol a wnaed yng Nghymru cyn y Rhyfel Mawr oedd cyfres o bedwar llun ar fywyd Owain Glyndŵr ym Machynlleth, a baentiwyd gan Murray Urquhart, arlunydd ifanc o'r Alban, ym 1912 a 1914.[61]

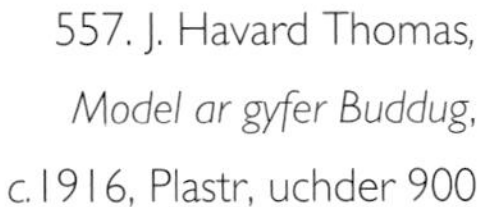

557. J. Havard Thomas, *Model ar gyfer Buddug*, c.1916, Plastr, uchder 900

558. Lanchester, Stuart a Rickards, *Y Neuadd Farmor, Neuadd y Ddinas, Caerdydd*, 1906, gosodwyd y cerfluniau ym 1916

Y mae'r unig waith celf a wnaed cyn y Rhyfel Byd Cyntaf sy'n ceisio gwneud datganiad pwysig ynghylch hunaniaeth hanesyddol Cymru yn dangos yn eglur mor bwysig oedd adeiladau cyhoeddus fel safleoedd ar gyfer arddangos lluniau a cherfluniau ar destunau cenedlaethol. O'r pedwar grŵp alegorïol o gerflunwaith a addurnai furiau allanol Neuadd y Ddinas Caerdydd, a agorwyd ym 1906, dim ond un, sef *Unity and Patriotism*, a oedd â thema genedlaethol. Eto i gyd, er mai adeilad a oedd yn eiddo i awdurdod lleol ydoedd, credai llawer fod gan Neuadd y Ddinas statws lled-genedlaethol (gan mai oddi yma y câi'r dref bwysicaf yng Nghymru ei llywodraethu) ac yr oedd y *Pantheon o Arwyr Cenedlaethol* yn y Neuadd Farmor yn rhan o'r cysyniad gwreiddiol. Cychwynnwyd ar y gyfres o gerfluniau sy'n cynnwys y *Pantheon*, ac a ariennid gan y meistr glo D. A. Thomas, wyth mlynedd wedi cwblhau'r adeilad. Ni fu raid cystadlu am y comisiynau; cawsant eu rhannu ar gyngor J. Havard Thomas, ymgynghorydd y cynllun.[62] Yr oedd Thomas yn un o'r nifer o artistiaid a gâi eu cyfrif yn Gymry oherwydd eu gwreiddiau, gan fod ei ddau riant yn dod o orllewin Cymru. Yr oedd wedi cystadlu mewn eisteddfodau o bryd i'w gilydd, a bu'n fuddugol yn Eisteddfod Bangor ym 1874 gyda'i grŵp cerfweddol *Boadicea at the Head of her Army*. Buddug oedd testun ei gyfraniad i'r *Pantheon* hefyd, testun a ddewiswyd dan amgylchiadau anarferol braidd. Yn hwyr yn y dydd sylweddolwyd bod y deg ffigur cenedlaethol a ddewiswyd i gyd yn ddynion, a phenderfynwyd y dylid cynnwys Buddug, er mai o drwch blewyn y cafodd ei dewis gan fod sawl aelod o'r pwyllgor yn ffafrio Ann Griffiths.

Gyda chynnwys Buddug, a oedd nid yn unig yn cynrychioli merched Cymru ond hefyd Brydain Fore, yr oedd y *Pantheon* yn mynegi holl brif agweddau yr ymdeimlad cenedlaethol ar ddechrau'r ugeinfed ganrif: yr Eglwys Fore (*Dewi Sant*), Ymneilltuaeth (*William Williams, Pantycelyn*), barddoniaeth (*Dafydd ap Gwilym*), yn ogystal ag ymdeimlad gwleidyddol Prydeinig Seisgarol (*Harri Tudur*

[60] Ym 1911 ymgyrchodd Thomas Matthews i gael comisiwn i Williams i baentio cyfres o furluniau ar fywyd John Gibson yn Ysgol Goffa John Gibson yn Y Gyffin, Conwy, ond ni ddaeth dim o'r ymgais. 'A young Welsh artist, Mr. Christopher Williams, has paid special attention to mural decoration and to frescoes. He is already in the front rank as a portrait painter, and is able, I am positive, better able I would say, to draw up a scheme of mural decoration in consonance with Gibson's ideals than anyone else, for he is imbued with the same inspiration that animated Gibson.' *Western Mail*, 31 Ionawr 1911. Y mae bron yn sicr mai awdur y llythyr oedd Thomas Matthews, a nododd fod cytundeb i gyhoeddi bywgraffiad o Gibson wedi ei lofnodi y diwrnod hwnnw, ar ben blwydd ei farwolaeth. Matthews ei hun oedd awdur y bywgraffiad hwn. Bu *Deffroad Cymru* Christopher Williams yn stiwdio'r arlunydd hyd ei farwolaeth, ac felly ni chafodd unrhyw ddylanwad ar y cyhoedd y'i bwriadwyd ar ei gyfer. Daeth darlun Gwyddelig cyffelyb, sef *Éire* gan Arglwyddes Glenavy, a baentiwyd ym 1907, yn adnabyddus iawn. Fe'i prynwyd gan Maud Gonne a'i roi i Goleg y Santes Edna yn Nulyn. Dywedodd un o'r myfyrwyr yn ddiweddarach fel y bu i'r darlun ei ysbrydoli 'to die for Ireland'. Steward (gol.), *When Time Began to Rant and Rage*, t. 130.

[61] Yn ôl *The Westminster Gazette*, 2 Chwefror 1914, 'the work is so good that, but for the tourists, it would seem almost a pity to hide it in what in these days is little more than a village', barn a gododd wrychyn golygydd *The Welsh Outlook*, I (1914), 149. Ganed Urquhart ym 1880 ac fe'i hyfforddwyd yng Nghaeredin ac yn Llundain a chyda Julian ym Mharis. Ni wyddys sut y cafodd Urquhart y comisiwn i wneud llun Glyndŵr, ond y mae'n bosibl fod gan y Chwiorydd Davies ran yn hyn. Cafwyd cymorth Urquhart i roi eu darluniau i fyny ar gyfer yr arddangosfa a drefnwyd gan yr Amgueddfa Genedlaethol ym 1913. Ymddengys i O. M. Edwards fod â rhan yn hyn yn ogystal. Ym 1912 ysgrifennodd Urquhart at Edwards yn gofyn iddo pa fath o bicellau a ddefnyddid yng nghyfnod Glyndŵr. Dywedodd hefyd sut yr oedd y gwaith yn dod yn ei flaen: 'I have now represented Glyndŵr leading on a crowd of his soldiers, most of them roughly dressed as peasants would be. This seems to suggest what you impressed upon me – that he was the leader and hero of the common people.' LlGC Llsgr. 8437D, llythyr 40.

[62] Yn ôl y *Western Mail*, 11 Mawrth 1919, Wheatley, clerc cyngor tref Caerdydd, a gafodd y syniad gwreiddiol, ac ef a berswadiodd D. A. Thomas i ariannu'r prosiect. Yr oedd Cymdeithas Frenhinol y Cerflunwyr yn flin oherwydd y penderfyniad i beidio â chynnal cystadleuaeth agored. Er i'r aelodau o Gyngor y gymdeithas a dderbyniasai gomisiynau roi eu cefnogaeth i Harvard Thomas, yr oedd yr aelodau cyffredin wedi eu cythruddo, a bu'n rhaid i'r Cyngor ymddiswyddo.

559. Harry Pegram,
Llywelyn ap Gruffudd,
c.1916, Marmor

a *Syr Thomas Picton*) a'r traddodiad annibynnol Cymreig (*Hywel Dda, Llywelyn ap Gruffudd* ac *Owain Glyndŵr*).[63] Cerfiwyd y mwyafrif o'r ffigurau gan gerflunwyr Seisnig ifainc o dueddiadau ceidwadol, er bod dau ohonynt, T. V. Clapperton a Leonard Merrifield, wedi gweithio yn stiwdio Goscombe John. Ei greadigaeth ef, *Dewi Sant*, oedd canolbwynt y casgliad. Yr oedd arddull unffurf y cyfan yn adlewyrchu penderfyniad y pwyllgor a hoffter Havard Thomas o fath arbennig o farmor, a roddai orffeniad esmwyth yn hytrach na ffurfiau llym, dramatig. Dim ond y cerflun *Llywelyn ap Gruffudd* gan Harry Pegram a ddefnyddiodd eiconograffeg Gymreig draddodiadol ar ffurf bardd wedi cwympo wrth draed y Tywysog ac, yn wir, y ffigur hwn o Lywelyn a gâi'r dylanwad mwyaf ar yr ymwybyddiaeth gyhoeddus. Fwy na hanner can mlynedd yn ddiweddarach, daeth dwrn caeedig y Tywysog yn eiconograffeg boblogaidd fel arwydd o herfeiddiwch pobl ifainc yng ngwrthdystiadau Cymdeithas yr Iaith Gymraeg. Agorwyd y *Pantheon* ym 1916 gan David Lloyd George, achlysur a ddathlwyd mewn portread grŵp enfawr gan Margaret Lindsay Williams. Yr oedd yr epigraff i *A Nation's Heroes*, pamffled a luniwyd er mwyn egluro a dathlu'r gweithiau, yn ddyfyniad o waith Thomas Davis, ac yn crynhoi ethos y mudiad hanesyddolaidd mewn celfyddyd genedlaethol a oedd o'r diwedd yn cael ei fynegi mewn gwaith sylweddol:

> The National mind should be filled to overflowing with native memories ... The History of a Nation is the birthright of her sons. Who strips them of that, takes that which enricheth not himself but makes them poor indeed.[64]

560. Margaret Lindsay Williams,
David Lloyd George yn dadorchuddio'r Pantheon o Arwyr Cenedlaethol,
1916, Olew, 1625 x 3479

561. Hugh Williams,
Y Sasiwn Gyntaf, 1912,
Lithograff, 300 x 390

Neges ganolog darlun Christopher Williams, *Deffroad Cymru*, oedd y syniad o addysg fel cyfrwng a fyddai'n dyrchafu'r genedl ac yn esgor ar hunan-barch a pharch gan eraill. Y bobl yr oedd angen eu haddysgu fwyaf oedd y werin-bobl, sef, yn nhyb y rhan fwyaf o wladgarwyr a chenedlaetholwyr, y werin wledig Gymraeg ei hiaith. Erbyn diwedd y bedwaredd ganrif ar bymtheg, tybiai llawer o ddeallusion fod y frwydr wedi ei hennill, gan esgor ar y myth o bobl gyffredin oleuedig, 'y werin Gymreig'. Daeth dau gysyniad o gymdeithas, y naill yn deillio o Gymru a'r llall o'r tu allan iddi, ynghyd i ffurfio'r myth grymus hwn, a mynegwyd y ddau ohonynt yn y diwylliant gweledol. Yn gyntaf, byddai'r deallusion Ymneilltuol yn dathlu'r werin a ddyrchafwyd o'i hanwybodaeth gan ras Duw yn y Diwygiad Mawr yng nghanol y ddeunawfed ganrif, ffenomen a ystyrid yn un hollol Gymreig ac a atgyfnerthai'r hen syniad o Gymru fel gwlad freintiedig. Fel y gwelwyd eisoes, hyrwyddwyd y syniad hwn gan Hugh Hughes wedi i'r Methodistiaid Calfinaidd dorri'n rhydd oddi wrth Eglwys Loegr ym 1811. Lluniodd bortreadau i ddathlu arweinwyr y mudiad, ynghyd â delweddau alegorïol o hunan-welliant, yn bennaf ar ffurf engrafiadau. Parhawyd i ddathlu gwerthoedd ac arweiniad Ymneilltuaeth yn ystod ail hanner y bedwaredd ganrif ar bymtheg mewn delweddaeth brintiedig boblogaidd gan Ap Caledfryn a chan eraill llai adnabyddus, gan gynnwys Hugh Williams o Lanrwst, y cynhyrchwyd ei ddarlun *Y Sasiwn Gyntaf* ar gyfer ei gyhoeddi gan Hughes a'i Fab ym 1912.[65]

Y mae gweithiau Robert Hughes, y gweinidog a'r arlunydd rhyfeddol o Uwchlaw'r Ffynnon yn Llŷn, a ddechreuodd baentio pan oedd oddeutu hanner cant oed, yn dangos i ba raddau yr oedd diwylliant yr arweinwyr Ymneilltuol wedi ymdreiddio i'r ymwybyddiaeth boblogaidd. Paentiodd gyfeillion a chymdogion megis Hugh a Jane Jones yn dathlu pen blwydd eu priodas ym 1888, yntau'n ddeunaw a phedwar ugain oed a hithau'n gant oed, ond y mae'n fwyaf adnabyddus am ei gyfres faith o bortreadau o weinidogion Ymneilltuol.[66] Seiliwyd rhai o'r delweddau hyn ar ffotograffau ac engrafiadau, ond yr oedd gan Hughes gof gweledol aruthrol a gallai ddwyn i gof bryd a gwedd gweinidogion a phregethwyr o gyfnod ei lencyndod, megis Robert Dafydd, Brynengan, y gwnaeth bortread ohono dros hanner can mlynedd ar ôl ei farwolaeth. Ac yntau'n dyddynnwr, yn weinidog ac yn arlunydd, saif ymhlith y rheini a ddathlai'r traddodiad gwledig Ymneilltuol o'r tu mewn. Dathlai eraill y traddodiad hwn o'r tu allan am resymau mwy cymhleth.

[63] Y ddau arall oedd William Morgan a Gerallt Gymro.

[64] Thomas Davis (1814–43), y cenedlaetholwr Gwyddelig. Dyfynnwyd yn D. R. Jones, *A Nation's Heroes* (Cardiff, [1916]), tudalen deitl.

[65] Gwnaeth Hugh Williams (1867–1955) yrfa iddo ei hun fel arlunydd masnachol a phaentiwr portreadau yn Llundain. Cafodd anogaeth gan O. M. Edwards pan oedd yn arlunydd ifanc. Am Williams, gw. Richard H. Lewis, 'Yr Arlunydd Cymreig a anghofiwyd', *Y Casglwr*, 46 (Mawrth, 1992), 1. Paentiodd Williams nifer o destunau cenedlaethol eraill, gan gynnwys *Gwenllian* ac *Owain Gwynedd*.

[66] Dengys y ffaith i aelodau'r gymdeithas wyddonol a llenyddol leol ymweld â'i stiwdio ym 1884 fod Robert Hughes yn ffigur amlwg yn y cyfnod hwn. Gw. Peter Lord, 'The Meaning of the Naive Image' yn idem, *Gwenllian: Essays on Visual Culture*, t. 75. Ceir ei hanes yn Robert Hughes, *Hunan-Gofiant ynghyd â Phregethau a Barddoniaeth* (Pwllheli, 1893).

562. Robert Hughes o Uwchlaw'r Ffynnon,
Y Berl Briodas, 1888, Olew, 290 × 455

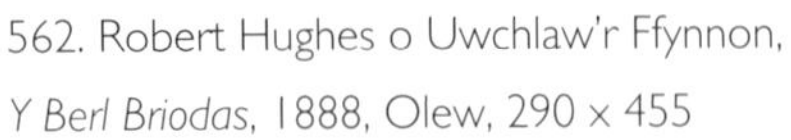

de: 563. Robert Hughes o Uwchlaw'r Ffynnon,
Robert Dafydd, Brynengan, c.1885,
Olew, 315 × 250

Yn *Echoes from the Welsh Hills*, a gyhoeddwyd ym 1883, lledaenodd y Parchedig David Davies ymhlith y Saeson werthoedd y gymuned wledig y perthynai Robert Hughes iddi.[67] Yr oedd llinengrafiadau syml T. H. Thomas yn atgyfnerthu'r delweddau archdeipaidd o dduwioldeb Cymreig a gyflwynid yn y testun, gan gynnwys angladd yn ymlwybro dros y bryniau yng nghanol storm yn null Clarence Whaite. Yn *The Harvest Field*, dygwyd y tirwedd mynyddig a'r bobl gyffredin yn llafurio yn y meysydd ynghyd yn null William Thomas (Islwyn), un o feirdd mwyaf poblogaidd y cyfnod, yn ei gerdd 'Crefyddolder Cymru':

> Yn egwyddorion yr Efengyl gu
> Mor hyddysg ydynt ei thrigolion hi!
> Y gair *Efengyl* yw y cyntaf bron
> A ddysgir iddynt dan fynyddau hon.[68]

Beirdd oedd yr unig rai a allai herio'r gweinidogion a'r pregethwyr am le yn yr eiconograffeg boblogaidd, a hynny fel rheol ar ffurf ffotograffau *carte-de-visite*, er y ceid hwy hefyd weithiau mewn printiau lliw, megis *Talhaiarn, Mynyddog a Cheiriog* ym 1890.

[67] David Davies, *Echoes from the Welsh Hills: or, Reminiscences of the preachers and people of Wales* (London, 1883).

[68] William Thomas (Islwyn), *Caniadau gan Islwyn* (Gwrecsam, [1867]), t. 96.

564. Anhysbys, *Talhaiarn, Mynyddog a Cheiriog*, 1890, Lithograff, 510 x 395

CHAPTER XVII.

The Harvest Field.

GLADSOME spring, so full of song and vigorous energy, had ushered in the summer with its mellower music and maturer life. The young birds which a few months ago twittered in their infancy had now learnt the song of life, and carolled it forth in all the fulness of its melody, and the green blades that then peeped above the ground modestly asking for a place in the world of life and beauty had now developed into the ripe grass, or the tall stalk bearing upon its head its crown of golden grain.

At this season the quiet and peaceful villagers obeyed the friendly summons of the neighbouring farmers to the harvest-field. Shadrach's smithy was unceremoniously

565. T. H. Thomas, *The Harvest Field*, llun allan o David Davies, *Echoes from the Welsh Hills*, 1883, 77 x 57

Megis Islwyn a Ceiriog, yr oedd T. H. Thomas yn cysylltu gwerthoedd pobl â'r tirwedd a'u cynhaliai. Erbyn 1880 yr oedd yr ail gysyniad o gymdeithas, a oedd yn porthi myth y werin Gymreig, sef delwedd fugeiliol o Gymru gyda'i gwreiddiau Clasurol, a ailddehonglwyd gan y mudiad *Picturesque*, wedi dod yn rhan annatod o'r ethos Ymneilltuol. Fe'i hatgyfnerthwyd gan syniadaeth am urddas llafur a medrau crefft y bobl gyffredin a oedd â'u gwreiddiau yn y byd cyn-ddiwydiannol ac, yn sgil gwaith cenhadu William Morris a chelfyddyd Burne-Jones, tybid bod i'r rhain hefyd gysylltiadau Cymreig cryf.[69] Pan adawodd Samuel Maurice Jones, mab i weinidog gyda'r Methodistiaid, Ysgol Gelf John Cambrian Rowland yng Nghaernarfon, aeth i Lundain lle y mynychai ddarlithiau John Ruskin yn yr Oriel Genedlaethol. Er bod Ruskin yn un o feddylwyr Seisnig mwyaf ei ddydd, yr oedd ei syniadau yn taro nodyn cyfarwydd i Jones, fel y byddent yn achos O. M. Edwards a Tom Ellis ychydig yn ddiweddarach. Bu Ruskin yn gymorth iddynt ddwyn ynghyd elfennau o hunaniaeth Gymreig a wahanwyd gan y bwlch rhwng syniadaeth bendefigaidd a democrataidd o'r gymdeithas wledig yn y ddeunawfed ganrif ac, yn y bedwaredd ganrif ar bymtheg, gan ddelweddau

[69] Ceir cryn wybodaeth am Burne-Jones a Morris yn T. Mardy Rees, *Welsh Painters, Engravers, Sculptors (1527–1911)* (Carnarvon, [1912]), tt. 78–84, 107–9.

gwrthgyferbyniol o Gymru a grëwyd o safbwynt crefyddol gan y Cymry eu hunain ac o safbwynt esthetig gan bobl o'r tu allan. Cysylltid crefyddusrwydd a gwyleidd-dra ag agosatrwydd metafforig at Dduw a phurdeb y tirwedd mynyddig y ffynnent ynddo.[70] Ym 1872 teithiodd Samuel Maurice Jones yn ŵr ifanc i Baris. Gan eistedd ar weddillion Colofn Vendôme a oedd newydd gael ei dymchwel, cymharodd ferched Cymru â merched Paris:

> Maent yn bur hoff o wahanol liwiau a tipyn 'go lew' o 'baent' ar eu gwynebau. Gwell genyf prydferthwch y FUN O EITHIN FYNYDD A BUGEILES Y WYDDFA A MERCH MEGAN gyda gruddiau wedi ei peintio gan awelon a gwlith y Bryniau – ac arogl Grug ar ei gwisgoedd, ac odlau can Gwlad y Bryniau Aur ar ei min.[71]

Yn ddiweddarach, câi gwyleidd-dra a symlrwydd y bobl hyn eu canmol gan O. M. Edwards mewn ffordd ramantaidd iawn ac er mwyn y Cymry eu hunain, yn wahanol i David Davies a ysgrifennai er mwyn plesio cynulleidfa Seisnig:

> Yn unigedd fy myfyrdod byddaf yn llawenhau wrth feddwl am werin Cymru, ac yn diolch i Dduw am dani, – am ei ffyddlondeb a'i gonestrwydd, am ei hawydd i wneud yr hyn sy'n iawn, am ei chariad at feddwl, am gywirdeb ei barn, am dynerwch ei theimlad a chadernid ei phenderfyniad.[72]

Yn ei areithiau a'i ysgrifau cysylltai Tom Ellis y gwerthoedd haniaethol hyn â delweddau grymus o dir Cymru:

> As I traverse districts like this, I feel that every cottage built on a Welsh hillside, and every generation reared within it contain new possibilities for Wales. For from such have come the leaders of Welsh thought and movements, the makers of our nation.[73]

Copïwyd y dyfyniad i lyfr nodiadau gan Samuel Maurice Jones,[74] ac ef, gyda thestunau gan O. M. Edwards, a wnaeth *Cartrefi Cymru* yn un o gonglfeini syniadaeth genedlgarol Ramantaidd ar ddiwedd y bedwaredd ganrif ar bymtheg. Dechreuodd ysgrifau ar gartrefi enwogion Cymru, wedi eu hysgrifennu gan Edwards a'u darlunio gan Jones, ymddangos yn y cylchgrawn *Cymru* ym 1891 ac fe'u cyhoeddwyd yn llyfr ym 1896.[75] Daeth yn un o lyfrau mwyaf poblogaidd yr oes. Yr oedd ymwybod Jones â lleoedd, nodwedd a gâi fynegiant cyson yn ei lyfr nodiadau, yn neilltuol o gryf: 'Oni theimlir swyn a chyfaredd yr enw TREFECCA a HEN EGLWYS TALGARTH. MAN GENEDIGAETH

[70] Yn ei astudiaeth o'r mudiad Rhamantaidd mewn llenyddiaeth, *Y Nos, y Niwl a'r Ynys: Agweddau ar y Profiad Rhamantaidd yng Nghymru, 1890–1914* (Caerdydd, 1960), awgrymodd Alun Llywelyn-Williams y gellid canfod dwy ffynhonnell, hyd yn oed pan oedd barddoniaeth wladgarol yn ei hanterth, fel yn achos y diwylliant gweledol. Awgrymodd fod gwreiddiau Eliseus Williams (Eifion Wyn) i'w gweld yn y traddodiad Clasurol uchelwrol a bortreadai'r werin yn byw mewn diniweidrwydd mewn Arcadia Gymreig, a bod Crwys a J. J. Williams wedi eu gwreiddio yn y syniad Ymneilltuol o werin a oedd wedi ei gwella ei hun, ac wedi ei dyrchafu o gyflwr o anwybodaeth drwy ras Duw yn ystod y Diwygiad Mawr. Am ymdriniaeth fanwl â'r ddelwedd o'r werin Gymreig, gw. Peter Lord, 'Yr Etifeddiaeth – Delwedd y Werin' yn Ivor Davies a Ceridwen Lloyd-Morgan (goln.), *Darganfod Celf Cymru* (Caerdydd, 1999), tt. 82–109.

566. Samuel Maurice Jones, *Paentio Dolwar Fechan, cartref Ann Griffiths*, llun allan o O. M. Edwards, *Cartrefi Cymru*, 1896, 50 × 63

567. Samuel Maurice Jones, *Man Geni Hugh Owen*, c.1890–5, Dyfrlliw, 310 × 493

Cymru Newydd. Lle yr ymwelodd Duw yn ei Ras ac ysbryd a chalon.'[76] Bu lluniau diymhongar Samuel Maurice Jones o gartrefi Cymru yn britho tudalennau cyhoeddiadau cenedlaethol ymhell i'r cyfnod wedi'r rhyfel.

569. Ffotograffydd anhysbys, *Samuel Maurice Jones (yr ail o'r dde) gyda'r bardd coronog Crwys yn Eisteddfod Genedlaethol Bae Colwyn*, 1910

Mewn llenyddiaeth, cyrhaeddodd y syniad o werin Gymreig uchafbwynt pan enillodd pryddest William Williams (Crwys), 'Gwerin Cymru', Goron Eisteddfod Genedlaethol Caerfyrddin ym 1911. Yn ei feirniadaeth, dywedodd J. J. Williams, 'Mae'r werin wedi cael ei chân, a chredwn y bydd yn falch ohoni byth.' Yr oedd ei honiad yn ddigon teg, a gellid dweud yr un peth o safbwynt diwylliant gweledol Cymru am *Salem* gan S. Curnow Vosper. Cawsai'r darlun ei arddangos yn yr Academi Frenhinol ym 1908, a chyhoeddwyd print lliw ohono gan y perchennog, yr Arglwydd Leverhulme. Disodlodd yn fuan iawn ddarlun Cox o *The Welsh Funeral* fel ymgorfforiad gweledol o'r werin Gymreig ym meddyliau'r werin ei hun yn ogystal â phobl o'r tu allan i Gymru. Y mae'r rhesymau dros ei lwyddiant ysgubol yn gymhleth, ond y rheswm pennaf oedd i'r ddelwedd gael ei hadnabod fel symbol o system a oedd yn seiliedig ar gyfuniad o dduwioldeb Ymneilltuol a'r syniad o Gymru fugeiliol.[77] Gellir clywed mwy nag un adlais o'r darlun yng ngherdd Crwys, ond fe'i clywir yn fwyaf amlwg yn y llinellau sy'n cyfeirio at y traddodiad a goffawyd yn y diwylliant gweledol am y tro cyntaf gan Hugh Hughes:

> Tyred yn nes, a thi a glywi sŵn
> Y moliant yn dygyfor uwch y fro,
> Emyn Eneiniog Pantycelyn yw
> Yn cael ei ganu gan orwyrion brwd
> Y sawl a'i canent fwy na chanri'n ôl
> Ar lawnt y Bala a Llangeitho Fawr.[78]

Yn ei ddyluniad ar gyfer y wynebddalen i'r casgliad o gerddi Crwys a gyhoeddwyd ym 1920, canolbwyntiodd J. Kelt Edwards ar y syniad o'r werin fel gwarcheidwaid y dreftadaeth ddiwylliannol, a dangosodd fwthyn byw yng nghysgod adfeilion castell, sy'n amlwg yn cynrychioli castell Harlech:

> Llys a chastell nid oes iddi,
> Plas na maenor chwaith yn awr,
> Ond mae'r heniaith yn ymloywi
> Ar wefusau'r werin fawr.[79]

568. J. Kelt Edwards, Tudalen deitl *Cerddi Crwys* (1920), 1919, 180 × 120

[71] LlGC, Papurau Samuel Maurice Jones.

[72] O. M. Edwards, *Er Mwyn Cymru* (Wrecsam, 1922), t. 65.

[73] T. E. Ellis, 'Social Life in Rural Wales', *Speeches and Addresses by the Late Thomas E. Ellis MP* (Wrexham, 1912), t. 131.

[74] LlGC, Papurau Samuel Maurice Jones, Llyfr Lloffion.

[75] O. M. Edwards, *Cartrefi Cymru* (Wrecsam, 1896).

[76] LlGC, Papurau Samuel Maurice Jones, Llyfr Lloffion.

[77] Peter Lord, 'Salem: A National Icon' yn idem, *Gwenllian: Essays on Visual Culture*, tt. 37–42. Adroddir hanes y llun yn Tal Williams, *Salem: Y Llun a'r Llan / Painting and Chapel* (Barddas, 1991). Am drafodaeth ar y llun yng nghyd-destun y Gymru ddiwydiannol, gw. Lord, *Diwylliant Gweledol Cymru: Y Gymru Ddiwydiannol*, tt. 108–9.

[78] William Crwys Williams, *Cerddi Crwys* (Llanelli, 1920), t. 20.

[79] Ibid., t. 17.

572. S. Curnow Vosper, *Market Day in Wales*, c.1910, Dyfrlliw, 374 x 307

gyferbyn: 573. Carey Morris, *The Welsh Weavers*, c.1910, Olew, 1422 x 1118

571. Ffotograffydd anhysbys, *T. H. Thomas a Menywod o Ynysoedd Aran*, 1904

y llun uchaf: 570. Arthur Lewis, *Y tu mewn i dŷ yn Aberystwyth, gyda* Salem *gan S. Curnow Vosper ar y wal (de uchod)*, c.1925, Ffotograff, 170 x 230

Un peth oedd mynegi'r syniad o werin oleuedig a diwylliant modern a gynhelid gan werthoedd Ymneilltuol mewn delweddau printiedig poblogaidd, peth arall oedd ei gyfleu mewn celfyddyd uchel. Yr oedd *Salem* Curnow Vosper yn llwyddiant digamsyniol, ond ni fu'r gweithiau eraill ar themâu cyffelyb a baentiwyd ganddo yng Nghymru a Llydaw mor boblogaidd. Hyd ei farwolaeth ym 1912 parhaodd Clarence Whaite i gofnodi ei hoffter o fywyd pob dydd y bobl gyffredin yn ei lyfrau nodiadau, ond ni ddatblygwyd y deunydd crai hwn fel thema ganolog yn y darluniau mawr a gafodd eu harddangos ganddo. Yr oedd gan Whaite gryn ddiddordeb yn yr hyn a oedd yn prysur ddatblygu'n astudiaeth ryngwladol o fywyd gwerin ac, fel ei gyfaill George Harrison, byddai'n casglu gwrthrychau. Bu Harrison yn cydweithio â T. H. Thomas i gasglu gwrthrychau a berthynai i'r oes a fu, a throsglwyddwyd llawer ohonynt i Amgueddfa Caerdydd. Yn ychwanegol at ei ddiddordeb mewn bywyd gwerin yn gyffredinol, ymddiddorai Thomas yn

574. Milo ap Griffith,
Hugh Owen, Efydd,
1886

575. Ffotograffydd anhysbys,
Milo ap Griffith (ar y chwith) a'i gynorthwywyr yn ei stiwdio yn gweithio ar 'Y Pedwar Apostol' ar gyfer Eglwys Gadeiriol Bryste, c.1875

arbennig yn y gwledydd Celtaidd, ac yr oedd wedi ymweld ag Ynysoedd Aran. Serch hynny, yr unig arlunydd Cymreig i gynhyrchu darluniau sylweddol o fywyd gwerin y cyfnod oedd Carey Morris, a aned yn Llandeilo ym 1882. Derbyniodd addysg sylfaenol mewn celf yng Nghaerfyrddin cyn mynd ymlaen i Ysgol Slade yn Llundain, gan ddilyn ôl troed Augustus John. Aeth oddi yno i ymuno â threfedigaeth yr arlunwyr yn Newlyn yng Nghernyw. Yr oedd paentio'r bobl gyffredin yn thema ganolog gan y grŵp o arlunwyr a ymgasglai yno o ganol y 1880au ymlaen. Erbyn hynny yr oedd arlunfa Betws-y-coed ar drai a'i phrif arlunwyr yn tynnu ymlaen. Yr oedd y grŵp Cernywaidd yn cynrychioli *avant-garde* yr oedd Morris yn awyddus i ymuno ag ef, ac atgyfnerthwyd y bwriad hwn pan symudodd yn ddiweddarach i stiwdio yn Chelsea. Eto i gyd, cynhyrchodd amryw o ddarluniau o destunau Cymreig yn null Newlyn.

Serch hynny, gwelwyd uchafbwynt y proses o ddehongli'r werin Gymreig nid mewn darluniau yn null Newlyn ond drwy gyfrwng annisgwyl cerfluniau cyhoeddus. Nid yw eu harbenigrwydd yn amlwg yn syth, gan mai prin y gellid eu hystyried yn wahanol o ran ffurf i gerfluniau cyhoeddus ledled Prydain yn y cyfnod hwnnw. Eto i gyd, i gynulleidfa a drwythwyd ym mytholeg arweinwyr Ymneilltuol Cymru

[80] Cofnododd Edward Griffith iddo dderbyn y comisiwn, a oedd yn werth £1,000, ar 24 Awst 1886. Ym 1889 ymwelodd â Chaernarfon lle y gwelodd 'the statue of Sir Hugh Owen which I had been swindled out of. Evidently the Committee had used my model and a close copy had been made. A few of the accessories were slightly altered, but the artist Milo ap Griffith had produced a failure. Even in copying my work, he had not been successful'. Atgofion Edward Griffith, LIGC Llsgr. 21233C, f. 33.

[81] Dafydd Ifans, 'Edward Griffith a Cherflun Llangeitho', *Cylchgrawn Cymdeithas Hanes y Methodistiaid Calfinaidd*, rhifau 9 a 10 (1985/86), 73.

576. Ffotograffydd anhysbys, *Edward Griffith*, c.1900

577. Edward Griffith, *Daniel Rowland o Langeitho*, Marmor, 1883

Fydd, yr oedd y ffigurau a anfarwolwyd mewn marmor ac efydd yn cyfleu neges dra gwahanol i'r delweddau o foneddigion, gwleidyddion a milwyr a oedd yn gyffredin yn Lloegr yn y cyfnod hwnnw. Er bod gan Gymru weithiau o'r fath, megis cerflun gwych Goscombe John o *Viscount Tredegar* ar ei geffyl, a wnaed ym 1906, prin oedd y cerfluniau ymerodrol eu naws a luniwyd i goffáu'r dosbarth milwrol. Y cyntaf o'r arweinwyr newydd yng Nghymru a oedd wedi codi o blith y werin oedd yr addysgwr Hugh Owen, a fuasai'n flaenllaw ymhlith diwygwyr radicalaidd y 1860au. Dadorchuddiwyd cerflun ohono ar y Maes yng Nghaernarfon ym 1886, pum mlynedd ar ôl ei farwolaeth. Lluniwyd y gofeb gan Milo ap Griffith, dan amgylchiadau lled amheus, fe ymddengys, gan i'r comisiwn gwreiddiol gael ei roi yn y lle cyntaf i Edward Griffith.[80] Yr oedd Griffith, serch hynny, eisoes wedi cael y boddhad o greu'r cerflun o Daniel Rowland yn Llangeitho a oedd yn fynegiant o'r un ethos, er mai darn hanesyddol ydoedd yn ei hanfod. Cofnodwyd cyffro'r achlysur o ddadorchuddio cofeb Daniel Rowland ym 1883 yn atgofion hunangofiannol Griffith:

> At 10 a.m. the weather cleared up and at that hour there was a great crowd coming in from all parts, & by noon it was difficult to make a way through the crowd for Dr. Edwards to get to the Pedestal, from which he had to mount a platform slightly raised from the ground at its base. All became excited and after a speech by him Dr. Thomas followed. Then followed several others wh[ich] was again in a few brief words followed by Dr. Edwards which while he spoke gave the cords a stiff pull & away went the sheets flying in the wind among the people. A great & lusty cheer from the crowd time after time made the Hills ring out in the distance, and all was over. I was called upon to speak & though refusing, begging to be excused, I had to hold forth but I dont know how I got on, it was reported in Welsh, so I never understood what I had been gassing about, excepting that the people followed it up by cheering me when I had finished, whether they understood me I doubt very much as very little English was understood in the remote parts of Wales at that time.[81]

578. William Goscombe John, *Lewis Edwards*, Efydd, 1911

579. William Goscombe John, *Daniel Owen*, Efydd, 1902

Yr un flwyddyn, derbyniodd Edward Griffith gomisiwn i lunio penddelw o Dr Lewis Edwards, Prifathro Coleg Diwinyddol Y Bala, a'r gŵr a ddadorchuddiodd y cerflun yn Llangeitho. Gwnaeth Griffith gerflun bach hyd llawn ohono yn ogystal.[82] Eto i gyd, Goscombe John a wahoddwyd ym 1911 i lunio cofeb gyhoeddus i'r gŵr a gâi ei gydnabod gan bawb yn arweinydd Methodistiaid Calfinaidd y cyfnod ac a ymgorfforai'r ddelwedd o'r dyn cyffredin hunan-addysgedig.[83] Yn wir, Goscombe John a gomisiynwyd i lunio'r rhan fwyaf o'r cerfluniau cyhoeddus pwysig yng Nghymru rhwng 1895 a'r Rhyfel Mawr, ac yr oedd y ffaith iddo gael ei gyflwyno i'r cylchoedd a wnaeth hynny'n bosibl yn nodweddiadol o ddylanwad deallusion cenedlgarol ym mywyd cyhoeddus Cymru yn y cyfnod hwn. Ym 1894 cyhoeddodd O. M. Edwards yn y cylchgrawn *Wales* erthygl ddarluniedig ar y cerflunydd, a ysgrifennwyd gan John Ballinger, un o'r grŵp o noddwyr yng Nghaerdydd y bu ei gefnogaeth yn allweddol i John ar ddechrau ei yrfa.[84] Yn yr un rhifyn o *Wales* cyhoeddwyd ail ran y cyfieithiad o'r nofel *Enoc Huws* gan Daniel Owen, a phan fu farw'r awdur y flwyddyn ganlynol ysgrifennodd John at O. M. Edwards gan gyffesu, er na wyddai lawer am waith y nofelydd (y mae'n debyg mai *Wales* oedd ffynhonnell yr hyn a wyddai), 'the news came to me as a blow, and quite as a personal loss'.[85] Gwnaeth y cerflunydd gynnig annisgwyl:

> Now nothing would give me keener pleasure than to do a memorial to our distinguished fellow countryman, for whatever sum was got together, however small this amount, counting my own remuneration as nought in this matter.[86]

[82] LlGC Llsgr. 21233C, ff. 30–1.

[83] Gwnaed portread hefyd o Lewis Edwards gan Jerry Barrett, yr arlunydd o Sais a baentiodd y darlun enwog *Florence Nightingale receiving the Wounded at Scutari*. Yr oedd O. M. Edwards, ac yntau'n ddyn ifanc ar y pryd, wedi dianc o'r seremoni, a gynhaliwyd ym 1877. Yn ôl yr hyn a ddywedwyd wrtho gan gyfaill, 'The unveiling of the Dr's picture was a scene of awful seboni.'

[84] Yr oedd John Ballinger (1860–1933) yn Llyfrgellydd Llyfrgell Rydd Caerdydd ac yn Ysgrifennydd yr Ysgol Gelf a ddarparodd gronfa deithio, gyda chymorth Ardalydd Bute ac eraill, i Goscombe John ym 1888. Y flwyddyn ganlynol teithiodd i Wlad Groeg, Twrci, Yr Aifft a'r Eidal. Yn ddiweddarach daeth Ballinger yn Llyfrgellydd cyntaf Llyfrgell Genedlaethol Cymru yn Aberystwyth.

[85] LlGC, Papurau O. M. Edwards, bwndel dyddiedig 1895.

[86] Ibid.

580. William Goscombe John, *Cofeb Llansannan*, Efydd, 1899

Er y byddai'n datblygu i fod yn ŵr busnes craff, nid oes unrhyw reswm dros gredu i John wneud y cynnig hwn i gylch cenedlgarol y tu allan i Gaerdydd yn y gobaith y byddai rhagor o gomisiynau yn dilyn. Dyna'n union a ddigwyddodd, fodd bynnag. Ni ddadorchuddiwyd y gofeb i Daniel Owen hyd 1902,[87] ac erbyn hynny yr oedd John wedi cwblhau cerflun arall mwy anarferol. Syniad Tom Ellis oedd yr ail gerflun hwn, a disgrifiodd fel yr heuwyd yr hedyn yn ei feddwl pan oedd ar ymweliad â phentref Llansannan, ym 1896 yn fwy na thebyg:

> There you find a certain freshness and vigour of spirit and of activity and withal splendid conservatism of custom and tradition on the part of the villagers and the peasants, and I felt as I looked upon the square of the little village that it would be a real addition to that village, and something that would perhaps kindle the young mind there, if a fitting monument, say a Celtic cross ... were raised in honour of the men who had been reared in that parish.[88]

Yr hyn a oedd gan Ellis mewn golwg oedd cofeb i Dudur Aled, William Salesbury, William Rees (Gwilym Hiraethog), Henry Rees ac Edward Roberts (Iorwerth Glan Aled), ond cafwyd bod dyluniad Goscombe John braidd yn 'fresh', fel y cyfaddefodd ef ei hun a, than ddylanwad Ffrengig, nid oedd wedi cynnwys y groes Geltaidd na'r gŵr ar bedestal:

> I felt that any *Academic* or *conventional* representations would have been out of place in an out of the world mountain village, something that would go with the surroundings & be understood by the *villagers young & old* struck me as being most fitted, so the idea I have worked on is ... a little girl, a village girl, in *modern village costume*, with *Welsh cloak* over shoulders ... You will I hope glean a notion from all this it would be an embodiment *of the present-day* thinking.[89]

[87] Am yr ymateb i'r gofeb, gw. John Owen, 'Cofgolofn Daniel Owen', *Cymru*, XXII (1902), 53–6.

[88] T. E. Ellis, 'Domestic and Decorative Art in Wales', *Transactions of the Honourable Society of Cymmrodorion* (1896–7), 31.

[89] LIGC, Papurau T. E. Ellis, 987.

581. Ffotograffydd anhysbys, *John Morley AS yn dadorchuddio Cofeb Tom Ellis yn Y Bala*, 1903 (Y mae Goscombe John yn gwisgo côt wen a David Lloyd George yn eistedd ar y llwyfan.)

582. William Goscombe John, *Medal Tom Ellis*, 1903, Efydd, 61 ar draws

Y mae'r ffaith mai dyma'r gofeb gyhoeddus gyntaf i'w chodi i goffáu'r gwŷr llên y maentumid eu bod mor uchel eu parch yng Nghymru yn arwydd o'r anawsterau a oedd ynghlwm wrth greu cerflunwaith cenedlaethol. Fe'i dadorchuddiwyd ym 1899, ddeng mlynedd a thrigain wedi ymgais aflwyddiannus William Owen Pughe i goffáu ei noddwr Owain Myfyr.

Y flwyddyn y dadorchuddiwyd y gofeb yn Llansannan, bu farw Tom Ellis, y gŵr a roes gychwyn i'r syniad. Aed ati yn ddiymdroi i gasglu arian er mwyn codi cofeb iddo yntau a rhoddwyd y comisiwn i Goscombe John, a oedd bellach wedi ennill ei le fel cerflunydd y genedl, yn olyniaeth anrhydeddus Gibson, Edwards, y brodyr Thomas a Mynorydd. Dadorchuddiwyd y gwaith gan John Morley AS yn Y Bala ar 7 Hydref 1903, gyda John ei hun yn cynorthwyo, yng ngŵydd gweddw Ellis a'i fab a David Lloyd George.[90] Neilltuwyd wynebddalen *Cymru* ar gyfer ffotograff o'r seremoni, a oedd yn ymgorfforiad o'r werin Gymreig. Ganed Tom Ellis yng Nghynlas, un o'r ffermydd bychain di-nod hynny yr oedd eu

583. Ffotograffydd anhysbys, *Tad a Mab Tom Ellis wrth y Gofeb*, c.1903

haelwydydd bellach yn symbol o fywyd y genedl, a chynhwyswyd llun ohoni ar gefn y fedal a wnaed er cof amdano. Nid oedd ond deugain oed pan fu farw ac, oherwydd iddo farw'n ifanc, fe'i hystyrid yn un o ferthyron y genedl. Yr oedd i'r cerflun ei hun arwyddocâd dwfn i wladgarwyr: 'Wele golofn ein tywysog', meddai Eliseus Williams (Eifion Wyn) mewn cerdd i goffáu dadorchuddio'r gofeb. I rywun o'r tu allan, prin y byddai hyn yn ymddangos yn ddim amgenach na chofeb gyffredin i wleidydd marw. Amlygwyd gwir arwyddocâd y gwaith i'r meddwl cenedlgarol gan Samuel Maurice Jones mewn darlith a draddodwyd ganddo yn Y Bala ar Tom Ellis, Thomas Charles a Lewis Edwards, tri a goffawyd yn y dref. Disgrifiodd Jones sut y rhoes Griffith Jones, Llanddowror ('Ef oedd Moses ein cenedl ni … dyna'r gŵr hynod arloesodd y ffordd ir Werin i ddysgu darllen') bobl Cymru ar y llwybr tuag at eu hatgyfodiad. Drwy sefydlu'r coleg diwinyddol, neu 'ysgol yr holl saint', fel y'i disgrifiwyd gan Jones, daeth Lewis Edwards, 'Doctor mwyn y Bala', yn Ioan Fedyddiwr y genedl. Yr oedd yn amlwg o'r symboliaeth hon sut y dymunai ddelweddu Tom Ellis, ac ychwanegodd fod y cerflun iddo 'ar ganol y ffordd', a oedd yn adlais clir o'r ffordd i Galfaria. Mewn dadansoddiad manwl o'r gofeb i Tom Ellis tynnodd Jones sylw at y cerfluniau cerfwedd o Gynlas, Prifysgolion Aberystwyth a Rhydychen, a Thŷ'r Cyffredin, ar y plinth, a chyfeiriodd atynt fel 'grisiau ei ddyrchafiad'.[91]

Cafodd gwerin Cymru, felly, ei phortreadu nid fel taeogion duwiol a *picturesque*, nac fel proletariat arwrol, ond fel pobl mewn gwisg ddosbarth-canol a oedd wedi eu gwella eu hunain ac wedi llwyddo mewn byd Prydeinig modern. Ni chafodd y nod canolog hwn o syniadaeth gwladgarol a chenedlgarol, gydag addysg yn gonglfaen iddi, ac a hyrwyddwyd yn y diwylliant gweledol gan dorluniau pren syml Hugh Hughes a thanbeidrwydd alegorïol *Deffroad Cymru* Christopher Williams, erioed ei fynegi yn fwy amlwg na chan Goscombe John yn y gofeb hon i Tom Ellis, mab i amaethwr tlawd, gyda'i 'fantell golegol yn blygion ar ei fraich'.[92]

[90] Ceir adroddiad llawn yn *Baner ac Amserau Cymru*, 10 Hydref 1903.

[91] LlGC, Papurau Samuel Maurice Jones, 'Tair Cof-Golofn' (1920).

[92] Ibid.

584. William Goscombe John, *Syr John Rhŷs*, 1909, Marmor, uchder 730

Yn ystod blynyddoedd cynnar yr ugeinfed ganrif galwyd ar Goscombe John i greu penddelwau a cherfluniau o amryw o arweinwyr y diwygiad Cymreig, gan gynnwys T. H. Thomas ym 1902, J. Viriamu Jones, Prifathro Coleg Prifysgol De Cymru a Mynwy yng Nghaerdydd ym 1906, a Syr John Rhŷs. Yr oedd portread Rhŷs, a ddangoswyd yn yr Academi Frenhinol ym 1909, yn hynod o ramantaidd, a datblygodd John yr elfen hon ymhellach fyth yn ei benddelw o Lewis Edwards a godwyd y tu allan i Gapel Pen-llwyn, ger man ei eni yng Nghapel Bangor. Er mai Prifathro coleg diwinyddol oedd Lewis Edwards, dangosodd John ef yn niwyg arwrol *Balzac* Rodin.

Ar gyfer ei fynegiant terfynol a mwyaf uchelgeisiol o deimladau gwladgarol Cymru Fydd mewn cerflunwaith, troes John at alegori. Cafodd y syniad o godi cofeb i Evan a James James, awdur a chyfansoddwr 'Hen Wlad fy Nhadau', ei wyntyllu ymhell cyn y Rhyfel Mawr, ond nis gwireddwyd hyd 1930. Y mae'r ffigurau Barddoniaeth a Chân yn ehangu arwyddocâd y darn y tu hwnt i'r anthem genedlaethol ei hun drwy ddathlu'r ddwy elfen y tybid eu bod yn rhan annatod o enaid y genedl. Serch hynny, cafodd cofeb y Jamesiaid ei dadorchuddio mewn byd tra gwahanol i'r un a esgorodd arni. Yn y cyfnod wedi'r Rhyfel Mawr, troes artistiaid Cymru eu cefn ar y traddodiad o greu gweithiau mawr gwladgarol a fu'n gymaint o uchelgais ym mlynyddoedd cynnar yr ugeinfed ganrif.

585. William Goscombe John, *Cofeb i Evan a James James, cyfansoddwyr yr Anthem Genedlaethol*, 1930, Efydd

586. William Goscombe John, *Lewis Edwards*, c.1910–25, Efydd

pennod
un ar ddeg

ARGYFWNG HUNANHYDER

587. Anhysbys,
Poster ar gyfer Maurice Elvey,
The Life Story of David Lloyd George,
1918

588. Ffrâm allan o ffilm Maurice Elvey,
The Life Story of David Lloyd George,
1918

589. Augustus John,
David Lloyd George, 1916, Olew, 916 x 720

Bu'r Rhyfel Mawr yn ergyd ddifrifol i genedlaetholdeb rhamantaidd gan iddo ddinoethi'r amwysedd yn nheyrngarwch ac ymwybyddiaeth y Cymry. Yr oedd yr ymdrechion aflwyddiannus i ennill Ymreolaeth yn y 1890au yn perthyn i fyd arall a oedd wedi hen ddiflannu, a David Lloyd George, a fu'n arwain yr ymgyrch, yn gwisgo mantell wahanol iawn fel y gŵr a arweiniodd Brydain unedig drwy'r rhyfel. Yn y Gynhadledd Heddwch ym Mharis ym 1919 cafodd Augustus John yr argraff ei fod ef a Woodrow Wilson, Arlywydd America, yn tra-arglwyddiaethu ar y 'sioe' gyfan.[1] Cawsai John ei alw gan Lloyd George i baentio llun mawreddog o'r gweithgareddau, er gwaethaf y ffaith nad oedd y ddeuddyn yn cyd-dynnu'n dda. Nid oedd John wedi mwynhau'r profiad o baentio'r 'hot arse who can't sit still and be patient'[2] ym 1916, cyn i Lloyd George ddod yn Brif Weinidog, ac yr oedd yn nodweddiadol ohono na welodd y darlun o'r Gynhadledd Heddwch olau dydd, er i gynrychiolwyr cenhedloedd lawer eistedd ar gyfer lluniau unigol.[3] Yr oedd Goscombe John yn fwy dibynadwy o lawer, ac fe'i comisiynwyd i goffáu Lloyd George fel gwladweinydd byd-enwog ar ffurf cerflun a ddadorchuddiwyd yng Nghaernarfon ym 1921.

Cafwyd y gofeb hynotaf i Lloyd George, serch hynny, ar ffurf ffilm, sef cyfrwng y ganrif newydd. Y mae natur epig *The Life Story of David Lloyd George*, a gynhyrchwyd gan Maurice Elvey, yn ei gwneud yn un o ffilmiau mwyaf nodedig y cyfnod ond, am resymau sy'n ddirgelwch, ni chafodd ei rhyddhau ac o'r herwydd ni chymerodd ei phriod le yn hanes y cyfrwng.[4] Yr oedd rhan gyntaf y ffilm yn atgyfnerthu nifer o'r elfennau a berthynai i fyth y werin Gymreig, a fuasai mor ganolog i ddelweddaeth y genedl yn y cyfnod cyn y rhyfel. Eto i gyd, yn y drydedd ran, a oedd yn ymdrin â'r rhyfel, ni roddwyd nemor ddim sylw i Gymreictod Lloyd George ac fe'i portreadwyd yn hytrach fel arweinydd arwrol y cenhedloedd buddugoliaethus.

I lawer o ddeallusion ac artistiaid, gwastraff yn hytrach nag arwriaeth oedd gwaddol y rhyfel, a staeniwyd y cysyniad o *dulce et decorum est, pro patria mori*. Daeth marwolaeth y bardd Ellis Humphrey Evans (Hedd Wyn) yn Pilkem Ridge ym 1917 i gynrychioli nid yn unig drasiedi rhyfel ar lefel bersonol ond hefyd oblygiadau cenedlaethol a byd-eang y rhyfel. Lladdwyd Hedd Wyn ychydig wythnosau cyn i'r Gadair gael ei dyfarnu iddo yn Eisteddfod Genedlaethol Penbedw, digwyddiad a seriwyd ar gof y genedl oherwydd seremoni'r gadair ddu. Yr oedd ymateb y deallusion a'r artistiaid i'r digwyddiad yn gymhleth. Ysgrifennodd J. Kelt Edwards at Evan Evans, tad Hedd Wyn, i fynegi ei dristwch ef ei hun ynghyd â thristwch holl bobl Cymru o glywed y newyddion, a chynigiodd wneud portread o'r bardd: 'Bydd miloedd yn awyddus i weled ei ddarlun ac os carech i mi baratoi darlun ar gyfer y Wasg bydd yn dda genyf wneud hynny o barch i'w athrylith.'[5] Aeth ati i ddatblygu'r syniad ar ffurf darlun alegorïol, *Hiraeth Cymru am Hedd Wyn*, lle y gwelir gwraig, sy'n cynrychioli Cymru yn ei gofid, yn cofleidio beddrod lle y paentiwyd portread o'r bardd gyda phlethwaith Celtaidd ar yr ymylon. Y mae'r coed tywyll a'r adfeilion yn y cefndir yn awgrymu dinistr rhyfel.[6] Y mae'r ffordd y dewisodd rhai ddehongli'r llun yn brawf o'r modd y sianelwyd Celtegaeth y cyfnod cyn y rhyfel yn deimladau gwrth-Almaenaidd o blaid yr achos Prydeinig. Yn ôl J. Dyfnallt Owen, er enghraifft:

> O flaen y feddfaen y mae blodau'r '*asphodel*', neu '*fleur de lys*': ni waeth pa 'run. Dyma flodau'r Celtiaid, y blodau sy'n amddiffyn gwledydd awen – Ffrainc a Cheltia – rhag difrod y Fandal ar ei hynt felltigaid.[7]

Cyfrannodd y llun yn sylweddol at y fytholeg a dyfodd o gwmpas marwolaeth y bardd gan iddo gael ei atgynhyrchu ar ffurf cerdyn post a'i gylchredeg yn eang. Yn fuan wedyn, cafodd y ddelwedd ei hailwampio gan Edwards ar gyfer wynebddalen *Cerddi'r Bugail*, casgliad o gerddi Hedd Wyn, a gyhoeddwyd er mwyn codi arian ar

[1] Dyfynnwyd yn Michael Holroyd, *Augustus John: The New Biography* (London, 1996), t. 441.

[2] Ibid., t. 408.

[3] Mewn seler yn Ottawa gwelodd Kenneth Clarke gartŵn gan John, a oedd yn ddeugain troedfedd o hyd, ar y pwnc *The Kensingtons at La Bassae*. Y mae bellach ar goll. Credai ei fod yn 'masterpiece ... which may eventually prove to be the finest thing he ever did'. Kenneth Clarke yn y cyflwyniad i Alan Ross, *Colours of War: War Art 1939–45* (London, 1983), t. 7.

[4] Am y ffilm, gw. David Berry a Simon Horrocks (gol.), *David Lloyd George: The Movie Mystery* (Cardiff, 1998).

[5] Llythyr dyddiedig 10 Medi 1917 oddi wrth J. Kelt Edwards at Evan Evans; fe'i dyfynnwyd yn Alan Llwyd, *Gwae fi fy myw: Cofiant Hedd Wyn* (Cyhoeddiadau Barddas, 1991), t. 265.

[6] Seiliwyd portread Edwards o Hedd Wyn ar ffotograff ohono. Ni wyddys a oedd y ddau yn adnabod ei gilydd. Dywedodd J. W. Jones, cyfaill i Kelt Edwards, mai cariadferch y bardd oedd y model ar gyfer y ffigur galarus. Yr oedd Jones yn hollol bendant ynglŷn â hyn, gan nodi ei fod gyda'r arlunydd pan wnaed y portread. Gw. LlGC PA5555, sef nodyn a ysgrifennwyd ar gefn atgynhyrchiad o'r llun. Gwaetha'r modd, ni ddywedodd Jones pa un o gyfeillion Hedd Wyn oedd y model, ond awgryma'r dystiolaeth ffotograffig mai Jini Owen ydoedd.

[7] J. Dyfnallt Owen, 'Hedd Wyn', *Ceninen Gŵyl Dewi* (1918), 16. Y mae Dyfnallt yn adleisio'r sylw a wnaed gan John Morris-Jones yn ei ragair i *Gwlad fy Nhadau: Rhodd Cymru i'w Byddin*, t. v. 'Diau y sylwir mor addas i'r sefyllfa heddyw ydyw llawer o'r darnau sy'n mynegi traddodiad gwladgarol y Cymry; y rheswm yw mai'r hen frwydr yw hon eto – rhwng ysbryd y Celt ag ysbryd y Teuton. Y mae Prydain drwyddi'n fwy Celtaidd nag y tybid gynt, a heddyw'n ymladd brwydr y Celt dros ryddid a gwareiddiad yn erbyn traha milwrol ac anwariaeth y Teuton.' Y mae'r gyfrol yn cynnwys un gwaith gan J. Kelt Edwards ac ymddengys fod yr arlunydd yn rhannu'r un ethos sylfaenol. Yn ystod y Rhyfel Mawr cyhoeddodd Edwards ddau gerdyn post jingoaidd, y naill yn erbyn yr Almaenwyr a'r llall yn erbyn y Twrciaid.

590. J. Kelt Edwards,
Wynebddalen Hedd Wyn,
Cerddi'r Bugail, 1918, 120 x 100

591. J. Kelt Edwards,
Hiraeth Cymru am Hedd Wyn,
1917, Olew, 332 x 240

gyferbyn:
594. Christopher Williams,
The Charge of the Welsh Division at Mametz Wood, 11 July 1916,
1916, Olew, 1727 x 2742

gyfer adeiladu cofeb iddo ym mro ei febyd yn Nhrawsfynydd. Bu rhaid tocio'r cynlluniau uchelgeisiol a wyntyllwyd yn yr Eisteddfod Genedlaethol ym 1917, gan fodloni yn y diwedd ar gomisiynu un elfen yn unig, sef cerflun efydd. Ni chasglwyd digon o arian i gomisiynu Goscombe John, a rhoddwyd y gwaith i'w gyn-ddisgybl Leonard Merrifield. Cafodd y gofeb urddasol a theimladwy hon, a oedd yn dangos y bardd fel bugail, ac nid fel milwr, fel y dymunai rhai, ei dadorchuddio ym 1923.[8]

Nid oes cofnod o ymateb Christopher Williams i farwolaeth Hedd Wyn, ond gwyddys ei fod yn wrthwynebus i'r rhyfel o'r cychwyn cyntaf. Ym 1916 gwahoddwyd ef gan Lloyd George i bortreadu'r rhan a chwaraewyd gan y Cymry ym mrwydr drychinebus y Somme. Canlyniad hyn oedd *The Charge of the Welsh Division at Mametz Wood, 11 July 1916*, darlun anferth na wnâi unrhyw ymgais i ramanteiddio erchyllterau'r rhyfel. Er nad oedd Williams yn arlunydd rhyfel swyddogol fel ei gyfaill, yr Albanwr Muirhead Bone, ac Augustus John, rhoddwyd caniatâd iddo ymweld â'r Ffrynt Gorllewinol fel sifilwr, a bu'n gwneud lluniadau yno. Yr oedd ei frasluniau olew rhagbaratoawl ar y pwnc yn fwy modernaidd a dynamig na'r darlun swyddogol, tuedd a ddatblygwyd ganddo yn fuan wedi'r rhyfel mewn astudiaeth ar gyfer darlun dan y teitl *The Spirit of the Unknown Soldier Rising from his Grave against the Futility of War*.

592. Ffotograffydd anhysbys,
Leonard Merrifield gyda model o'r Gofeb i Hedd Wyn, c.1922

593. Leonard Merrifield,
Cofeb i Hedd Wyn,
Trawsfynydd,
1923, Efydd

chwith:

595. Christopher Williams,
The Charge of the Welsh Division at Mametz Wood, 11 July 1916, 1916,
Braslun olew, 230 x 280

[8] Mewn llythyr at R. Silyn Roberts, a ddyfynnwyd yn Llwyd, *Gwae fi fy myw*, t. 290, disgrifiodd T. Gwynn Jones y rhai a hybai ddelwedd y rhyfel fel 'cigyddion diawl'. Coffawyd Hedd Wyn mewn cyfres o englynion gan R. Williams Parry sy'n cychwyn gyda'r geiriau, 'Y bardd trwm dan bridd tramor', *Yr Haf a Cherddi Eraill* (Dinbych, 1970), tt. 103–4. Ym 1992 dehonglwyd y stori unwaith yn rhagor ar ffurf weledol yn un o ffilmiau Cymraeg gorau'r cyfnod, *Hedd Wyn* gan Paul Turner.

596. Christopher Williams, *The Spirit of the Unknown Soldier Rising from his Grave against the Futility of War*, c.1919, Sialc a phastel, 450 x 393

597. Muirhead Bone, *Christopher Williams*, 1916, Pensil a siarcol, 245 x 180

Pan giliodd yr adfywiad cenedlaethol a oedd wedi cyffroi Williams yn y cyfnod cyn y rhyfel, diflannodd ei ddiddordeb yntau mewn lluniau mawr ar destunau cenedlaethol. Ni chafodd amryw o arweinwyr byd celf y cyfnod cyn y rhyfel, gwŷr megis T. H. Thomas, Clarence Whaite a Thomas Matthews, fyw i weld yr oes newydd. Ymddangosodd adolygiad o lyfr olaf Matthews, *Perthynas y Cain a'r Ysgol* yn *The Welsh Outlook* ym 1916.[9] Yr oedd mwy o arwyddocâd i'r unig feirniadaeth a wnaed yn yr adolygiad ffafriol hwn nag y gellid tybio. Ac yntau'n gofidio nad oedd y rhestr o atgynyrchiadau o weithiau y gellid eu harddangos mewn ysgolion yn cynnwys lluniau diwydiannol, meddai'r adolygydd: 'The name of the great Belgian sculptor, Constantin Meunier ... whose studies of various aspects of labour ... appear so suitable for South Wales schools, might have been added.' Yr oedd y cylchgrawn newydd yn perthyn i fyd gwahanol i *Cymru* a *Wales* O. M. Edwards lle y cyhoeddasai Matthews y rhan fwyaf o'i feirniadaeth. Yr oedd *The Welsh Outlook* yn cydnabod pwysigrwydd y gymdeithas ddiwydiannol yng Nghymru ac yn argymell gwaith Meunier a realwyr eraill o Wlad Belg a berthynai i'r un cyfnod fel modelau ar gyfer artistiaid Cymru. Fel y gwelwyd eisoes, yr oedd Caerdydd yn symbylu datblygiadau sefydliadol ym myd celf erbyn blynyddoedd cynnar y ganrif newydd. Wedi'r rhyfel, daeth ardaloedd diwydiannol de Cymru yn gartref i ddelweddaeth fwyaf gydlynol y genedl hefyd, a pharhaodd felly drwy'r cyfnod yr ymdrinnir ag ef yn yr astudiaeth hon. O 1911 ymlaen bu'r newyddiadurwr a'r beirniad John Davies Williams yn hyrwyddo gwaith Evan Walters, Vincent Evans ac Archie Rhys Griffiths, arlunwyr a berthynai i ddosbarth gweithiol y pyllau glo, fel celfyddyd genedlaethol brif ffrwd.[10]

O safbwynt delweddaeth genedlaethol, nid oedd gan hyd yn oed gyflawniadau pennaf y cenedlaetholwyr, sef yr Amgueddfa Genedlaethol a'r Llyfrgell Genedlaethol, fawr ddim i'w gynnig. Un yn unig o'r cerfluniau a addurnai'r amgueddfa newydd a oedd â chysyniad cenedlaethol. Yn arwyddocaol ddigon, ei destun oedd *Diwydiannau Cymru*. Y mae'n bosibl mai'r rheswm am hyn oedd fod Goscombe John wedi dewis y testunau ar gyfer y cynllun ym 1913, ac erbyn hynny yr oedd ei ddiddordeb yn y byd modern i'w weld yn amryw o'i weithiau, yn enwedig y gofeb i Charles Stewart Rolls, a ddadorchuddiwyd yn Nhrefynwy ym 1911.[11]

[9] Anad., 'Perthynas y Cain a'r Ysgol', *The Welsh Outlook*, III (1916), 134–5.

[10] Ceir trafodaeth fanwl ar ddylanwad y Gymru ddiwydiannol ar ddatblygiadau sefydliadol a delweddaeth yn Lord, *Diwylliant Gweledol Cymru: Y Gymru Ddiwydiannol*, Penodau 4 a 5.

[11] Yr oedd John wedi ymddiddori yn y genhedlaeth newydd o arlunwyr o gefndir diwydiannol a hyfforddwyd yn Ysgol Gelf Abertawe. Gw. ibid., tt. 176, 187.

599. William Goscombe John, *Cofgolofn Ryfel Port Sunlight*, 1919, Efydd a charreg

uchod, ar y chwith:
598. William Goscombe John, *Charles Stewart Rolls*, Efydd, 1911

600. J. Ninian Comper, *Cofeb Genedlaethol Cymru*, 1928, Efydd a charreg

601. Mario Rutelli,
Cofgolofn Ryfel Aberystwyth,
1919, Efydd a charreg

602. Eric Gill,
Cofgolofn Ryfel Y Waun,
1919, Carreg

Portreadwyd Rolls, y peiriannydd a'r awyrennwr arloesol, yn y dillad yr oedd wedi eu gwisgo ar gyfer hedfan dros Fôr Udd y flwyddyn flaenorol, ac yn dal awyren fel yr un y'i lladdwyd ynddi yn fuan wedyn. Nid oedd ffigurau arwrol o fytholeg a hanes Cymru yn perthyn i gynllun John ac, er gwaethaf ei safle trawiadol, adeilad llwm heb unrhyw addurniadau ffigurol o fath yn y byd oedd y Llyfrgell Genedlaethol, a gynlluniwyd gan S. K. Greenslade ym 1909.

Swyddogaeth bennaf celfyddyd gyhoeddus yn y cyfnod rhwng y ddau ryfel oedd coffáu'r rhai a gollwyd. Cafodd Goscombe John nifer o gomisiynau o wahanol rannau o Gymru, yn ymestyn o Wrecsam yn y gogledd-ddwyrain i Lanelli yn y de-orllewin, ond ei gampwaith oedd *Cofgolofn Ryfel Port Sunlight*, cofeb enfawr ac anarferol ei chynllun a wnaed ym 1919. Serch hynny, nid John a oedd yn gyfrifol am y cofadeiliau mwyaf nodedig yng Nghymru. Yng Nghaerdydd cafodd y gofeb y bwriedid iddi fod yn goffâd cenedlaethol ei dylunio gan J. Ninian Comper, a lluniwyd y gofeb anarferol a geir yn Aberystwyth, ac a godwyd ar safle dramatig, gan yr Eidalwr Mario Rutelli.[12] Yr unig ddarn gwir fodernaidd a gynhyrchwyd oedd y gofeb yn Y Waun, sef comisiwn preifat a roddwyd gan yr Arglwydd Howard de Walden i Eric Gill. Dewisodd Gill lunio ei ddelwedd o'r milwr ar wyliadwriaeth mewn cerfwedd bas uwchben arysgrif gain.

[12] Y mae'r cerfluniau ar gyfer y *Fountain of the Naiads* yn Rhufain (1901–11) ymhlith gweithiau mwyaf nodedig Mario Rutelli (1859–1941). Ef hefyd a wnaeth y cerflun o Syr John Williams yn ystafell ddarllen Llyfrgell Genedlaethol Cymru, a'r ffigur symbolaidd *Peace* wrth Gapel MC y Tabernacl, Aberystwyth. Gw. Brynley F. Roberts, 'Syr John a'r Eidalwr' yn Tegwyn Jones ac E. B. Fryde (goln.), *Ysgrifau a Cherddi cyflwynedig i Daniel Huws / Essays and Poems presented to Daniel Huws* (Aberystwyth, 1994), tt. 179–94.

604. Ffotograffydd anhysbys, *Carey Morris (yn y canol) yn Arddangosfa Celf a Chrefft Eisteddfod Genedlaethol Treorci*, 1928

Un o'r cofadeiliau mwyaf anarferol i goffáu'r rhai a gollodd eu bywyd oedd y *Gofeb i Arwyr Gogledd Cymru* ym Mangor, a godwyd ar ffurf adeilad bwaog, ac enwau'r meirwon wedi eu cerfio ynddo. Canlyniad cystadleuaeth bensaernïol a osodwyd yn yr Eisteddfod Genedlaethol oedd y gofeb hon,[13] ac, yn sgil yr ymgyrch lwyddiannus i sefydlu'r Amgueddfa Genedlaethol, daeth yr Eisteddfod yn ganolbwynt ar gyfer ymgyrchu a mynegi teimladau gwladgarol yn y diwylliant gweledol. Yn wir, bu'r 1920au yn oes aur y celfyddydau a'r crefftau yn yr Eisteddfod. Yn y cyfnod ar ôl y rhyfel, fel yn y 1860au, canolbwyntiai teimladau gwladgarol ar addysg yn hytrach na delweddaeth genedlaethol. Daeth adran gelf a chrefft yr Eisteddfod yn llawer mwy proffesiynol, a hynny'n bennaf oherwydd y pwyslais a roddwyd (ac eithrio ym 1926) ar greu arddangosfeydd, gan fenthyca gweithiau oddi wrth orielau neu artistiaid, a phenodi cyfres o bobl o fewn y byd celf i drefnu'r arddangosfeydd. Chwaraeodd Carey Morris ac Isaac J. Williams, Ceidwad Celf cyntaf yr Amgueddfa Genedlaethol, ran flaenllaw yn y datblygiadau hyn. Eu bwriad oedd creu nifer helaeth o arddangosfeydd hanesyddol a chyfoes o ansawdd uchel a sicrhau eu bod ar gael ar gyfer cynulleidfa eang. Ystyriai Williams yr Eisteddfod yn gyfrwng i ymestyn gweithgareddau'r Amgueddfa i bob rhan o Gymru. Rhoes yr artistiaid hynny a ddaethai i amlygrwydd cyn y rhyfel, megis Goscombe John, Christopher Williams a Margaret Lindsay Williams, eu cefnogaeth i'r Eisteddfod drwy gytuno i feirniadu ynddi.

603. Ffotograffydd anhysbys, *Isaac J. Williams*, c.1925

Gosodwyd y patrwm ar gyfer y 1920au yn Y Barri, lle y gwelwyd cyfuno doniau trefnu yr arlunydd Fred Kerr, athro cyntaf Christopher Williams, ag adnoddau'r Amgueddfa a chasgliadau y chwiorydd Davies, Llandinam. Rhoddwyd llwyfan yn yr arddangosfa i artistiaid Cymreig megis Goscombe John, ond yr hyn a dynnodd sylw pawb oedd gweithiau Ffrengig o ddiwedd y bedwaredd ganrif ar bymtheg a berthynai i gasgliad Davies. I'r mwyafrif o bobl, dyma'r cyfle cyntaf er y rhyfel iddynt weld gweithiau gan arlunwyr megis Monet a Gauguin. Ysgogodd hyn Hugh Blaker, y gŵr a gynghorai'r chwiorydd Davies ynglŷn â noddi'r celfyddydau, i ddweud mai'r arddangosfa yn Y Barri oedd 'one of the finest he had seen outside London in recent years'.[14] Yn sgil y berthynas glòs rhwng trefnwyr yr Eisteddfod a'r Amgueddfa, rhoddwyd elw'r arddangosfa i'r sefydliad newydd, gyda'r canlyniad fod Williams wedi gallu prynu chwech ar hugain o weithiau newydd. Yr oedd hyn yn gyfraniad pwysig gan fod cyllideb yr Amgueddfa ar gyfer prynu eitemau celf yn druenus o fach.[15]

[13] Am y gystadleuaeth yng Nghaernarfon ym 1921 a'r adeiladwaith a ddeilliodd o hyn, gw. Lord, *Y Chwaer-Dduwies*, t. 73.

[14] *Western Mail*, 26 Gorffennaf 1920. Cafodd gwaith o'r casgliad ei arddangos ym 1913 ym menter fawr gyntaf yr Amgueddfa Genedlaethol, sef 'Loan Exhibition of Paintings' lle y dangoswyd lluniau gan Manet a Monet ond, yn fwyaf arbennig, gan Millet. Gwaith Armand Séguin oedd y 'Gauguin' a ddangoswyd. Trefnwyd rhaglen o ddarlithoedd i gyd-fynd â'r arddangosfa, a gynhwysai gyfraniadau gan Frederick Wedmore a Patrick Geddes. Yr unig nodyn chwerw yn Y Barri oedd yr anghydfod rhwng Fred Kerr a Margaret Lindsay Williams, a olygodd na ddangoswyd gwaith yr arlunydd yn ei thref enedigol. Am yr anghydfod, gw. Lord, *Y Chwaer-Dduwies*, tt. 77–8.

[15] Cwynodd Williams wrth ei bwyllgor am 'the utter impossibility of attempting to build up a Welsh National Art Collection worthy of the name on the ridiculously small sums of money which appear to be available for this purpose'. Dyfynnwyd gan Mark L. Evans yn *Portraits by Augustus John: Family, Friends and the Famous* (Cardiff, 1988), tt. 9–10.

605. Ffotograffydd anhysbys,
Clough ac Amabel Williams-Ellis ym Mhlas Brondanw, Garreg, 1975

gyferbyn:
606. Evan Walters,
Poster ar gyfer Eisteddfod Genedlaethol Abertawe, 1926,
Lithograff, 1010 × 630

Ddwy flynedd yn ddiweddarach, yn Rhydaman, penodwyd Carey Morris i drefnu'r arddangosfa, ac iddo ef yr ymddiriedwyd y gwaith ym 1923 a 1924 yn ogystal. Gyda'i anogaeth ef, ceisiodd y Cymmrodorion wneud yr Eisteddfod yn ganolbwynt ar gyfer trafod materion celf, crefft a dylunio cyfoes drwy drefnu seminarau ym 1923 ar gynllunio gwlad a thref. Ymhlith y rhai a gymerodd ran yr oedd Patrick Abercrombie, un o'r radicaliaid amlycaf mewn maes a ddenodd lawer iawn o sylw yn y cyfnod ar ôl y Rhyfel Mawr. Addysg gelf oedd y pwnc yn Eisteddfod Genedlaethol Pont-y-pŵl ym 1924, a chafwyd cyfraniadau gan sawl gŵr pwysig, gan gynnwys Carey Morris, a oedd â theimladau arbennig o gryf:

> In common with other Welsh artists, I have been reproached sometimes by Welsh newspapers, for lack of patriotism in that I left Wales, and went elsewhere for my Art training. We went elsewhere because the only Art training we could obtain in Wales was that given by the Board of Education, and we knew that it would be fatal to our artistic development. If Wales wants to keep her artists truly national, in the sense that they receive their training in Wales, then she must cut herself free from the Board of Education. After all, may I ask, what is there of Welsh Nationalism about the Board of Education? It is a thoroughly English, stereotyped institution.[16]

Yr oedd cyfraniad y pensaer, Clough Williams-Ellis, a gyfeiriodd at 'Darkest Cambria' a dinistrio Gardd Eden, yn nodweddiadol fombastig.[17] Yr oedd Williams-Ellis eisoes yn ffigur amlwg, ochr yn ochr â Patrick Geddes a Patrick Abercrombie, yn y mudiad Cynllunio Gwlad a Thref, ac yn adnabyddus am ei ysgrifau dadleuol. Cyhoeddwyd *The Pleasures of Architecture*, a ysgrifennodd ar y cyd â'i wraig Amabel, ym 1924, sef blwyddyn Eisteddfod Pont-y-pŵl. Cafodd y gyfrol ei hatgyfnerthu gan gyfres o ymosodiadau ar philistiaeth gyfoes, ynghyd â chyfraniadau pwysig ar gyfer sefydlu Cyngor Diogelu Lloegr Wledig ac, yn y man, y corff cyfatebol yng Nghymru.[18] Gwelwyd uchafbwynt y sylw a roid i ddiwylliant gweledol yng Nghymru gan y cylch eisteddfodol newydd yn Eisteddfod Genedlaethol Abertawe ym 1926, lle y cynlluniwyd yr arddangosfeydd gan William Grant Murray, Prifathro yr Ysgol Gelf. Cynhaliwyd yr arddangosfeydd mewn tri adeilad, a chawsant eu trefnu i raddau helaeth ar sail gystadleuol, gan roi'r sylw pennaf i waith arlunwyr cyfoes. Yr oedd catalog yr arddangosfa yn cynnwys sylwadau crafog megis 'Purchase your pictures from living artists, the Old Masters do not require your support'. Trefnodd Grant Murray wrthdaro cyffrous rhwng Moderniaeth a'r hen ysgol drwy benodi Augustus John a George Clausen i gyd-feirniadu'r cystadlaethau celf. Bu anghytuno rhyngddynt a chafodd hyn gryn sylw yn y wasg, yn enwedig yn sgil cyhoeddi poster pryfoclyd a ddyluniwyd gan Evan Walters.[19]

[16] Carey Morris, 'The teaching of art and architecture in Wales', *Transactions of the Honourable Society of Cymmrodorion* (1923–4), 103–4.

[17] Ibid., 63–70.

[18] Y mae Bertram Clough Williams-Ellis (1883–1979) bellach yn fwy adnabyddus fel crëwr Portmeirion, y cychwynnwyd arno ym 1925. Yr oedd wedi dechrau ar ei yrfa bensaernïol cyn y rhyfel, a Chastell Llangoed oedd ei waith mwyaf nodedig yn y cyfnod hwnnw. Y mae'n debyg mai'r gofeb i Lloyd George yn Llanystumdwy yw'r pwysicaf o'r comisiynau Cymreig eraill a dderbyniodd.

[19] Ceir disgrifiad cyflawn o'r arddangosfa a'r ddadl rhwng y modernwyr a'r traddodiadwyr yn Lord, *Y Chwaer-Dduwies*, tt. 84–91. Disgrifir datblygiad Evan Walters fel arlunydd pwysicaf ei ddydd yn Lord, *Diwylliant Gweledol Cymru: Y Gymru Ddiwydiannol*, tt. 187–9.

EISTEDDFOD GENEDLAETHOL

FRENHINOL CYMRU.

AWST 2–7 **ABERTAWE** 1926.

Y BRODYR SEARGEANT Y FENNI.

607. Trevor C. Jones,
Mr W. Grant Murray ARCA, 1926,
cyfrwng a maint yn ansicr

Esgorodd hyn ar drafodaeth fywiog na welwyd ei thebyg er beirniadaeth Herkomer yn y 1890au, a chynhaliwyd y momentwm hyd Eisteddfod Genedlaethol Llanelli ym 1930, lle yr ailsefydlwyd y cysylltiad â Herkomer. Cafodd arddangosfa Eisteddfod 1930, arddangosfa fwyaf y degawd, ei chynnal dan gadeiryddiaeth Charles Mansel Lewis o Gastell y Strade, yr arlunydd a gyflwynasai Herkomer i Gymru. Hwn oedd ei gyfraniad olaf i ddatblygiad y byd celf yng Nghymru oherwydd bu farw'r flwyddyn ganlynol. Yr arddangosfa hon hefyd oedd yr olaf o'i bath, gan i lawer o'r arlunwyr proffesiynol a fu'n cymryd rhan yn yr Eisteddfod droi cefn arni, yn bennaf oherwydd ei methiant i sicrhau polisi cyson. Er gwaethaf llwyddiant arlunwyr proffesiynol drwy gydol y 1920au, yr oedd anfodlonrwydd ynghylch addysg gelf wael a diffyg nawdd a mannau arddangos yn bur agos i'r wyneb. Buasai sefydlu Amgueddfa Genedlaethol yn ganolbwynt ymdrechion gwladgarol cyn y rhyfel. Wedi cyrraedd y nod hwnnw, a chael nad oedd yr Amgueddfa na'r Eisteddfod yn gallu cynnig ateb i bopeth, dechreuodd arweinwyr y genhedlaeth newydd – bron y cwbl ohonynt yn gweithio y tu allan i Gymru – feirniadu eu mamwlad unwaith eto, yn bennaf ar y sail nad oedd hi'n debyg i Lundain.

608. Ffotograffydd anhysbys,
Gwendoline Griffiths gyda'i phortread o Mrs D. M. Clasbrooke, 1922

Mewn hinsawdd lle'r oedd teimladau gwladgarol yn cilio, a diffyg hyder cyffredinol o ganlyniad i ing y rhyfel a'r sefyllfa economaidd fregus, prin oedd y comisiynau cyhoeddus o bwys, ac eithrio comisiynau i goffáu'r rhai a gollwyd. Parhawyd i roi'r rhan fwyaf o'r comisiynau ar gyfer penddelwau cyhoeddus i Goscombe John, ac ychydig iawn o newid a fu yn y nawdd i arlunwyr hefyd, gan mai Christopher Williams (a oedd wedi cwblhau tri phortread o Lloyd George erbyn 1917) a Margaret Lindsay Williams oedd yr arlunwyr mwyaf poblogaidd o hyd. Ffynnodd gyrfa Margaret Lindsay Williams, yn enwedig mewn cylchoedd ffasiynol yn Lloegr, ac arweiniodd hyn at gomisiynau brenhinol a gafodd gryn sylw gan y wasg yng Nghymru. Treuliodd gyfnodau yn paentio yn yr Unol Daleithiau hefyd. Ganed Gwendoline Griffiths yn Abertawe a derbyniodd ei hyfforddiant cychwynnol yno, ond datblygodd ei gyrfa fel arlunydd portreadau y tu allan i Gymru yn bennaf.[20] I'r noddwr mwyaf anturus, yr oedd Augustus John, yr arlunydd dawnus ond anwadal, yn ddewis arall.[21] Er gwaethaf y ffaith i gariad ddrwgdybus John, Dorelia McNeill, wrthod mynediad i'r maenordy yn swydd Dorset i'r Arglwydd Howard de Walden, gwahoddodd yntau John i aros yng Nghastell Y Waun. Rhoes hyn gychwyn i gyfeillach a barhaodd am ddeng mlynedd ac a esgorodd ar ddau bortread a gafodd eu harddangos am y tro cyntaf ym 1917, cyn cael eu hailwampio, er nad oedd y Fonesig Margherita yn fodlon arnynt. Yr oedd wedi wfftio at y cynnig cyntaf, portread a wnaed pan oedd hi'n feichiog, gan ei alw'n 'horrible picture'; serch hynny, meddai, 'one had to be patient in a good cause'.[22] Ymddengys i'r llun o'i gŵr beri'r 'severest shock

609. Augustus John,
Thomas Evelyn Scott-Ellis, Arglwydd Howard de Walden, 1917, wedi ei ailwampio yn ddiweddarach, Olew, 865 × 635

610. Augustus John,
Margherita Scott-Ellis, Y Fonesig Howard de Walden, 1917, wedi ei ailwampio yn ddiweddarach, Olew, 1223 × 914

he has experienced since the War began'.[23] Eto i gyd, yr oedd perthynas John â theulu de Walden yn cyd-daro â'r cyfnod mwyaf creadigol yn ei fywyd o bosibl. Yr oedd ei ymweliadau â Ffrainc yn ogystal â'r arddangosfa o waith Manet a'r Ôl-Argraffiadwyr yn Llundain ym 1910 wedi creu ymwybyddiaeth ddyfnach ynddo o arlunio Ffrengig modern, gan esgor ar nifer o bortreadau cain, o'i deulu ei hun yn bennaf, lle y defnyddiodd bersbectif a lliw gwastatedig. Yr oedd hyn yn dra gwahanol i'r ciarosgwro Rembrandtaidd a geid yn y darluniau olew a'r ysgythriadau y byddai'n dychwelyd atynt yn ddiweddarach, yn ystod ail ran y rhyfel, sef pan baentiodd ei bortread enwog o'r bardd a'r awdur W. H. Davies. Dyma'r adeg pan oedd John yn ymwneud fwyaf â'i famwlad, er na fu iddo erioed ei gysylltu ei hun â phrif ffrydiau'r bywyd Cymreig ar y pryd. Yr oedd yn casáu'r cymoedd diwydiannol, 'where colour is apparently taboo or

[20] Bu Gwendoline (Gwenny) Griffiths (g. 1867) yn astudio wedi hyn yn Ysgol Slade yn Llundain ac yn stiwdios Julian a Colarossi ym Mharis. Treuliodd ran helaeth o'i hoes yn ne Ffrainc, ac yn anaml y byddai'n arddangos ei gwaith yng Nghymru. Yr oedd yn Ysgrifennydd Anrhydeddus Cymdeithas Gelf Ryngwladol y Merched ym 1906–7.

[21] Er iddo gael ei gomisiynu ddwywaith i baentio Lloyd George, o blith y deallusion y daeth y rhan helaethaf o'r nawdd a dderbyniodd Augustus John yng Nghymru. Paentiodd bortread o'r nofelydd Richard Hughes a'i wraig Frances ym 1938, yn ogystal â lluniau o Dylan Thomas. Derbyniodd Margaret Lindsay Williams y rhan fwyaf o'i chomisiynau portreadau gan deuluoedd o dde Cymru, megis Philippiaid Cwmgwili, sir Gaerfyrddin, ym 1933. Bu farw Christopher Williams ym 1934, ac erbyn hynny yr oedd Evan Walters yn derbyn nifer o gomisiynau cyhoeddus a phreifat i baentio portreadau.

[22] Y Fonesig Howard de Walden, *Pages from My Life* (London, 1965), tt. 109–10.

[23] Dyfynnwyd yn Holroyd, *Augustus John*, t. 394.

non-existent',[24] ac oherwydd ei blentyndod diflas yn Ninbych-y-pysgod yr oedd cymdeithas barchus y capel a'r eglwys y mynnai gredu ei bod yn cynrychioli Cymru gyfan, yn wrthun ganddo. Er gwaethaf hyn oll, yr oedd yn caru tirwedd Cymru er ei blentyndod, ac esgorodd y cariad hwn ar ambell fflach o deimlad sentimental at ei famwlad a fyddai'n cynnau a diffodd yr un mor sydyn drwy gydol ei oes. Fel y gwelwyd, yr oedd eisoes wedi mynegi ei farn yn wawdlyd mewn traethawd a gyhoeddwyd yn *Cymru: Heddyw ac Yforu* ym 1907: 'Yng Nghymru, meddir wrthyf, fe orwedd Enaid Celf yn guddiedig; a diameu fod y Corff hefyd yr un mor ddistaw ac anamlwg.' Gorffennodd ei erthygl gydag apêl wladgarol a oedd yr un mor amwys: 'Deffrown Ferfyn Hen o'i gwsg oesol, a rhoddwn roesaw i Arthur yn ol.'[25] Dair blynedd yn ddiweddarach, dychwelodd Arthur, a deffrowyd Merfyn Hen gan y cyntaf o gyfres o dirluniau egnïol. Y rhain oedd y delweddau mwyaf dylanwadol a grëwyd y tu allan i'r Gymru ddiwydiannol yn y cyfnod hwn.

611. Augustus John, *Dorelia McNeill in the Garden at Alderney Manor*, 1911, Olew, 2010 x 1016

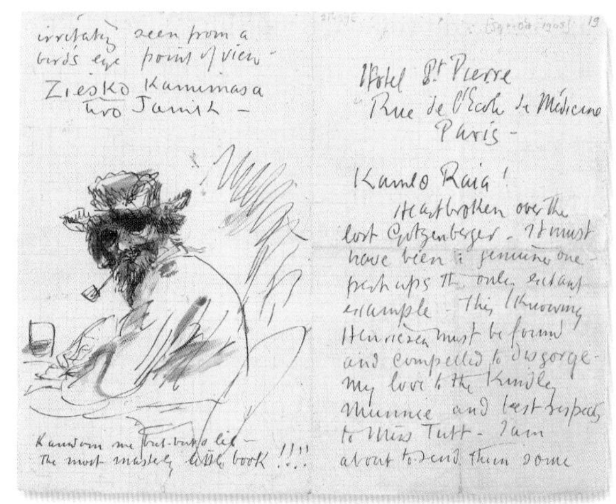

irritating seen from a
bird's eye point of view –
Ziesko Kammasa
two Jamish –

Kawdom me [illegible]
The most [illegible] little book !!!!

Hotel St Pierre
Rue de l'École de Médecine
Paris –

Kamlo Raia!
Heartbroken over the
lost Gotzenberger – It must
have been a genuine one –
perhaps the only extant
example – This [illegible]
[illegible] must be found
and compelled to disgorge –
My love to the kindly
Mumnee and best respects
to Miss Tutt – I am
about to send them some

612. Augustus John, *Hunanbortread*, 1905, Pen ac inc, 205 x 256

613. Augustus John,
John Sampson, c.1910–20,
Pen ac inc, 180 x 115

Cafodd gwybodaeth Augustus John o arlunio Ffrengig modern a'r cyffro a deimlasai pan oedd yn gweithio yn ne Ffrainc ym 1910 ddylanwad mawr ar y tirluniau a baentiwyd ganddo rhwng 1910 a 1914. Ac yntau ar ei ffordd i bentref Martigues, cyfarfu â Dorelia a'i blant yn Arles, cartref Van Gogh, ac enw llawn rhamant i'r arlunydd. Paentiodd John dirluniau bach a grwpiau o ffigurau, y mwyafrif ar baneli, mewn lliwiau gwastad ond llachar. Yr oedd ei benderfyniad i drosglwyddo'r dull hwn o baentio, a oedd yn gyforiog o wres a golau Ffrainc, i Gymru (fel yr oedd Wilson yntau yn y ddeunawfed ganrif wedi mewnforio gwres a golau'r Eidal) yn deillio o'i gariad at rannau gwylltaf ei wlad ei hun, ac o gyfuniad o amgylchiadau arbennig ym 1909–10. Rhwng 1901 a 1903, pan oedd yn gweithio yn Lerpwl, yr oedd John wedi dod i adnabod John Sampson, llyfrgellydd y dref ac arbenigwr pennaf Lloegr ar dafodiaith y Romani.[26] Byddai'n mynd gyda Sampson ar ei ymweliadau â gwersylloedd y sipsiwn i astudio a chyfeddach, a daeth yntau hefyd yn arbenigwr ar eu hiaith. Un uchelgais gan Sampson oedd cofnodi tafodiaith Gymreig y Romani, ac ym 1909 llwyddodd i ddod o hyd i Matthew Wood, disgynnydd i'r enwog Abraham Wood, 'Brenin y Sipsiwn', a oedd yn byw ym Metws Gwerful Goch. Ymunodd John â Sampson yno, a bu dathlu mawr. Aildaniwyd ei frwdfrydedd dros Gymru, a chynyddodd y brwdfrydedd hwn ymhellach wedi iddo ddychwelyd o Ffrainc y flwyddyn ganlynol pan ailgydiodd yn y berthynas â J. D. Innes, arlunydd ifanc o Gymro a hyfforddwyd, megis John, yn y Slade. Ganed Innes yn Llanelli ym 1887 ac aeth i Lundain ym 1906, wedi iddo dreulio cyfnod yn Ysgol Gelf Caerfyrddin. Tirluniau dyfrlliw a baentiai yn bennaf ac, fel John, rhannai ei amser yn ystod 1910 rhwng Ffrainc a Chymru, lle y darganfu dafarn unig Rhyd-y-fen, yng nghysgod yr Arennig.[27] Dechreuodd baentio'r mynydd a ddaeth yn fuan yn symbol cyfriniol iddo, fel yr oedd Mont Saint Victoire i Cézanne.

614. Charles Slade,
'En Voyage', Palling, Norfolk, Augustus John
(ar y dde) gyda Dorelia McNeill yn y drws, 1909

[24] Llsgr LIGC 22779E, f. 70, llythyr at David Bell, dyddiedig 30 Gorffennaf 1951.

[25] John, 'Celf yng Nghymru' yn Stephens (gol.), *Cymru: Heddyw ac Yfory*, t. 357. Yn ei draethawd cyfeiriodd John ato'i hun fel un 'a ddug tynged amheus i oleu dydd yn y rhan honno o'r wlad a adnabyddir fel "Lloegr Fechan tuhwnt i Gymru"'. Yn ddiweddarach, mewn fflach o frwdfrydedd gwladgarol, ymunodd John â Phlaid Cymru am gyfnod byr.

[26] Am ddadansoddiad o ddiwylliant y sipsiwn yn y cyfnod hwn ac ymwneud John â hwy, gw. Malcolm Easton, 'Wheels within Wheels', *Augustus John: Portraits of the Artist's Family* (Hull, 1970), tt. 43–58.

[27] Augustus John, 'J. D. Innes', *Catalogue of the Art and Craft Exhibitions* (Llanelli, 1930), t. 92, adargraffwyd o'r catalog ar gyfer arddangosfa Innes yn Orielau Chenil, 1923.

615. Augustus John,
J. D. Innes, c.1912, Gouache,
1302 x 699

Yn ôl yr hanesydd celf A. D. Fraser Jenkins, yr oedd dychweliad Innes i Gymru ym 1910 yn syniad newydd gan nad oedd mynyddoedd Cymru wedi ysgogi celfyddyd wreiddiol er dyddiau David Cox.[28] Er nad oedd hyn yn fanwl gywir, y tebyg yw ei fod yn adlewyrchu ymwybyddiaeth Innes a John. Y mae'n sicr na wyddent am ddyfrlliwiau a lluniadau trawiadol Clarence Whaite (a gynhwysai luniau o wersylloedd sipsiwn) ac y mae'n fwy na thebyg nad oeddynt yn gyfarwydd ychwaith â'i dirluniau olew mawr a chyfriniol. Pan oedd Innes yn teithio drwy ogledd Cymru yr oedd Whaite yn dal wrth ei waith, yn paentio'r llun enfawr *Snowdon* ac yntau'n hen ŵr pedwar ugain a dwy oed.[29]

Cafodd gweithiau Ffrengig John eu harddangos yn Oriel Chenil yn Llundain ym mis Tachwedd 1910, ac ym mis Ionawr 1911 dangoswyd lluniau Innes yno. Ymddengys fod y ddau yn ymwybodol eu bod yn coleddu'r un safbwyntiau a bod eu llwybrau artistig yn dod yn nes at ei gilydd. Aeth Innes â John i Ryd-y-fen, ac erbyn mis Mawrth yr oeddynt wedi ymgartrefu mewn bwthyn o'r enw Nant Ddu, ychydig filltiroedd oddi yno. Yr oedd y gwaith a gynhyrchwyd ganddynt yng Nghymru yn ystod y tair blynedd nesaf yn hynod radicalaidd, gan roi proffil uchel iddynt ymhlith y modernwyr. Ym 1913 anfonodd y ddau eu gwaith i'r arddangosfa bwysig, yr 'Armory Show', yn Efrog Newydd, arddangosfa a gyflwynodd Foderniaeth i'r byd celf yn America. Yn yr un flwyddyn, symudodd John i fwthyn arall yn Llwynythyl, uwchben Dyffryn Ffestiniog, heb Innes y tro hwn, gan ei fod ef wedi mynd i Tenerife i geisio gwellhad o'r ddarfodedigaeth. Byr fu ei ddyddiau wedi iddo ddychwelyd i Loegr. Yng ngeiriau John: 'The last chapter is short. He was taken to Brighton. The war broke out. Innes took no interest in it, and shortly after died in Kent.'[30] Nid oedd ond saith ar hugain oed.

Dair blynedd cyn marwolaeth Innes, dywedodd John mewn llythyr at ei noddwr John Quinn: 'He is not the sort who learns anything. He will die innocent and a virgin intellectually which I think a very charming and rare thing.'[31] Daliai John i gredu bod Innes yn 'an original, a "naïf"',[32] ac ychydig o ddylanwad a gafodd ei waith, er cymaint yr edmygedd ohono. Y mae'n anodd cyd-fynd felly â John pan ddywedodd, 'in spite of his short life and immaturity he will belong always to a great line of British landscape painting'.[33] Heblaw am John ei hun, ymddengys

616. James Dickson Innes, *Cloud over Arennig*, c.1911, Dyfrlliw, 570 x 470

617. James Dickson Innes, *Evening: Sun setting behind Arennig Fach*, c.1910, Olew, 390 x 490

mai ar Derwent Lees, yr arlunydd o Awstralia, y cafodd gwaith Innes y dylanwad mwyaf, a pharodd hyn gryn anesmwythyd iddo. Awgrymodd rhai beirniaid iddo gael dylanwad ar aelodau o'r Seven and Five Society, a oedd yn cynnwys Cedric Morris, ond os bu iddynt ddilyn ei weledigaeth yr oeddynt, fel John, yn paentio fel *faux-naïfs*. John, yn hytrach nag Innes, a oedd y dylanwad yng Nghymru, er mai

[28] A. D. Fraser Jenkins, *J. D. Innes at the National Museum of Wales* (Cardiff, 1975), t. 10.

[29] Ym 1907 yr oedd John wedi datgan, wrth drafod traddodiad: 'Yr oedd pethau yn syml iawn yn yr hên amser mewn gwirionedd. Dysgai caingelfwyr ieuainc oddi wrth hên gaingelfwyr, ac felly trosglwyddid y traddodiad i lawr, ac fe gynyddai. Ond nid oes traddodiad yng Nghymru, na dim hên gaingelfwyr gwirioneddol.' John, 'Celf yng Nghymru', t. 350.

[30] John, 'J. D. Innes', t. 92.

[31] Dyfynnwyd yn Holroyd, *Augustus John*, t. 355.

[32] Ibid.

[33] John, 'J. D. Innes', t. 92.

618. Augustus John,
Llyn Tryweryn, 1911,
Olew, 317 x 405

ei bersonoliaeth a'i ffordd o fyw yn hytrach na'i waith a ddenai sylw pobl Cymru yn aml iawn. Er ei fod bron yn sicr yn gwybod am ei waith, ni chyfeiriodd Thomas Matthews at John o gwbl pan oedd yn ceisio adeiladu traddodiad Cymreig oddeutu 1911. Yr oedd y ddau ohonynt yn byw mewn byd hollol wahanol. Daethai John yn gyfeillgar â Picasso ym 1907, bedair blynedd cyn i Matthews geisio creu ei draddodiad ar sail gwaith tirlunio a oedd wedi mynd drwy ei gyfnod radicalaidd ddeugain mlynedd ynghynt. Serch hynny, dangoswyd gwaith diweddar gan John yn yr arddangosfa o ddarluniau Cymreig a gynhaliwyd yn yr Amgueddfa Genedlaethol ym 1913, ochr yn ochr â gwaith Benjamin Williams Leader a Christopher Williams. Y mae bron yn sicr mai'r Arglwydd Howard de Walden, prif noddwr yr arddangosfa, a oedd yn gyfrifol am estyn gwahoddiad i John, a gorfu i Matthews wynebu'r broblem o gynnwys yr arlunydd newydd yn ei weledigaeth. Yn ei adolygiad, cydnabu'r beirniad fod gweithiau John yn anodd iawn eu deall ond, serch hynny, pwysleisiodd eu cyntefigrwydd mewn ymgais i'w dehongli ar gyfer cynulleidfa leyg:

> Nid oes dim mwy anawdd na deall gwaith Augustus John – ond y ffordd oreu i'w ddeall ydyw gweled ei fod yn ceisio gwrthdystio yn erbyn arddulliau llyfn a chaboledig arluniaeth ysgolaidd, ac yn lle hynny rhydd arluniau i ni yn eu symlrwydd noeth ... Symlder yw ei nod, ei arwyddair 'Byddwn megis plant.' Dyna paham y defnyddiais y gair 'cyntefig'. Yn ei wrthdystiad rhamantaidd ceisia arlunio yn unol â symlrwydd celf cyntefig.[34]

Wrth geisio cyfiawnhau'r dehongliad hwn, gwnaeth Matthews ddefnydd helaeth o'r fersiwn Cymraeg o draethawd John a ysgrifennwyd ym 1907, gan gynnwys datganiad herfeiddiol yr arlunydd fod yn 'rhaid barbareiddio Cymru!', ond yr oedd yn ddigon craff i sylweddoli: 'ac eto, nid yw'n syml – y mae mwy o gelf yng nghudd yn symlrwydd Augustus John nag a welir mewn gwaith llawer iawn'.[35] Er na chafodd John groeso ar y cychwyn fel llais newydd celfyddyd Gymreig, byddai ei waith o hynny ymlaen yn cael ei dderbyn fel rhan o'r drefn. Cafodd ei atgynhyrchu mewn lliw am y tro cyntaf ym 1915 yn *Gwlad fy Nhadau* John Morris Jones a W. Lewis Jones, ochr yn ochr â gweithiau gan Goscombe John, J. Kelt Edwards, Margaret Lindsay Williams ac, yn fwyaf arwyddocaol, Christopher Williams.

Er ei bod yn amlwg fod rhethreg Augustus John wedi cael dylanwad ar Christopher Williams mor gynnar â 1908,[36] y mae'n anodd penderfynu pryd y dechreuodd Williams edmygu ei waith. Eto i gyd, erbyn 1917 yr oedd Williams hefyd yn cynhyrchu tirluniau bach gyda lliwiau tanbaid ac adeiladwaith syml. Megis John ac Innes, fe'i hysgogwyd nid yn unig gan ei ymwybyddiaeth o waith arlunwyr modern eraill ond, ac yntau wedi teithio drwy Sbaen a Morocco ym

[34] Thomas Matthews, 'Celf yng Nghymru: Arddangosfa'r Amgueddfa Genedlaethol', *Cymru*, XLVI (1914), 98.

[35] Ibid.

[36] Gw. uchod, t. 332.

[37] Dim ond un o'r tirluniau diweddar hyn, sef *Among the Mountains, Spain*, a ddangoswyd ganddo yn yr Academi Frenhinol ym 1925. Yr un flwyddyn, dangosodd *Hero and Leander*.

619. Christopher Williams,
The Red Dress, 1917,
Olew, 300 x 387

620. Christopher Williams,
Tyrau Mawr, c.1917,
Olew, 452 x 607

1914, gan y profiad o olau llachar y de. Un elfen yn unig o'i waith oedd ei dirluniau o Gymru, ochr yn ochr â'i bortreadau ac ambell lun testunol yn null academiaeth y cyfnod cyn y rhyfel, er y gwelir ynddynt ddiddordeb anarferol a dwys mewn lliw er ei fwyn ei hun.[37] Wrth edrych yn ôl, serch hynny, y mae lluniau yr ystyriai Williams o bosibl yn ddim mwy nag ymarferiadau ac arbrofion yn ymddangos yn llawer pwysicach, ac y mae ei dirluniau a'i astudiaethau o ffigurau a wnaed tua diwedd y rhyfel, megis *The Red Dress*, ymhlith ei weithiau mwyaf deniadol. Y maent yn amrywio rhwng Argraffiadaeth syml a dathliadol a symlrwydd mwy hunanymwybodol a oedd yn adlewyrchu ei ymwybyddiaeth o waith Innes a John.

Erbyn hyn yr oedd Williams yn blino ac ni ddatblygodd ei ddiddordeb mewn lliw i'r fath raddau ag i beri iddo amau iaith gonfensiynol paentio. Yr oedd yn amheus o Foderniaeth y Cyfandir, a nododd ym 1927: 'our artists are not being influenced by the foreign schools to the extent England is, to the detriment of English art'.[38] Y mae hwn yn sylw hynod o ystyried amharodrwydd llawer o'r byd celf yn Lloegr y dwthwn hwnnw i fabwysiadu arddulliau ffurfiol newydd. Nid yw'n amlwg pwy oedd gan Williams mewn golwg, ond yr oedd Augustus John yn sicr erbyn y

621. Ffotograffydd anhysbys, *Harry Hughes Williams*, c.1940

622. Harry Hughes Williams, *Yr Ogof Mill*, c.1942, Olew, 610 x 762

cyfnod hwnnw wedi ymwadu â dulliau *avant-garde*, a buasai gan arlunwyr Cymreig eraill cymharol lwyddiannus megis Margaret Lindsay Williams, Timothy Evans a Carey Morris dueddiadau ceidwadol erioed.

Nid oedd gan y genhedlaeth nesaf o dirlunwyr ychwaith ddiddordeb mewn estheteg radicalaidd. Mynychodd Harry Hughes Williams ysgol gelf yn Lerpwl yn y cyfnod yn arwain at y Rhyfel Mawr ond, oherwydd anaf a gawsai pan oedd yn blentyn, ni fu'n rhaid iddo ymuno â'r fyddin. Eto i gyd, cafodd y rhyfel effaith ar ei yrfa drwy ei rwystro rhag manteisio ar ysgoloriaeth deithio a enillodd pan oedd yn y Coleg Celf Brenhinol. Felly, yn hytrach na theithio ar y Cyfandir fel y gwnaethai Timothy Evans a J. Kelt Edwards, Augustus John a J. D. Innes, dychwelodd adref i Fôn, ac erbyn canol y 1920au yr oedd wedi mabwysiadu'r dechneg a'r testunau a fu'n sylfaen i'w waith hyd ei farwolaeth ym 1953. Daeth yn gryn feistr ar ddull argraffiadol, dull a gyflwynodd effeithiau goleuni dwys i'w luniau o fywyd gwledig ym Môn. Serch hynny, bu ennill bywoliaeth fel arlunydd yn y cyfnod rhwng y ddau ryfel yn gryn frwydr iddo. Er iddo arddangos ei waith yn yr Academi Frenhinol

[38] Dyfynnwyd gan Jeremiah Williams, *Christopher Williams*, t. 99. Traddodwyd yr anerchiad, na lwyddwyd i ddod o hyd i gopi ohono, ym Mangor ym 1927.

623. Harry Hughes Williams,
Haystack, Tŷ Mawr III, c.1929,
Olew, 254 x 330

626. Ffotograffydd anhysbys, *Artistiaid Abertawe*, 1957, yn sefyll o'r chwith, Griff Edwards, Donald Cour, George Fairley, Bill Price, Alfred Janes; yn eistedd, Arthur Charlton, Kenneth Hancock, David Bell, Will Evans, Howard Martin

Gymreig ac yn Llundain a Lerpwl o bryd i'w gilydd, prin oedd y nawdd a dderbyniai ac ni ddaeth yn adnabyddus y tu hwnt i'r gogledd-orllewin.[39] Ei waith gorau oedd cyfres o luniau a seiliwyd ar fotiffau unigol o deisi gwair a melinau gwynt. Oherwydd eu testun a'u techneg geidwadol, y mae'r lluniau hyn, rhai ohonynt wedi eu paentio yn ail hanner yr ugeinfed ganrif, yn ymddangos fel petaent yn perthyn i orffennol coll, a hynny heb unrhyw ymgais ymwybodol ar ran yr arlunydd i greu darlun hiraethlon.

624. William Grant Murray, *Winter Sunshine, Richmond Road, Swansea*, c.1930, Olew, 457 x 304

625. Will Evans, *Stormy Down*, 1924, Olew, 483 x 635

[39] Ym 1938 cafodd Williams swydd ddysgu mewn ysgol a roes sicrwydd ariannol iddo. Am yrfa Harry Hughes Williams, gw. Siân Rees, *Harry Hughes Williams 1892–1953: A Selective Retrospective / Detholiad yn Edrych yn Ôl* (Oriel Ynys Môn, 1992) a Peter Lord, 'Harry Hughes Williams in Context', *Planet*, 98 (1993), 16–21.

627. Edward Morland Lewis,
A Welsh Landscape, c.1935–8,
Olew, 265 x 350

Yn ne Cymru ceid adlais o dirluniau Harry Hughes Williams yng ngwaith nifer o arlunwyr o ansawdd uchel a rannai estheteg geidwadol gyffelyb. Yr oedd llwyddiant William Grant Murray fel athro yn Ysgol Gelf Abertawe yn llawer pwysicach na'i baentio, er mor gymwys a phoblogaidd ydoedd.[40] Yr oedd Grant Murray ac arlunwyr eraill yn ne-orllewin Cymru mewn gwell sefyllfa i arddangos a gwerthu lluniau yn lleol na Harry Hughes Williams gan fod Cymdeithas Gelf De Cymru a Chymdeithas Gelf Abertawe yn darparu cyfleoedd ar eu cyfer. Yr oedd Oriel Gelf Glynn Vivian yn oriel ardderchog a gydymdeimlai â'u hymdrechion, ac yr oedd Grant Murray yn gryf o blaid ehangu ymwneud y cyhoedd â chelfyddyd, fel artistiaid amatur ac fel noddwyr. Ymhlith arlunwyr mwyaf nodedig Abertawe oedd Will Evans, lithograffydd masnachol wrth ei alwedigaeth, a barhâi i baentio tirluniau yn rhan-amser ymhell i ail ran y ganrif. Yn yr un modd, yr oedd B. A. Lewis yn weithgar o fewn y gymuned arlunio yn sir Gaerfyrddin, ei sir enedigol, ac yng Nghymdeithas Gelf De Cymru.[41] Y mae Lewis yn fwy adnabyddus erbyn heddiw fel tad yr arlunydd Edward Morland Lewis, a hyfforddwyd yng Nghaerfyrddin i gychwyn cyn symud i ysgol yn Llundain ac yna, ym 1924, i'r Academi Frenhinol. Ei athro yno oedd Walter Sickert. Gadawodd yn fuan wedyn i gael ei hyfforddi ganddo yn uniongyrchol, a bu hefyd yn gynorthwyydd iddo hyd 1929 o leiaf. Y mae dylanwad Sickert ar ei ddisgybl i'w weld yn ei ddulliau gweithio idiosyncratig ac yn ei gariad at amrediad o liwiau cynnil a oedd yn wahanol iawn i ddulliau Harry Hughes Williams, er bod y ddau yn glynu wrth destunau awyr-agored syml, wedi eu paentio yng ngolau'r gorllewin pell. Mabwysiadodd Morland Lewis ddull Sickert o ddatblygu lluniau o luniadau unlliw neu ffotograffau wedi eu sgwario'n ofalus, er bod ganddo ddiddordeb mewn ffotograffiaeth cyn iddo fynd i Lundain. Ni chafodd Morland Lewis yrfa lewyrchus er bod ganddo, yn wahanol i Williams, gysylltiadau yn y byd celf yn Lloegr a'i fod yn gallu gwerthu ei waith. Bu farw'n ifanc o falaria tra oedd yn gwasanaethu yn y fyddin yn ystod yr Ail Ryfel Byd, a bu galaru mawr ar ei ôl ymhlith ei lu o edmygwyr, gan gynnwys Ceri Richards, arlunydd llawer mwy radicalaidd, a ddywedodd amdano: 'his work would have developed into something very special and personal'.[42]

628. Ffotograffydd anhysbys,
Edward Morland Lewis yng Nglanyfferi, c.1938

[40] Am Grant Murray fel athro, gw. Lord, *Diwylliant Gweledol Cymru: Y Gymru Ddiwydiannol*, Pennod 4.

[41] Yr oedd B. A. Lewis yn adnabyddus y tu hwnt i dde Cymru. Dangosodd ei waith yn yr Academi Frenhinol Gymreig ar sawl achlysur, ond ni ddaeth yn aelod o'r Academi er iddo wneud sawl cais am aelodaeth. Gw. LlGC, Archif Clarence Whaite, llythyr oddi wrth Lewis at Whaite, 14 Ionawr 1908.

[42] *Western Mail*, 24 Chwefror 1962. Trafodir y berthynas rhwng Morland Lewis a Sickert a'i ddefnydd o ffotograffiaeth gan A. D. Fraser Jenkins yn 'Edward Morland Lewis: landscape and photography', *Apollo*, 99 (Mai, 1974), 359–61.

629. Graham Sutherland,
Entrance to a Lane, 1939,
Olew, 614 x 507

630. Graham Sutherland,
Solva Hills, Valley above Porth Glais,
1935, Pen, inc a golchiad, 123 x 210

Buasai Morland Lewis yn aelod o Grŵp Arlunwyr Llundain ac yn athro wedi hynny yn Ysgol Gelf Chelsea, yr un adeg â Graham Sutherland a John Piper. Perthynent i gylch o arlunwyr radicalaidd a gynhwysai Ceri Richards. Manteisiodd y ddau arlunydd o Sais ar dirwedd Cymru ar gyfnodau allweddol yn natblygiad eu gwaith, megis y gwnaethai Turner ar ddiwedd y ddeunawfed ganrif. Yn achos Sutherland yn enwedig, bu'r cyfnod Cymreig yn ei hanes, a gychwynnodd ym 1934, yn allweddol o safbwynt artistig a datblygiad ei yrfa. Cafodd ei annog i ymweld â sir Benfro gan Robert Wellington o Oriel Zwemmer, un o ganolfannau amlycaf y byd celf radicalaidd yn Llundain, a bu'n ymwelydd cyson am flynyddoedd lawer. Ei arfer oedd lluniadu yn yr awyr agored a phaentio yn y stiwdio, ac o'r herwydd nid tirluniau Cymreig yw ei waith yn gymaint ag ymchwiliadau cyfriniol i'r grymoedd cyntefig a lechai dan bob tirwedd:

> The spaces and concentrations of this clearly constructed land were stuff for storing in the mind. Their essence was intellectual and emotional, if I may say so ... I did not feel that my imagination was in conflict with the real, but that reality was a dispersed and disintegrated form of imagination ... it was in this area that I learned that landscape was not necessarily scenic, but that its parts have an individual figurative detachment.[43]

Nid oedd lluniau Sutherland yn cynnwys unrhyw elfen o ddiwylliant dynol yr ardal ac y mae'r ychydig gyfeiriadau ysgrifenedig ganddo at y bobl yn adleisio meddyliau'r ymwelwyr celf Seisnig ar hyd y canrifoedd:

[43] Graham Sutherland, 'Welsh Sketch Book', *Horizon*, V, rhif 28 (1947), 234–5.

[44] Ibid., 230.

[45] Bu Myfanwy Evans yn gweithio ym Mharis ym 1934 gyda Jean Hélion, un o arweinwyr deallusol y mudiad Modernaidd a oedd hefyd yn olygydd cyhoeddiadau dylanwadol megis *Art Concret* ac *Abstraction-Création*. Ef a awgrymodd y dylai Evans sefydlu cylchgrawn Saesneg tebyg yn Llundain.

[46] Cyhoeddiad gan Gyngor Celfyddydau Prydain Fawr, 1962; fe'i dyfynnwyd yn Anthony West, *John Piper* (London, 1979), t. 154.

[47] Ibid., t. 128.

> Complete, too, is the life of the few inhabitants – almost biblical in its sober dignity ... The immense soft-voiced innkeeper and his wife, small as he is big, sit, when they are not working, bolt upright, on a hard bench in the cool gloom.[44]

Hyd yn oed wrth ei waith fel arlunydd rhyfel yn nhrefi diwydiannol de Cymru, sy'n dyddio o 1940 ymlaen, prif nod Sutherland oedd cyflwyno adeiledd dymchweledig y byd o'i gwmpas mewn patrwm a lliw. Trwy goleddu'r haniaethol aeth i gyfeiriad gwahanol i John Piper a oedd, erbyn ei ymweliad cyntaf â Chymru ym 1937, eisoes yn adnabyddus fel arlunydd anffigurol digyfaddawd. Y flwyddyn honno priododd Piper â Myfanwy Evans, y bu'n cydolygu'r cylchgrawn *Axis* â hi, cylchgrawn a'i disgrifiai ei hun ar glawr y rhifyn cyntaf ym 1935 fel 'A Quarterly Review of Contemporary Non-Figurative Painting and Sculpture'.[45] Eto i gyd, yr oedd eisoes yn dechrau troi ei gefn ar gelfyddyd anffigurol adeg ei ymweliad cyntaf â Chymru, a gwnaeth enw iddo'i hun maes o law fel lladmerydd y tirlun Seisnig yn nhraddodiad Rhamantaidd Turner. Credai'r rhai a oedd o dueddfryd rhyng-genedlaethol a modernaidd fod y datblygiad hwn yn 'nostalgic retreat into insular sensibilities'.[46] Beth bynnag oedd gwerth y newid, yr oedd arsylwadau Piper ar dirwedd Cymru yn gam pwysig yn ei esblygiad, a phrynodd ail gartref yn Nant Ffrancon ym 1947. Disgrifiwyd ei luniau o Eryri, y cychwynnwyd arnynt ym 1944, fel 'unique in English painting in their presentation of the continuing storm of creation, and in the intelligence of their interpretation of the facts of geology and landscape', gan ei osod yn agos at Sutherland yn ei ddehongliad diddiwylliannol o'r wlad y dychwelai iddi mor aml.[47]

632. John Piper,
In Llanberis Pass, 1943,
Dyfrlliw, pen a sialc,
578 x 699

631. John Piper,
Llanthony Abbey, 1941,
Olew, 290 x 400

633. Ffotograffydd anhysbys, *Alfred Janes yn ei stiwdio yn Stryd y Coleg, Abertawe,* c.1936

634. Alfred Janes, *Dylan Thomas*, c.1934, Olew, 406 x 305

Yr oedd mwyafrif tirlunwyr y 1920au a'r 1930au yn adnabod ei gilydd neu o leiaf yn gyfarwydd â gwaith ei gilydd. Serch hynny, ni ellid dweud eu bod yn ffurfio byd celf cenedlaethol o'r math a ddaethai i'r amlwg cyn y Rhyfel Mawr ac a greodd gysylltiad rhwng arlunwyr brodorol ac ymwelwyr i'w plith. Nid oedd ganddynt ganolbwynt tebyg i ddyhead y genhedlaeth gynharach i greu sefydliadau celf cenedlaethol na'r un ymrwymiad i'r syniad o estheteg genedlaethol. Yng ngwaith arlunwyr a beirniaid a ymddiddorai mewn delweddaeth ddiwydiannol yn unig y gellir gweld rhyw fath o agenda genedlaethol, er ei bod yn dra gwahanol i'r hyn a gynigiwyd gan Thomas Matthews cyn y rhyfel. Canolbwyntiai'r ychydig gyfeiriadau a geid bellach gan arlunwyr a beirniaid at yr anian Geltaidd, un o hoff themâu cenhedlaeth Cymru Fydd, ar ymddygiad anwadal Augustus John a'r cylch o awduron ac arlunwyr ifainc alltud a ymunodd â'r gŵr mawr yn y byd celf yn Llundain yng nghanol y 1930au yn hytrach nag ar fath arbennig o deimladrwydd artistig. Parhaodd Dylan Thomas â delwedd fohemaidd John ac amgylchynwyd ef gan griw anarferol o dalentog, yn eu plith y bardd Vernon Watkins a'r arlunwyr Alfred Janes, Mervyn Levy a James Govier, y tri ohonynt wedi eu hyfforddi yn Abertawe.[48] Yr oedd Janes, gŵr y dywedid bod ei frwdfrydedd yn 'sparkling through his round specs',[49] yn yr Academi Frenhinol a Levy yn y Coleg Brenhinol, a rhannent lety â Thomas. Ymwelwyd â hwy yno, 'ankle-deep in cigarette cartons',[50] gan John Petts, arlunydd o Lundain a oedd newydd ddechrau perthynas â Brenda Chamberlain o Fangor, cyd-fyfyriwr iddo yn yr Academi Frenhinol. Adwaenent Morland Lewis yn dda,[51] ond nid oedd Ceri Richards, er iddo dderbyn ei hyfforddiant yn Abertawe, yn troi yn yr un cylchoedd â hwy. Daethai i Lundain ym 1924, wyth mlynedd cyn Levy a Janes, ac fe'i cysylltai ei hun â'r *avant-garde* Seisnig. Meddai Levy: 'It was tremendous fun. The ideal Bohemian was Augustus John – he was our lode-star – we tried to live a Bohemian life as we saw it ... There was a point at which Dylan felt that you couldn't really be an artist of any consequence and certainly not a writer, unless you had T.B.'[52] Ychydig iawn a olygai Cymru iddynt fel uned ddiwylliannol a'u nod oedd mynd i Baris, ond ni lwyddasant i wireddu'r freuddwyd honno oherwydd amgylchiadau economaidd anodd y cyfnod.[53] Wedi iddo adael y Coleg Brenhinol ym 1936 enillodd Levy ei fywoliaeth drwy baentio sinemâu. Er bod pethau'n gyfyng hefyd ar Brenda Chamberlain a John Petts dychwelasant i Gymru, yn groes i duedd gyffredin y cyfnod, ac ym 1936 ymsefydlodd y ddau mewn bwthyn yn Llanllechid ger Bethesda. O ganlyniad i ddiddordeb Petts mewn graffeg, prynodd y ddau wasg argraffu. Enillodd 'The Caseg Press' fri ymhlith eu cyfoedion artistig a llenyddol am ei hengrafiadau pren, a chyhoeddwyd rhai ohonynt mewn cylchgronau megis *The Welsh Review*.[54] Un o'r rhai y gwnaeth eu gwaith argraff arno oedd y bardd ifanc Alun Lewis, a ysgrifennodd at Petts ym 1941. Yn sgil hyn cyhoeddwyd cyfres y 'Caseg Broadsheets', sef casgliadau syml o waith beirdd cyfoes megis Lewis a'i gyfeillion, yn enwedig Dylan Thomas, gydag engrafiadau pren gan Petts a Chamberlain.

635. Brenda Chamberlain, *Hunanbortread*, 1936, Lluniad pensil, 225 x 175

isod: 636. John Petts, *Yr Heuwr*, a *Cludwyr Coed*, Torluniau leino, 100 x 130

[48] Symudodd Govier o Abertawe i'r Coleg Brenhinol ym 1935, dair blynedd ar ôl Levy. Er i Janes fynychu Ysgolion yr Academi Frenhinol, fel y mwyafrif o'i gyfoeswyr yno teimlai fod y Coleg Brenhinol yn ganolfan gymdeithasol ddifyrrach.

[49] John Petts yn Meic Stephens (gol.), *Artists in Wales 3* (Llandysul, 1977), t. 177.

[50] Ibid. Yr oedd yr arlunydd o Sais William Scott hefyd yn byw yn yr un fflat.

[51] Dylan Thomas oedd gwas priodas Morland Lewis ym 1939.

[52] LlGC, Adnau Prosiect Ymchwil Diwylliant Gweledol Cymru, Mervyn Levy, cyfweliad â Peter Lord, 13 Medi 1995.

[53] Nododd Levy: 'We didn't have any real feelings for Wales as a cultural thing.' Ibid. Yr oedd agweddau Cedric Morris, gŵr hŷn, at Gymru yn y cyfnod hwn yn wahanol, ac fe'u trafodir yn fanwl yn Lord, *Diwylliant Gweledol Cymru: Y Gymru Ddiwydiannol*, tt. 203–10.

[54] Cafodd y wasg ei henwi ar ôl merlen Chamberlain ac afon Caseg gerllaw.

637. Augustus John,
Richard Hughes, c.1938,
Olew, 525 x 425

Prin oedd y cyfleoedd i'r arlunwyr ifainc hyn a oedd yn cychwyn ar eu gyrfa i arddangos eu gwaith yn ystod y 1930au. Yr unig ysbryd blaengar oedd Grant Murray, a roes gyfle i Ceri Richards i gynnal arddangosfa un dyn yn Oriel Gelf Glynn Vivian mor gynnar â 1930. Agorwyd yr arddangosfa gan Colin Anderson, noddwr pwysicaf Graham Sutherland, dewis a danlinellai'r cysylltiadau cryf rhwng yr arlunydd a'r *avant-garde* yn Llundain. Yr oedd yr arddangosfeydd a gynhelid gan yr Eisteddfod Genedlaethol ar drai yn y 1930au, ac ni cheid ond rhaglenni cyfyng a cheidwadol gan y ddau sefydliad cenedlaethol a feddai ar orielau parhaol, sef yr Amgueddfa Genedlaethol a'r Llyfrgell Genedlaethol. Yn yr arddangosfa o Weithiau gan Arlunwyr Cymreig Modern a gynhaliwyd yn y Llyfrgell Genedlaethol ym 1933 dangoswyd gweithiau gan arlunwyr cyfarwydd megis Christopher Williams, Margaret Lindsay Williams, Frank Brangwyn ac Augustus John, gydag Evan Walters yn cynrychioli'r genhedlaeth ifanc.[55] Yr oedd yr hyn a gynigiai'r Amgueddfa Genedlaethol yn llai ysbrydoledig fyth, a'r unig arddangosfa neu gyhoeddiad ar arlunydd neu arlunwyr Cymreig byw a gynhyrchwyd rhwng arddangosfa fawr 1913 a'r Ail Ryfel Byd oedd catalog D. Kighley Baxandall o ysgythriadau Augustus John.[56]

Ac yntau'n rhwystredig nad oedd llwyfan i arlunwyr yng Nghymru, trefnodd Cedric Morris Arddangosfa o Gelfyddyd Gymreig Gyfoes ym 1935, gyda chefnogaeth Augustus John ac amryw o noddwyr dylanwadol megis Clough Williams-Ellis o Lanfrothen, Frances Byng-Stamper o Gastell Maenorbŷr, a Richard Hughes o Gastell Lacharn. Yn ei gyflwyniad i'r catalog bu Hughes yn pwyso a mesur manteision ac anfanteision diwylliannau dinesig a gwasgaredig, a daeth i'r casgliad, er y gallai arlunwyr a weithiai yng Nghymru gynhyrchu gwaith o safon dderbyniol, na allai'r un ohonynt gyrraedd yr uchelfannau heb yr ysgogiad cystadleuol a geid mewn dinas fawr. Byddai'r arddangosfa felly yn gweithredu fel 'a metropolis that moves from place to place'.[57] Serch hynny, llesteiriwyd cwmpas yr arddangosfa oherwydd ffafriaeth a chan i'r trefnwyr ailfabwysiadu'r hen ddiffiniad o Gymro fel person a oedd o dras Gymreig cynhwyswyd gwaith Wyndham Lewis ac Allan Gwynne Jones, er nad oedd ganddynt unrhyw gysylltiadau ymarferol â Chymru. Cafodd yr arddangosfa gryn gyhoeddusrwydd gan mai Augustus John oedd y detholwr, ond, gwaetha'r modd, cynhwyswyd gormod o'i waith ef ei hun a gwaith ei chwaer Gwen, ei frawd Edwin a'i ferch Vivien, er mawr anniddigrwydd i Evan Walters.[58] Ni chynhwyswyd dim o waith yr arlunwyr diwydiannol ifainc megis Vincent Evans ac Archie Rhys Griffiths, na dim o waith Harry Hughes Williams ychwaith. Gwrthododd Timothy Evans y cynnig i arddangos ei waith am nifer o resymau ond yn bennaf oherwydd ei fod yn credu nad 'rhyw *snobs hanner Seisnig* fel Clough Williams Ellis a'i griw sydd

[55] Yn anarferol iawn, yr oedd yr arddangosfa hon hefyd yn cynnwys gwaith pwysig gan Archie Rhys Griffiths, *Miners Returning from Work*, sydd i'w weld yn Lord, *Diwylliant Gweledol Cymru: Y Gymru Ddiwydiannol*, t. 191. Arlunwyr eraill y dangoswyd eu gwaith oedd F. J. Kerr a Fred Richards. Ganed Syr Frank William Brangwyn (1867–1956) yng Ngwlad Belg, ond yr oedd ei fam yn Gymraes. Nid yw ei yrfa na'i waith yn berthnasol iawn i Gymru ond, oherwydd ei statws uchel yn y byd celf yn Lloegr, yr oedd yn apelio at y sawl a ddymunai hybu'r syniad o gelfyddyd Gymreig ar ddechrau'r ugeinfed ganrif. O ganlyniad, cyfeirid ato yn aml yng Nghymru fel arlunydd Cymreig.

[56] Trefnwyd Arddangosfa'r Amgueddfa o Baentiadau gan Arlunwyr Prydeinig Cyfoes, a gynhwysai beth gwaith Cymreig, gan Gymdeithas Celfyddyd Gyfoes Cymru ym 1938.

[57] Richard Hughes, cyflwyniad i *Catalogue of the Contemporary Welsh Art Exhibition* (Aberystwyth, 1935). Agorodd yr arddangosfa yn Aberystwyth a theithiodd i Abertawe a Chaerdydd. Olrheinir ei hanes yn fanwl yn Lord, *Diwylliant Gweledol Cymru: Y Gymru Ddiwydiannol*, tt. 205–8.

i lywodraethu a *chlebran* am Gelf yng Nghymru. Y cwbl sy gan wehilion fel hyn eisieu yw bod yn y *limelight* i ddangos ei hunan'.[59] Y mae'n debyg yr ystyrid bod Janes a Levy yn rhy ifanc, er i Kenneth Hancock, arlunydd arall a addysgwyd yn Ysgol Gelf Abertawe a'r Coleg Brenhinol yn Llundain, ddangos un llun.[60] Yr oedd agwedd y beirniaid, a oedd yn llawn brwdfrydedd at y gwaith ond yn negyddol at Gymru, yn adlewyrchu agweddau'r trefnwyr:

> Teitl swyddogol yr Arddangosfa hon yw 'Celfyddyd Gyfoes Cymru', ond, er bod hyn yn enw digon cyfleus arni, mae'n camarwain, oherwydd nid oes, wrth gwrs, y fath beth â phaentio neu gerfluniaeth Gymreig heddiw fel y cyfryw, er bod llawer o baentio cyfoes gwir bwysig o waith artistiaid sy'n Gymry o waed neu wedi eu geni yng Nghymru.[61]

Yr arlunydd amlycaf i beidio â chael ei gynnwys yn arddangosfa 1935 oedd Ceri Richards. Y mae'n bosibl iddo wrthod arddangos ei waith, ond y mae'n fwy tebygol na chafodd gynnig gwneud hynny oherwydd ei gysylltiad ag Archie Rhys Griffiths ac oherwydd ei estheteg radicalaidd ef ei hun. Rhwng 1924 a 1927, ac yntau'n astudio yn y Coleg Celf Brenhinol, daethai Richards dan ddylanwad arlunwyr o'r Cyfandir, yn enwedig portreadau Matisse. Ar ddechrau'r 1930au daeth hefyd i gysylltiad ag athrawiaeth y Bauhaus drwy ei gyfaill Richard Llywelyn Huws. Tra oedd ym Mhrifysgol Lerpwl darganfu Huws fod ganddo ddawn tynnu llun ac yno hefyd rhoes ei deyrngarwch gwleidyddol i'r blaid genedlaethol newydd, Plaid Genedlaethol Cymru. Wedi graddio, aeth i Ffrainc ac yna i Fienna, lle y bu'n astudio gyda chyn-athrawon Bauhaus yn y Kunstgewerbeschule rhwng 1927 a 1930. Ar ôl gadael Fienna, symudodd i Lundain, gan ennill ei fywoliaeth fel cartwnydd a cherflunydd o dueddiadau esthetig modernaidd iawn a gwleidyddiaeth adain-chwith. Cafodd ei honiad 'there is no tradition of true Art in Wales, but only the corrupt art of the European and American bourgeoisie' sylw mawr yn y *Western Mail* pan ymosododd ar arddangosfa Eisteddfod Genedlaethol Bangor ym 1931 ac, yn sgil hynny, ar y beirniaid ceidwadol, yn eu plith Margaret Lindsay Williams.[62] Rhwng 1933 a 1935 bu teuluoedd Richard Huws a Ceri Richards yn rhannu tŷ yn Llundain, ac yn ystod y cyfnod hwnnw cyrhaeddodd estheteg fodernaidd Richards ei llawn dwf. Dechreuodd arbrofi gyda *collage* ac adeiladwaith a dechreuodd arddangos ei waith yn Oriel Zwemmer gyda'r 'Objective Abstraction Group'. Yng nghatalog yr arddangosfa ceisiodd yr arlunwyr ifainc y dangosid eu gwaith ateb rhai o'r cwestiynau y byddai cyhoedd dryslyd yn debygol o'u gofyn. Pan ofynnwyd iddo beth yr oedd yn ceisio ei fynegi yn ei ddarlun, dywedodd Richards ei fod yn ceisio rhoi 'a visual expression in coherent form and colour equivalent to the stimulus and reflections provoked by objects', ateb nad oedd yn debygol o leihau dryswch y lleygwyr. Ond o ran y berthynas rhwng ei waith a'r byd naturiol yr oedd yn llai tywyll, a'i agwedd yn debyg i eiddo Sutherland: 'I have to refer directly to nature for stimulus before I can start painting. Once I have transferred to the canvas an expression of this stimulus, the painting grows on its own as an entity.'[63]

[58] Archif breifat, llythyr gan Evan Walters at Winifred Coombe Tennant, 19 Awst 1935: 'There are about 150 exhibits with about 120 paintings, water colours and drawings. Aug. John and his family and Cedric and his cousin (whom I had never heard of before) [Caroline Byng-Lucas] have about 70 leaving about 50 between the other 16 artists. Of these Innes who is dead and is no longer a rival has 23. Rivals have either been cut out or badly and sparsely represented. The first committee was John, Cedric and Cedric's two cousins [Byng-Lucas a Frances Byng-Stamper]. The rest of the committee is a sleeping one selected afterwards just to bluff the public. Now they want to rope you in. Aug. John himself has 31 things there, most undignified.' Ac eithrio ychydig o luniau cynnar, ni fu Gwen John (1876–1939) yn paentio yng Nghymru ac yn anaml iawn y byddai'n ymweld â Chymru. Ar ôl derbyn ei hyfforddiant yn Ysgol Gelf Slade yn Llundain, symudodd i Baris, lle y treuliodd weddill ei hoes. Fel John Gibson a Frank Brangwyn, arwyddocâd symbolaidd sydd iddi yn niwylliant gweledol Cymru yn bennaf. Y mae rhai haneswyr a beirniaid yn rhan olaf yr ugeinfed ganrif, gan ategu barn T. Mardy Rees mai ar sail tarddiad ethnig y dylid penderfynu a oedd arlunydd yn Gymro ai peidio, wedi ceisio defnyddio ei statws rhyngwladol i godi gwerth celfyddyd Gymreig yn ei chyfanrwydd. Er bod nifer o *connoisseurs* bellach yn credu bod Gwen John yn arlunydd pwysicach na'i brawd Augustus, yr oedd hi'n ymwneud llai â'r diwylliant Cymreig hyd yn oed nag ef. Dyna paham y ceir cyn lleied o sôn amdani yn y llyfr hwn.

[59] LlGC, Papurau J. W. Jones 3619, 13 Medi 1935. Yr oedd Evans yn ŵr siomedig erbyn hyn ac, yn ei rwystredigaeth, ymosodai yn aml ar Gymru a sefydliadau Cymreig: 'Ychydig o Gymry wyf yn ei weled. Ac nid yw hyn yn rhyfedd. Ni chymer fy nghenedl ddim dyddordeb yn fy nghelf i na un gelf arall yn wir ond fel tipyn o gystadleuaeth ...' ibid., 3625, 11 Gorffennaf 1938. Yn Llyfrgell Genedlaethol Cymru, cafodd ei synnu o weld gwaith 'crach arlunwyr Seisnig' yn llenwi'r oriel, ibid., 3652, tua 1935.

[60] Ym 1936 cynhwyswyd Janes yn yr ail arddangosfa a drefnwyd gan y grŵp.

[61] D. Kighley Baxandall, 'Cyfraniad Cymru at Gelfyddyd Heddiw', *Tir Newydd*, rhif 2 (1935), 3.

[62] *Western Mail*, atodiad eisteddfodol, 1 Awst 1931. Trafodir yr anghydfod yn Lord, *Y Chwaer-Dduwies*, tt. 97–9.

[63] Catalog arddangosfa yr 'Objective Abstraction Group' yn Oriel Zwemmer, Llundain, 1933, dyfynnwyd gan J. R. Webster yn *Ceri Richards* (Royal National Eisteddfod at Rhosllannerchrugog, 1961), dim rhifau tudalen.

638. Richard Huws, Cartŵn yn y *Listener*, 1934, Cyfrwng cymysg, maint yn ansicr

Yr un at ei gilydd fu ymagwedd Richards drwy gydol ei yrfa, a chynhyrchodd ddelweddau haniaethol wedi eu paentio neu eu hargraffu a oedd bron bob amser yn cynnwys cyfeiriadau ffigurol at y corff dynol neu at ffurfiau botanegol. Hoffai weithio mewn cyfres o ddelweddau megis y rhai a seiliwyd ar frenhinoedd a breninesau perlog dwyrain Llundain, a luniwyd ym 1937 a 1938. Perthynent i estheteg y tu hwnt i'r confensiynau arlunio a cherflunio a ddilynid gan y rhan fwyaf o'i gyfoeswyr yng Nghymru, ac yn hyn o beth gellir eu gosod ochr yn ochr â gwaith mwy amwys fyth ei gyfaill Richard Huws, a ddyluniodd y *Mechanical Man* anferth ar gyfer Arddangosfa'r Ymerodraeth yn Glasgow ym 1938.

639. Ceri Richards, *Tulips*, 1949, Olew, 914 x 1067

640. Ceri Richards, *Costerwoman*, 1939, Olew, 760 x 630

641. Ffotograffydd anhysbys, *Richard Huws gyda'r 'Mechanical Man'*, Arddangosfa'r Ymerodraeth yn Glasgow, 1938

Prin oedd y cysylltiad rhwng Ceri Richards a Chymru yn y cyfnod pan oedd yn datblygu ei estheteg fodernaidd, ond ym 1940 daeth yn Bennaeth Arlunio yn Ysgol Gelf Caerdydd, lle yr arhosodd am bedair blynedd. Etifeddodd gan ei dad gariad dwfn at farddoniaeth a cherddoriaeth (yr oedd yn bianydd medrus), a daeth trosglwyddo syniadau rhwng y diwylliant gweledol, cerddoriaeth a barddoniaeth yn rhan allweddol o'i waith. Yr oedd barddoniaeth Dylan Thomas yn symbyliad pwysig a esgorodd ar waith graffig a darluniau ar y thema *Cycle of Nature*, gwaith a ysgogwyd gan 'The force that through the green fuse drives the flower', a gyhoeddwyd ym 1934. Wedi marwolaeth Thomas ym 1954, creodd Richards gyfres o fyfyrdodau ar waith mawr olaf y bardd, 'Do not go gentle into that good night', a gyhoeddwyd am y tro cyntaf ym 1951. Daeth ymchwiliadau Richards i'r berthynas rhwng cerddoriaeth ac arlunio i'w huchafbwynt mewn cyfres o ysgogwyd gan 'La Cathédrale engloutie' o waith Debussy. Y mae'n amlwg fod y darn hwn, a seiliwyd ar y chwedl Lydewig am eglwys gadeiriol Ys, a aeth o'r golwg dan y dŵr, yn atgoffa'r Cymro

642. Ceri Richards, *Cycle of Nature*, 1944, Olew, 1022 x 1527

644. Ceri Richards,
Do Not Go Gentle into that Good Night,
1956, Olew, 1067 x 711

643. Ceri Richards,
La Cathédrale engloutie,
c.1960, Dyfrlliw, 375 x 940

o chwedl Cantre'r Gwaelod: 'In a succession of extraordinarily inventive and often very beautiful variations on the theme, fragments of the cathedral itself, washed by the restless movements of the sea, fill the pictures. Looking down into the greeny-blue waters one can discern rose-windows or arches filled with flowering tracery or the great round piers that seem to echo from the depths like Debussy's saturated chords.'[64]

Oedrych yn ôl, y mae'n amlwg fod peidio â chynnwys gwaith Ceri Richards yn yr Arddangosfa o Gelfyddyd Gymreig Gyfoes ym 1935 yn gamgymeriad dybryd. O fewn pymtheng mlynedd, Richards oedd yr arlunydd Cymreig rhyngwladol pwysicaf. Bu cynnwys gwaith David Jones yn ddewis mwy craff. Ef, maes o law, a fyddai'r arlunydd mwyaf dylanwadol, yn sgil y dirywiad yn statws y math o haniaeth a gyflwynid gan Richards (ynghyd â Sutherland a Piper) ar ddiwedd yr ugeinfed ganrif.[65] Gan iddo gael ei eni a'i fagu yn Llundain yr oedd ei berthynas â gwlad ei dadau yn gymhleth, ond erbyn 1935 yr oedd ei fyfyrdodau ar Gymru fel rhan o'r syniad o Brydain yn dechrau ennill iddo le ym mywyd deallusol y genedl. Cwblhawyd testun ei gyfrol *In Parenthesis*, lle y mae'r berthynas honno yn creu is-destun cymhleth i'w brofiad yn y ffosydd yn ystod y Rhyfel Mawr, ddwy flynedd

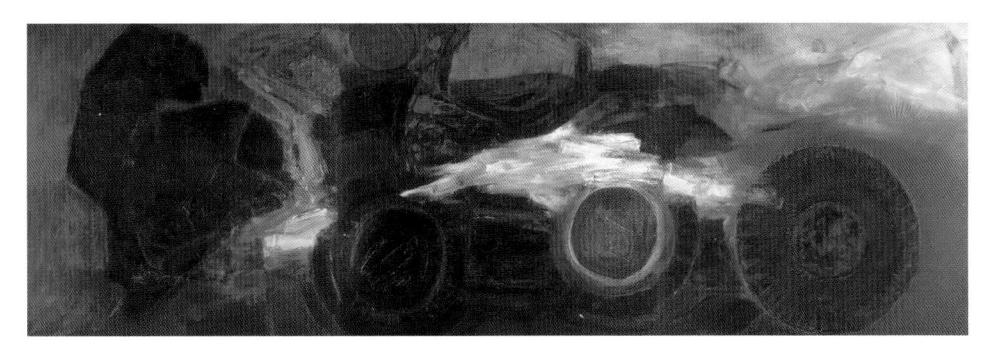

645. Ceri Richards,
La Cathédrale engloutie,
c.1960, Olew

646. Ffotograffydd anhysbys,
Ceri Richards, *c.*1955

isod: 648. David Jones,
An Ancient Mariner meeteth three Gallants bidden to a wedding feast and detaineth one,
1928–9, Engrafiad, 176 x 137

[64] Alan Bowness, dyfynnwyd gan Webster, ibid.

[65] Y mae mwy wedi ei ysgrifennu am David Jones nag unrhyw arlunydd arall o Gymru. Gw. Jonathan Miles a Derek Shiel, *David Jones: The Maker Unmade* (Bridgend, 1995), tt. 317–20.

[66] Ni chyhoeddwyd y llyfr hwn hyd 1937. Gan ei fod mor gymhleth a gwreiddiol, achosodd beth penbleth ymhlith y beirniaid.

[67] Allan o nodiadau a wnaed ym 1935 ac a gyhoeddwyd yn *David Jones: A Memorial Exhibition* (Kettle's Yard Gallery, 1975), dim rhifau tudalen.

[68] Dangoswyd gwaith Jones yng Nghymru am y tro cyntaf yn Eisteddfod Llanelli ym 1930, ac yna yn Eisteddfod 1934.

647. Ffotograffydd anhysbys,
David Jones ac Eric Gill, *c.*1927

cyn arddangosfa 1935, a roes le mor amlwg i'w waith.[66] Pan oedd yn blentyn, yr oedd ei dras Gymreig wedi tanio ei ddychymyg, a thra oedd yn fyfyriwr yn Ysgol Gelf Camberwell yr oedd wedi ystyried dod yn ddarlunydd, 'preferably from Welsh history and legend'.[67] Cafodd ei brofiad ymarferol, yn hytrach na dychmygol, cyntaf o Gymru yn ystod y blynyddoedd 1924 i 1926, pan aeth i fyw gydag Eric Gill a'i deulu yng Nghapel-y-ffin, ger Y Fenni, ac yn ystod ei ymweliadau ag Ynys Bŷr. Yn yr awyrgylch dethol hwn y dysgodd y technegau engrafu a ddaeth â'i waith i sylw'r cyhoedd drwy gyfrwng darluniau a wnaeth ar gyfer cyfres o gyhoeddiadau yn diweddu â *The Book of Jonah* ym 1926, *The Chester Play of the Deluge* ym 1927, a *The Rime of the Ancient Mariner* ym 1928. Cafodd ei ddeongliadau unigryw o'r ddwy olaf o'r themâu hynafol hyn eu harddangos yn arddangosfa 1935.[68] Yng Nghapel-y-ffin hefyd y datblygodd Jones ei dechneg ddyfrlliw hynod ei hun, a phaentiodd dirluniau lle y mae ei sensitifrwydd i

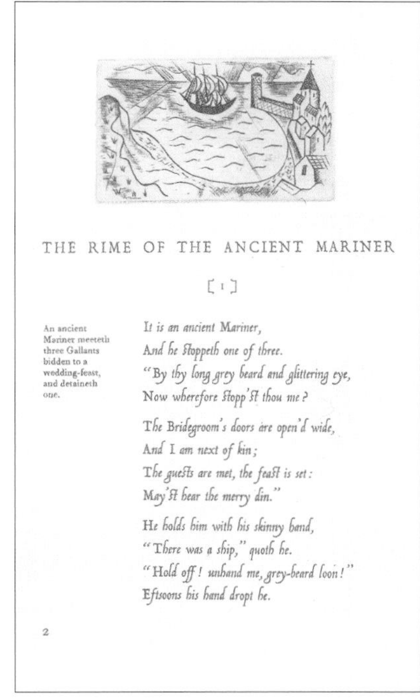

THE RIME OF THE ANCIENT MARINER

[1]

An ancient Mariner meeteth three Gallants bidden to a wedding-feast, and detaineth one.

It is an ancient Mariner,
And he stoppeth one of three.
"By thy long grey beard and glittering eye,
Now wherefore stopp'st thou me?

The Bridegroom's doors are open'd wide,
And I am next of kin;
The guests are met, the feast is set:
May'st hear the merry din."

He holds him with his skinny hand,
"There was a ship," quoth he.
"Hold off! unhand me, grey-beard loon!"
Eftsoons his hand dropt he.

2

649. David Jones, Wynebddalen
The Rime of the Ancient Mariner, 1928–9.
Maint yr engrafiad, 44 x 76

651. David Jones, *Manawydan's Glass Door*, 1931, Dyfrlliw, 620 x 480

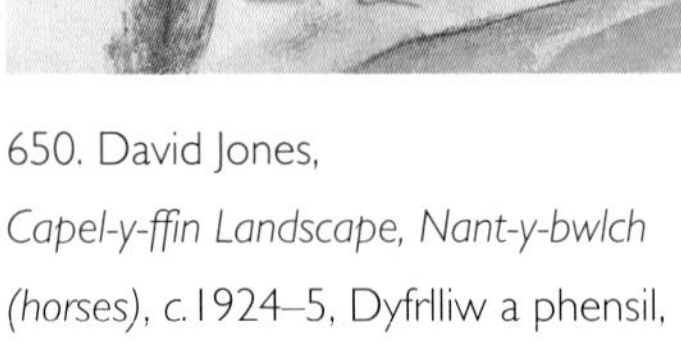

650. David Jones, *Capel-y-ffin Landscape, Nant-y-bwlch (horses)*, *c.*1924–5, Dyfrlliw a phensil, 388 x 278

fytholeg lle yn disgleirio drwy'r realaeth wrthrychol. Yr oedd gan Jones y math o feddwl a roes ystyr ddyfnach i'w arsylwadau uniongyrchol ar leoedd neu anifeiliaid, megis y merlod a welir yng nghynifer o'i dirluniau o Gapel-y-ffin. Yr oedd y chwedl fod y merlod Cymreig a welai yn y bryniau yn ddisgynyddion i'r meirch a ddihangodd o faes Brwydr Camlan yn elfen fyw yn ei waith. Gwelai y tu hwnt i arwyneb ffisegol a thymhorol y tir, gan drosglwyddo mythau o le i le a chan amgyffred ôl-ddelweddau hanes. Felly, nid darlun syml o'r darn adnabyddus am Pwyll yng nghainc gyntaf *Pedair Cainc y Mabinogi* oedd *Manawydan's Glass Door*, ond myfyrdod ar ei ystyr byd-eang, ac fe'i trosglwyddwyd o dde Cymru i arfordir de Lloegr, lle'r oedd Jones yn byw ym 1931.

O safbwynt ei estheteg *faux-naïf* a'r ffaith nad creu cofnod gwrthrychol o'r byd naturiol oedd ei brif amcan, yr oedd darluniau David Jones yn debyg i gynnyrch nifer o'i gyfoeswyr. Eto i gyd, yr oedd yn sefyll ar wahân o ran cynnwys a phwrpas ei waith. Yn ei ddelweddaeth weledol a'i waith ysgrifenedig chwiliai mewn mytholeg Geltaidd ac yn hanes Prydain Fore am allwedd i'w hunaniaeth ranedig ei hun. O safbwynt Cymreig, drwy ei ddiddordeb yn y 1930au mewn testunau hanesyddol a mytholegol, dychwelai at un o ddwy ffynhonnell celfyddyd genedlaethol diwedd y bedwaredd ganrif ar bymtheg. Ar yr un adeg, atgyfodwyd y ffynhonnell arall, sef myth y werin Gymreig, gan Iorwerth C. Peate pan oedd yr ymchwil am barhad cenedlaethol mewn cyfnod o gynnwrf cymdeithasol yn dechrau mynd â bryd deallusion ac arlunwyr pwysicaf Cymru unwaith eto.

pennod deuddeg

ADNEWYDDIAD

WEDI RHYFEL

652. Ffotograffydd anhysbys, *Y Gegin Gymreig yn yr Amgueddfa Genedlaethol*, 1926

Ym 1934 dewisodd yr archaeolegydd Cyril Fox, Cyfarwyddwr Amgueddfa Genedlaethol Cymru, annerch cynhadledd Cymdeithas yr Amgueddfeydd ym Mryste ar y testun amgueddfeydd bywyd gwerin awyr-agored.[1] Cyfeiriodd at weledigaeth ac egni gwŷr megis y diweddar T. H. Thomas, Caerdydd, a oedd wedi gosod y sylfaen ar gyfer sefydlu amgueddfa werin. Trosglwyddwyd casgliad Thomas o 'bygones' o Amgueddfa Caerdydd i'r Amgueddfa Genedlaethol, ac ym 1926 daeth yn rhan o arddangosfa a gynhaliwyd mewn oriel dros dro ac a oedd yn cynnwys cegin ac ystafell wely nodweddiadol Gymreig. Yr oedd sylwadau Fox yn perthyn i gyd-destun ehangach, sef adroddiad gan y Comisiwn Brenhinol ar Amgueddfeydd ac Orielau Celf Cenedlaethol a gyhoeddwyd ym 1929 ac a ddaethai i'r casgliad y dylid sefydlu amgueddfeydd awyr-agored yn Lloegr, Gogledd Iwerddon, yr Alban a Chymru. Y flwyddyn ganlynol aeth Fox i Lychlyn, lle yr ymwelodd ag amgueddfeydd megis Skansen yn Sweden a Lillehammer yn Norwy, a dychwelodd i Gymru yn llawn brwdfrydedd. Gwnaeth amgueddfa Lillehammer argraff fawr arno oherwydd y pwyslais a roddai ar newid y dyfodol yn ogystal â diogelu'r gorffennol. Fel Clough Williams-Ellis a Patrick Abercrombie, ei gyfoeswyr yn y mudiad Cynllunio Gwlad a Thref, yr oedd Fox yn tristáu o weld difwyno harddwch naturiol ac yn hynod feirniadol o'r safonau pensaernïol isel a oedd yn nodweddiadol o faestrefi newydd Prydain. Credai ei bod yn 'undeniable that a more widespread understanding of native and traditional design and technique in arts and crafts, especially in that of building, would save western peoples from the worst vulgarities in construction and decoration of the present day'.[2] Yr oedd sefydliadau megis Lillehammer wedi dangos iddo y gallai'r amgueddfa fod yn gyfrwng i adfywio celfyddyd, crefft a dylunio ar raddfa genedlaethol:

> To them artists and craftsmen resort for ideas; and they have served to initiate and maintain in the North a renaissance of the native culture, to which is due much of the noble present-day craft work in glass, textiles and pottery, and the splendid originality of recent architecture and sculpture.[3]

Ar staff Amgueddfa Genedlaethol Cymru pan ymwelodd Fox â Llychlyn yr oedd Iorwerth C. Peate, a fuasai'n Is-geidwad Archaeoleg er 1927. Erbyn 1932 yr oedd Peate wedi cael ei ddyrchafu gan Fox i ofalu am isadran newydd y bwriedid iddi fod yn fan cychwyn i'r amgueddfa awyr-agored, sef isadran Diwylliant a

[1] Cyril Fred Fox (1882–1967) oedd Llywydd y Gymdeithas. Ymunodd â staff Amgueddfa Genedlaethol Cymru fel Curadur Archaeoleg ym 1924, dan Mortimer Wheeler, a dilynodd ef fel Cyfarwyddwr ddwy flynedd yn ddiweddarach. Bu yn y swydd hyd 1948.

[2] Cyril Fox, 'Open-air Museums', *The Museums Journal*, 34 (1934–5), 113. Cyhoeddwyd cyfraniadau gan Mortimer Wheeler ac Iorwerth C. Peate ar y pwnc yn yr un gyfrol.

[3] Ibid.

653. Dylunydd anhysbys, Darlun gan T. C. R. Hitchings ar gyfer clawr *Y Crefftwr yng Nghymru*, 1933, 106 x 77

654. Geoff Charles, *Iorwerth C. Peate ac Aneirin Talfan Davies yn Eisteddfod Genedlaethol Rhosllannerchrugog*, 1945

Diwydiannau Gwerin. 'Edrychaf ymlaen at weld ar dir teg Morgannwg, mewn cyswllt agos â'r sefydliad hardd yng Nghaerdydd – yn aros pan fo hacrwch y diwydiant glo wedi diflannu – ddarlun cyflawn o fywyd ein cenedl wedi ei ddiogelu mewn Amgueddfa Awyr-Agored, a honno'n gartref i bob mudiad fydd a'i amcan at godi'r hen wlad.'[4] Yn ogystal â diogelu treftadaeth Cymru byddai'r amgueddfa, yn ôl Peate, yn dod yn 'deml yr awenau byw'.[5]

Yn y traethawd hwn yr oedd Peate nid yn unig yn mynegi'r un syniadau â Fox ond yn gwneud hynny mewn iaith hynod o debyg, er na wyddys pwy a ddylanwadodd ar bwy.[6] Y mae'n bosibl fod y ddau, yn annibynnol ar ei gilydd, wedi dod i gredu ym mhwysigrwydd arddangos bywyd gwerin, gan ei bod yn amlwg fod eu syniadau yn deillio o ffynonellau tra gwahanol. Yr oedd syniadau Peate wedi eu seilio ar ei ymwybyddiaeth, fel Cymro Cymraeg, o rym myth y Werin Gymreig a oedd wedi ei drosglwyddo gan O. M. Edwards a'i gyfoeswyr. Yr oedd ganddo ymlyniad dwfn wrth y gymuned wledig y deilliai ohoni, ac a bortreedid ganddo fel mynegiant cyflawn o'r myth hwnnw. Cyflwynodd ei bentref genedigol, Llanbryn-mair, fel ymgorfforiad o'i athroniaeth mewn cyfres o gyhoeddiadau megis *Cymru a'i Phobl* (1931), *Y Crefftwr yng Nghymru* (1933) a *The Welsh House* (1940), cyfrolau a enillodd iddo le amlwg ym mywyd deallusol Cymru. Yn ei *Guide to the Collection of Welsh Bygones*, mynegodd ei syniad rhamantaidd am rinweddau'r gymuned hon a'i thraddodiad crefft, gyda'r awgrym clir ei bod yn cynrychioli Cymreictod:

[4] Iorwerth C. Peate, 'Diogelu ein Gwreiddiau' yn idem, *Sylfeini: Ysgrifau Beirniadol* (Wrecsam, 1938), t. 105.

[5] Ibid., t. 102.

[6] Dylid nodi bod yr Oriel 'Bygones', a oedd yn cynnwys dwy ystafell Gymreig 'nodweddiadol' a neuadd arddangos, yn bodoli cyn i Peate ddod i'r Amgueddfa Genedlaethol. Yr oedd llawlyfr Peate, *Guide to the Collection of Welsh Bygones: A Descriptive Account of Old-Fashioned Life in Wales*, yn cynnwys peth gwybodaeth o adroddiad John Ward ar y casgliad a ysgrifennwyd i gyd-fynd ag arddangos detholiad o'r deunydd yn Neuadd y Ddinas, Caerdydd ym 1913. Ysgrifennwyd rhagair a chyflwyniad gan Cyril Fox, a gyhuddwyd o ddwyn anfri ar y gwaith drwy fod yn brin ei ganmoliaeth yn y traethodau hyn. Gw. Catrin Stevens, *Iorwerth C. Peate* (Cardiff, 1986), t. 2. Y mae hyn yn ymddangos yn anghyfiawn, ac y mae'n fater o gryn bwys, o ystyried bod Peate yn cael ei gysylltu bron yn gyfan gwbl â'r casgliad. Rhan o broses oedd cyfraniad Peate, ac er iddo chwarae rhan allweddol yn y gwaith o greu'r amgueddfa awyr-agored, y mae'n rhaid cofio, serch hynny, mai Fox oedd Cyfarwyddwr yr Amgueddfa Genedlaethol yn ystod yr holl gyfnod a arweiniodd at sefydlu'r Amgueddfa Werin ym 1948. Heb ei gefnogaeth ef, y mae'n bosibl na fyddid wedi llwyddo i gyflawni hyn.

655. T. H. Thomas,
Llywelyn Pugh addresses his friends at the Smithy on the rise and virtues of Welsh Nonconformity, darlun allan o David Davies, *Echoes from the Welsh Hills*, 1883, 89 x 133

656. Ffotograffydd anhysbys,
Tom David o'r Bont-faen yn arddangos y grefft o doi â gwellt yn Eisteddfod Genedlaethol Aberpennar, 1946

> one is led to believe that it is something more than an accident of history or of local conditions that rural wisdom should have manifested itself in the village smithy or the carpenter's shop and at the shoemaker's bench. Anyone who knows the real Wales well can estimate the importance of these craftsmen in the life of their communities, and with the decline of the demand for their services comes the disintegration of small societies of folk which are of real value in a civilized state.[7]

Nid oedd barn Peate yn wahanol iawn i'r hyn a fynegwyd gan David Davies a T. H. Thomas yn *Echoes from the Welsh Hills*, a gyhoeddwyd ym 1883, ac eithrio iddo ef gyflwyno ei safbwynt mewn astudiaeth 'wrthrychol' o fywyd gwerin. Yr oedd Peate yn ymwybodol nad oedd bellach yn rhan annatod o'r byd amaeth a chrefft yr oedd yn ei astudio, byd Cymraeg ei iaith, Ymneilltuol ei grefydd ac annibynnol ei ysbryd. Cyfeiriai ato'i hun a'i gyd-ddinasyddion fel 'dosbarth canol o "gotiau duon", plant gwladwyr o grefftwyr ac amaethwyr a gefnodd ar fyd eu tadau a disgwyl hawddfyd ym mywyd tref a diwydiant'.[8] Credai, serch hynny, fod y bywyd gwledig nid yn unig yn ganolog i ddiwylliant Cymru yn y gorffennol, ond y dylai barhau i fod yn ffynhonnell bywyd i'r genedl fodern. Croesawyd y farn hon yn frwd, yn enwedig gan y deallusion Cymraeg eu hiaith a oedd eisoes yn cydymdeimlo â'r myth, ond dylanwadodd hefyd ar lawer mwy o bobl nad oedd ganddynt ddiddordeb penodol mewn diwylliant materol. Eto, fel unigolyn, yr oedd Peate ymhell o fod yn boblogydd, ac yr oedd y gŵys a dorrai yn aml yn ei ddieithrio oddi wrth rymoedd pwysig eraill o fewn y diwylliant. At ei gilydd (er iddo wadu hyn o dro i dro) nid oedd y safbwynt athronyddol a goleddid ganddo yn caniatáu iddo dderbyn y Gymru ddiwydiannol a threfol fel agwedd ar Gymreictod. Hyd yn oed ymhlith y cenedlaetholwyr Cymreig, yr oedd gwahaniaeth barn rhyngddo a Saunders Lewis a'i ddilynwyr gan eu bod hwy, yn ei dyb ef, yn ceisio cysylltu Cymru â thraddodiad dinesig uchel-ddiwylliannol y Cyfandir. Arweiniodd ei feddylfryd gwrth-Babyddol ef i fynnu: 'Y mae Cymru'n etifedd traddodiad Ewrop gyfan, ac y mae'n hen bryd iddi sylweddoli traha'r honiad na ddaeth dim da iddi, na'i ddyfod byth, ond o gyfeiriad Ffrainc a'r Eidal – neu, yn fyr, o Rufain.'[9] Nid oedd gan Peate gydymdeimlad ychwaith â'r modernwyr Eingl-Gymreig, megis y rhai a'u cysylltai eu hunain â chylchgrawn Keidrych Rhys, *Wales*, yr ymosododd ef

[7] Peate, *Guide to the Collection of Welsh Bygones*, t. 1.

[8] Idem., *Diwylliant Gwerin Cymru* (Lerpwl, 1942), t. 124.

[9] Idem., 'Traddodiad Ewrop', *Y Llenor*, XV, rhif 1 (1936), 15.

657. Dylunydd anhysbys, *Catalog yr Arddangosfa Celfyddyd, Crefft a Bywyd Gwerin yn Eisteddfod Genedlaethol Pen-y-bont ar Ogwr*, 1948, 120 x 180

arno pan ymddangosodd ym 1937. I lawer o'r modernwyr, gan gynnwys cylch Dylan Thomas, nid oedd y Gymru Gymraeg Ymneilltuol namyn cysgod du yr oeddynt yn falch o ddianc rhagddi i Lundain. I Peate, yr oedd y traddodiad hwn yn ymgorffori cyffro radicalaidd canol y ddeunawfed ganrif pan 'ffrwydrodd awen Williams Pantycelyn fel bom hidrogen ar orwel Cymru':

> Gweddnewidiodd Pantycelyn holl feddwl y genedl a'i holl naws ysbrydol: creodd Anghydffurfiaeth y bedwaredd ganrif ar bymtheg, ac y mae hynny'n gystal â dywedyd iddo *greu* ein Cymru ni.[10]

Yn ogystal â diogelu'r Gymru honno, yr oedd Peate yn awyddus i'w datblygu drwy hybu diwylliant materol llewyrchus newydd wedi ei seilio ar grefftau traddodiadol, ac estynnodd ei groesgad y tu hwnt i furiau'r Amgueddfa Genedlaethol at gyfres o arddangosfeydd ac arddangosiadau yn eisteddfodau'r cyfnod yn union wedi'r rhyfel. Ym 1946, wrth agor Arddangosfa Celf a Chrefft Eisteddfod Aberpennar (y dewisodd ei galw'n 'Arddangosfa Crefft a Chelf'), cyfeiriodd at y ffaith fod yr amgueddfa awyr-agored hirddisgwyliedig, a leolid yn Sain Ffagan ger Caerdydd, ar fin cael ei sefydlu, ac at y goblygiadau:

> We shall preserve and develop every significant traditional craft in Wales. We shall have craftsmen's workshops where Welsh craftsmen will work and there you will see all the year round what you see at this Eisteddfod for one week ... Who can measure the influence of this revolutionary development on the whole future of Welsh craftsmanship?[11]

658. Ffotograffydd anhysbys, *David Bell (chwith) gyda Myra Owen, Cyfarwyddwr Cymru o Gyngor Celfyddydau Prydain Fawr, a Wyn Griffith, Cadeirydd Pwyllgor Cymru o Gyngor Celfyddydau Prydain Fawr, yn agoriad yr arddangosfa o baentiadau gan Joshua Reynolds yn Oriel Gelf Glynn Vivian yn Abertawe*, c.1950

Unwaith eto, daeth yr Eisteddfod Genedlaethol yn llwyfan ar gyfer trafodaeth ar ddiwylliant gweledol Cymru. Yr oedd dyheadau Peate am ddiwygiad ym myd crefft yn cydredeg ag ymgyrch yr un mor gryf ym maes celfyddyd gain. Câi ei harwain gan David Bell, y Dirprwy Gyfarwyddwr a oedd yn gyfrifol am Bwyllgor Cymreig newydd Cyngor Celfyddydau Prydain Fawr. Yn sgil penodiad Bell ym 1946 gwelwyd cynnydd yn nifer yr arddangosfeydd celfyddyd gyfoes, gydag amryw o'r rhain naill ai'n cychwyn neu'n dod i ben eu taith yn yr Eisteddfod Genedlaethol lle, yn ôl Bell, 'more people see the Arts and Crafts ... in one week than see any other exhibition in Wales in a year'.[12] Er gwaethaf agwedd boblyddol ymdrechion Bell, a oedd yn dymuno cynyddu cyfranogiad y cyhoedd mewn mwynhau a chreu celfyddyd, yr oedd man cychwyn athronyddol y ddau fudiad yn hollol groes i'w gilydd. Dadleuai Bell fod yn rhaid addysgu'r Cymry yn y traddodiad celf uchel, traddodiad nad oedd y diwylliant Cymreig, yn ei dyb ef,

[10] Idem., 'Cymru a Rhamantiaeth', *Llên Cymru*, VI, rhif 1 a 2 (1960), 23.

[11] *Western Mail*, 6 Awst 1946.

[12] David Bell, 'Note on the Fine Art Exhibition', *Eisteddfod Genedlaethol Frenhinol Cymru, Celf a Chrefft, Caerffili, 1950* (Caerffili, 1950), t. 15. Ceir trafodaeth fanwl ar greu Cyngor Celfyddydau Prydain Fawr a gweithgareddau Bell a'r Pwyllgor Cymreig yn Lord, *Diwylliant Gweledol Cymru: Y Gymru Ddiwydiannol*, Pennod 5.

659. Geoff Charles,
D. J. Davies yng nghwmni ymwelwyr, 1951

wedi cyfrannu nemor ddim ato. Y mae'n amlwg iddo gredu bod ei safbwynt yn un radicalaidd yn hytrach nag yn un a'i gosodai ym mhrif ffrwd blaengarwyr y bedwaredd ganrif ar bymtheg. Ond y gwir yw fod gweledigaeth Peate o adfywiad oddi mewn, er gwaethaf ei cheidwadaeth, yn fwy radicalaidd a phellweledol. Cafodd Peate a Bell gyfle i fynegi eu barn yn Eisteddfod Genedlaethol Caerffili ym 1950, y naill yn rhinwedd ei swydd fel Cadeirydd y Pwyllgor Celf a Chrefft a'r llall fel aelod o Gyngor y Celfyddydau. Yn eu cyfraniadau i gatalog yr arddangosfa ni cheisiodd yr un ohonynt gelu'r gwahaniaeth barn a fodolai rhyngddynt.[13] Gyda chefnogaeth James Tarr, cadeirydd Pwyllgor yr Arddangosfa, ac Esther Grainger, ysgrifennydd y Pwyllgor,[14] llwyddodd Bell i greu arddangosfa ddetholedig yn hytrach na chystadleuol, a dewiswyd y cyfraniadau gan Cedric Morris, Ceri Richards a George Mayer Marton. Mynegodd Peate ei anfodlonrwydd oherwydd tybiai (ar gam) eu bod wedi ymwrthod â gwir egwyddorion cystadleuol yr Eisteddfod. Meddai: 'O dro i dro bu llawer o feirniadu ar yr Eisteddfod am gynnal cystadleuthau, yn arbennig ymysg y beirniaid "uchel ael".'[15] Aeth rhagddo i ddadlau'r achos dros gelfyddyd Gymreig wedi ei chreu oddi mewn i'r traddodiad crefft:

> Yn fy marn i, un rheswm am hyn yw ein bod yn dal i bwyso'n ormodol ar feirniaid a dulliau meddwl estron i'n traddodiad ... Os gwir y dywediad mai 'o gorff o *grefftau* byw y tyf celfyddyd fyw', gwir hefyd y gosodiad, mi gredaf, mai o waith Cymry dan feirniadaeth gwŷr a ŵyr am Gymru y ceir cyfraniad Cymreig hollol i gelfyddyd.[16]

660. Ffotograffydd anhysbys,
Tŷ yn Norwy allan o
Tir Newydd, 1939

661. Ffotograffydd anhysbys,
Dewi Prys Thomas yn ymweld â 'Falling Water' Frank Lloyd Wright, 1984

Er na ddaeth yr arddangosfa celfyddyd gain yng Nghaerffili yn agos at gwrdd â'r meini prawf hyn, credai'r mwyafrif o'r beirniaid iddi fod yn llwyddiant ysgubol. Ac yntau'n ddig fod ei safbwynt wedi ei wrthod, meddai Peate: 'Welsh artists should not become too complacent about the establishment of a Welsh School of Painting just because they had enjoyed a successful exhibition at Caerphilly.'[17] Yr oedd rhaglen David Bell wedi cario'r dydd, a'r flwyddyn ganlynol ceisiodd egluro ei safbwynt yn helaeth yn *The Welsh Anvil / Yr Einion*, gan agor â'r datganiad pryfoclyd a chamarweiniol: 'There never has been in Wales any tradition of the fine arts.'[18] Yn hollol groes i Peate, pwysleisiodd Bell bwysigrwydd y bywyd trefol ym myd celfyddyd, gan nodi bod de Cymru eisoes wedi cynhyrchu amryw o arlunwyr addawol. Daroganai ddyfodol disglair:

> There is in fact growing in Wales to-day a sense of community among practising painters and a consciousness among the public of the art [of painting] as a part of Welsh life ... I want to ... suggest that what we are witnessing in Wales is the first stirrings of a new and vital interest in the fine arts, which will one day grow into a tradition of painting ... the hedges are beginning to move.[19]

Ciliodd Peate o'r frwydr i bob diben, ond hyd yn oed mor ddiweddar â 1960 daliai i wadu bodolaeth y Gymru drefol. Serch hynny, yr oedd optimistiaeth y cyfnod cyn y rhyfel wedi diflannu: 'fel y diflanna'r "gymdeithas wledig" (a diflannu y mae), diflanna Cymru hefyd'.[20] Dyma gydnabod fwy neu lai fod y gobaith am adfywiad mewn crefftau Cymreig, y brif ddadl dros sefydlu Amgueddfa Werin Cymru ddeng mlynedd ar hugain ynghynt, ar ben, ac, yn ei sgil, y gobaith am gelfyddyd Gymreig newydd. Y mae'n ddiau na chafwyd ysgol newydd o grefftwyr, arlunwyr na phenseiri i ddylanwadu ar y byd celf yng Nghymru o ganlyniad i athroniaeth Peate a sefydlu'r Amgueddfa Werin. Eto i gyd, cafodd ei syniadau ddylanwad ar grefftwyr ac artistiaid unigol. Y mae ymdrechion Dewi Prys Thomas, a ddaeth yn Brifathro Ysgol Bensaernïaeth Cymru ym 1960, yn enghraifft nodedig o sut y trosglwyddwyd rhai agweddau ar ei athroniaeth i genhedlaeth o benseiri a oedd yn ymarfer eu crefft yn ail ran yr ugeinfed ganrif.[21] Mor gynnar â 1939, mewn erthygl yn y cylchgrawn *Tir Newydd*, mynegodd Thomas ei edmygedd o bensaernïaeth werinol Cymru, a oedd yn briodas rhwng arferion a defnyddiau lleol. Megis Peate, ystyriai'r bensaernïaeth hon yn ffynhonnell syniadau yn hytrach nag yn ddiben ynddi'i hun, a dewisodd ddarlunio ei erthygl gyda llun o dŷ modern yn Norwy, gan ychwanegu 'Byddai'n taro i'r dim yng Nghymru'.[22] Serch hynny, yr oedd agwedd Thomas yn genedlgarol mewn ystyr fwy gwleidyddol brif ffrwd nag eiddo Peate. Credai fod llawer o adeiladau yng Nghymru a gynlluniwyd gan benseiri yn rhai eilradd ac ail-law ac yn arwydd o ormes gwleidyddol.

[13] Yn arwyddocaol, cyhoeddwyd ysgrif Peate yn Gymraeg yn unig ond cafodd ysgrif Bell ei chyhoeddi yn Gymraeg ac yn Saesneg.

[14] Am James Tarr, gw. Lord, *Diwylliant Gweledol Cymru: Y Gymru Ddiwydiannol*, tt. 245–6, ac Esther Grainger, ibid., tt. 227–47.

[15] Iorwerth C. Peate, Cyflwyniad i'r catalog *Eisteddfod Genedlaethol Frenhinol Cymru. Celf a Chrefft. Caerffili, 1950*, t. 5. Y mae Peate yn defnyddio'r gair 'uchel-ael' i greu gagendor rhwng y traddodiad celfyddyd gain a'r traddodiad crefft a gysylltid ganddo â'r bobl gyffredin. Ceir yn agwedd Peate adlais o'r elyniaeth at ddeallusion a dderbyniasai addysg coleg a fynegwyd mor aml gan yr arlunydd Hugh Hughes. Yr oeddynt ill dau yn perthyn yn agos i'r traddodiad Ymneilltuol a glodforai hunanwelliant.

[16] Ibid., tt. 5–6.

[17] *Western Mail*, 8 Awst 1950.

[18] David Bell, 'Contemporary Welsh Painting', *The Welsh Anvil / Yr Einion*, III (1951), 17. Yr oedd y datganiad yn gamarweiniol gan nad oedd yn gwahaniaethu rhwng traddodiad a chorff o weithiau, gan roi'r argraff, yn gam neu'n gymwys, mai'r hyn a olygai oedd nad oedd y fath beth â chelfyddyd Gymreig. Yr oedd Wyn Griffith, cyd-weithiwr Bell yng Nghyngor y Celfyddydau, yn llai amwys ar y pwnc pan ddywedodd ym 1950: 'So much for the past. No patron, no critic, therefore no painter, no sculptor, no Welsh art. It is as simple as that.' Wyn Griffith, 'The Visual Arts in Wales', *The Welsh Anvil / Yr Einion*, II (1950), 39. Trafodir y gred na fu celfyddyd yng Nghymru yn Lord, *The Aesthetics of Relevance*.

[19] Bell, 'Contemporary Welsh Painting', 17, 28.

[20] Peate, 'Cymru a Rhamantiaeth', 24.

[21] Am drafodaeth ar ddylanwad Dewi Prys Thomas, gw. Peter Lord, 'The Genius Loci Insulted' yn idem, *Gwenllian: Essays on Visual Culture*, tt. 141–8.

[22] Dewi Prys Thomas, 'Pensaernïaeth a Chymru', *Tir Newydd*, rhif 15 (1939), 8–11. Cafodd Thomas (1916–85) ei ysbrydoli gan y pensaer Americanaidd, Frank Lloyd Wright, a gydnabu i'w dras Gymreig gael cryn ddylanwad ar ddatblygiad ei yrfa. Ni chafodd syniadau Thomas fel pensaer wrth ei waith, yn hytrach nag fel athro, fynegiant llawn nes iddo gydweithio ar ddylunio pencadlys newydd Cyngor Sir Gwynedd yng Nghaernarfon, y cychwynnwyd arno ym 1982.

662. W. Mitford Davies, *Hwiangerddi Cymraeg*, 1928, Torlun leino, 220 x 155

Er na chafodd teimladau cenedlgarol o fath gwleidyddol fawr o fynegiant mewn celfyddyd gain ar ôl y Rhyfel Mawr, defnyddiwyd delweddaeth weledol at ddibenion gwladgarol, yn enwedig i hybu'r iaith Gymraeg. Parhaodd Hughes a'i Fab i fynegi eu teimladau gwladgarol drwy natur eu cyhoeddiadau a'u hymrwymiad i ddefnyddio darlunwyr Cymreig. Yr oedd cyhoeddi cerddoriaeth, yn enwedig, yn cynnig cyfle i gelfyddyd graffig, fel y gwnaethai er diwedd y ddeunawfed ganrif. Un o'r darlunwyr mwyaf talentog oedd W. Mitford Davies, a gynhyrchai gloriau hynod ddeniadol ar gyfer llyfrau o ganeuon i blant a gyhoeddid gan Hughes.[23] Yr oedd cynnyrch toreithiog Mitford Davies yn frith drwy gylchgronau'r cyfnod hefyd, megis y rhai a gyhoeddid gan Urdd Gobaith Cymru, a ysbrydolwyd gan Ifan ab Owen Edwards. Yr oedd ei wraig ef, Eirys M. Edwards, hefyd yn ddarlunydd galluog. Yn ddiamau, y fenter fwyaf llwyddiannus o blith y llyfrau plant a gynhyrchwyd gan Hughes a'i Fab oedd *Llyfr Mawr y Plant*, a gyhoeddwyd ym 1931. Daeth un o'r cymeriadau, sef Wil Cwac Cwac, a ddarluniwyd gan Peter Fraser, yn boblogaidd tu hwnt ymhlith cenedlaethau o blant.[24]

663. Ffotograffydd anhysbys, *Lewis Valentine, Saunders Lewis a D. J. Williams*, 1936

664. Geoff Charles, *Carneddog a'i wraig Catrin ar fin ymadael â'u cartref, Y Carneddi ger Beddgelert*, 1945

[23] Y mae archif Hughes a'i Fab yn LlGC (Adran y Llawysgrifau, heb ei chatalogio). Ceir yno ddeunydd defnyddiol ar y berthynas rhyngddynt a darlunwyr megis W. Mitford Davies.

[24] Jennie Thomas a J. O. Williams, *Llyfr Mawr y Plant* (Wrecsam, 1931).

[25] Yn ogystal â'i waith i gylchgronau Cymraeg megis *Y Ddraig Goch, Y Ford Gron* a *Heddiw*, bu Richard Huws (1902–80) yn gweithio ar gyhoeddiadau Saesneg, gan gynnwys y *Radio Times*. Mynegwyd ei syniadau cymdeithasol gwleidyddol radicalaidd yn fwyaf amlwg yn Saesneg yn y gwaith a wnaeth ar gyfer *Everyman*.

[26] Yr oedd Frederic Evans yn fab i T. C. Evans (Cadrawd), a chyhoeddwyd nifer o'i ddarluniau naratif gan O. M. Edwards. Dechreuodd Evans ymddiddori yn y defnydd o ffilmiau mewn ysgolion yn y 1930au, gw. LlGC Llsgr. 16704E, llythyrau 51–6.

[27] Y mae archif ffotograffau hynod Geoff Charles (1909–2002) yn Llyfrgell Genedlaethol Cymru.

665. Frederic Evans,
Y Gwladgarwr dan Wawd,
1916

666. Peter Fraser,
Wil Cwac Cwac, wynebddalen
Llyfr Mawr y Plant, 1931

Ym maes delweddau gwladgarol o natur wleidyddol, arweiniwyd y ffordd gan gartwnau Richard Huws,[25] er mai ar ffurf ffotograffau a ffilmiau y gwelwyd y delweddau mwyaf parhaol a chofiadwy. Gwnaed ymgais arloesol i ddefnyddio ffotograffiaeth at ddibenion gwleidyddol gan Frederic Evans yn *Cymru'r Plant* mor gynnar â 1916. Y mae'r darlun *Y Gwladgarwr dan Wawd* yn dangos plentyn gwladgarol yn sefyll yn gadarn yn erbyn gwawd ei athro a'i gyd-ddisgyblion, gan fynnu defnyddio ei enw Cymraeg yn hytrach na'r ffurf Seisnig arno.[26] Eto i gyd, ychydig iawn o ddylanwad a gafodd ffotograffiaeth naratif o'i chymharu â gwaith ffotograffwyr dogfennol a gysylltai ddelweddau â digwyddiadau cofiadwy yn y frwydr dros annibyniaeth. Gwaith gan amatur oedd y ffotograff o Saunders Lewis, Lewis Valentine a D. J. Williams, a dynnwyd wedi iddynt losgi'r ysgol fomio ym Mhenyberth yn Llŷn ym 1936, ond y mae'n debyg i'w naturioldeb gyfrannu at ei statws fel eicon o fewn y mudiad cenedlaethol. Tua'r un adeg dechreuodd y ffotograffydd Geoff Charles weithio i'r *Cymro*. Un o'r delweddau mwyaf trawiadol a grëwyd ganddo yn ystod gyrfa a barhaodd hyd at y 1970au oedd y llun o'r bardd Carneddog a'i wraig yn gadael eu fferm ger Beddgelert. Y mae'r llun, a dynnwyd ym 1945, yn fynegiant gweledol grymus o golled bersonol a diwylliannol o'r fath yr ymgyrchai Iorwerth Peate yn ei herbyn drwy gyfrwng y gair ysgrifenedig.[27]

667. Ffrâm allan o ffilm
Ifan ab Owen Edwards,
Y Chwarelwr, 1935

668. Ffrâm allan o ffilm
Mark Lloyd, *Noson Lawen*, 1950

Y ffilm oedd cyfrwng y gweithiau unigol mwyaf nodedig a gyflwynai athroniaeth a oedd yn agos i feddylfryd Peate. Yr oedd y cenedlaetholwyr hynny a dybiai y byddai diflaniad diwylliant cymunedau gwledig Cymraeg eu hiaith yn arwain at ddiwedd Cymru wedi bod yn ymwybodol ers tro byd o bwysigrwydd y ffilm fel cyfrwng i ledaenu eu neges. Mewn anerchiad a draddodwyd gerbron adran y Cymmrodorion yn Eisteddfod Genedlaethol Pwllheli ym 1925 mynnodd D. Tecwyn Evans nad oedd yn 'rhy ddiweddar i waredu'r Gymraeg rhag tranc'. Y cyntaf ymhlith nifer o argymhellion a wnaed ganddo i adennill 'y werin gymharol ddi-ddysg' a oedd yn cefnu ar y diwylliant Cymraeg oedd:

> Defnyddio'r 'darluniau byw' i'r pwrpas hwn – eu troi'n Gymry fo'n siarad Cymraeg. Er gwell neu er gwaeth, y mae'r darluniau byw wedi 'dyfod i aros' (chwedl y Saeson). Fe'u mynychir gan gannoedd bob wythnos yn ein mân drefi, a phe gwelai pobl y Gymraeg beunydd beunos ar y llenni, fe fyddai hynny'n gryn help.[28]

Ni weithredwyd ar yr awgrym hyd 1935, pan wnaed y ffilm *Y Chwarelwr* gan Ifan ab Owen Edwards ym Mlaenau Ffestiniog. Y mae'r stori, a ysgrifennwyd gan John Ellis Williams, yn ymdrin â dyhead a oedd yn ganolog i fyth y werin Gymreig, sef hunanwellhad drwy gyfrwng addysg prifysgol, dyhead a wireddwyd mor glodwiw yng ngyrfa Tom Ellis. Yr oedd gan Ifan ab Owen Edwards weledigaeth glir o nod y ffilm yn y Gymru gyfoes:

> Rhan o'n hymdrech i'w chadw yn fyw [y genedl] yn wir Gymreig yw'r ymdrech hon, yn wyneb anawsterau enbyd, i greu darluniau llafar Cymraeg, canys gwyddom yn bendant, heb os yn ein credo, mai ein dyletswydd fel byd-ddinasyddion ydyw cadw Cymru yn bur ei delfrydau yn yr argyfwng enbyd y mae'r byd ynddo.[29]

Dangoswyd *Y Chwarelwr* ledled Cymru mewn sinema symudol y gellid ei defnyddio hyd yn oed mewn pentrefi bychain heb drydan, a chafodd dderbyniad gwresog gan y cyhoedd yn gyffredinol. Yr oedd rhai beirniaid o'r farn y gallai'r cefndir dogfennol fod yn fodel ar gyfer ffilm bropaganda Gymreig.[30] Serch hynny, ar wahân i'r ffilmiau eraill a wnaed gan Edwards ar gyfer Urdd Gobaith Cymru, enghraifft unigol oedd yr arbrawf hwn cyn yr Ail Ryfel Byd. Bu *Noson Lawen*, a wnaed gan Mark Lloyd ym 1950, yr un mor boblogaidd, ac adleisiai nifer o'r themâu a welwyd yn *Y Chwarelwr*. Y ddolen gyswllt yn y stori gyfres hon, sy'n portreadu bywyd teulu mewn cymuned wledig, yw hanes gyrfa lwyddiannus y mab yn y coleg. Ffilm optimistaidd ydyw, ac nid oes unrhyw awgrym fod y mab yn ymbellhau oddi wrth ei wreiddiau wrth ddilyn ei yrfa, sef y paradocs mawr a welai Peate. Yn wir, y mae'r ffilm yn terfynu gyda noson lawen, lle y gwelir y mab yn chwarae rhan flaenllaw. Flwyddyn cyn ymddangosiad *Noson Lawen*, cynhyrchwyd *Yr Etifeddiaeth / The Heritage*, ffilm hynod a llawer mwy realistig a thrist, a fynegai yn rymus bryder Peate am dranc Cymru. Ffilmiwyd *Yr Etifeddiaeth / The Heritage* gan Geoff Charles ac fe'i hysgrifennwyd gan John Roberts Williams fel protest yn

[28] D. Tecwyn Evans, 'Cadwraeth yr Iaith', *Transactions of the Honourable Society of Cymmrodorion* (1924–5, Rhan II), 70. Yr wyf yn ddiolchgar i Dr Marion Löffler am y cyfeiriad hwn.

[29] *Y Cymro*, 13 Ebrill 1935.

[30] 'Mr Ifan ab Owen Edwards's particular purpose may be described as making his public "Wales-conscious". The Urdd, in fact, has been quick to see the powerful propagandist uses to which documentary film making can be put. It is along these lines, I suggest, that a national art of the film in Wales should develop.' Anhysbys, *Western Mail*, 8 Chwefror 1937.

669. Ffrâm allan o ffilm
Geoff Charles a John Roberts Williams,
Yr Etifeddiaeth / The Heritage, 1949

670. Ffrâm allan o ffilm
Geoff Charles a John Roberts Williams,
Yr Etifeddiaeth / The Heritage, 1949

erbyn adeiladu gwersyll gwyliau ger Pwllheli. Yn nhyb yr awdur, byddai'r gwersyll yn agor y llifddorau i Seisnigrwydd, yn ymarferol a symbolaidd, ac yn fygythiad i ddiwylliant cynhenid Llŷn. Cafodd y gwrthdrawiad rhwng gwerthoedd a godai yn sgil yr ymwthiad hwn i un o gadarnleoedd y diwylliant Cymreig, yn ôl syniad Peate o Gymreictod, ei ddisgrifio mewn cyfres o ddelweddau trawiadol. Yr oedd y frwydr dros ryddid crefyddol a gwydnwch y traddodiad Ymneilltuol yn themâu canolog, ac yr oedd y rhan o'r ffilm a ddangosai Tom Nefyn Williams yn pregethu yn creu dolen gyswllt uniongyrchol â gwreiddiau'r agwedd hon ar y diwylliant yn y ddeunawfed ganrif. Ceid pwyslais ar y traddodiad barddol hefyd: drwy ffilmio cartref y bardd Dewi Wyn dygwyd i gof ddarluniau Samuel Morris Jones ar gyfer *Cartrefi Cymru* O. M. Edwards. Y mae'r ffilm yn chwarae â'r syniad o ddyfodol optimistaidd wrth i efaciwî ifanc o Lerpwl ddysgu am etifeddiaeth y Cymry gan y bardd Cybi. Serch hynny, y rhannau pesimistaidd yw'r rhai mwyaf cofiadwy. Y mae'r bachgen ifanc, Freddie, yn rhoi'r llyfrau hynafol, a gynrychiolai'r hen ddiwylliant, yn eu hôl i'r bardd ac y mae'r ffilm yn cloi gyda machlud hir llwyd dros y môr – 'the sun of Wales setting too with people like Butlin invading us with their foreign culture'.[31] Hon oedd menter gyntaf Charles mewn cyfrwng na chawsai hyfforddiant ynddo, ac fe'i gwnaed ar gyllideb fechan iawn. Er gwaethaf canmoliaeth y beirniaid a'r cyhoedd, teimlai Charles ei hun fod amaturiaeth y ffilm wedi cyfyngu ar ei heffeithiolrwydd fel arf propaganda.[32]

[31] Geoff Charles, cyfweliad a recordiwyd gyda Iwan Meical Jones, Casgliad Sain LlGC, RM 115–16. Un o'r troeon cyntaf y dangoswyd y ffilm oedd yn Eisteddfod Genedlaethol Dolgellau ym 1949. Yna aethpwyd â hi ar daith, a'i dangos gan yr un taflunïwr ag a fu'n dangos ffilmiau cynnar Ifan ab Owen Edwards cyn y rhyfel.

[32] Teimlai Charles fod hyn yn arbennig o wir am y fersiwn Saesneg, a swniai'n 'corny'. Y mae'r sylwebaeth yn y ddau fersiwn, a roddwyd gan Cynan, yn ddi-baid: 'Cynan boomed and rattled on and on ... but when the visual was good enough we should have left it to speak for itself.' Gwnaeth Charles amryw o ffilmiau eraill, a'r fwyaf nodedig oedd yr un am Galway, sef *Tir na n-Og*. Gw. David Berry, *Wales and Cinema* (Cardiff, 1994), t. 245.

Chamberlain

672. Ffotograffydd anhysbys, *Brenda Chamberlain yn gwisgo Medal Aur yr Eisteddfod Genedlaethol am Gelf, gyda'i darlun 'The Cristin Children'*, 1953

gyferbyn: 671. Brenda Chamberlain, *Girl with a Siamese Cat*, 1951, Olew, 584 x 552

Gosododd buddugoliaeth athronyddol David Bell dros Iorwerth Peate, a gadarnhawyd gan Arddangosfa Celf a Chrefft Eisteddfod Genedlaethol Caerffili ym 1950, yr agenda ar gyfer datblygiad arlunio a cherflunwaith yng Nghymru yn y degawd canlynol. Daeth cyllid gan y wladwriaeth drwy Gyngor y Celfyddydau yn gynyddol bwysig wrth i'r Cyngor gynnal rhaglen o arddangosfeydd a phrynu gweithiau i greu casgliad celfyddyd gyfoes cenedlaethol. Cafodd Ceri Richards wahoddiad i fod yn feirniad ac i ddewis y lluniau ar gyfer yr arddangosfeydd hyn fwy nag unwaith oherwydd ei statws yn y byd celf rhyngwladol, a byddai hefyd yn arddangos ei waith ochr yn ochr â chriw talentog ond brith o arlunwyr ifainc y torrwyd ar yrfa llawer ohonynt gan yr Ail Ryfel Byd. Daeth Brenda Chamberlain yn ffigur amlwg yn eu plith; hi a enillodd y Fedal Aur newydd am Gelfyddyd yn Eisteddfod Genedlaethol 1951 am ei darlun *Girl with a Siamese Cat*. Daeth y fedal hon, a ddyluniwyd gan y cerflunydd R. L. Gapper,[33] yn un o'r gwobrau pwysicaf ym maes celfyddyd Gymreig. Fe'i henillwyd drachefn gan Chamberlain ym 1953 am ei darlun *The Cristin Children*, gwaith a adlewyrchai ddylanwad lluniau Gauguin, a welsai'r arlunydd am y tro cyntaf ugain mlynedd ynghynt pan oedd ar ymweliad â Copenhagen. Wedi i'w phriodas â John Petts chwalu ym 1947 aeth Chamberlain i fyw ar Ynys Enlli, ac yno, yn ogystal â phaentio, fe ddatblygodd y testunau a ymddangosodd maes o law fel *Tide Race*, a gyhoeddwyd ym 1962 i gyd-fynd ag arddangosfa o'i gwaith yn Oriel Zwemmer yn Llundain.[34] Cymerodd gryn dipyn mwy o amser i waith ynyswraig arall, Ray Howard-Jones, ddod i sylw'r cyhoedd. Bu Howard-Jones yn gweithio yn yr Amgueddfa Genedlaethol yn gwneud adluniadau archaeolegol cyn mynd i weithio fel arlunydd rhyfel yng Nghaerdydd ac Abertawe, ac yn ystod y cyfnod hwnnw lluniodd gofnod o'r amddiffynfeydd ar Ynys Echni ac Ynys Ronech. Symudodd i Lundain ym 1947, ond treuliodd gyfnodau hir ar Ynys Sgomer rhwng 1949 a 1958, gan ddefnyddio ei phrofiadau yno yn ganolbwynt ar gyfer ei gwaith.[35]

[33] Ganed Robert Lambert Gapper yn Llanaelhaearn, sir Gaernarfon, ym 1897, a chafodd ei hyfforddi yn y Coleg Celf Brenhinol o 1923 hyd 1927. Dychwelodd i Gymru ym 1928, a symudodd i Aberystwyth yn ddiweddarach lle y cyfunodd ei yrfa fel cerflunydd â dysgu yn y Brifysgol. Cwblhaodd nifer o gomisiynau cyhoeddus, yn enwedig fel cerflunydd portreadau. Chwaraeodd ran flaenllaw yn natblygiad adran gelf a chrefft yr Eisteddfod Genedlaethol.

[34] Yr oedd gwaith Chamberlain yn tra-arglwyddiaethu ar arddangosfeydd celf yr Eisteddfod ar ddechrau'r 1950au, ac o'r herwydd penderfynwyd na ellid dyfarnu'r fedal i'r un arlunydd ar fwy na dau achlysur. Am waith Brenda Chamberlain, yn bennaf o safbwynt ei chyfraniad i lenyddiaeth Cymru, gw. Kate Holman, *Brenda Chamberlain* (Cardiff, 1997).

[35] Am Ray Howard-Jones (1905–96), gw. teymged David Stephenson a Lottie Hoare yn *The Independent*, 27 Mehefin 1996.

673. Ray Howard-Jones, *Thunderstorm over Skomer*, 1958, Dyfrlliw a gouache, 393 x 520

674. Claudia Williams,
Family on the Beach, 1957,
Olew, 775 x 102

Yn ogystal ag Esther Grainger,[36] Brenda Chamberlain a Ray Howard Jones, daeth amryw o ferched talentog eraill i'r amlwg yn ystod y 1950au, gan wneud rhyw gymaint i gadw'r ddysgl yn wastad mewn maes y buasai'r dynion yn tra-arglwyddiaethu arno drwy gydol y bedwaredd ganrif ar bymtheg a rhan gyntaf yr ugeinfed ganrif. Ganed Joan Baker yng Nghaerdydd ac yno y derbyniodd ei hyfforddiant. Datblygodd ei gyrfa fel arlunydd tra oedd yn dysgu yng Ngholeg Celf Caerdydd. Daeth Claudia Williams i sylw cenedlaethol am y tro cyntaf ym 1950 pan enillodd y wobr gelf yn adran yr ieuenctid yn Eisteddfod Genedlaethol Caerffili, a bu'n arddangos ei gwaith yn gyson mewn arddangosfeydd a gynhelid gan yr Eisteddfod a Chyngor y Celfyddydau drwy gydol y degawd. Yr oedd Vera Bassett yn llai adnabyddus, er iddi gynnal arddangosfa yn Oriel Gelf Glynn Vivian ym 1949 ac er y gwerthfawrogid ei gwaith gan y beirniaid. Fe'i hystyrid gan Mervyn Levy yn 'that rarest of all the elements that go to make the complicated "world of art" – littered with its foibles, hypocrisies, and pretences – she is *the pure artist*':

> She seems to me ... to express the very essence of the Welsh flair for interpreting aesthetic matters through the crystal flame of the lyrical, poetic eye. The vision of Innes, Gwen John, and David Jones is there, but sufficiently uniquely, in her own, finely wrought line, and pure, deft washes of colour.[37]

675. Vera Bassett,
In the Gallery, c.1960, Dyfrlliw, 570 x 395

Yr oedd i wragedd le amlwg yng ngwaith Vera Bassett a Claudia Williams. O dro i dro byddai Bassett yn eu portreadu â hiwmor a chydymdeimlad, ond ceid hefyd deimlad o unigrwydd a thristwch yn ei gwaith. Byddai Williams ar y llaw arall yn tueddu i greu delweddau eiconig, gan eu portreadu yn aml fel ffigurau madonnaidd gyda'u plant.

676. Kyffin Williams, *Llynnau Cwm Silyn, Caernarfon*, 1948, Olew, 505 x 675

677. Kyffin Williams, *Dr Thomas Parry*, c.1970, Olew, 755 x 905

Yr oedd dau o'r ffigurau pwysicaf ym myd celfyddyd yng Nghymru yn y cyfnod hwn yn byw y tu allan i'r wlad a ddarparai bron y cyfan o'r deunydd ar gyfer eu gwaith. Penodwyd Kyffin Williams, brodor o Langefni, yn athro yn ysgol Highgate yn Llundain ym 1944 wedi iddo gael ei hyfforddi yn y Slade, a bu John Elwyn o Gastellnewydd Emlyn, a hyfforddwyd yn y Coleg Brenhinol, yn athro yn Portsmouth ac yna yng Ngholeg Celf Caer-wynt. Ni fu'r un o'r ddau fawr o dro yn datblygu'r arddulliau arbennig a fyddai'n nodweddiadol ohonynt gydol eu gyrfa hir. Datblygodd arddull syml ac aruthrol Kyffin Williams drwy sylwi yn uniongyrchol ar dirwedd Eryri a'r bobl a oedd yn byw ac yn gweithio yno. Yn wahanol i'r math o ffigurau wedi eu cyffredinoli a welid yn nhirluniau arlunwyr teithiol y ddeunawfed ganrif, yr oedd y tyddynwyr a'r bugeiliaid a geid yng ngwaith Williams gan amlaf yn bobl yr oedd ef yn eu hadnabod yn bersonol. Paentiodd bortreadau unigol ohonynt yn ogystal ac, oherwydd eu hansawdd, daeth galw am gomisiynau cyhoeddus ganddo, er i'w onestrwydd arwain at anghydfod ambell waith. Er enghraifft, nid oedd ei bortread treiddgar o Dr Thomas Parry yn apelio at bawb gan nad dyma'r ddelwedd o'r ysgolhaig llenyddol enwog a goleddid gan y mwyafrif o aelodau'r sefydliad academaidd.[38]

Yn wahanol i Williams, a roddai bwys mawr ar ddarlunio'r hyn a welai, dibynnai John Elwyn ar ei gof, gan greu tirluniau a chymeriadau nodweddiadol o'i blentyndod yn sir Aberteifi. Ym 1941 yr oedd John Elwyn wedi dechrau mynychu dosbarthiadau yn Ysgol Gelf Caerdydd, lle'r oedd elfen o arbrofi ffurfiol yn adlewyrchu athrawiaeth Ceri Richards. Y mae'r weledigaeth dywyll

[36] Am Esther Grainger, gw. Lord, *Diwylliant Gweledol Cymru: Y Gymru Ddiwydiannol*, tt. 227–35.

[37] Mervyn Levy, 'Vera Bassett', *Dock Leaves*, 6, rhif 16 (1955), 29.

[38] Ceir hanes plentyndod Kyffin Williams a datblygiad cynnar ei yrfa yn ei hunangofiant, *Across the Straits: An Autobiography* (London, 1973).

679. John Elwyn,
Before the Meeting,
1950, Olew, 595 x 895

a fynegir yn ei waith yn y cyfnod hwn yn deillio o'i safiad fel gwrthwynebydd cydwybodol. Eto i gyd, erbyn diwedd y 1940au yr oedd yr atgofion am dir cyfoethog ei lencyndod wedi dechrau rhoi i'w waith y lliwiau llachar a'r manylder y daeth yn enwog amdanynt. Pwysleisid ffrwythlondeb ei dirluniau yn aml gan symbolau mamol a fynegai mor annatod glwm oedd gwragedd wrth y tir a roddai gynhaliaeth iddynt mewn cymunedau gwledig.

Cydnabuwyd dawn Kyffin Williams a John Elwyn gan noddwyr megis Winifred Coombe Tennant mor gynnar â diwedd y 1940au, ac yn ddiweddarach daeth gweithiau Williams yn fwy poblogaidd ymhlith casglwyr na gweithiau'r un arlunydd Cymreig arall yn yr ugeinfed ganrif. Er mor unigol a gwahanol oedd eu harddull, yr oedd poblogrwydd aruthrol y ddau arlunydd yn ddiamau yn deillio o'r mynegiant o fyth rhamantaidd tirwedd Cymru a'r werin Gymreig yn eu gwaith. Yr oedd delweddau John Elwyn o bobl yn mynd i'r capel, a baentiwyd ganddo ar ddiwedd y 1940au a dechrau'r 1950au, yn apelio'n ddwfn at rai megis Iorwerth Peate, a deimlai fod yr hen ffordd Gymreig o fyw ar fin diflannu am byth.

680. Ffotograffydd anhysbys,
John Elwyn yn ei stiwdio, 1955

gyferbyn:
678. John Elwyn,
The Pet Cockerel, 1953,
Olew, 765 x 1275

681. Frederick Könekamp,
Jetsam on the Beach, 1959,
Olew, 1828 x 1219

Fel yn y ddeunawfed ganrif a'r bedwaredd ganrif ar bymtheg, nid oedd pawb a weithiai yng Nghymru yn dehongli'r tirwedd o safbwynt diwylliannol. Denodd yr adfywiad yn y ffasiwn am dirwedd Cymru – a ysgogwyd gan y parch a geid oddi allan i Gymru at waith Piper a Sutherland – arlunwyr Seisnig o bwys megis Kenneth Rowntree, a fu'n cydweithio'n llwyddiannus â Gwyn Jones ar y gyfrol *A Prospect of Wales*. Daeth rhai arlunwyr drwy Loegr o wledydd eraill, megis yr *émigrés* Almaenig Fred Uhlman a Frederick Könekamp. Er mai oherwydd ei phriodas â'r bardd R. S. Thomas, ac nid yn sgil y ffasiwn hwn, y daeth yr arlunydd Seisnig Mildred Eldridge i Gymru, gwnaeth hithau hefyd ddefnydd helaeth o amgylchedd naturiol gwahanol rannau o'r wlad yn ei gwaith. Serch hynny, yr oedd ganddi lai o ddiddordeb na'i gŵr yng nghysylltiadau diwylliannol y tirwedd a mwy o ddiddordeb yn y modd negyddol yr effeithiai'r ddynoliaeth ar fyd natur. Yr oedd ei hagwedd, a fynegwyd yn fwyaf cyflawn rhwng 1953 a 1956 yn y gyfres o furluniau a gomisiynwyd i addurno ystafell fwyta'r nyrsys yn Ysbyty Orthopedig Robert Jones ac Agnes Hunt yng Ngobowen ger Croesoswallt, yn ddiarbed o besimistaidd.[39]

Ar ddechrau'r 1950au adlewyrchai natur ddiwylliannol tirluniau Kyffin Williams a John Elwyn werthoedd cyffelyb a fynegid mewn tirluniau diwydiannol cyfoes. Yr oedd hyn yn awgrymu i David Bell a beirniaid eraill fod arlunio hollol Gymreig yn dechrau ymffurfio. Yr oedd gwaith awduron y cyfnod, yn enwedig yn Saesneg, yn cryfhau'r ddadl dros Amgylcheddaeth Gymreig.[40] Y mae'n anodd peidio â chysylltu cymeriadau megis Iago Prytherch, a grëwyd yng ngherddi cynnar R. S. Thomas, â darluniau cyfoes gan Kyffin Williams o Tom Owen ac aelodau eraill o'r gymuned amaethyddol. Yn yr un modd, câi agweddau ar waith John Elwyn eu hadleisio gan ei gyfaill agos, yr awdur Glyn Jones. Daeth arlunwyr newydd megis

[39] Gw. Peter Lord, 'Parallel Lives?', *Planet*, 129 (1998), 17–26.

[40] Mynegwyd y syniad yn fwyaf clir yn y cyflwyniad i gatalog Arddangosfa Agored Cyngor y Celfyddydau ym 1953. Gw. Lord, *Diwylliant Gweledol Cymru: Y Gymru Ddiwydiannol*, t. 262.

682. Margaret Thomas, *Kyffin Williams*, 1948–50, Olew, 900 x 500

de eithaf: 684. Mildred Eldridge, *Murlun yn Ysbyty Orthopedig Robert Jones ac Agnes Hunt, Gobowen ger Croesoswallt*, rhan o Banel 6, 1953–6, Olew, uchder 1600

de: manylyn o Banel 6

683. Kyffin Williams, *Tom Owen*, 1951, Olew, 762 x 635

Gwilym Pritchard i'r amlwg yn ystod y 1950au, gan atgyfnerthu'r syniad hwn o gelfyddyd Gymreig a dynnai ystyr o arwyddocâd diwylliannol tirweddau neilltuol.[41] Eto i gyd, cafwyd gwrthwynebiad cryf i'r syniad fod yr arlunio hwn yn arwydd o Gymreictod unigryw ac y gellid felly ei ystyried yn gelfyddyd genedlaethol gan y rhai hynny a dybiai fod agenda genedlaethol o'r fath yn gam yn ôl. Ofnai Brenda Chamberlain y byddai canolbwyntio ar nodweddion arbennig y diwylliant yn esgor ar blwyfoldeb yn hytrach nag ar y cyffredinolrwydd yr anelai hi ato. Gellir cymhwyso sylwadau a wnaed ganddi ym 1946, wrth ysgrifennu am lenyddiaeth, at gelfyddyd weledol:

> Until the tale is made universal, rooted maybe in locality, but reaching out to the full stretch of man's spirit, there will be more than the stalemate that has begun to show itself in Anglo-Welsh letters. There will be decadence and corruption where, not so long ago, was renaissance.[42]

Nid oedd y syniad y gellid amgyffred gwerthoedd cyffredinol drwy gyfrwng nodweddion arbennig y diwylliant Cymreig yn apelio o gwbl at radicaliaid gwleidyddol asgell-chwith yn y cyfnod wedi'r rhyfel, a hwythau'n argyhoeddedig mai cenedlaetholdeb a achosodd yr ymladd. Oherwydd estheteg geidwadol yr arlunwyr Cymreig mwyaf galluog, a adleisiai agweddau Christopher Williams, Harry Hughes Williams a Morland Lewis cyn yr Ail Ryfel Byd, cynyddai'r ofnau fod arlunio Cymreig yn fewnblyg ac, o'r herwydd, yn eilradd, a hynny mewn cyfnod pan roddid cryn bwyslais ar arbrofi ffurfiol o fewn yr hyn a ystyrid yn iaith gyffredinol celfyddyd. Credai amryw o'r modernwyr fod

cyffredinolrwydd yn golygu gwadu profiad diwylliannol neilltuol, a cheisiasant gyrraedd eu nod eang naill ai drwy weithio ag elfennau sylfaenol iaith weledol mewn dull anffigurol neu drwy greu ieithoedd hynod o bersonol. Cafodd modelau Americanaidd, lle y disodlwyd y syniad fod testunau allanol yn ganolog i arlunio gan ganologrwydd arlunio ei hun, ddylanwad cryf. Yr adwaith radicalaidd fwyaf amlwg yn erbyn Amgylcheddaeth Gymreig oedd sefydlu cymdeithas o arlunwyr a enwyd ar ôl y flwyddyn, sef Grŵp 56. Er nad oedd gan y grŵp hwn agenda esthetig ffurfiol, yr oedd iddo naws fodernaidd at ei gilydd, ac estynnid gwahoddiad i unigolion cymwys i ymuno ag ef gan y sylfaenwyr, Eric Malthouse, David Tinker a Michael Edmonds, ill tri yn gweithio yng Nghaerdydd. Nid oes sôn amdanynt yn *The Artist in Wales*, sef ymgais David Bell i ysgrifennu hanes celfyddyd

[41] Gw. Jonah Jones, 'The Art of Gwilym Pritchard and Claudia Williams, *The Anglo-Welsh Review*, II, rhif 27 ([1961]), 37–40. Gwnaeth Arthur Pritchard, brawd hynaf Gwilym Pritchard, gyfraniad pwysig fel arlunydd yn y cyfnod hwn hefyd.

[42] Dyfynnwyd yn Holman, *Brenda Chamberlain*, t. 98.

685. Gwilym Pritchard, *Cottages on Anglesey*, c.1950, Olew, 360 × 600

Gymreig, a hynny flwyddyn wedi i'r grŵp gael ei ffurfio, ond rhoddir lle canolog i waith Kyffin Williams a John Elwyn yn y drafodaeth ar arlunio cyfoes. Yn rhinwedd ei swydd fel Cyfarwyddwr Oriel Gelf Glynn Vivian, cynigiodd Bell arddangosfa i'r grŵp yn Abertawe ond, yn ôl tystiolaeth David Tinker, 'he didn't like us – in fact he had an exhibition of us down there and then bad-mouthed us'.[43] Yr oedd ymateb Rollo Charles, Ceidwad Celf yr Amgueddfa Genedlaethol, yn fwy cadarnhaol, a chafodd aelodau'r grŵp arddangos eu gwaith yng Nghaerdydd ym 1957. Cofiai Tinker i Arglwydd Raglan, wrth agor arddangosfa o waith Grŵp De Cymru mewn oriel gyfagos, gyfeirio atynt fel 'those clowns over there',[44] a chredai fod yr ymateb hwn yn nodweddiadol o'r hyn y gellid ei ddisgwyl yng Nghymru, ac yn wahanol iawn i Loegr a'r tu hwnt, lle y tybiai y câi'r grŵp groeso cynnes.[45] Dau yn unig o'r aelodau gwreiddiol a oedd yn hanu o Gymru, sef Ernest Zobole a Will Roberts, a chafwyd gwared â Roberts yn fuan iawn.[46] Y mae'n bosibl fod teimlad o ddiffyg perthyn yn rhannol gyfrifol am yr elyniaeth a deimlai rhai o aelodau'r grŵp, yn enwedig David Tinker, at waith mwy cyfannol ddiwylliannol yr arlunwyr a ddifrïent. Ar y llaw arall, ceisiodd Robert Hunter wneud defnydd o'r diwylliant cynhenid mewn ffurf fodernaidd drwy greu cyfatebiaethau gweledol i synau'r iaith Gymraeg a glywsai yn sir Gaerfyrddin. 'I do not consider my not wanting to speak Welsh as a barrier to understanding', meddai; 'I think I am in sympathy with the Welsh language: I like the sound it makes.'[47] Yn ei luniau anffigurol defnyddiodd symbolau a fabwysiadwyd o gerfiadau cerrig paganaidd a Christnogol-Geltaidd:

686. Robert Hunter, *Carmarthenshire Landscape, Sunset*, 1955, Olew, 787 x 546

The Celtic crosses in the National Museum carry decorations and inscriptions which cannot be easily read but their form leaves no doubt that meaning is there. The precise meaning is obscured by time but the coherence and therefore the validity of the form remains. When a river has dried out the character of the movement of the water is recorded in the rivulets and runnels of the river bed; bird and animal tracks provide a visual record of their movements. Collectively these signs become a symbol for a happening and a feeling.[48]

687. Ffotograffydd anhysbys, *Arddangosfa Grŵp 56 yn Ninbych-y-pysgod*, 1957; o'r chwith, yr arlunydd George Fairley, Philip Jones, Cyfarwyddwr Cynorthwyol (Cymru) o Gyngor y Celfyddydau, a'r arlunwyr Arthur Giardelli, Robert Hunter a John Wright, yn sefyll o flaen *Sorting Fish* gan Eric Malthouse

688. Selwyn Jones, *Sgwrs*, *c.*1958, Gouache, 533 x 736

Daeth ehangu'r colegau celf â bywoliaeth i amryw o arlunwyr megis David Tinker a Robert Hunter a ddaeth i amlygrwydd fel modernwyr ar ddiwedd y 1950au. Cafodd nifer o unigolion ddylanwad ar y genhedlaeth iau nid yn unig fel arlunwyr ond hefyd fel athrawon ysgol ysbrydoledig, yn eu plith Selwyn Jones yng Nghaernarfon ac Elis Gwyn Jones ym Mhwllheli.[49] Erbyn diwedd y 1950au gellid dadlau bod byd celf cenedlaethol tebyg i'r un a ymddangosodd am gyfnod byr ar ddiwedd y bedwaredd ganrif ar bymtheg, ond a ddiflanasai rhwng y ddau ryfel, wedi cael ei ailsefydlu. Fel ei ragflaenydd, cynhwysai arlunwyr a aned yng Nghymru, rhai yn dal i weithio yma a'r lleill wedi gadael, ynghyd â newydd-ddyfodiaid a ddewisodd eu huniaethu eu hunain yn raddol â Chymru. Serch hynny, yr oedd gwahaniaeth mawr o safbwynt y cyllid a oedd ar gael yn ystod y ddau

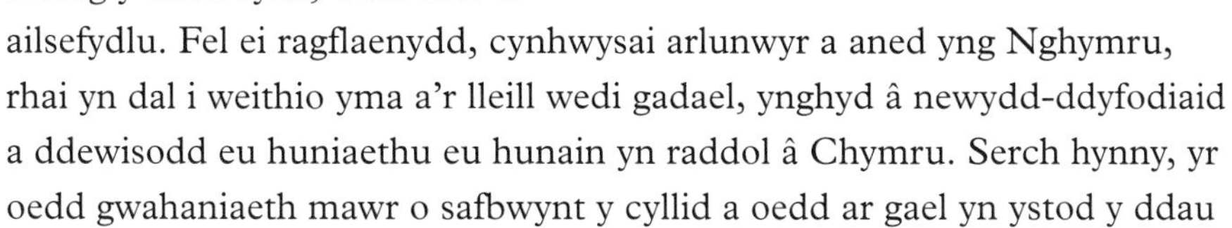

689. Jonah Jones, *Y Tywysogion*, Aberffraw, Ynys Môn, 1969, Llechen

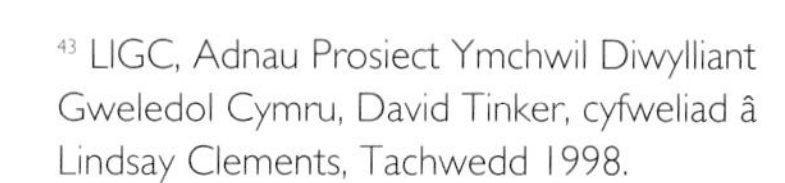

[43] LlGC, Adnau Prosiect Ymchwil Diwylliant Gweledol Cymru, David Tinker, cyfweliad â Lindsay Clements, Tachwedd 1998.

[44] Ibid.

[45] Yr oedd cysylltiadau eang Arthur Giardelli y tu hwnt i Gymru yn hwb i raglen arddangos y grŵp. Gw. Lord, *Diwylliant Gweledol Cymru: Y Gymru Ddiwydiannol*, t. 264.

[46] 'We had problems when one person in particular – we thought the stuff was not very good – heard we were going to review the work, and he left ... We thought Will Roberts was simply imitating Jo Herman', LlGC, Adnau Project Ymchwil Diwylliant Gweledol Cymru, David Tinker, cyfweliad â Lindsay Clements. Gwrthododd Brenda Chamberlain wahoddiad i ymuno â'r grŵp.

[47] 'Robert Hunter' yn Meic Stephens (gol.), *Artists in Wales, 2* (Llandysul, 1973), t. 55.

[48] Ibid.

[49] Bu Elis Gwyn Jones yn dysgu ym Mhwllheli drwy gydol ei yrfa. Gadawodd Selwyn Jones Gymru ym 1960, ond dychwelodd dair blynedd yn ddiweddarach i ddysgu yng Ngholeg Celf Casnewydd, ac yn ddiweddarach ymunodd â staff y Coleg Normal, Bangor.

690. Jonah Jones, *John Cowper Powys*, 1956, Efydd, uchder 500

691. Geoff Charles,
Jonah Jones yn ei Stiwdio yn Nhremadog, 1962

692. David Jones,
Trystan ac Esyllt, c.1962, Pensil,
Dyfrlliw a gouache, 775 x 571

gyfnod. Gwelwyd y gwahaniaeth hwn mewn addysg gelf, cefnogaeth uniongyrchol i arlunwyr a chrefftwyr, a datblygiad y rhaglen arddangos a'r orielau. Cafwyd mwy o feirniadaeth gelfyddydol hefyd, dan arweiniad David Bell wedi'r rhyfel, er mai arlunwyr a oedd hefyd yn gallu ysgrifennu a chyflwyno eu syniadau ar y radio ac wedyn ar y teledu a oedd yn bennaf cyfrifol am hyn. Cyfrannodd Elis Gwyn Jones at y drafodaeth ar y celfyddydau gweledol, yn enwedig drwy gyfrwng y Gymraeg. Ond gan nad oedd cylchgrawn a arbenigai yn y diwylliant gweledol yn bodoli, cyhoeddwyd ei sylwadau ef a'i gyfoeswyr mewn cylchgronau a ymdriniai yn bennaf â llenyddiaeth, megis *Dock Leaves* dan olygyddiaeth Raymond Garlick, sef *The Anglo-Welsh Review* yn ddiweddarach. Un o'r arlunwyr-sylwebyddion amlycaf yn y Saesneg oedd y cerflunydd Jonah Jones a fuasai'n gweithio, ym 1949, yng ngweithdai Eric Gill, lle y rhoid pwyslais sylweddol ar y berthynas rhwng geiriau a delwedd. Symudodd i Lanystumdwy ym 1951 i weithio gyda Caseg Press, a oedd wedi ei hailsefydlu erbyn hynny. Yr oedd Jones yn ffigur pwysig fel torrwr llythrennau a cherflunydd portreadau yn y byd celf wedi'r rhyfel.

Mewn traethawd hunangofiannol cydnabu Jonah Jones ei ddyled i esiampl yr arlunydd a'r bardd David Jones a fu o gymorth iddo i ddatrys yr argyfwng hunaniaeth a'i harweiniodd yn y man i Gymru:

> I read David Jones's *In Parenthesis* and was so moved, so impressed by the sheer rootedness of it that I believe it marked a turning-point in my life. Furthermore, its author looked back with pride on the Cockney-Cymro blend of his ancestry and fixed it in this time, this space. Meantime, I well remember, I once looked across the Bristol Channel from Exmoor to the Promised Land and resolved that come what may, I would somehow get to Wales and there root down. Taid John Jones had emigrated from the Caerffili area, I would return.[50]

Yn ystod y 1950au bu David Jones yn ymchwilio i amwysedd ei hunaniaeth ei hun a thrwy hynny i gwestiynau yn ymwneud â Chymreictod, Celtigrwydd a Phrydeindod, cwestiynau a ddaethai i'r brig yn gyson yng ngwaith llunwyr delweddau o Gymru dros y pedwar can mlynedd flaenorol. Ar ddiwedd y 1950au a dechrau'r 1960au, fel yr oedd statws uchel yr *avant-garde* yn cilio, dangosai ei waith unwaith eto, yn enwedig yr arysgrifau a'r delweddau o themâu mytholegol megis *Trystan ac Esyllt*, fod cynnwys yn cael y flaenoriaeth ar ffurf. I'r rhai hynny a'u hystyriai eu hunain yn radicaliaid artistig a gwleidyddol yr oedd y gweithiau hyn yn ymddangos yn esoterig ac yn gam yn ôl. Yn araf y cawsant effaith uniongyrchol ar y cyhoedd yn gyffredinol, ond ni ellir amau eu dylanwad ar y deallusion hynny yr oedd y cwestiwn o hunaniaeth Gymreig yn hollbwysig yn eu golwg. Yn ystod tri degawd olaf yr ugeinfed ganrif dylanwadodd y gweithiau hyn ar ffordd o feddwl y rheini a oedd, heb yn wybod iddynt eu hunain o bosibl, yn paratoi ar gyfer esblygiad yn yr ymwybod Cymreig a fyddai'n gallu achub y genedl rhag y gagendor a oedd wedi agor yn sgil datblygiad y gymdeithas ddiwydiannol. Yr oedd diwydiannu yn wrthun yng ngolwg David Jones, ond o edrych arni o safbwynt y byd ôl-ddiwydiannol, y mae dwysedd ei ddelweddaeth fytholegol fel petai'n ategu'r ddelweddaeth angerddol a ddatblygodd yn y Gymru ddiwydiannol ar ôl y Rhyfel Mawr. Gellir ystyried bod gwaith David Jones ar ganol yr ugeinfed ganrif yn cynrychioli sawl agwedd gysylltiedig ar y genedl sy'n sail i lawer o'r ddelweddaeth a gyflwynir yn y gyfrol hon. Ymddengys bellach fod delweddu'r gymdeithas ddiwydiannol, a drafodwyd mewn cyfrol ar wahân yn y gyfres hon, yn ffrwd gyfochrog yn hytrach nag yn un sy'n llifo i gyfeiriad gwahanol. Hyderir y bydd delweddaeth y ddwy ffrwd yn cyfrannu at y gelf sy'n esblygu yng Nghymru yn yr unfed ganrif ar hugain.

693. David Jones,
Cara Wallia Derelicta,
1959, Dyfrlliw ar wyn sinc,
584 x 387

[50] 'Jonah Jones' yn Stephens (gol.), *Artists in Wales*, 2, t. 104.

Cydnabyddiaethau

Gwnaethpwyd pob ymgais i sicrhau caniatâd deiliaid hawlfraint i atgynhyrchu delweddau.

Atgynhyrchwyd y delweddau trwy garedigrwydd yr unigolion a'r sefydliadau canlynol. Cydnabyddir pob eglwys yn y penawdau perthnasol.

Academi Frenhinol Gymreig, Conwy: 486, 500
Amgueddfa a Chanolfan Hanes Lleol Nelson, Trefynwy: 121
Amgueddfa ac Oriel Gelf Casnewydd: 307, 308 (© Casgliad Preifat); 463, 555
Amgueddfa ac Oriel Gelf Dinas Bryste: 169
Amgueddfa ac Oriel Gelf Dinbych-y-pysgod: 637 (© Trwy garedigrwydd Ystad Augustus John a Llyfrgell Gelf Bridgeman)
Amgueddfa Brydeinig: 102, 244
Amgueddfa Ceredigion, Aberystwyth: 296, 297, 442
Amgueddfa Fitzwilliam: 459
Amgueddfa Hermitage y Wladwriaeth, St Petersburg, Rwsia: 179
Amgueddfa Lloyd George, Llanystumdwy: 528
Amgueddfa Sir Frycheiniog, Aberhonddu: 422
Amgueddfa'r Fenni, Gwasanaeth Amgueddfeydd Sir Fynwy: 67
Amgueddfa'r Sir, Caerfyrddin: 98, 420, 443, 549; 627 (© Ystad E. M. Lewis)
Amgueddfa'r V & A, Llyfrgell Darluniau: 113, 222, 226, 241, 511
Amgueddfeydd ac Oriel Gelf Birmingham: 457, 465
Amgueddfeydd ac Orielau Cenedlaethol Cymru
Amgueddfa ac Oriel Genedlaethol Caerdydd: 7, 8, 23, 25, 26, 32, 36, 41, 43, 55, 61, 110, 119, 159, 160, 163, 173, 175, 176, 178, 191, 194, 195, 196, 215, 224, 236, 237, 238, 243, 284, 309, 321, 335, 349, 350, 352, 361; 400, 424, 432; 435 (© Casgliad Preifat); 490, 499, 505, 509, 510, 514, 517, 529, 567, 572, 575, 583; 594, 595, 596, 619 (© Ystad Christopher Williams); 609, 610, 611, 615 (© Trwy garedigrwydd Ystad Augustus John a Llyfrgell Gelf Bridgeman); 630 (© Ystad Graham Sutherland); 634 (© Ystad Alfred Janes); 642, 645 (© Ystad Ceri Richards 2000. Cedwir pob hawl, Design and Artist Copyright Society); 692 (©Ymddiriedolwyr Ystad David Jones)
Amgueddfa Werin Cymru: 270, 281, 282, 288, 300, 357, 404, 491, 522, 523, 571
Amgueddfeydd ac Orielau Leeds, Oriel Gelf y Ddinas / Llyfrgell Gelf Bridgeman, Llundain: 225
Amgueddfeydd Dinas Nottingham, Amgueddfa'r Castell ac Oriel Gelf: 472, 473, 476
Amgueddfeydd Glasgow, Casgliad Burrell: 9
Archif Cyfeillion yr Hafod: 234
Archif Ffilm a Theledu Cymru, Aberystwyth: 667, 669, 670 (© Llyfrgell Genedlaethol Cymru); 668 (© Cynilion Cenedlaethol, Llundain); 587, 588 (© Archif Ffilm a Theledu Cymru)
Archifau Dinas Westminster: 180
Archifau Grŵp 56: 687
Archifdy Caernarfon, Gwasanaeth Archifau ac Amgueddfeydd Gwynedd: 325, 478, 569
Archifdy Sir Forgannwg: 497
Bwrdd Ymddiriedolwyr National Museums and Galleries on Merseyside
Oriel Lady Lever: 242
Oriel Gelf Walker, Lerpwl: 200, 427, 489
CADW: Henebion ac Adeiladau Hanesyddol, Hawlfraint y Goron: 12, 34, 65, 66, 69, 70
Canolfan Uwchefrydiau Cymreig a Cheltaidd Prifysgol Cymru: 1, 4; 11 (ffotograff: Charles a Patricia Aithie, Ffotograff); 13; 19 (© Fferm Gellilyfdy, Strutt a Parker); 20, 80, 93, 133, 262, 339, 428, 429, 454, 455, 480, 531, 556, 574, 577, 578, 579, 580, 585, 586, 593, 598, 599, 600, 601; 602 (© Ystad Eric Gill)
Casgliad Brenhinol © 2000, Ei Mawrhydi y Frenhines Elizabeth II: 199
Casgliad Cyngor y Celfyddydau, Oriel Hayward, Llundain: 632 (© Ystad John Piper)
Casgliadau Preifat: 31; 33 (eiddo Edward Harley Ysw.); 39, 40, 45, 46, 54, 58, 59, 99, 100, 104, 105, 106, 109, 111, 115, 116, 126, 127, 128, 129, 130, 131, 150, 156, 189, 190, 197, 198, 201, 229, 232; 235 (benthyciwyd y sleid trwy garedigrwydd Sotheby's); 272, 285, 286, 287, 289, 290, 292, 293, 299, 303, 304, 310, 311, 314, 318, 322, 337, 338, 346, 359, 377, 383, 384, 385, 390, 402, 403, 405, 410, 412; 418 (© Casgliad Michael ac Ann Gibbs); 438, 444, 451, 466, 467, 468, 469, 475, 477, 481, 482, 483, 484, 487, 492, 495, 506, 507, 508; 512 (235 (benthyciwyd y sleid trwy garedigrwydd Sotheby's); 513, 520, 521, 526, 535, 546, 554, 562, 563, 573, 591; 605 (© Robin Llywelyn); 606 (© Ystad Evan Walters); 616; 621, 622, 623 (© Ystad Harry Hughes Williams); 624 (© Ystad William Grant Murray); 625 (© Ystad Will Evans); 628 (© Ystad E. M. Lewis); 633 (© Ystad Alfred Janes); 635 (© Ystad Brenda Chamberlain); 638, 641 (© Ystad Richard Huws); 646 (© Ystad Ceri Richards); 647, 651 (©Ymddiriedolwyr Ystad David Jones); 653, 657, 658, 661, 662, 666, 672; 674 (© Claudia Williams); 675 (© Ystad Vera Bassett); 676; 680 (© Ystad John Elwyn); 685 (© Gwilym Pritchard); 689, 690 (© Jonah Jones)
Celfyddyd Gain Austin/ Desmond Cyf., Llundain: 650 (© Ymddiriedolwyr Ystad David Jones)
Coleg Diwinyddol Unedig, Aberystwyth: 315, 316, 355
Coleg Llanymddyfri, Llanymddyfri: 413, 423
Coleg Sant Ioan, Caer-grawnt: 42
Comisiwn Brenhinol Henebion Cymru, Hawlfraint y Goron: 3, 14, 15, 16, 21, 277
Cyngor Celfyddydau Cymru: 643 (© Ystad Ceri Richards 2000. Cedwir pob hawl, Design and Artist Copyright Society); 671 (© Ystad Brenda Chamberlain); 673 (© Ystad Ray Howard Jones); 681; 683 (© Kyffin Williams); 686; 688 (© Ystad Selwyn Jones)
Cyngor Tref Caernarfon: 516, 553
Dinas a Sir Abertawe
Amgueddfa Abertawe: 305, 306, 370, 382
Oriel Gelf Glynn Vivian: 172; 552 (© Ystad Christopher Williams); 640 (© Ystad Ceri Richards 2000. Cedwir pob hawl, Design and Artist Copyright Society)
Dove Cottage, Ymddiriedolaeth Wordsworth: 456
Eglwys Sant Andras, Llanandras: 124
Llyfrgell ac Archifau Coleg Madlen, Rhydychen: 166
Llyfrgell Bodley, Prifysgol Rhydychen, Llsgrau. Eng. Misc. e. 486/1, ff. 16v–17r: 217
Llyfrgell Brydeinig: 47, 48, 72, 73
Llyfrgell Ganol Caerdydd: 498, 524, 532 (ffotograffau: Charles a Patricia Aithie, Ffotograff)
Llyfrgell Genedlaethol Cymru: 2, 6, 17, 18, 29, 30, 44, 64, 71, 74, 75, 78, 79, 88, 94, 95, 101, 107, 108, 118, 125, 132, 140, 141, 142, 143, 144, 145, 146, 147, 148, 151, 152, 153, 154, 155, 158, 161, 162, 164, 165, 167, 171, 174, 181, 182, 187, 192, 202, 203, 204, 205, 207, 208, 209, 210, 211, 212, 213, 214, 216, 219, 220, 223, 227, 228, 230, 231, 233, 239, 245, 249, 250, 251, 252, 253, 254, 255, 256, 257, 258, 259, 260, 261, 264, 273, 280, 283, 291, 294, 295, 298, 302, 312, 313, 317, 319, 320, 323, 324, 328, 329, 330, 331, 332, 333, 334, 336, 340, 341, 342, 343, 344, 345, 347, 348, 351, 353, 354, 356, 358, 360, 362, 363, 364, 365, 366, 367, 368, 369, 371, 372, 373, 374, 375, 376, 378, 379, 380, 381, 386, 387, 388, 389, 391, 392, 393, 394, 396; 397 (© Prifysgol Cymru, Coleg Diwinyddol Unedig); 398, 399, 401, 406, 407, 408, 409, 411, 414, 415, 416, 417, 419, 421, 425, 426, 430, 433, 434, 436, 437, 439, 440, 441, 445, 446, 447, 448, 450, 453, 458, 461, 464, 479, 488, 493, 494, 496, 501, 502, 503, 504, 518, 519, 525, 527, 530, 533, 534, 536, 537, 538, 539, 540, 541, 542, 543, 544, 545, 547, 550, 551, 557, 561, 564, 565, 566, 568, 570, 576, 581, 582, 584, 590, 592, 597, 603, 604, 607, 608; 612, 613 (© Trwy garedigrwydd Ystad Augustus John a Llyfrgell Gelf Bridgeman); 614; 620 (© Ystad Christopher Williams); 626, 636 (© Ystad Brenda Chamberlain / John Petts); 631 (© Ystad John Piper); 648, 649, 693 (© Ymddiriedolwyr Ystad David Jones); 652, 654, 655, 656, 659, 660, 663, 664, 665; 677 (© Kyffin Williams); 679 (© Ystad John Elwyn); 682, 691
Musée des Beaux Arts de Strasbourg: 246
Nasjonalgalleriet, Oslo: 470 (ffotograff: J. Lathion)
Neuadd y Ddinas, Caerdydd: 559; 449, 558, 560 (ffotograffau: Charles a Patricia Aithie, Ffotograff)
Oriel Gelf ac Amgueddfa Aberdeen: 589 (© Trwy garedigrwydd Ystad Augustus John a Llyfrgell Gelf Bridgeman)
Oriel Gelf De Cymru Newydd, Sydney: 206
Oriel Gelf Dinas Caerwrangon: 471
Oriel Gelf Guildhall, Corfforaeth Llundain / Oriel Gelf Bridgeman: 22, 474
Oriel Genedlaethol Victoria, Melbourne: 168 (Cymynrodd Felton, 1949)
Oriel Genedlaethol yr Alban: 240
Oriel Martin Gregory, Llundain: 462
Oriel Portreadau Cenedlaethol, Llundain: 24, 186, 221
Oriel Tate, Llyfrgell Darluniau: 170, 248; 618 (© Trwy garedigrwydd Ystad Augustus John a Llyfrgell Gelf Bridgeman); 515; 629 (© Ystad Graham Sutherland); 644 (© Ystad Ceri Richards 2000. Cedwir pob hawl, Design and Artist Copyright Society)
Orielau Celf Dinas Manceinion: 485
Prifysgol Cymru, Aberystwyth: 431, 452; 639 (© Ystad Ceri Richards 2000. Cedwir pob hawl, Design and Artist Copyright Society)
Prifysgol Cymru, Bangor, Casgliad Bangor, Amgueddfa Bangor: 263, 326, 327, 395
Prifysgol Cymru, Caerdydd, Ysgol Bensaernïaeth Cymru: 548
Sefydliad Celfyddydau Detroit: 157 (Pryniad Cymdeithas y Sefydlwyr, Cronfa Sefydlu Robert H. Tannahill, Cronfa Joseph H. Parsons, Cronfa Cymynrodd Ralph Harmon Booth, Cronfa Caffaeliad Ymddiriedolaeth Gymynnol DeRoy, Cronfa Edna Burian Skelton, Cronfa Mary Martin Semmes, Cronfa Teulu Abraham Borman, Cronfa Mr a Mrs Allan Shelden III, ac arian oddi wrth Stanley R. a Lynn W. Day, Mr Richard A. Manoogian, Marvin a Betty Danto, Marianne Schwartz, Cyngor Paentiadau Ewropeaidd, Margaret H. Demant, Ruth F. Rattner, a chyfranwyr eraill)
Y Tabernacl, Machynlleth, Amgueddfa Celfyddyd Fodern: 617
Tŷ Tredegyr: 81 (© Rex Moreton): 82, 83, 103, 123
Yale Center for British Art, Casgliad Paul Mellon: 117, 120, 122, 177, 183, 184, 185, 188, 247, 460
Ymddiriedolaeth Genedlaethol, Llyfrgell Ffotograffau: *Tŷ Chastleton* – 149 (ffotograff: Charles a Patricia Aithie, Ffotograff); *Castell Y Waun* – 76 (Trwy garedigrwydd Oriel Gelf Guildhall, Corfforaeth Llundain), 84, 85, 92, 96, 97, 138, 139, 271; *Tŷ Cotehele* – 10; *Parc Dinefwr* – 134, 135, 136, 137; *Erddig* – 274, 275 (ffotograffau: John Hammond), 301; *Ymddiriedolwyr Ystad Castell Powis* – 5, 37, 38 (ffotograffau: Andreas Von Einsiedel), 35 (ffotograff: John Hammond)
Ysbyty Orthopedig a Dosbarth Robert Jones ac Agnes Hunt, Ymddiriedolaeth y Gwasanaeth Iechyd Gwladol: 684 (© Mark Fiennes)
Ysgol Dewi Sant, Ashford, Middlesex: 193
Ysgol Gynradd Glantwymyn, Powys: 678 (© Ystad John Elwyn)

Penawdau'r lluniau

Yn achos lluniau a chanddynt deitl neu bennawd cyfoes â'r llun, defnyddiwyd y teitl hwnnw heb ei gyfieithu. Rhoddwyd penawdau Cymraeg i'r lluniau a'r ffotograffau eraill.

Gweithiau sydd ar glawr:

Rhoddir y maint mewn milimetrau, uchder yn gyntaf. Rhoddir y prif gyfryngau yn unig. Ni roddir maint ffotograffau a gynhyrchwyd trwy brosesau negyddol/bositif.

Gweithiau coll neu weithiau a ddinistriwyd:

Ni roddir maint na chyfrwng oni wyddys eu bod yn gywir.

Mynegai